ADOLF MUSCHG

GEGENZAUBER

ROMAN

IM VERLAG DER ARCHE IN ZÜRICH

Das Motiv auf dem Umschlag ist die seitenverkehrte Nachbildung einer Gaunerzinke aus dem 16. Jahrhundert, im Stil Albrecht Dürers und in einem Zug gezeichnet

Printed in Switzerland by Schellenberg-Druck, Pfäffikon-Zürich
Gebunden von J. Stemmle & Co., Zürich

FÜR KONRAD

Either it brings the tears in your
eyes or else —
Or else what?
Or else it doesn't, you know.

LEWIS CARROLL: Alice in Wonderland

. . . Détachez la chaloupe
ou ne le faites pas, ou décidez encore
qu'on se baigne . . . Cela me va aussi.

SAINT-JOHN PERSE

INHALT

ERSTES BUCH

HIMMEL UND ERDE

Rauch aus dem Trockendock

Mein Name ist Klaus Marbach: ich schreibe jetzt ein Buch.

Früher, in höflichen Zeiten, war es Brauch, daß man sich entschuldigte, wenn man die Zahl der vorhandenen Bücher um eines vermehrte. Aber dann folgte gleich die Begründung, warum man sich eigentlich gar nicht zu entschuldigen brauchte. Das neue Werk war dazu bestimmt, eine Lücke zu schließen. Es erfand eine Lücke, dann sprang es hinein, und jedesmal wiederholte sich das Wunder: die Lücke wurde dicht. Ein neues bedeutendes Quantum Leere sah sich verdrängt. Arnold Winkelried dichtete bei Sempach für die Eidgenossenschaft, Lesseps für ein gemischtes englisch-französisches Konsortium in der Wüste, Goethe für Sachsen-Weimar. Aber ihre Dichtungen funktionieren nach wie vor schlechter als unsere Lücken. Die Lücken pirschen sich immer wieder an.

Schade: auf meinem Bücherbrett ist kein Raum für Lükken. Ich muß eine andere Ausrede finden. Ich habe zu viele Bücher: 365, die Taschenbücher nicht mitgezählt. So viele Bücher wie Tage im Jahr. Normalerweise lese ich keinen Tag an einem Buch, Stifters Witiko natürlich ausgenommen. Ich war einmal eine Lesemaschine, obwohl ich mich nicht flüchtig nennen möchte: gerade beim Überfliegen prägen sich mir gewisse Wendungen der Klassiker unauslöschlich ein. Man wird sie in diesem Buch wiederfinden und mir meine Altklugheit, mit der ich mich bei Gleichaltrigen unbeliebt mache, bestätigen müssen. Altklugheit ist sonst ein vortrefflicher Schutz: ich kann sie andern Einzelkindern nur empfehlen. Die meisten Erzieher stehen gerührt davor, besonders wenn sie mit einer gewissen anmutigen Verlegenheit gepaart ist. Auch diese kann man sich erwerben.

Seit einiger Zeit haben sich meine Bücher nicht mehr vermehrt. Dafür gibt es Gründe. Zuerst ist mein Büchergestell voll. Ich bin bereits darauf angewiesen, *à fonds perdu* Bücher auszuleihen, um Ordnung zu halten: ich liebe keine Bücher auf meinem Schreibtisch. Der gelbe Backstein, eine Reliquie der «Soldanella», ist sein einziger Schmuck. Im Gegensatz zu Herbert bin ich ein *clean desk man*. Natürlich könnte ich jederzeit anbauen. Meine Mutter, die ich der Kürze zulieb Mum nenne, würde es begrüßen, wenn ich mein Ziegelstein- und Bretterprovisorium durch etwas Gediegenes in poliertem Nußbaum ersetzte. Backstein ist unsauber; Diana klagt über Rötel im Staubsauger. Aber ich denke nicht an Besserung. Raum für Bücher wird von mir nicht mehr benötigt. Ich möchte jetzt auf dem sitzen bleiben, was ich weiß. Die Lust auf Neuheiten ist mir seit einem genau fixierbaren Datum abhanden gekommen. Ohnehin wird das mittlere Brett im Oktober geleert sein: sobald die Matura vorbei ist, gehen meine Schulbücher in Flammen auf. Das Brett wird frei für Platten, ein paar Steine, vielleicht eine Silberdistel, die keine Pflege erwartet. Immer vorausgesetzt, ich bleibe noch eine Weile im Land. Die Auswanderungsformalitäten für San Francisco sollen langwierig sein. Aber das wird kein Warten, für das man Lektüre benötigt. Es ist zum Lachen: ich habe alle Hände voll zu tun.

Denn ich schreibe ein Buch. Das ist keine Inkonsequenz, das ist ein Gelübde. Mein Buch ist nicht dazu bestimmt, meine bestehenden Bücher um eines zu vermehren. Vielmehr wird es eins überflüssig machen: das dreihundertfünfundsechzigste. Es steht ganz rechts außen in der obersten Reihe; schon ist es nur noch angelehnt, im Oktober wird es fallen. Oktober ist ein gutes Datum für Umstürze. Sehen Sie es nochmals scharf an. Es ist kein unwichtiges Buch. Als es vor drei Jahren erschien, sind manchem die Augen davor übergegangen. Die rote Bauchbinde habe ich ihm abgenommen. Sie verkündete, daß das Buch den großen Literaturpreis gewonnen hatte. Sie erinnern sich jetzt: Roland von Aesch: «Die Kurvenschneider. Fast ein Schelmenroman.» Es ist um den Autor seither stiller geworden. Ich werde dafür sorgen, daß er wieder ins Gespräch kommt.

Graphisch usw. könnte man das Buch durchaus gelten lassen. Ich hätte nichts dagegen, wenn mein eigenes gleich aufgemacht würde. Die silberne Grotesktype ist apart gegen das Rostrot des Einbands abgesetzt. Das Papier schmeichelt den Fingern. Der Satz ist so klar, daß man glauben könnte, das Buch sei von Anfang an fertig gewesen. Aber ich weiß Wort für Wort, Satz für Satz, wie es geschrieben wurde. Das Buch ist gelogen. Darum, wenn Mum den Kopf durch die Tür steckt und fragt: schreibstu was schreibstu auch immer Klaus? sage ich: ich schreibe nicht, Mum, ich korrigiere. So ist das nämlich. Es kostet übrigens genau gleich viel Mühe. Man muß doch überall von vorn anfangen. Bei Roland sind schon die Anfänge schief eingehängt. Der Schluß aber, der Schluß *stinkt*.

Ich werde dein Buch ersetzen, Roland. Es steht keinen Augenblick länger bei mir, als bis es als Waffe gegen dich ausgewertet ist. *Ote-toi que je m'y mette*. Ich schreibe nicht zum Vergnügen. Ich hoffe, diese Tatsache verbessert meine Gefährlichkeit. Vielen Jugendlichen sagt man nach: sie seien gut, es fehle ihnen nur das rechte Motiv. Das soll mir nicht passieren. Ich habe ein Motiv, und ich bin böse.

Im übrigen darf ich mich glücklich nennen. Ich stamme aus gutem Haus; genauer besehen, ist es ein Bungalow, ich komme darauf zurück. Meine Eltern haben sich im Herbst 1962 getrennt; seither darf ich in einem gesunden Klima aufwachsen. Viel zu wachsen gibt es hoffentlich nicht mehr. Meine 1.82 genügen mir. Freundin habe ich keine. Meine Konsumbedürfnisse pflegen erfüllt zu werden. Wesentlich trägt zu meinem Wohlbefinden der Volvo bei, den ich von Pa anläßlich meines 18. Geburtstages geschenkt bekam. Pa lebt mit Sabine und ist Atougroßhändler; die Reihenfolge wechselt, aber Sabine scheint da weniger empfindlich zu sein als Mum. Es macht Mum übrigens nichts mehr aus, sich im Volvo zur Coiffeuse fahren zu lassen. Ich tue ja mein möglichstes. Aber ich hätte nichts dagegen, wenn sie selber fahren lernte, wo ohnehin schon so viel meiner Zeit durch Schulbesuch verloren geht. *Ich* habe auch mein Reiten abgebaut, und Pa kann strampeln wie er will, er kriegt mich nicht mehr ins «Albis», nicht einmal in die Hummer-Bar. Wir legen dann einmal ein paar deiner Besuchstage zusammen, Pa, tröste ich ihn, und fahren nach Gstaad, das ist gesünder, oder nach Lindau, wenn dir dran liegt. Ich habe noch Rückstand in Geschichte, du verstehst, Hannibals Alpenübertritt geht vor. Pa rührt sich, er läßt mich nicht entgelten, daß ich 18 gewesen bin. Er ist menschlich außerstande, mit nichts als einem Volvo – er hat ihn billiger – seine Unterhaltspflicht zu beenden. Du bleibst mein lieber Sohn, an dem ich Wohlgefallen habe, auch wenn du studieren solltest. – Es ist noch sehr fraglich, ob ich von dieser Offerte Gebrauch mache. San Francisco könnte dazwischenkommen.

Wie auch immer: für den Augenblick habe ich meine Lebensaufgabe. Ich lasse nicht an ihr rütteln. Wenn Matura-Vorbereitungen unter diesen Umständen nicht stattfinden können, so ist das Pech. Wenn die Matura selber ins Auge geht, ist das nochmals Pech. Natürlich lege ich es nicht darauf an; ich bin ja kein Masochist. Pas Unterstützungswille soll seine Chance kriegen. Ich werde auf alle stillen Reserven meiner Treuherzigkeit zurückgreifen, um die Lehrer bei Laune zu halten. Zum Glück ziehen meine zerrütteten Familienverhältnisse immer noch. Der gestrickte Heiland soll ja mit ihnen im Konvent *his finest hour* erlebt haben, als mir im Herbst Ausschluß drohte; wegen Leistungsrückgangs. Das Scheidungsmotiv bleibt ausbaufähig, aber es bedarf delikater Behandlung. Ich habe davon auszugehen, daß einige meiner Erzieher auf Pa neidisch sind und also bereit, mich fühlen zu lassen, daß sie ihren eigenen Frauen nicht davonlaufen dürfen. Wenn alle Stränge reißen, komme ich auch ohne Matura nach San Francisco. Dort sieht man bekanntlich auf den Mann und nicht auf das Diplom.

Wer hätte gedacht, Roland, daß ich mich deinetwegen noch in solche Unkosten stürzen würde! Aber der Backstein auf meinem Pult schreit Rache, und wenn Steine schreien, muß man alles liegen und stehen lassen und folgen. Paß auf, Roland, es handelt sich da um etwas ganz Mittelalterliches.

Das geht durch Eisen und Fleisch, das geht bis zum Halali. Ich blase mithin zur Jagd: lange Monate wird sie, obwohl ich dazu sitzen bleiben kann, nur meinen eigenen Schweiß kosten. Aber am Ende wird dein Schweiß an meinem Papier kleben, und du weißt, was Schweiß in der Jägersprache bedeutet. Deine Technik (preisgekrönt) gegen meine Mühe; deine Schweinerei gegen meine gesammelte Kindheit. Wir werden sehen, wer den längeren Atem hat. Tobias Hüttenrauch und Felicitas Schnetzler, steht mir bei! Ihr wißt, ich will mir die «Soldanella» nicht ins Knopfloch stecken. Ich will sie nur wieder blühen lassen, genau an der Stelle, wo ihr sie gepflanzt habt. Du stehst ihr im Licht, Roland, also mußt du weg. So einfach ist das.

Sauge ruhig lauter, Diana, du staubige Muse. Jetzt sind wir nicht mehr zu stören. Nicht mehr zu halten. Es geht langsam los.

Augenschein und Bogenschießen

Ein Fenster ist ein guter Ort, sich zu orientieren. Unser Bungalow steht ein paar Meter über der zweitwichtigsten Kreuzung Überseens, hundert Meter über dem See, der zwischen dem alten Gemeindehaus und der neuen Post in wolkiger Tiefe schwimmt, und vierhundertzwanzig Meter über Meer. Für die Nähe der Stadt gibt es heute nur Indizien: etwa den kaum abreißenden Verkehrsstrom, der sich jetzt, ein paar Minuten vor vier Uhr, von rechts her auf der naß glänzenden Expreßstraße heranbewegt. Eine Prozession von Standlichtern, die bei den Ampeln gerade unter uns vorübergehend zum Stillstand kommt, um dann nach links in die ansteigende Bergstraße, nach rechts in die stark fallende Bergstraße, vor allem aber durch die Mitte abzufließen, Richtung Wohlentbehren, Brunnenbach, Käslikon, Waffelstetten, Rietholz, Brauchenberg und Neunwegen, Dörfer seeaufwärts, die gleichfalls vom Verkehr bedient werden wollen. Wäre es nicht spät im Januar, sondern zum Beispiel im März oder klaren September, so wäre mühelos die Stadt selbst zu sehen, auch über dem First der Post das zartere Profil der Albiskette und durch die Schneise der Bergstraße das jenseitige Ufer mit seinen Siedeleien, deren einzelne Fenster man bei Föhn zählen kann. Es wären ferner, rechts vom Apotheker Nievergelt, die Alpen zu sehen, nicht so appetitlich garniert wie über den städtischen Anlagen, auch weniger umfassend, denn von links schiebt sich die Schulter des Pfannenstiels weit vor, aber für einheimische Bedürfnisse genügt es. Man muß heute, wie an den meisten Tagen dieses Winters, mit noch weniger Horizont zufrieden sein. Genau und deutlich schweben nur die breiten Naßschneeflocken auf den geplättelten Balkon vor dem Fenster, wo sie eine Weile liegenbleiben wie zerlassenes Ei in der Suppe, nachlässiger vergehen als unten auf dem Asphalt, über dem schon ein beschlagener Hauch, ein Schatten von Entfernung liegt; hinter den Nachbardächern verdichtet sich der Hauch zum Dunst und noch etwas weiter zum Nebel, den eine undenkbare Abendsonne dürftig erhellt. Wir sehen fast nichts, und doch: wir sehen genug. Wir sehen die Kreuzung mit ihren nicht ganz regelmäßig gewinkelten, nicht ganz großzügig angesetzten Armen; wir sehen die paar Häuser, die teils Zeugen waren, teils leidtragende, teils lachende Erben; wir sehen nämlich dicht unter uns, hundert Meter in die Breite und die Länge, das Grab Überseens.

Stimmt: es gibt Überseen nur noch dem Namen nach. Vor drei Monaten, am 5. November, gingen wir zum letzten Mal als selbständige Gemeinde zu Bett und standen am 6. morgens als städtisches Quartier wieder auf – ein Schlag, den Friedrich Hüttenrauch nicht mehr erleben mußte. 1000 Jahre Überseen waren gewesen, dieselben 1000 Jahre, die man eben noch mit einem Trachtenchor, einer Tombola und sogar einer ausländischen Parlamentarierdelegation streng dörflich gefeiert hatte. Vieles deutete darauf hin, daß es bei dieser überstürzten Eingemeindung nicht mit rechten Dingen zuging; ich erinnere nur an das Ableben unseres Gemeindepräsidenten Pfaff unmittelbar vor der entscheidenden

Gemeindeversammlung. Das war sozusagen ein gezieltes Opfer gewesen, denn die Behörde konnte nun den Anschluß als den letzten Willen dieses allseits verehrten Mannes ausgeben. Er habe es persönlich nicht mehr erleben wollen, hieß es, aber sachlich müsse es sein. Es müsse sein aus verkehrspolitischen, städtebaulichen und sanitarischen Gründen, und ein Gremium von Experten, die man aus halb Europa herangezogen hatte, bestätigte mit tief ernsten Gesichtern, so sei es, es müsse sein. Zum Schluß bekräftigte es auch noch der Pfarrer, ein gewandter und auf den Wegen Gottes bewanderter Redner, der die Eingemeindung Überseens als Krönung seiner uralten Eigenständigkeit und den Entschluß dazu als einen sittlichen hinzustellen wußte. Er war der Hausherr, denn die Gemeindeversammlung fand in der Kirche statt, einem Ort, wo Widerspruch und Parteiengezänk sich nicht recht schicken, und so kam es, daß die Gemeinde, diskussionslos und wie vor den Kopf geschlagen, ihre eigene Auflösung beschloß. Es gab wohl Leute, die ihr Gedächtnis wiederfanden, sich an die ruhige Selbstsicherheit erinnerten, mit der Überseen die Werbungen der Stadt viele Jahrzehnte zurückgewiesen und dabei halb kokett, halb diskret auf seinen Steuerfuß hingewiesen hatte, der weit und breit der niedrigste war und eine ganz andere Straßenlage erlaubte, als sie der städtische zu bieten hatte; es gab nachträgerische Naturen und Querulanten, aber sie waren eine halblaute Gruppe und sahen sich einer geschlossenen Front von leitenden Männern gegenüber. Überseens Stunde hatte geschlagen; es ging an die Stadt, und wenn dieser – wie die Befürworter sagten: natürlichen – Entwicklung ein Geheimnis zugrunde lag, so nahm Überseen den Schlüssel dazu ins Grab mit.

Die Kreuzung hier ist unterdessen lichterhell geworden, die Natriumdampflampen belegen den Asphalt mit künstlichem Mondschein, endlose Scheinwerferkolonnen keimen aus dem Nebel hervor, der stumpf und undurchdringlich geworden ist und sich nur über der Stadt rötlich entzündet hat. Auf breiter Fährte huschen die Wagen an den Ampeln vorbei; einen Augenblick sieht man gehäkelte Handschuhe sanft auf weißem Steuer liegen, ein Stück Fleisch zwischen Handschuh und Manschette, eine grüne Krawattenfalte, eine Andeutung von Sicherheitsgurt, dann wird das Fragment weggeräumt, abgedeckt durch stumpfen Lack; Wagen um Wagen schnellt in die gleichfalls unaufhörliche Flucht der Hecklichter. Es fällt schwer, an dieser unruhigen Stelle ein Grab zu vermuten, ein Geheimnis anzunehmen bei dieser vollkommen zweckmäßigen Beleuchtung, und wenn der Schlüssel dazu auf der Straße läge, so müßte man verzweifeln.

Nun – ich will die Sache nicht dunkler machen, als sie den Bürgern Überseens ohnehin schon ist. Ja, ihre schwarzen Zweifel sind begründet. Überseen ist nicht aus städtebaulichen Gründen eingemeindet worden. Es hat sich an dieser Kreuzung moralisch verblutet. Dein Buch, Roland von Aesch, war ein Schlag, den der Gemeinderat Überseens nicht zu überleben glaubte und es darum vorzog, gleich die ganze Gemeinde verschwinden zu lassen. Nicht ohne vorher die «Soldanella» abzureißen, das Wunder dieser Geschichte, meiner Geschichte. Ich verzeihe dem Gemeinderat, weil mir diese geprüften Männer leid tun. Sie müssen einander, ja sogar sich selber so verdächtig geworden sein, daß sie sich nicht mehr im Spiegel anzusehen wagten und der Präsident Pfaff sich ja auch richtig das Leben nahm. Dir aber, Roland von Aesch, dir trag ich's nach. Du hast den Schlüssel zu unserem Geheimnis besessen und ihn veruntreut; du hast ihn vorgezeigt und damit einen Kurzschluß gestiftet, der zwei Gemeinden, einer öffentlichen und einer verschwiegenen, das Leben kostete. Es ist nun alles vorüber. Die «Soldanella» ist weg, Tobias und seine Freunde in alle Winde zerstoben, der Anschluß Überseens Tatsache geworden. Aber eines kann ich noch tun. Ich kann dir die Gewalt über den Schlüssel nehmen, den du ja nur vorgezeigt hast, um ihn in die Tasche zu stecken und gegebenenfalls wieder zu verwenden. Ich kann die Geschichte der «Soldanella» erzählen, wie sie wirklich war – nicht unvollständig und aus Rancune wie du, sondern wahrhaftig und aus Liebe, denn sie war auch die Geschichte meiner Kindheit, soweit ich eine hatte.

Sehen wir spaßeshalber noch einmal zum Fenster hinaus, nach rechts, zum Block des *Charcutiers* Speiser hinüber – seit Überseen eingemeindet ist, gibt es bei uns keine Metzgereien-Wurstereien mehr. Auch der Speiser hat Lichter aufgesteckt, spiegelndes Schaufensterlicht und darüber bläuliches Bürolicht, sieben Stock hoch bis unters Dach, das immer noch ein Dächlein ist, ein jämmerliches Heimatschutzdach – unsere Bauordnung will es so. Bei Tage sieht man noch besser, wie wenig Phantasie an den Block verschwendet wurde, er ist ein Beispiel für den öden und unverbindlichen, aber im Quartier Überseen herrschend gewordenen Haus-Ersatz, der mit dem Speiser, mit der Post, mit dem Neubau Bruderer auch unsere Kreuzung zu umstellen und in den gleichgültigsten Ort der Welt zu verwandeln beginnt. Nein, man würde dem Speiser kein Geheimnis zutrauen – tatsächlich hat er auch keins. Aber er ist an die Stelle eines Geheimnisses getreten; gäbe es einen Röntgenblick in die Vergangenheit, so könnte man hinter dieser banalen Fassade so etwas wie ein Monument aufscheinen sehen, in violetter Silhouette, stell ich mir vor, und rührend klein und verdrückt wie eine Sektenkirche in der Fifth Avenue. Und vor diesem Gespenst eines Häuschens lüfte ich täglich, wenn ich am Speiser vorbeifahre, einen Augenblick das Gaspedal. Hier hat die «Soldanella» geblüht, und hier ist sie erfroren. Aber ich muß bitten, sich an meinem Fenster nicht festzusehen. Du siehst jetzt noch nichts Genaues. Sieh lieber am Speiser vorbei, wie er es verdient, laß deinen Blick die Richtung nehmen, aus der immer noch die Wagen kommen, die Richtung zur Stadt. Überseen als ganzes macht Front in dieser Richtung, heute natürlich noch mehr als gestern; unser Bungalow tut es auch, denn bei gutem Wetter ist es die Seite der Abendsonne. Blick also über den Parkplatz, den erstaunlich geräumigen Parkplatz der Charcuterie hinweg dahin, wo sich einmal das Ried zu Füßen der kantonalen Irrenanstalt dehnte, wo man heute, wenn kein Nebel wäre, die crèmefarbenen Blöcke des sozialen Wohnungsbaus sich drängen sähe, blick über den gleichfalls überbauten Moränenhügel hinter der immer noch gebieterischen Anstalt weiter zum untern See-Ende, wo normalerweise zarte Türme den leicht etwas dunstigen Himmel abstecken und weiter draußen die Hochhäuser, die man nicht an unser Stadtbild heranlassen wollte und die doch eigentlich das Schönste daran sind ... Das ist die Richtung dieser Geschichte. Von dort unten kamen sie nämlich her, die meisten von Tobias' Freunden, Fritz Bär, Stefan Sommer, Herbert Frischknecht und Messiah McNapoleon, aber auch die Mädchen, Nell Rüfenacht, Monika Hauri und Agnes Bock, nur Mathis Kahlmann nicht, denn der wohnte ja sozusagen im Haus. Aus der Stadt kam, zu ihrem Schaden, Eliane Hüttenrauch, kamst leider auch du, Roland von Aesch; von dort unten kamen schließlich, als die Sache mit Balthasar Demuth angelaufen war, die Konservatoren Hutzli, Bodenschatz und Feigenwinter, der Kunsthistoriker Prof. Anderegg, Stefans Chef und ein wichtiger Mann, und in ihrem Gefolge kamen dann städtische Kunstkommissionen, Delegationen von Denkmalpflegern, kam auch der internationale Kunsthändler Papierbuch – sie alle kamen um der «Soldanella» willen, die über Nacht ein Meerwunder geworden war. Überseen aber sonnte sich in seiner Publicity, bis alles ein Ende mit Schrecken nahm. Nimm jetzt den Blick wieder zurück aus dem Nebel bis dahin, wo eben Frau Dr. Budliger mit ihrem kleinen Morris auf Speisers Parkplatz trudelt, knapp vor Ladenschluß und natürlich ohne die Räder geradezustellen: hier stand einmal der Gemeinderat Überseens in einer prüfenden und bewundernden Gruppe vor der «Soldanella» und nickte mit allen sieben Häuptern. Es ist kaum zu glauben, daß von alledem keine Spur geblieben sein soll ... es ist auch nicht ganz richtig. Und jetzt muß ich dennoch bitten, ganz genau hinzusehen.

Merkt man was? Merkt man, daß es mit der Linienführung der Expreßstraße nicht ganz geheuer ist? Von hier aus kannst du sie schnurgerade kommen sehen, wie sich das für sechs Spuren gehört. Aber wo sie am allerübersichtlichsten sein sollte, da zu unseren Füßen, genau vor der Kreuzung, da macht sie einen Bogen, einen leichten Bogen von uns weg – wenn du genau zusiehst: einen Bogen um den Parkplatz der Charcuterie. Speiser, gewiß, ist ein mächtiger Mann, der Laden da ist nur einer aus einer ganzen Kette, die aus einem vollautomatischen Schlachthof irgendwo im Kreis 11 beliefert wird; außerdem hat er eine schwere Hand im Ledergeschäft und verfügt durch seine Parteifreunde über allerhand Einfluß im Gemeinderat. Über seinem blutigen Reich geht die Sonne nicht unter. Aber diesen Bogen, diesen Bogen hätte er nicht hingekriegt, für keinen Kopfstand und schon gar nicht für einen lumpigen Parkplatz. Nein, der Speiser kann nichts dafür, daß da auf gute hundert Meter das Trasse kurvenförmig gelegt ist und im Unterbett die Kanalisation, die Frischwasserleitungen und Ferngasleitungen und unterm Trottoir die Stromleitungen kurvenförmig; der Speiser hatte da nicht mitzumischen, wenn es ihm jetzt natürlich auch nur recht sein kann, daß er mehr Parkfläche kriegt.

Ich wollte, ich hätte noch kein Wort von der «Soldanella» fallen lassen, um diesen Bogen jetzt rätselhaft nennen zu können, total rätselhaft, denn Rätsel sind gut am Anfang einer Geschichte und machen den Leser auf ihre Auflösung gespannt, so daß er bald nicht mehr merkt, daß er geschriebene Sätze liest. Aber ich will nicht über meine Verhältnisse schreiben; was ich angedeutet habe, habe ich angedeutet, und ich habe es, glaub ich, ja doch so schwach angedeutet, daß der Leser ebensogut weiter gespannt sein kann. Diesem Bogen nämlich, den ich täglich im Volvo ausfahre, ist meine Geschichte aufgesetzt; ich brauche mich nicht zu schämen, wenn ich immer wieder zu ihm zurückkehre, bis auch meine Sätze ihn genommen und tief eingefahren haben; bei diesem Bogen werde ich meine Pfeife noch x-mal ausgehen lassen und wieder anzünden, bei geschlossenen Augen werde ich ihn drehn und wenden, bis er zum Pfeilbogen geworden ist, von dem meine Geschichte abschnellt und die Sache ins Herz trifft, und dich auch, Preisträger Roland von Aesch, dich auch ganz nebenbei. Man braucht gute Augen, diesen Bogen als

Gegenstand einer Geschichte zu sehen, man braucht eigentlich die Augen meiner ganzen Kindheit dazu. Ich will sie dem Leser zu schärfen suchen. Und ich will jetzt eine Technik verwenden, die ganz sicher erprobt ist, denn sie kommt schon beim alten Homer vor, auf den unser Deutschlehrer solche Stücke hält und immerzu bedauert, daß er Schüler unterrichten muß, die den Homer nicht im Original lesen können: ich erzähle jetzt ganz ausführlich die Geschichte dieses Bogens, seine Herkunft, wer ihn machte und schmückte und wie es dazu kam und mit welchem Recht ich den Bogen führe. Ich erzähle sie weitschweifig wie jene alten Helden; die nahmen sich auch Zeit, einander haarklein zu erzählen, was es mit dem Gerät auf sich hatte, das sie einander in den Leib rennen wollten. Ich erzähle aber die Vorgeschichte meines Bogens nicht einfach so. Ich dokumentiere sie auch und muß in kurzem bitten, zur Einsicht meiner Unterlagen vom Fenster wegzutreten. Vorher nur so viel: ich werde mir Mühe geben, bei der historischen Vorführung des Bogens ganz unter der Hand auch den und jenen Pfeil zum Schuß bereitzumachen. Eine Kriegslist; vielleicht trägt sie zur Hebung der Spannung bei, obwohl ich sie nun auch wieder ausgeschwatzt habe; aber ich möchte nicht, daß dem Leser eine technische Feinheit verloren geht. Schreiten wir also zu meinem Tisch.

Das erste Katasterblatt

Er ist gedeckt, bitte sehr. Zuoberst liegt ein Katasterplan aus dem Jahre 1911 – ich will ihn römisch eins nennen, obwohl ich voraussehe, daß ich vergessen werde, weiterzunumerieren. *Überseen-Oberdorf*, so steht es in sauberer Rundschrift in der Ecke. 1:500 – ein großzügiger, ausgezeichnet überblickbarer Maßstab; man brauchte nicht hoch zu fliegen, um unser Quartier so zu sehen; eine unternehmungslustige Krähe würde es schon schaffen. Damals war das Oberdorf noch die oberste geschlossene Siedlung Überseens. Die Häuschen ballen sich gegen den untern linken Kartenrand hin – sie sind auch heute noch durchs Fenster zu sehen, rechts von der neuen Post und teilweise von ihr verdeckt, ein Ziegelfeld leicht eingenebelt ans andere geschmiegt, altertümliche Ziegel, schwarzrote und graumelierte, die Muster bilden und sich vor den Kaminen ein wenig werfen, und es gibt da viele Kamine. Das Idyll ist nicht immer ganz unschuldig, manche Leute haben ihr Dach alt-neu decken lassen und die Patina, die sie nötig haben, weither geholt. Man kann es den paar Dächern ansehen, unter denen wirklich noch Hexen wohnen und pensionierte Krankenschwestern und vor sich hin dämmernde Kanarienvogelpfleger; das sind die verzitterten Dächer, die bröckligen, die begrünten. Nein, es sind andere Leute, bessere Geschäftsleute als die Hexen, die sich jüngst im Oberdorf zusammengetan haben, um die Gasleuchten wieder einzuführen, die es da vor fünfzig Jahren gab – natürlich Attrappen, die mit Elektrizität funktionieren und unter denen kein Schimmelfuhrwerk mehr stehen bleibt. Aber man legt heute Wert auf Gasleuchten vor den nachgemachten Engadinerfenstern; die selben Leute haben ja auch den Verputz von ihren Häusern abgeschlagen und lassen das Fachwerk im Glanz blutig neuer Ölfarbe scheinen, sogar bei Häusern, die nie Fachwerk gekannt haben. Es sind Leute aus der Stadt, die Bescheid wissen und den Wert ihrer Häuser so steigern, daß die Hexen sich nicht mehr leisten können, darin zu wohnen.

Zurück zum Katasterplan römisch eins. Das Nest von Hexen–, damals noch: Weinbauernhäuschen drängt sich also um eine Straße, die sinngemäß ebenfalls «Oberdorf» heißt, bis sie oben scharf links biegt, um den Brunnen herum, der heute zugemauert ist; dann heißt sie «Rietstraße» und verläuft sich Richtung Stadt, ohne die Stadt jemals zu erreichen. Das tut weiter unten die sogenannte Alte Landstraße, die man auf dem Plan nicht mehr sieht, weil sie zum Blatt «Hinterdorf» gehört; auf ihr zogen einmal die schwarzbemützten Bauern mit ihren Rindlein, die Weinfuhren, die Barometermacher und die Wettermacher, die Hagelhanse und die Kleinjogge mit Schnappsack und geschulterter Harke zwischen den Dörfern und der Stadt beschaulich hin und her. Aber die Alte Landstraße zählt heute auch nicht mehr, wo die beiden Expreßstraßen, die dem See entlang und die unsere, das Ufer unterhalten, und die Rietstraße zählte weder damals noch heute. Damals zog sie sich, wie ihr Name sagt, in die flache sumpfige Terrasse hinüber, die dem Moränenhügel vorgelagert ist, und verschwand unter Binsen und im Gequak der Frösche. Wer sie beschritt, nahm sich die Mühe, um Schilf zu schneiden für die Zwischenböden oder Torf zu stechen für die Sämereien; und wer sie nach dem Einnachten beschritt, tat es auf eigene Verantwortung; denn wie im Oberdorf die Hexen, so herrschten dort draußen noch Irrlichter und Feurige Männer; im Schutz der Irrenhausmoräne fackelten sie zum letzten Mal in die feindliche Stadt hinüber.

Außer der um die Ecke trödelnden Rietstraße hat das «Oberdorf» aber auch noch ein gerades Ästchen angesetzt. In ihrer Fortsetzung steigt ein Knüppelpfad, «Keßler» geheißen, unverzagt in den Rebhang hinein, der hier ganz schön Steigung hat. Hier wurden in roheren Zeiten – ich habe sie nicht mehr erlebt – die Baumstämme vom Wald niedergeschleust, um in der Sägerei des Oberdorfs, heute ein Tea-Room mit Fachwerk, zerkleinert zu werden. Um 1911 schleiften die Pferde das Langholz noch auf der bloßen Erde; später, als der «Keßler» asphaltiert wurde, war es zu schade um den Belag, da mußten schon Wagen her, mit denen die Pferde gelegentlich durchbrannten. Im Zweiten Weltkrieg kamen diese Fuhren wieder zu Ehren, man zog den Wald wieder heran, der unterdessen schon zum sogenannten Erholungsgebiet aufgerückt war, und mir scheint, ich habe das Quietschen der Bremsen noch im Gehör, mit denen man den Pferden damals das Ziehen erschwerte. Zum Vorteil der Pferde natürlich, sonst wären die gewaltigen Stämme mit Pferd und Mann Schlitten gefahren, denn der Hang ist enorm. Es soll auch einmal vorgekommen sein, daß eine Fuhre sich selbständig machte, trotz blockierter Räder, und die ausbrechenden Pferde vor sich hin schob, den ganzen Keßler hinunter und stur weiter über die Rietstraße am

Brunnen vorbei über den Miststock des Bauern Bruderer und durch seine splitternde Scheunenwand unaufhaltsam wie ein Rammbock in Bruderers gute Stube hinein, wo das Ganze vor der strickenden Hausfrau zur Ruhe kam, die nun allerdings angesichts der tobenden Pferdeköpfe ihre Ruhe verlor und das Strickzeug sinken ließ. Aber nein – Hüst und Hott und Quietschen und Splittern sind Töne vor meiner Zeit. Ich bin 47 geboren, als der Überseer Wald seiner Aufgabe als Erholungsgebiet schon wieder zurückgegeben war, als kein Nutzholz mehr geschlagen werden durfte, weil die Kohle durch das frierende Europa wieder zu uns hereinrollte und langsam schon das Heizöl; als Bruderer anfing, durch Landverkauf an seine verschonten und also gesegneten Mitbürger selber so viel Segen zu erfahren, daß seine Frau das Strickzeug überhaupt weglegte und Fahrstunden nahm. Was ich weiß aus Überseens verklungener Holz- und Pferdezeit, weiß ich von Fee, die ohne fließendes Wasser aufgewachsen war, und das Quietschen der Bremsen muß mir Tobias selbst vorgesungen haben, der noch eine Kindheit mit Tönen gehabt hat; ich selber kann mich fast nur an Geräusche erinnern. Aber wir sind mit dem Katasterplan von 1911 noch nicht zu Ende, im Gegenteil. Die Hauptsache ist nicht das Oberdorf mit seiner bescheidenen Gabelung in Keßler und Riet, die Hauptsache ist die Bergstraße, und sie verfährt wie folgt. Sie durchbricht den untern Kartenrand, offenbar unwillig, sich in den bestehenden Tuschrahmen zu fügen; dann strömt sie senkrecht an den links liegenden Oberdorfkrümeln vorbei, eine erstaunlich modern eingestellte Straße, wenn man bedenkt, daß heutige Planer alle Mühe haben, ihre Umfahrungen gegen das ortsansässige Gewerbe durchzusetzen. Dann neigt sie sich doch etwas nach rechts, vom «Keßler» weg, sticht die Steigung seitlich an, wie sich das gehört, steigt so eine ganze Weile, von verzwickt parzellierten Rebbergen umlagert – die meisten gehörten damals dem Bruderer –, entschließt sich nun doch, wo das Wiesland, die sogenannte Allmend, beginnt, den Rest der Steigung bis zum Wald in der Gegenrichtung zu nehmen, beschreibt eine unbeschreiblich weiche und satte Kurve nach links, tut also, wie die Schöne Seele meines Deutschlehrers, aus Neigung, was ihr von der Pflicht geboten. Am obersten Kartenrand nimmt sie gerade noch den «Keßler» auf, der seine Sache kürzer und gröber gemacht hat, läßt sich aber durch das Zusammentreffen nicht aus der Ruhe bringen, sondern zieht ihre kräftige und zarte Doppelspur wieder mitten durch den Tuschrand dem nicht mehr sichtbaren Walde zu. Sie verschwindet, wie sie kam, ohne sich um die Grenzen des Kärtchens zu kümmern, die nicht ihre Grenzen sind. Dreimal hat der Schreiber ihren Namen hingesetzt, als müßte er sich alle zweihundert Meter das Glück bestätigen, daß es eine solche Straße gibt und daß er sie zeichnen darf: Bergstraße ist sie ganz unten, Bergstraße in der Nähe der Hexenhäuser und Bergstraße wieder ganz oben, in der heiteren und aussichtsreichen Einsamkeit der Allmend. Eine jungfräuliche Spur, ganz auf Überseens große Zukunft hin angelegt und noch von keiner menschlichen Siedlung berührt – mit einer einzigen Ausnahme.

Die Ausnahme ist ein kleines Häuschen, ein kolossal einzelnes Häuschen dort, wo die Steigung einsetzt, weit und breit das einzige unter dem Teppich von Bruderers Weinbergen. Ja, es steht an der Bergstraße, es trägt ihre Nummer: 516 – eine komische Nummer, aus der nur hervorgeht, wie hoch die Überseener Behörden mit der Bergstraße hinauswollten. Das Häuschen hält sogar einen gewissen Abstand von ihr – wer es baute, gleichzeitig mit der neuen Straße baute, rechnete vielleicht sogar mit deren Verbreiterung; er muß ein vorausschauender Mann gewesen sein.

Wir kennen seinen Namen. Es ist Friedrich Hüttenrauch, Jahrgang 1875, früh, wenn Fees Photographien stimmen, im Wirtedienst und auch in der oder jener politischen Fehde ergraut. 1910 war er mit seiner Frau Emmeline und seinen damals noch halbwüchsigen Kindern Alexander und Eliane aus dem zwanzig Kilometer entfernten Flurlikon, wo er als Pächter dem für seine Felchenfilets bekannten «Rüden» vorgestanden hatte, nach Überseen gezogen, hatte Bruderer zu einem Quadratmeterpreis von einem Franken fünfzig ein Stück Weinberg an der neuen Straße abgekauft und die Wirtschaft seiner Träume gebaut. Sie war klein, für ihren Zweck eigentlich ungeeignet, aber Friedrich Hüttenrauch war ein Mann, der höhere Bedürfnisse hatte: wenn er schon Bier ausschenken mußte, so wollte er auch bestimmen, in welchem Rahmen. So baute er seine Wirtschaft als Monument, wie man auf dem Plan erkennen kann, als eine Art Zentralbau mit kleinen Erkern, Andeutungen von Flügeln, auf allen vier Seiten; es ist ein interessanter, sofort auffallender Grundriß, mit dem sich der Planzeichner ebenfalls viel Mühe gegeben hat. Das Anwesen müßte in Marmor und Stuck errichtet sein; Friedrich Hüttenrauch behalf sich mit Backstein und Schiefer. Ein bräunliches Photo aus Fees Album zeigt den stolzen Hausgründer am Tag der Aufrichte. Er steht auf der Straße vor dem noch dünnen Thuja-Hag und hat Frau und Kinder um sich geschart. Die andächtige Emmeline Hüttenrauch nimmt scheinbar kein Ende in ihrem fließenden Straßenkleid, unter dem gerade noch, wie angeklebt, zwei spiegelnde Schuhspitzen hervorgucken; die Kinder aber tragen Matrosenkleider. Hüttenrauch im Strohhut hat eine Hand segnend auf das Pagenköpfchen Elianes gelegt, bringt es aber fertig, auch noch den Zwicker damit zu halten, denn die andere Hand braucht er ganz frei, um sie, bei verklärt abgewendetem Profil, an steifem Arm zum noch unbedeckten Heim hinüberzurecken, auf dem ein deutlich retuschiertes Bäumchen alle Bänder wehen läßt. Die Aufnahme ist so gestellt, daß Hüttenrauchs umfassender Arm den Fuhrmann einbezieht, der rechterhand mit zwei Pferden und einem Wagen voll Schieferziegel postiert ist und finster blickt wie ein Gefangener aus dem nahen Weltkrieg. Das Häuschen, obwohl unvollständig, ist bereits ein Erlebnis. Im Prinzip ist es ein einstöckiger Backsteinwürfel. Aber auf jeder Seite ist in dunklerem Backstein der genannte Erker angemauert und präsentiert ein Fenster mit zwei Fensterkreuzen, während die kleineren zurückversetzten Fenster links und rechts mit einem Kreuz auskommen – dies auf allen vier Seiten, und es ist bloß der Anfang. Schön wird's beim Dach. Denn es gibt, dem Unterbau entsprechend, nicht *einen* Dachstuhl zu bewundern, sondern deren fünf – einmal den zentralen und hauptsächlichen, der auch der höchste ist, dann aber noch vier weitere, die Fortsetzungen der vier Erkervorbauten, die je in eine Spitze zulaufen, in die wiederum in halber Höhe eine winzige Mansarde eingelassen ist. Damit nicht genug: Durch jede der vier Spitzen läuft, bei ungedecktem Dach deutlich sichtbar, ein Kamin, und durch das mittlere natürlich erst recht, so daß wir es oben mit fünf Auswüchsen zu tun haben, einem wuchtigen und vier schlanken, einer Kaminkrone sozusagen, die dadurch besonders malerisch wirkt, daß jedem Kamin noch ein Regendach aufgesetzt ist. Es ist, obwohl winzig, ein enormes Haus, halb Herrenhaus aus einem unbekannten Kolonialgebiet, halb geschrumpftes Loireschloß, ein zinnenlustiges Pfefferkuchenhaus, das noch gewinnen wird, wenn der zu allem fähige Schieferfuhrmann im Verein mit dem Dachdecker sein Werk getan und die fünf Zipfel mit grauem Schimmer verkleidet haben wird. Wobei Friedrich Hüttenrauch dafür sorgen wird, daß auf jeder zweiten Latte ein glanzwerfender Glasziegel eingefügt werde, nicht des Lichtes wegen, sondern damit die Leute am andern Seeufer etwas zum Blinzeln haben. Das ist die «Soldanella» – so habe ich sie noch gekannt, und ahnungsweise so, als verzwickter Grundriß, steht sie hier, 1911, zum ersten Mal im Grundbuch verzeichnet.

Das zweite Katasterblatt

Einen Schritt weiter, darf ich bitten, zu römisch zwei. Auch dieses Blatt habe ich mir besorgt – nichts leichter als das; der Vermessungsbeamte leistete keinerlei Widerstand, als ich ihm mein generalbevollmächtigtes Gesicht zeigte. Alles wäre möglich gewesen in unserer aufgescheuchten, zum Anschluß taumelnden Gemeinde. Wenn ich gewollt hätte, er hätte mir glasigen Blicks auch noch den Plan mit den kriegswichtigen

Einrichtungen Überseens ausgeliefert, mit allen Notspitälern, Wasser- und Gasleitungen, mit den Luftschutzbunkern und den Bereitschaftsräumen der Ortswehr; vielleicht sogar das Blatt mit den vergrabenen Schätzen aus der Russenzeit. Aber diese Dinge sind jetzt nicht akut – nicht mehr. Als wir daran dachten, die «Soldanella» nötigenfalls mit Gewalt zu verteidigen, hätten uns die Papiere nützen können. Das ist *passé*. Höhere Gewalt hat sich unserer Sache angenommen; ich nenne sie so, obwohl sie sich, Roland von Aesch, deiner schmutzigen Hände bediente. Aber ich muß sagen, es machte mir Spaß, die Autoritäten von gestern, die zerknirschten Zerstörer der «Soldanella» ihr Quartier räumen zu sehen. Stöße von Akten, die offenbar nicht in die Hände der Stadt fallen durften, lehnten gegen die Marmorverkleidung des Korridors. Ich hätte mich bedienen können. Ich begnügte mich mit dem, was ich für meine Richtigstellung absolut brauche.

Hier haben wir also das einschlägige Blatt aus dem Katasterplan 1941, dem zweiten Kriegsjahr. Oberdorf und Umgebung – nicht wiederzuerkennen. Die Beschriftung hat gewechselt, man ist zu einer Schablonenschrift übergegangen, aber das ist das wenigste. Wäre nicht das Oberdorf mit seinen bekannten Gruppierungen, wäre nicht der schon vertraute Schwung der Höhenkurven, man könnte sich in eine andere Welt versetzt fühlen. Fangen wir irgendwo an: bei der Rietstraße. Sie ist ausgebaut. Am linken Bildrand versumpft sie keineswegs in Form von immer schwächer werdenden Tupfen wie Anno 11, sie schwenkt nach oben in die neue Gustav-Adolf-Schenkel-Straße ein, so benannt nach einem verdienten Industriellen und Wohltäter Überseens und aus Arbeitsbeschaffungsgründen zur Zeit der Wirtschaftskrise gebaut. Ein starker Akzent, diese neue Straße! Sie ist, man sieht es mit bloßem Auge, erheblich breiter als die einst so unvergleichliche Bergstraße, der sie in der Kartenmitte begegnet – und sie mündet so schön flach in diese, daß man streiten könnte, ob nicht der obere Teil der Bergstraße ganz einfach ihre Fortsetzung sei. Was einen hindert, das gleich zu behaupten, ist nur die Tatsache, daß die Gustav-Adolf-

Schenkel-Straße über die Kreuzung hinaus auch ihre grade Fortsetzung hat, die aber nach hundertfünfzig Metern in einem Sack oder Stummel endet; nur ein Plattenweg für Fußgänger führt noch über das Stummelende hinaus weiter Richtung Friedhof. Die bescheidener gewordene Bergstraße zieht zuoberst immer noch, jetzt fast unbeachtet, ihre schöne Kurve; nur noch zweimal wird sie unterwegs beim Namen genannt. Der «Keßler» dagegen hat sich entschieden verbessert; er ist nicht nur ausgebaut, sondern hat seinerseits ein ganzes System von Erschließungsstraßen links und rechts entwickelt; er will in allen Stücken nicht mehr an seine Vergangenheit als Holzerschneise erinnert sein, obwohl die Kriegsjahre, wie schon erwähnt, da einen gewissen Rückschlag brachten. Kurz, der Plan bietet jetzt das Bild einer üppig aufgeblühten Siedlung, denn die Straßen haben ihr Netz natürlich nicht für nichts so erweitert – oder verengt, wie man will; zwischen ihren ausgefeilten Gabeln und feinen Äderchen haben sich wie Zellen in einem Präparat die Häuser angesetzt, die meisten nicht von schlechten Eltern; zwei, drei komprimierte Oberdorfhäuschen hätten bequem über den liberalen Grundrissen Platz – es sind Villen, um es gleich so hart wie möglich zu sagen. Auch die Bergstraße ist jetzt besiedelt, und zwar fast bis zur Kurve hinauf; die Weinbergschraffuren von 1911 haben über die ganze Breite den Baulandparzellen weichen müssen, von denen zwar noch nicht alle besetzt, aber alle numeriert sind – die Kolonisation durch die künftigen Cadillacbesitzer ist vollumfänglich vorbereitet. Glücklich, wer um diese Zeit dem Bruderer sein Land noch für 50 oder 60 pro Quadratmeter abgehandelt hat! Bruderer, aber nicht nur er, hat über den Ersten Weltkrieg und dann vor allem gleich danach seine Schäfchen ins trockene gebracht; die intakte Schweiz lebt vortrefflich vom geflossenen Blut und der gesunkenen Währung ihrer Nachbarn, und wer in Zürich fett geworden ist, fährt gelegentlich nach Überseen hinaus und macht von ungefähr dem Bruderer seine Aufwartung. Der sitzt immer noch in seiner Kate unterhalb vom Keßler, eingeklemmt jetzt zwischen Riet- und Gustav-usw.-

Straße, und wenn er mit einem der netten Stadtherren in der Abenddämmerung plaudert, dämmert ihm auch selber dies und das. «Vati», wird seine Frau bald einmal sagen und wieder ihr Strickzeug sinken lassen, «ich glaube, beim nächsten kannst du schon auf 70 gehen.» Und der nächste hätte, wie sich zeigte, auch 80 bezahlt, um im «Oescher» oder in der «Hinder Höchi» seinen Happen Rebland zu kriegen, und so verlangten Bruderers beim übernächsten mit ehrlichem Gesicht 90. Wer wundert sich, daß zu Überseen allmählich eine Gesellschaft ansässig wurde, die schon bald, um 1920 spätestens, die eingeborene bäuerliche zu überstimmen begann und hartnäckig jenen freisinnigen Gemeinderat wählte, der ein paar Jahrzehnte blühte, bis es vor drei Monaten mit ihm und Überseen das angedeutete Ende nahm. Es blühten die Herren, die eine Uhrkette über den Westenbauch spannten, um zu zeigen, daß sie an alte feine Traditionen anzuknüpfen verstanden, die aber auch schon auf die Uhr am Handgelenk blickten, weil sie nicht nur mit der Zeit gingen, sondern ihr geschäftlich schon ein paar Jahre voraus waren. Überseens Bauernsame revoltierte nicht. Sie ging ja ihrerseits mit der Zeit. Höchstens fragte Frau Bruderer gelegentlich ihren Mann – auch in bäuerlichen Kreisen wurde es damals Brauch, *gelegentlich* zu fragen –: «Was meinst du? Wie wär's, wenn wir selber auch ...» Bauen meinte sie und dachte an eins dieser weißen, aber nicht hart weißen, sondern crèmefarbig getönten Einfamilienhäuschen mit Schmiedeeisenfenstern, engadinisch geschnitzten Fensterrahmen und einem Lebkuchentörchen, die um die Zeit der Landesausstellung Mode, nein, nicht Mode, sondern Brauch wurden, auf Bruderers Ex-Boden wie süße Pilzchen gediehen und dem Herrn Direktor gehörten oder dem Herrn Vizedirektor – den Unterschied konnte man an der Größe des Findlings ablesen, den der eine wie der andere hinter dem Lebkuchentörchen aufgepflanzt hatte. Aber Bruderer drückte ein Auge zu und bewegte vor dem, das er offen ließ, den Zeigefinger hin und her, während er das Gesicht in die pfiffigen Falten seiner Vorfahren kniff. Das hieß: kannst dir denken! nicht daß ich müßte! Und Frau

Bruderer begriff, daß es klüger war, im Pißpott wohnen zu bleiben, anstatt den Eindruck zu erwecken, man sei Kaiser und Papst geworden – man soll weder die Götter noch den Steuerbeamten herausfordern, und wenn man den Pißpott von innen etwas wohnlicher machte, ein neues Büfett da, eine automatische Küche dort, ein Automobil neben den Traktor in die erweiterte Scheune, so fuhr man besser in der Leute Augen. Im übrigen konnte man ja weiter oben am See, in Käslikon oder Brauchenberg, Land kaufen, wo es noch billiger war, aber bald ebenfalls steigen würde. Nein, Überseens Bauern blieben bei ihrem Leisten, und wenn sie in den dreißiger Jahren auch – dem damals ebenfalls heimatbetonten Ausland zum Trotz – eine eigene politische Bewegung gründeten, so war diese wenigstens in Überseen keineswegs gegen die freisinnige Mehrheit gerichtet, sondern stand ihr zwar kernig, aber wohlwollend gegenüber, wie umgekehrt die Frau Vizedirektor in jenen Tagen gerne in der schmukken Wehntalertracht einherkam. Überseens Wohlstand spiegelt sich auf dem Katasterplan 41. Der Krieg hat die Gemeinde nicht gehindert, vielmehr: hat ihr im Zeichen der Arbeitsbeschaffung Gelegenheit gegeben, sich den langgehegten Wunsch eines neuen Gemeindehauses zu erfüllen. Es zieht sich mit Säulenportiko und Werktrakt jenseits der Kreuzung dem Appendix der Gustav-Adolf-Schenkel-Straße entlang. Die dreispurige Sackgasse fand auch andere Kunden. Hier spielten nämlich die Nachbarkinder mitten im Krieg; hier spielten, außer einigen Ungenannten, Tobias Hüttenrauch, dem Friedrich Hüttenrauch aus zweiter Ehe geboren, und Placida, das Töchterchen aus der Apotheke. Der Apotheker stellte sein Haus ungefähr 1928 gegenüber der «Soldanella» an die Bergstraße, nicht ahnend, daß er an eine zukünftige Kreuzung baute; die Gustav-Adolf-Schenkel-Straße und auch ihren beschaulichen Stummel ließ er sich noch gefallen, aber als die Fortsetzung gebaut und die neue Höhenstraße durchgezogen werden sollte, erhob er Einspruch, erschöpfte sorgfältig alle gesetzlichen Mittel zum Widerstand, warf mit Flugblättern und sogar mit hektographierten Zeitschriften um sich (eine ging unter der Schlagzeile «Trutz dem Landvogt») und gewährte der «Soldanella» damit einige Jahre Feuerschutz. Er tat es nicht ihretwegen, die «Soldanella» konnte ihm gestohlen werden; er fand nur, zu einer Apotheke gehöre Beschaulichkeit. Er hatte schließlich nicht studiert, um jetzt bloß den Verkäufer zu spielen; er legte Wert auf «ganzheitliche» Bedienung seiner klagenden Kundschaft und kannte im übrigen die Zusammensetzung seiner Salben zu gut, um ihnen ohne ein gutes Wort große Wirkungen zuzutrauen. Nun sah er im Geiste die sechsspurige Rennbahn durch seine Näpfchen rauschen und bangte um das, was er «Apothekergespräch» nannte. Aber ich wollte sagen: auf dieser Straße im Kriege, als sie noch still und stummelhaft war, spielten Tobias und Placida Sechsleben, Grenzball und Scheiterverbannen, spielten auch in den dichtbelaubten Gärten der Nachbarn, die sie gerne gewähren ließen, weil sie nicht alles sahen, spielten ums Gemeindehaus Doktor und Familie, und ich glaube, davon kommt es, daß Tobias Placida später nicht mehr riechen konnte, weil sie ihm viel zu viele Kinder machte und auch als Onkel Doktor die Stärkere und also die Gemeinere war. Aber wenigstens auf der Straße und mit dem Ball, wo immer die Sonne schien, hatte Tobias eine Chance, und manchmal wurde Milchmann Gautschis Melchior beim Sechsleben beigezogen, obwohl er erst in den Kindergarten ging; nicht immer kam der Ball wieder herunter, wenn er versehentlich in die Linde geriet; dann war man froh, Melchior hinaufschicken zu können. Er und der heruntergeschüttelte Ball machten etwa gleich viel Lärm in den breiten Blättern. Ich habe in den beginnenden fünfziger Jahren diese Traditionen nur noch andeutungsweise weitergeführt. Erstens war ich als Mitspieler nicht beliebt, weil meine Eltern in Scheidung begriffen waren, zweitens begann das Sechsleben schon zu den überholten Spielen zu gehören, und drittens war der Stummel damals eine einzige Baustelle, ein Riesenlager von Beton- und Steingutröhren, Asphaltmaschinen und verwaisten Straßenwalzen, und nur mühsam bahnten sich die Gemeindeangestellten ihren Weg durch aufgeworfene Kies- und Splitthügel und über glitschige Bretter zu ihrem Flugloch. Ich aber schmiß, über Gräben und Berge hüpfend, meinen Tennisball allein gegen das Familienfresko an der Stirnwand, Spuren prägend, die erst Jahre später zum Vorschein kamen (ungleichmäßige Abwitterung). Und wenn ich mich umdrehte, konnte ich hinter Wällen und Gräben, hinter boshaft spiegelndem Glas, hinter einem tickenden Pappherz den graugewordenen Apotheker mir schwermütig zunicken sehen. Placida aber nickte niemals; die ging damals schon in die Tanzstunde.

Wir sind vom Katasterplan abgeschweift – aber wenigstens ist es mir gelungen, im Vorbeigehen Tobias einzuführen, meine zweite Hauptfigur (in der Reihenfolge ihres Erscheinens), meine wichtigste Figur, wenn man mich fragt. 1941 war der mutmaßliche Erbe der «Soldanella» erst vier Jahre alt, ein sonderbares und ziemlich schwächliches Kind. Mum versuchte ihn aufzufüttern und zu verstehen, denn er hatte Schwierigkeiten zu Hause; Mum hatte auch Schwierigkeiten, denn ich war damals noch nicht auf der Welt, und sie rechnete nicht mehr mit mir. Pas Bungalow stand 1941 schon an seiner Stelle, hoch über der damals noch idyllischen Kreuzung; man sah am Milchmann vorbei den See. Pa fing damals an, nicht ganz regelmäßig zu Hause zu sein, wie ich höre. Aber der Bungalow erschien trotzdem in dieser oder jener Architekturzeitschrift als «Modell modernen Gemeinschaftsempfindens»; heute würde kein Hahn mehr nach unserer Bude krähen, aber damals mußten sich wohl auch die Fachzeitschriften mit dem sogenannten Heimatstil arrangieren. Der gedämpfte Heimatstil, den wir kreierten, war das Verdienst des Architekten Streuli, desselben, der eben in Trümlikon das spiegelnde Gebäude der Akkumulator AG gebaut hat – ein vielversprechender, damals wie heute junger Mann mit ständiger Sonnenbrille und Schulkamerad Pas, den dieser damals ganz vergebens mit Mum zusammenzubringen suchte, um selber die Arme für Sabine frei zu kriegen. Sammy Streuli und Mum beschränkten ihren Verkehr auf vorzügliche Hochachtung, aber der Bungalow kam dennoch zustande, und 1941 war es soweit, daß das Grundbuch von ihm Notiz nahm. Ich selber war damals noch nicht soweit, wie gesagt; ich darf mich einer viel späteren, wie immer kurzen, aber diesmal folgenreichen Versöhnung meiner Eltern zuschreiben, die im Sommer 46 stattgefunden haben muß, als Sabine nach Amerika auf und davon war, um ihrerseits, aber ebenfalls nur kurzfristig, einen neuen Anfang zu machen. Auf diesem Plan ist jedenfalls deutlich zu sehen, was für diese Geschichte die Hauptsache ist: daß wir nämlich zu Nachbarn der «Soldanella» avancierten. So kam ich zu zwei Elternhäusern, einem umständehalber und einem richtigen. Ja, die «Soldanella»! Es gibt sie noch auf dem Plan 41, aber sie erscheint jetzt klein trotz monumentalem Grundriß, klein neben den Innerschweizer- und Engadinervillen, die die Schenkelstraße bestücken und die Bergstraße säumen. Sie steht noch mit Backstein und Schieferdach am selben Fleck – aber das ist auch das einzige, was sich gleich geblieben ist. Die Änderungen fangen schon damit an, daß die «Soldanella» nicht einmal mehr an der selben Straße steht, sondern ihre 516 unserem Bungalow abtreten und eine niedrige Gustav-Adolf-Schenkel-Nummer schlucken mußte, was Friedrich Hüttenrauch zwang, für seine Geschäftsbriefe einen neuen Kopf zu entwerfen. Also Friedrich Hüttenrauch lebt noch? Das ist schließlich keine Selbstverständlichkeit, denn seit jenem Photo mit dem Aufrichtebäumchen sind immerhin dreißig Jahre verflossen, und an einem Mann von Friedrichs cholerischem Temperament und politischen Neigungen pflegen die nicht spurlos vorüberzugehen. Wirklich waren es ereignisreiche Jahre nicht nur für das Weichbild Überseens, sondern auch für den harten Friedrich Hüttenrauch. Seine erste Frau, die damals in ihrem Kleid kein Ende nahm, obwohl sie kaum über Mittelgröße war – Emmeline also ist nicht mehr, und zwar seit 1935. Grund: Auszehrung. Die Matrosenkleiderkinder waren damals schon in alle Welt gegangen, was im Falle Alexanders buchstäblich zutraf; der war nämlich in den späten zwanziger Jahren, nachdem er in Zürich sein Theologiestudium nur angefangen, aber nicht beendet hatte, nach Amerika ausgewandert und Baptistenprediger geworden, und zwar in Louisiana. Fees Berichten zufolge soll es bei dieser Auswanderung nicht kampflos abgegangen sein. Nicht, daß Friedrich seinen Sohn gehalten hätte, sondern im Gegenteil: er fragte ihn eines Tags, warum er seine Füße noch unter den väterlichen Tisch strecke. Das brachte das Faß zum Überlaufen, das schon lange voll gewesen sein mußte: seit Jahren schien dem Alten schwarz, was Alexander weiß vorkam, und umgekehrt. Der alte Hüttenrauch war ein hartgesottener Radikaldemokrat, und zwar einer aus dem letzten Jahrhundert, nach dem Vorbild Vater Hedigers, ein kleiner Mann mit hoher Gesinnung, der gegen jeden, den er für unduldsam hielt, die fürchterlichste Unduldsamkeit entwickelte; besonders haßte er Autorität in jeder Form. Daß er selber dem Sohn gegenüber solche an den Tag legte, und zwar die schroffste, fiel ihm nicht auf oder stand für ihn auf einem andern Blatt. Gerade das aber vertrug Alexander nicht; die tyrannische Liberalität seines Vaters war ihm in der Seele zuwider, wo er heimlich zart und anlehnungsbedürftig war, so daß er nun doch wieder nach Autorität hungerte, wenn auch im abstrakten und romantischen Sinn – ein Greuel dem Vater, der wohl in die Grube gefahren wäre, wenn Alexander seine Drohung, katholisch zu werden, wahrgemacht hätte und nicht, was schließlich noch besser war und endlosen wutbleichen Auseinandersetzungen ein Ende bereitete, nach Amerika ausgezogen wäre. Man hört noch hie und da von Alec W. Huettenrouk – so heißt er jetzt –, nicht brieflich, er schreibt nicht mehr, sondern durch die Zeitungen. Fee hat mir Ausschnitte gezeigt, aus denen hervorgeht, daß der Autoritätsbedürftige nun selber eine Autorität geworden ist, und zwar auf dem Gebiete der säuberlichen Trennung von Schwarz und Weiß, deren Gottgegebenheit er in sinnreichen Artikeln aus der Hl. Schrift begründet und sich dafür eines nicht ganz gleichmäßigen Ansehens erfreut. Und Eliane, das Schwesterchen im Matrosenkostüm, dem Friedrich segnend eine Hand aufgelegt hatte, nicht ohne damit zugleich auch seinen Zwicker zu halten? Eliane ist nur in bildlichem Sinne in die weite Welt gegangen. Zwar hat auch sie seit vielen Jahren die Füße unter Vaters Tisch hervorgenommen, aber sie ist bloß Sozialfürsorgerin in der nahen Stadt geworden. Ihre Herzlichkeit kam ihr dabei zustatten, ihre positive Art, die nur vielleicht etwas zu ausgesprochen war, als daß sich ein Ehemann für sie gefunden hätte. Trotzdem lebte auch sie von ihrem Elternhaus getrennt, und zwar, weil sie trotz ihrer Herzlichkeit außerstande war, die Wiederverheiratung ihres Vaters mitanzusehen, und jede Verantwortung dafür ablehnte. Ruhe ihrem Gebein, soviel die Gerichtsmedizin davon übriggelassen hat! Sie hätte besser getan, nach dem Tode ihres Vaters konsequent und der «Soldanella» fern zu bleiben, denn sie mußte ja wissen und hatte es selbst gesagt, daß daselbst die *Geier* überhandgenommen hatten. Aber das steht noch in weitem Feld.

Die Kegelbahn. Ein Martyrium

Allerdings, Friedrich Hüttenrauch hat wieder geheiratet, und wir haben das Glück, zur Feier auch dieses Tages auf Fees Bildmaterial zurückgreifen zu können. Und wiederum herrscht Aufrichte. 12. Oktober 1936 steht auf der Rückseite der Photographie. An diesem Tage war die Kegelbahn unter Dach, ein langgestrecktes freistehendes Gebäude, fensterlos, aber mit verglastem Dach, vor dem sich Friedrich mit seiner Braut photographieren ließ. Er ist gealtert, wie sollte er nicht; er geht ins Einundsechzigste. Wenn sein Bart schon 1911 gemischtfarbig gewesen ist, jetzt ist er eisgrau; aber sein Gesicht mit der scharf gebogenen Nase und den wasserblauen, ebenfalls scharfen Augen ist kühn geblieben oder eigentlich erst recht geworden, desgleichen seine schmale, aber gespannte Gestalt, die viel weniger verschwommen wirkt als vor dreißig Jahren. Er sieht durchaus so aus, als wäre ihm Nachwuchs zuzutrauen, eine Hoffnung, die kaum ein Jahr später unter besonderen Schmerzen in Erfüllung ging, und zwar in Gestalt meines damals noch rosigen Freundes Tobias, den man schon auf der nächsten Albumseite zappeln sehen würde (nackt, natürlich; in diesem Punkte sind alle Eltern pervers). Ja, Friedrich sieht beinahe so aus, als wollte er auch diese zweite Frau, die arme Klara Schnetzler, die doch viel jünger ist als er, obschon nicht mehr ganz jung, spielend überleben. Tobias' baldige Mutter hat Augen, die zu groß sind, als daß man bei ihrem stummen Anblick nicht auf Gedanken käme, und die Tracht jener Jahre, die sie trägt, das windige Sackfähnchen und ein verbeulter Kübel auf dem Kopf, machen sie nicht flotter. Sie mag sich selbst nicht gern, man sieht es; man glaubt auch die mörderliche Frömmigkeit zu spüren, in der sie erzogen ist. Friedrich hält sie diesmal unter den Arm geklemmt; er hat seine Aufrichtegesten der veränderten Zeit angepaßt. Er hat auch – aber das wußte er damals nicht oder hätte es nicht zugegeben – wenig Grund zum Armeschleudern, denn eigentlich ist seine neue Kegelbahn im Hintergrund ein Hasardstück, einfach darum, weil schon die «Soldanella» selber durch die stürmische Entwicklung Überseens überholt war, weil sie nicht das Haus war, das die wohlhabenden Siedler aufsuchten. Ihrem monumentalen Profil zum Trotz war die «Soldanella» auf die Bedürfnisse eines Dorfes, sogar eines Bauerndorfes zugeschnitten gewesen. Der Metzger und der Sägereibesitzer und, wenn ihn seine Frau ließ, der Bruderer waren nach Feierabend herübergekommen, hatten ihren Jaß geklopft, den Wein für teures Geld getrunken, den sie dem alten Hüttenrauch für billiges Geld abgelassen hatten, und seine Ansichten gehört, die bekanntlich nicht die ihren, sondern fortschrittlich waren – aber man kam damals auch noch zum Diskutieren ins Wirtshaus, und so war das ein weiterer Punkt zugunsten der «Soldanella». Die Wanduhr blickte mühsam über die Rauchschwaden hinweg, in denen Friedrich Hüttenrauchs Brillengläser zündeten und die kurzgeschorenen Bauernköpfe nickten – nicht zustimmend, sondern aus Gewohnheit –, sie blickte hinüber zu dem übrigen Wandschmuck, der gleichfalls über der Nebelgrenze hing, dem Silserseestück von

Segantini zum Beispiel, der Hürlimann-Bräu-Reklame, die zugleich die alte Ordnung Stöck-Wiis-Stich verkündete, oder dem Strohblumensträußchen auf der Kommode – das war das Milieu der «Soldanella», und so blieb es bis in die dreißiger Jahre, während deren Überseen sich veränderte. Gramvoll sah Hüttenrauch, wie sich seine Stammgäste, die allmählich gutbürgerlich wurden, nicht gerade verliefen, aber immer spärlicher zeigten; der Bruderer kam vielleicht alle Monate einmal, um über die Läufte zu klagen, die ihn zum bestverdienenden Grundstückhändler des Dorfes gemacht hatten: aber eben, Geld allein macht auch nicht glücklich. Gäste hatte Hüttenrauch wohl immer noch, aber welche? Bauarbeiter und Wegmacher, die in diesen baufreudigen Tagen einen Teil ihres Stundenlohns in einem Bierchen oder zweien anlegten; bestenfalls Handwerker, zugezogene Leute, die eine Falle witterten, wenn Hüttenrauch sie in eine Diskussion über den Jesuitenartikel oder die Gesetzesinitiative verwickeln wollte; sie tranken mürrisch und dünstend, und er mußte froh sein, wenn sie abends wiederkamen und ihre bessere Laune demonstrierten, indem sie die Aufwärterin liebenswürdigerweise da- oder dorthin kniffen; daß sie Hüttenrauchs Frau war – die erste oder die zweite –, konnten sie nicht auf Anhieb wissen. Nein, der Metzger Meier kam nicht mehr, aber sein Bursche kam; Hüttenrauch sah es mit stillem Gram und mußte immer noch froh sein. Sein Dilemma hatte begonnen, als Überseen, wie er sich's immer geträumt und wofür er gewirkt hatte, einen freisinnigen Gemeinderat bekam, dieser Gemeinderat sich aber zu gut war, seinen, Hüttenrauchs, Wein zu trinken. Tatsächlich, Hüttenrauchs Schlößchen war inmitten Überseens zur Bier- und Armeleutewirtschaft abgesunken, und während Meier freisinnig wählte und Bruderer wenigstens die Listenverbindung pflegte, war Hüttenrauch gezwungen, Nebeneinnahmen ins Auge zu fassen. 1934 nahm er einen Pensionär ins Haus und räumte ihm die Hinterstube neben der Küche, die einmal familiären Zwecken gedient hatte; man behalf sich damit, daß man Balthasar Demuth, einen älteren Junggesellen und

Gipser seines Zeichens, allmählich zur Familie zählte, und das um so lieber (und ingrimmiger), als Friedrich Hüttenrauch an stillen Abenden – viele, allzuviele Abende waren jetzt still – mit ihm diskutieren konnte, denn Balthasar Demuth war politischer Katholik. Aber die Schwüle des Stillstands, in dem die «Soldanella» mit allen fünf Zinnen brütete, vermochte kein Debattiergewitter über den klerikalen Demuth mehr zu brechen; auch der Handharmonikaklub und der Tierschutzverein, die aus Gewohnheit an ihrem Stammtisch in der «Soldanella» festhielten, aber selbst unter Mitgliederschwund litten, richteten Friedrichs Selbstachtung nur unvollkommen auf, und er sann immer gramvoller, in der Sprache jenes Jahrzehnts, auf den entscheidenden «Durchbruch». Der Blitz mag ihm angesichts der Gustav-Adolf-Schenkel-Baugrube vor seinem Hause gekommen sein. Warum sollte er nicht ebenfalls bauen, zumal nun der Zustand seiner Frau (sie war tot) keine weiteren Spitalrechnungen mehr befürchten ließ, die neue Frau aber, dafür war er gewillt zu sorgen, anspruchsloser sein würde als die erste? Auch die Studiengelder für den Sohn fielen nun unter den Tisch, wohin der Junge bekanntlich seit einigen Jahren seine Füße nicht mehr streckte, sondern Louisianas seit Jahrhunderten glühenden Boden mit ihnen trat; Elianes Sozialfürsorge war nun auch schon so weit gediehen, daß sie von ihr leben konnte, abgesehen davon, daß das empfindliche Mädchen von seinem Vater keinen Groschen mehr angenommen hätte, seit er auf Freiersfüßen ging und das Andenken der Mutter schändete. Es bestand jetzt kein Grund dafür, nicht zu bauen, wenn man die nötigen Kredite flüssig machen konnte. Von dem bäuerlichen Bruderer und dem freisinnigen Meier war nichts zu erwarten, aber Balthasar Demuth, die gute Seele, legte sein Erspartes auf den Tisch, und so baute Friedrich Hüttenrauch mit katholischem Geld – was denn? Man weiß es schon: seine Kegelbahn. Dies war es also, was sich der Soldanella-Wirt 1935, im Jahre des Ablebens seiner ersten Frau, hatte einfallen lassen, und nochmals bewies er damit, daß er den Kontakt mit der Zeit Überseens verloren hatte. Eine Kegelbahn, du lieber Gott! Die besseren Leute, die damals in Überseen ihre steuerbegünstigten Zelte aufschlugen, bewiesen ihr Bessersein unter anderem damit, daß sie *nicht* kegelten. Oder höchstens auf einem Betriebsausflug mit der Belegschaft, wo sich der Chef in Hemdärmeln die Miene eines Gemütsmenschen gab, aber bitte, in gebührender Distanz zur Stadt, in einem wirklichen Landgasthof – schon Käslikon war für dergleichen nicht mehr *rustique* genug. Wenn es noch Bowling gewesen wäre! Aber daran dachte Hüttenrauch nicht, denn er konnte nicht Amerikanisch und war ohnehin, seit sein Sohn drüben als Pfaffe sein Glück gemacht hatte, an jener großen Republik irre geworden. Für eine automatische Kegelbahn, von der man um 1935 schon läuten hören konnte, war Demuths Sparschwein nicht fett genug gewesen.

Wie dem auch sei – übers Jahr stand die Kegelbahn, und zwar stand sie frei, in gewisser Distanz zur «Soldanella», denn Hüttenrauch mochte ein schlechter Marktforscher sein, ein gedankenvoller Architekt war er geblieben. Er hatte es seinerzeit mit dem eigenhändigen Entwurf der «Soldanella» bewiesen und bewies es jetzt noch einmal, indem er den neuen Fremdkörper baulich klar von seinem Loireschloß absetzte; und ein Fremdkörper bleibt die Kegelbahn für einen F. Hüttenrauch ja selbst dann, wenn er sich von ihr eine entscheidende Hebung der Wirtschaft verspricht. Zudem fand jetzt der Biergarten mit seinen halbwüchsigen Platanen – mochte es in Gottes Namen ein Biergarten geworden sein! – nach oben einen befriedigenden Abschluß.

So Friedrich Hüttenrauch in den Jahren 36 und 37. Die Enttäuschung, die seiner wartete, war um so herber, je höher seine Hoffnungen geflogen waren. Denn wer kegelte? Man kann es sich ausrechnen: dieselben Leute, die ihm sein Bier wegtranken, nur daß er es ihnen jetzt auch noch in die Kegelbahn nachtragen mußte. Bruderer dagegen – um nur wieder ihn zu nennen – schützte schon bei der Eröffnung der Bahn einen Hexenschuß vor, der ihn übrigens nicht hinderte – ihn, der noch vor zehn Jahren mit Rind und Mähre seine

Furchen über die Allmend gezogen hatte –, Reitstunden zu nehmen; und wenn Metzger Meier einmal kam, so erwartete er, von Hüttenrauch freigehalten zu werden; man war schließlich Nachbar. Aber die Kegelbahn hatte auch wenig für sich ins Feld zu führen. Neu war sie freilich, aber das war das einzige, und das blieb sie nicht lange. Konstruktionsfehler kamen zum Vorschein. Das einseitige Licht von oben rechts täuschte, die Kugeln pflegten links abzulaufen; wenn man aber nur ein Iota korrigierte, so liefen sie rechts ab. Es haperte auch mit der Unterlage. Sie arbeitete still für sich und warf sich gelegentlich hörbar; außerdem war das Holz – ein Hartbelag wäre Hüttenrauch zu teuer geworden – nicht hart genug und bildete allmählich solche Dellen und Bahnen, daß man die Kugel aus der Kanone hätte schießen müssen, um einmal alle Neune fallen zu sehen. Kam hinzu, daß, wenn auch nur ein oder zwei Kegel fielen oder die ärgerliche «Gasse», es doch eines Kegelbuben bedurfte, um sie wieder aufzustellen, und bis Tobias in diese Aufgabe hineinwuchs, war Friedrich Hüttenrauch auf gutmütige Nachbarsbuben angewiesen, deren es, bei dem wachsenden Wohlstand der Überseener, immer weniger gab und die er wenigstens mit Limonade aushalten mußte, bis sie groß und frech genug waren, um Taschengeld zu verlangen; dann entließ er sie. Aber auch als Tobias reif genug war, die Kegel aufzustellen, war das ein zweischneidiges Schwert. Zwar brauchte Friedrich seinem Sohn kein Taschengeld auszurichten, dafür hielten es die Lehrer, meist Verweser und blutjunge Schnösel, denn man befand sich im Aktivdienst, für angebracht, beim Alten und widrigenfalls bei der Schulpflege vorstellig zu werden, weil er das Kind seiner Zweckbestimmung, nämlich der Lösung von Schulaufgaben, entfremde, was der liberale Hüttenrauch als eine ungeheuerliche Einmischung in seine inneren Angelegenheiten empfand, sich aber doch hütete, sie bei der nächsten Gemeindeversammlung als solche zu brandmarken. Er war kein Unmensch, und der Respekt, den er dem Paragraphen gegen Jugendarbeit sowie dem allgemeinen Recht auf Bildung zollte, kam ihm theoretisch von

Herzen. Da er also keinen Ort hatte, wo er seine trotzdem fortbestehende Bitterkeit ablegen konnte, warf er sie auf die ohnehin geplagte Kegelbahn und begann die unrentable zur Strafe auch noch zu vernachlässigen, was sie ihm begreiflicherweise nicht mit höheren Einnahmen dankte. Schon 1947, als Tobias zehn Jahre zählte, war es soweit, daß man die «beschissene Bahn» ließ, wie sie war; es blieb dabei, daß sie für den Biergarten einen befriedigenden Abschluß bildete, einen um so befriedigenderen, als sich die diesem zugewandte Seite allmählich dicht mit Efeu und wildem Wein begrünte, den Fee, als sie in der «Soldanella» überhand genommen hatte, später durch echte Reben ersetzte, wenn auch nur solche mit kleinen Beeren; es versteht sich, daß dann, nach Aufhebung der Wirtschaft und also auch des Biergartens, die halbwüchsig gebliebenen Platanen weichen mußten, um die Sonnenexposition der Beeren nicht zu gefährden, die Fee dann doch regelmäßig zu ernten vergaß, so daß sie den Staren zur Beute fielen. Wieder greife ich vor, in Zeiten, die meinem Bewußtsein näher liegen. Bei Leuten, die eine bessere Technik haben als ich, wäre das ein Kunstgriff. Schreiben ist ungerecht.

Damals bedeutete die Aufgabe der Kegelbahn für den immerhin schon 72jährigen Hüttenrauch noch keineswegs, daß auch die «Soldanella» schließen sollte. Im Gegenteil, er hielt sein Loireschlößchen mit Klauen und Zähnen und notfalls auch mit Italienern gegen die ihm feindliche Konjunktur fest, die er nicht begriff und sich deshalb nicht nutzbar zu machen wußte. Das Wasser, das ihm periodisch bis zum Halse stand, ging freilich ebenso periodisch wieder etwas zurück, zumal während der Kriegsjahre, die eine gewisse patriotisch getönte Förderung des ortsansässigen Gewerbes gebracht und sogar den oder jenen vorübergehenden Verein in der «Soldanella» angesiedelt hatten, etwa die «Vereinigung zur Reinhaltung des Schweizerhauses» und sogar den «Christlichen Verein Junger Männer», der aber zum größten Teil aus pensionierten Büroangestellten bestand und, da er sich des Alkohols enthielt, der «Soldanella» wohl Prestige, aber keine nennenswerten Einkünfte brachte. Auch der nützliche Effekt, den man sich von der Schließung der Kegelbahn für den ungestörten Bildungsgang des jungen Tobias hatte versprechen dürfen, blieb aus, da er ihr in seiner schulfreien Zeit, und zwar völlig freiwillig, eine merkwürdige Treue hielt. Nun fiel für ihn ja endlich der Nachteil dahin, die tükkische Bahn nur an ihrem unergiebigen, dem hinteren Ende zu kennen; er durfte, selber Kegel schiebend, hoffen, ihr das Geheimnis ihrer Unwegsamkeit zu entreißen. Und so kegelte Tobias in dem verlassenen Gebäude oft bis in die tiefe Nacht hinein. Zwar funktionierte die elektrische Leitung nicht mehr, aber Tobias kannte die Bahn auswendig und also auch im Dunkeln, schloß leicht aus dem Geräusch, wie viele Kegel getroffen waren, und übrigens fiel ja auch meist durch die Glasdecke der Lichtschein der Nachbarfenster herein oder gar etwas Mondschein. In einer lichtarmen Nacht gelang es ihm übrigens zum ersten Male, alle Neune zu werfen; man hörte den Zusammensturz bis in die schwach besetzte Wirtsstube hinunter, aber da man dort an die Kegelbahn nicht erinnert werden wollte, blieb das Kunststück ungefeiert, zumal es Tobias auch nicht mehr gelang, es bei Tageslicht zu wiederholen. Wäre die elterliche Gewalt damals noch intakt gewesen, sie hätte Tobias diese nächtlichen Kegeleien verbieten müssen, denn hier zum ersten Male dokumentierte er seine Neigung zu langanhaltendem Unsinn, die sich später zum Bekenntnis auswachsen sollte. Ja, es schien, als habe der stille Hinschied der Kegelbahn die Gefahr erst recht befördert, die er eigentlich hätte bannen müssen: die Gefahr nämlich, daß Tobias der regelmäßigen Schularbeit, die ihm nicht sinnlos genug war, entfremdet wurde. Aber der alte, nun wirklich schon alte Hüttenrauch ließ die Dinge treiben und seinen Sohn kegeln. Er unterließ es sogar, sich damit zu verteidigen, daß Tobias trotzdem genügende Zeugnisse nach Hause brachte, was erstaunlicherweise der Fall war; denn er sah diese Zeugnisse kaum recht an. Er war es leid geworden. Und zwar nicht nur die weinumlaubte Kegelbahn, sondern «die ganze Wirtschaft», worunter er mit seiner wegwerfenden Handbewegung (dem Gegenstück derjenigen, die er 1911 vor dem Schieferfuhrwerk hatte steigen lassen) viel mehr als nur die «Soldanella» meinte. Wäre noch die mütterliche Gewalt gewesen, aber ach Gott, diese war keine. Die arme geborene Klara Schnetzler war für keinerlei Gewalt geschaffen, auch nicht für diejenige, die sie selber erlitt; sie trug auf und ab und spülte Gläser und machte immer größere Augen im aschgrauen Gesicht, nicht aus Verwunderung, sie verwunderte sich über gar nichts mehr, sondern einfach, weil es mit ihr bergab ging. Sie sagte Ja und Amen zu allem, was ihrem Gatten gut schien, hatte immer weniger Kraft, zu unterscheiden, ob das Ja zum Amen stimmte, und da auch ihrem Gatten immer weniger gut schien, blieb es für sie bald nur noch beim Amen, das der Pfarrer hatte kommen sehen und, weil es ihm sein Amt gebot, auch noch ausdrücklich über Klaras offenem Grabe sprach.

Außer ihm standen an einem windigen Februarmorgen 1950 noch ein paar Gäste und Nachbarn neben dem Sarg, die es ebenfalls hatten kommen sehen und deshalb seit geraumer Zeit unterlassen hatten, Klara zu tätscheln. Außerdem stand da natürlich auch Hüttenrauch selber, der es nicht hatte kommen sehen, die Hände der Leidwünschenden übrigens ebensowenig bemerkte, weil ihm der Zwicker beschlagen war. Auch Tobias stand da, dreizehnjährig und also in dem dummen Alter, wo man bei solchen Anlässen, weil sie einen verlegen machen, Hunger kriegt. Er war froh, als man vor dem immer noch offenen Grab seiner Mutter nicht mehr weiter wußte und also Miene machte, in die Ofenwärme der «Soldanella» zum Imbiß zurückzukehren.

Daß ein solcher gerüstet wurde, das war allerdings nicht das Verdienst Friedrich Hüttenrauchs, der an diesem Tage beim besten Willen nicht stärker Leid tragen konnte als sonst, weil er sowieso alles leid geworden war. Es war natürlich noch weniger das Verdienst Elianes, der einzigen, die den bösen Ausgang von Friedrichs zweiter Ehe nicht erst seit Jahr und Tag, sondern von Anfang an hatte kommen sehen und wohl auch im stillen bedauerte, daß sie nicht der liebe Gott war, um ihre eigene Prophetie ein wenig zu befördern – nein, an diesem Imbiß, von dem sie ohnehin keinen Bissen angerührt hätte, war auch sie unbeteiligt. Man muß das immerhin erwähnen. Denn während der letzten Leidensmonate Klaras, als diese durchsichtig zu werden begann und aufhörte, die getätschelte Zierde der «Soldanella» zu sein, als das Ticken der Totenuhr in den Wänden des Loireschlößchens bis in das unferne städtische Waisenhaus, wo Eliane positiv Hand anlegte, hörbar geworden war, da hatte sie sich wieder angepirscht. Nicht so sehr, um die Freundschaft der Sterbenden zu suchen – obwohl sie eine Zeitlang auch davor nicht mehr zurückschreckte –, sondern um auf dem Platze zu sein, wenn Klara endgültig übergetreten sein würde, und dem Vater spät, aber nicht zu spät, die letzten Jahre zu versüßen; sie zog alle Hebel ihrer Herzlichkeit, damit sich sein von Schnetzlerschen Rücksichten verfälschtes Testament und damit auch das Loireschlößchen doch noch nach ihrer, Elianes, Seite neigen sollte. Um Tobias brauchte sich dabei niemand Sorgen zu machen; für ihn würde sie wohl im Waisenhaus immer noch ein warmes Plätzchen zu finden wissen, wo sie ihm gelegentlich ihre Hand auflegen konnte, was sie übrigens im Hinblick darauf schon einige Male getan hatte; er würde ja wohl auch so vernünftig sein, den Besuch des Gymnasiums, den die sterbende Klara trotz Ja und Amen für ihn ausgewirkt hatte und den weiterzuführen unter diesen veränderten Umständen schädlicher Luxus wäre, gegen das lustige Lehrlingsleben bei einem braven Schneider oder Schreiner zu vertauschen, wo er auch rascher zu eigenem Geld kommen und sich damit leicht aus dem Waisenhaus loskaufen würde.

Eliane meinte es gut mit ihrem Halbbrüderchen, hatte, ganz Sozialfürsorgerin, im Geiste die Wege für ihn schon geebnet, die ihn zu seinem und zu ihrem Glück führen sollten – da verrannte, durchaus nicht im Geiste, sondern in festem Fleische, ein Hindernis ihr diese Wege, dem ihre Herzlichkeit zu Tobias' Glück nicht gewachsen war. Ich spreche hiemit von einer Person, die in der «Soldanella» ein paar Wochen früher überhandgenommen hatte, als es Eliane in den Sinn gekommen war; ich spreche von der gewaltigen Pflegerin Klaras, die aus ihren Rheintaler Bergen herbeieilte, als Pflege not und die Not am höchsten war, eine Pflege, zu der sie als alpine Gemeindeschwester trefflich geschickt war, geschickt auch noch, als deutlich wurde, daß jede Pflege zu spät kam; ich spreche von der dritten, der heimlich ersten Hauptperson dieser Geschichte, die ihr Gewicht noch an die unvorhergesehensten Stellen werfen wird und damals, indem sie wenigstens ihr zäh Erspartes in die Waagschale warf, die «Soldanella», die Friedrich nun erst recht leid war, vor dem sofortigen Untergang bewahrte und – unter anderem – Tobias schon am übernächsten Tag nach dem Begräbnis wieder auf ihre Kosten ins Gymnasium zurückschickte, wohin er nach ihrer zwar ungeprüften, aber entschlossenen Ansicht gehörte: ich spreche von Felicitas Schnetzler, von Tobias und seinen Freunden nur Fee genannt, der unwahrscheinlichen Schwester der serbelnden und trotz massiver Pflege alsbald hingerafften Klara. Was Klara durchsichtig war, das war Fee kompakt; was jene schmal und blaß, diese breit und vom Föhn gegerbt; älter zwar, aber unvergeßlich markiger, eine zum Schwingerkönig gemachte Felsenhebamme ohne Herzlichkeit, aber mit einem wahren Muskel von Herz. Wo Klara Augen gehabt hatte, Augen, die zu groß waren, um mehr als feindliches Weltgeflimmer zu sehen, da hatte Fee eine Stirn und darunter einen ungewaschenen Schnurrbart, und damit wies sie den Weg. Da sie alle Wirtschaften kennengelernt hatte, die denkbar und also zu schmeißen sind, schmiß sie auch, noch zu halben Lebzeiten Klaras, diese Wirtschaft im engern Sinn, die bröckelnde «Soldanella». Sie bestellte außer dem Sarg auch den dringend nötigen Veltliner und bestellte Appenzeller Törtchen, damit die «Soldanella» nach der Leidwoche wieder anständig aufgehen konnte; wie sie die tote Klara eigenhändig gewaschen hatte, wusch sie danach auch die Gläser und den Tobias, damit man ihn im Sarggeleite seiner Mutter zeigen durfte. Kurz, Felicitas nahm, angesichts von Friedrich Hüttenrauchs triefäugigem Gleichmut, aber auch angesichts seiner trüben Erleichterung, im Hause Gustav-Adolf-Schenkel-Straße 1 überhand, bezog ihr Dachzimmerchen, das kümmerlichste und trotz des Kamins (einer Attrappe) unheizbare auf der Nordseite; sie ging im Hause umher wie eine Mauer, stützte immer da, wo ein Balken sich bog und ein Zusammenbruch Miene machte zu geschehen, und es versteht sich, daß die herzliche Eliane, als sie den Kopf hereinstreckte, mitsamt ihrer gesammelten Fürsorge von Felicitas abprallte wie ein glatter Pingpongball.

Es versteht sich jetzt auch von selbst, daß es also Felicitas war, die den Leidgästen den Imbiß bereitete, als sie vom Amen zurückkehrten, und sich von Tobias' Appetit keineswegs sittlich verstören ließ. Fee war eine Person, die begriff, daß ein dreizehnjähriger Tunichtgut am Begräbnistag seiner Mutter aus komplizierten Gründen Hunger leiden kann, und so schob sie ihm den zweiten Teller hin wie den ersten, und den fünften wie den zweiten. Sie war da, um zu bleiben, solange die «Soldanella» blieb, und damit die «Soldanella» bleibe. Es störte sie nicht, wenn in diesem oder jenem städtischen Waisenhaus von Erbschleicherei gemurmelt wurde; es drang nicht hinter ihr großkariertes Taschentuch, mit dem sie sich doch jeden Tag ein paarmal außer Plan die hartgebackene Nase schneuzte, denn schließlich hatte sie eine Schwester verloren. Dagegen störte es sie, wenn Tobias, statt Bücher zu studieren (die sie nicht verstand), sinnlose Abende lang Kegel schob, und um dem entgegenzuwirken, griff sie zum fünfundzwanzigsten Mal in ihr Erspartes, richtete das Elektrische wieder ein und überhaupt die Kegelbahn wieder für richtige Männer her, die spärlich kamen. Aber sie *kamen* wieder und verschwanden, nachdem sie ein oder zwei Stunden vorbezahlt hatten, unter Fees zufriedenen Blicken, die man nur erriet, weil sie immerfort die Augen zukniff, hinter den neu gepflanzten Weinspalieren, an die sich damals noch keine Stare getrauten. Um aber Tobias für entgangene Genüsse etwas Sauberes zu bieten, ermunterte sie ihn, Freunde zu gewinnen und heimzubringen, und stieß sich auch nicht, wenn diese Freunde wunderlich waren: der Spinner Herbert

Frischknecht, der aber gut rechnete und bastelte, der blonde Mathis Kahlmann, der Bildhauer werden wollte, obwohl er im Zeichnen ungenügend hatte, oder Fritz Bär, aus kindheitlichen Gründen Bitz genannt, der mollig und klein, vielleicht deshalb aber immerfort revolutionär gestimmt war. Sie hätte sich auch nicht an Mädchen gestoßen, aber die kamen bei Tobias nicht gleich an die Reihe; Monika Hauri war die erste, aber da studierte er schon. Fee störte immer das Richtige, und das Richtige störte sie nicht; es störte sie zum Beispiel nicht, wenn sich Friedrich nun völlig aus den Geschäften der «Soldanella» zurückzog und, da ihm die zunehmende Italienerkundschaft, deren Spezialitäten Fee bald bereiten lernte, keine Diskussionsbasis bot, auf die Lektüre dreier Tageszeitungen warf, von denen wiederum eine dreimal täglich erschien; er las so manisch und ausschließlich, wie früher sein Sohn im Dunkel gekegelt hatte, und erklärte, alterskindlich aufgekratzt, der im Minestrone rührenden Fee den Gang der großen Welt. So war allen gedient, und die «Soldanella» hob ihren vielzipfligen Kopf wieder eine Weile vorsichtig aus dem Schnee.

Das dritte Katasterblatt und ein schroffer Tod

Wieder habe ich mich von der Stich- und Planzeit 1941 wegbegeben. Aber man muß begreifen, wie schwierig es für mich ist, nichts weiter als eine Karte zu beschreiben, vielmehr: zwei Karten hintereinander, zu denen noch eine dritte kommen wird, wenn auch nur ganz flüchtig. Das sind drei Schnitte, vielleicht aus guten chirurgischen Gründen an der und der Stelle durchgeführt, nur eben: flach bleiben sie, während meine Geschichte ein Körper ist, rund und gespannt wie der Körper eines Tigers. Der Leser, falls ich einen finde, wird mir verzeihen, wenn ich schon diese frühen Pläne und Vorstufen der Geschichte etwas körperlich zu machen suche, das Grundbuch jedesmal ein paar Striche in die dritte Dimension weiterziehe und mit den Figuren bevölkere, die später teils wieder vorkommen, so daß man wenigstens schon ihre Namen gehört haben muß, teils Erinnerungen sein werden und also wenigstens in der Vorgeschichte Anspruch auf einen schattenhaften Körper haben. Ich fürchte mich, denn die Sache mit dem Tiger war kein Spaß. Man darf ja nicht annehmen, daß eine Geschichte schreiben heiße: einen Käfig um den Tiger bauen. Mit dem Käfig wächst der Tiger, und manchmal habe ich das dumme Gefühl, der Tiger wachse ein wenig schneller. Nimm dich zusammen, Klaus, und verlier die Nerven nicht. Das Tamtam deiner Schreibmaschine ruft ihn herbei, aber es zieht auch einen festen Kreis um dich. Sieh dem Tiger ins Auge. Baue ihn auf, Muskel an Muskel; zeichne seine Streifen, dann werden sie dich nicht mehr auf der Haut brennen. Mach dir nichts vor: du hast längst angefangen, den Tiger abzubilden. Sein Umriß zieht sich wie ein Wasserzeichen durch alle Katasterauszüge der Gemeinde Überseen, denjenigen von Anno 11, denjenigen von 41 und denjenigen von 62, den ich noch gar nicht aufgedeckt habe – aus guten Gründen, denn auf diesem letzten müßte der Tiger schon fast in Lebensgröße zu sehen sein. Ein Blick aus dem Fenster, heute, an diesem immer noch grauen Februartag – es ist nicht mehr derselbe, aber sie sind sich alle gleich, die Schneestollen am Straßenrand bald etwas aufgefrischt, bald etwas abgebaut –, ein Blick aus dem Fenster des Bungalows würde jeden vernünftigen Menschen davon überzeugen, daß sich in diese Geographie, auf diese langweilige Vorortkreuzung, niemals ein Tiger verirrt, oder daß das alles schon sehr lange her sein muß. Vollkommen richtig, die «Soldanella» ist weg, man hört kaum, daß sie je gestanden habe, für alle Leute ist der Tiger, wenn es ihn gegeben hat, gesprungen und gewesen. Nicht für mich. Ich habe das Bedürfnis – es ist am Ende doch größer als meine Angst –, ihn kraft meiner Geschichte einmal für immer und wie zum ersten Male vorzuführen, den Glanz seiner Lichter in den Verkehrsampeln dort unten grün und rot nachspielen zu lassen, wie man gelegentlich einen Stern erst entdeckt, wenn er hinter seinen Lichtjahren schon erloschen ist. Wenn mein Tiger freilich nicht höher und vor allem exakter springt als das Konjunkturhäschen, das du, Roland von Aesch, aus deinem Zylinder gezogen hast, dann freilich hätte ich besser meine Matura anständig gemacht und die Hände von dem Biest gelassen. Zugehen jetzt. Man weiß, wie schlecht es wilde Tiere aufnehmen, wenn sie das Gefühl bekommen, der Fuß stocke einem bei ihrem Anblick.

Hier ist der letzte Katasterplan, derjenige von 1962. Man sehe rasch hin und wieder weg: es geht im Grunde nur um ein einziges Detail, dessen Erklärung ich seit unserem gemeinsamen Blick aus dem Fenster schuldig geblieben bin. Ja, Sie sehen recht (oder habe ich den Leser früher geduzt? Ich habe unsichere schriftstellerische Umgangsformen. Wieder eine Frage der Technik. Jedenfalls schadet es nicht, wenn ich an dieser Stelle förmlich werde). Hier auf der Karte stehen die Sachen schon beinahe so, wie sie in Wirklichkeit stehen. Quer mittendurch, von links nach rechts und von rechts nach links, sechsspurig und mit modisch abgeschliffenen Einmündungen, strömt die neue Höhenstraße durchs Kartenbild: eine Erstklaßstraße, wenn es je eine gab, die triumphierende Nachfolgerin der vor kurzem noch berühmten, heute schon halb vergessenen Gustav-Adolf-usw.-Straße, die, so breit sie auch gewesen war, unserer Erinnerung doch nur noch wie die Skizze einer Straße erscheint, die jetzt kräftig nach- und durchgezogen wurde. Ja, durchgezogen. Denn man wird nicht glauben, daß der neuen Straße wie seinerzeit der alten beim Gemeindehaus Halt geboten werden konnte. Die blau-weiße Abschlußplanke ist gefallen, die Lindenbäumchen verstoben, ihre jährlich wiederkehrende Süße ein Kindheits- und Altweibertraum, hier stehen den Nachbarskindern keine sechs Leben mehr zur Verfügung, wenn ihnen ihr einziges lieb ist, der Apotheker mag Gott danken, daß sein Laden bei den Kreuzungsarbeiten nicht ganz mit abgerundet wurde; wer bei ihm heute noch das Apothekergespräch sucht, tut das unter Einsatz seiner Existenz und hat ein Malzzückerchen verdient. Weggefegt ist selbstverständlich der Wegweiser, der einst in Kriegszeiten durch seine Verschwiegenheit gute Dienste geleistet hatte, ein Wunder (ich meine: ein Fehler), daß die einst so flotte Bergstraße nicht selber weggefegt, das heißt: in die Lüfte oder in den Boden geschickt wurde, sondern immer noch kreuzen darf und dadurch das bekannte Aufgebot von Ampeln nötig machte. Ja, die neue Straße hat scharfen Wind nach Überseen gebracht, man sieht ihr an, daß sie nur knapp daran gehindert wurde, die Heimatstilvillen, die sie von ihrer weniger rasanten Vorgängerin geerbt hatte, gleichfalls wegzufegen und sich, durch tausend Einsprachen bezwungen, daran genügen ließ, mit breiten Trottoirs über die ehemaligen Vorgärten zu treten und diese wenigstens ihrer Traulichkeit zu berauben. Der Keßler hat es klüger gemacht als die Bergstraße; er geht lieber eine Steinwurflänge unter sein altes Niveau, als die Rennbahn zu kreuzen, bedient also in Gestalt einer Unterführung das Oberdorf, das auf Bedienung kaum mehr gefaßt sein mag, so sekundär ist es geworden; daß es noch im Titel des Plans erscheint, diesmal in nüchterner Grotesk, ist fast ein schlechter Witz.

Bruderers Haus steht nicht mehr. Was das Holzgespann seinerzeit nur andeutungsweise geschafft hatte, glückte der neuen Straße im Handumdrehen, und man könnte Mitleid mit Bruderer haben, wüßte man nicht, daß er gestorben ist – gestorben nicht an gebrochenem Herzen, sondern an Herzbeutelverfettung, auch nicht im heimatlichen Oberdorf, sondern weichgebettet in seiner Villa zu Käslikon. Ja, er hatte schließlich doch gebaut – auch das bißchen Traktoren-Folklore, mit dem er seine Bodenständigkeit bezeugt hatte (obwohl er schon den meisten Boden verkauft hatte), war ihm allmählich zu mühsam geworden, und selbst Überseens steuerliche Wohlgelegenheit sagte ihm nichts mehr, seit er ohnehin keinen Bruchteil dessen mehr verzehren konnte, was er einnahm. Die Villa bewohnt jetzt sein Sohn, der von Rücksichten irgendwelcher Art nicht mehr geplagt ist, sondern den Bodenhandel ohne jede bäuerliche Grundlage und darum desto schwunghafter weiterbetreibt. Ja – seit Überseen seine straßenbauliche Pflicht getan hat, ist es nicht mehr dasselbe, ist nichts mehr dasselbe. Was hätte zum Beispiel die «Soldanella» an einer solchen Straße und gar in Kreuzungsnähe noch zu suchen?

Irrtum: sie steht noch. Die Fata morgana weicht nicht, auch wenn sich der Betrachter des Katasterplans die Augen reibt: hart, an der Kreuzung, selbstmörderisch hart an der neuen Straße steht unzweifelhaft noch der kleine, aber monumentale Grundriß des Loireschlößchens verzeichnet – und in seinem gebrechlichen Schutz der Satellit, die undankbare Kegelbahn. Aber das eigentliche, ans Fabelhafte grenzende Wunder ist noch gar nicht ausgesprochen: *die Straße weicht aus!* Tatsächlich und unverkennbar, sie ist dem keck geschliffenen Kieselsteinchen in etwas zu knapp angesetztem Bogen süd- und seewärts ausgewichen. So hat Friedrich Hüttenrauch in seinen alten Tagen doch noch Mittel und Wege gefunden, den freisinnigen Gemeinderat zu erweichen und der ihm entgleitenden Welt in einem wichtigen Punkte seinen Willen aufzunötigen? Sind die Verdienste des «Soldanella»-Wirts endlich in Gestalt dieses Bogens honoriert worden? Nichts von alledem, sondern gewissermaßen im Gegenteil.

Als Friedrich Hüttenrauch 1956 im schon fast biblischen Alter von 81 Jahren starb, tat er es mit einem Fluch auf den Lippen und in der grimmigen Zuversicht, den Kampf gegen die damals fertig projektierte und genehmigte Straße verloren zu haben. In einem Menschenalter hatte er alle seine Vorsicht zuschanden werden sehen. Wir wissen, daß er 1911 in bedächtigem Abstand zur neuen Bergstraße seine «Soldanella» gebaut hatte; wir mußten mit ihm erleben, wie ihm 1936 die Gustav-Adolf-Schenkel-Straße schon näher auf den Leib rückte, bedrohlich nahe, denn man ließ den «Soldanella»-Wirt nicht im Zweifel darüber, daß sie nur die Vorstufe zu Gewichtigerem sei und daß er sich mit seinem Schlößchen mitten in der Baulinie befinde. Seine Proteste: er habe das nicht gewußt und nicht vorhersehen können, stießen damals beim schon freisinnigen Gemeinderat auf taube Ohren, der eben Bedacht nahm – wer will ihn dafür tadeln? –, seine Baulinien durch unplanmäßige Baukörper laufen zu lassen und das städtebauliche mit dem oder jenem höheren Privatinteresse stillschweigend in Einklang zu bringen – es ist die ewige Geschichte von Nabobs Weinberg, ich kenne sie aus der Kinderlehre. Friedrich Hüttenrauch aber bedeutete man: niemand habe Überseens stürmische Entwicklung vorhersehen können, aber gerade weil dem so sei, habe man als Behörde die Pflicht, sie zum höheren Wohle der Gemeinde weit vorausschauend aufzufangen und in die richtigen Bahnen zu lenken, zu denen eben auch Autobahnen gehörten. Immerhin stehe das Opfer, das er, Friedrich, dieser Vorausschau zu bringen gerüstet sein müsse und für das er natürlich angemessen entschädigt werden würde, noch in weitem Feld; er möge einstweilen fröhlich weiterwirten. Aber die verfluchte Baulinie ging dem Alten nicht mehr aus dem Kopf, und er sah sich nach Anhängern um, mit deren Hilfe sie abgebogen werden könnte. Er wandte sich auch an Pa, den der Fall nicht interessierte, weil er sich auf seinem Hügel sicher fühlte, fand dagegen geneigtere Ohren beim Apotheker und beim Milchmann Gautschi, denen die Baulinie ebenfalls einen empfindlichen Strich durch die Rechnung machte. Aber Gautschi, der Gewichtigste der drei, bekam bald kalte Füße, als die Gemeinde in den späten vierziger Jahren aufhörte, von der Straße im Potentialis zu reden, und konkrete Projekte «zur Vernehmlassung» vorlegte. Gautschi ließ vernehmen, er sei jetzt gesonnen, sich dem Gemeinwohl zu beugen, und es stellte sich denn auch heraus, daß man ihm nicht nur versprochen hatte, seine Bude stehen zu lassen, sondern auch deren Ausbau bewilligt hatte. Der Apotheker, ein braver Mann, setzte seine Kampagne eine Weile fort, aber als die Ärzte, beziehungsweise deren Vertreter im Gemeinderat, die gleichfalls linientreue Patientenschaft und die Krankenkassen anfingen, die Konkurrenz zu begünstigen, als die Einkünfte von Placidas Vater zurückgingen, als man sich bei künftigem Wohlverhalten nicht abgeneigt zeigte, ihm den Weg zurück zu ebnen und sein Anwesen zu schonen – da stand Friedrich Hüttenrauch allein. Ihm baute niemand eine goldene Brücke; er war kein Faktor. Seine Bitterkeit ist schwer in Worte zu fassen. Sie war so bitter, daß er sie auch richtig nicht mehr in den Mund nahm, sondern in sein Eingeweide vergrub, wo man sie später in der medizinisch einwandfreien Form eines Krebses diagnostizierte – freilich, als es schon zu spät war. Man verstand Friedrich Hüttenrauch, aber man verstand ihn auch wieder nicht. Denn warum sollte ihn der Verlust der «Soldanella», den man ja bereit war mit schwerem Geld oder gegebenenfalls mit einem andern Grundstück aufzuwiegen, zu Tode grämen? Wenn er die Wirtschaft noch selbst geführt hätte – aber das war ja seit Jahren nicht mehr der Fall. Er rührte kein Geschäftsbuch an und kümmerte sich um keine Bestellung, er hauste nur noch als Kostgänger Fees in seinen eigenen vier Wänden. Wenn er die «Soldanella» seinem Sohn hätte vererben wollen! Aber der ging ja ins Gymnasium, schon ein Jahr zu lange, wenn man genau hinsah, aber das stand auf einem anderen Blatt – jedenfalls verriet er weder Anlage noch Neigung zum Wirteberuf. Fee? Die würde wirtschaften, wohin es sie verschlug, mochte die Wirtschaft eine im engeren Sinn sein oder im allgemeinern – wie man sie einschätzte, hing sie an der «Soldanella» nur, weil sie das verlassene Mutterhaus des Tobias war. Zudem hatte die «Soldanella» redlich ihre Zeit gehabt. Auch der Gutwilligste mußte sehen, daß diese Zeit vorbei war; eine kleine Garküche für Italiener hatte an der verkehrsintensivsten Kreuzung Überseens nichts mehr zu suchen. Wäre Friedrich nur noch der Schatten eines Geschäftsmannes gewesen – aber es war wohl sein Stolz gewesen, etwas mehr zu sein –, dann hätte er sehen dürfen, daß auch so seine Rechnung im Grunde aufging, daß ihm die Baulinie geradezu von Gott durchs Haus gezogen war. Mit der Grundstücksentschädigung hätte er bequem a) die alte Hypothek auf der «Soldanella» abgeschüttelt; b) sich in ein nettes, politisch reges Altersheim einkaufen und dort neunzig Jahre alt werden können, ohne c) die Ausbildungskosten seines Sohnes zu gefährden, der ebenfalls noch zehn Jahre damit hingereicht und ebenso bequem d) an Fee Miete und Kostgeld entrichtet hätte, da diese ja entschlossen und fähig war, weiterhin für ihn zu sorgen und ihr restliches Erspartes zu diesem Behufe in eine behördlich subventionierte Zweizimmerwohnung, sagen wir: im «Berg» zu stecken. So rechneten abwechselnd der Gemeinderat, Gautschi und schließlich sogar der Apotheker dem starrsinnigen Hüttenrauch vor, der nicht im geringsten zuhörte, sondern eine seiner Zeitungen las. Er gab ihnen stillschweigend zu verstehen, daß eine Welt, in der man ihm die «Soldanella» enteignete, keinen Deut besser sei als eine kommunistische und daß er darin nichts mehr verloren hatte. «Es ist ihm gut gegangen!» sagte er viele Male im Tag zu Fee und meinte den Balthasar Demuth, der ein paar Jahre zuvor, 1954, das Zeitliche gesegnet hatte; das Gnadenbrot, das er getreulich in der «Soldanella» verzehrte, war ihm nicht lange bekommen, obschon es Fee neuerdings *alla milanese* und *al dente* zu bereiten verstand. Auch als Diskussionspartner war der Gipser für Friedrich zunehmend unbrauchbar geworden, da sich seine katholischen Überzeugungen im selben Maße trübten wie sein Gedächtnis. Dafür begann er allerlei Stimmen zu hören, hauptsächlich diejenige der Hl. Veronika, für die er immer ein *penchant* gehabt hatte. Hüttenrauch war zu alt, in seine Zeitungen zu vertieft, vom Kreuzungsunwesen zu erbittert, um sich viel um die geisterhafte Damengesellschaft Demuths zu kümmern, die in seinen Augen, solange diese noch scharf und radikal geblickt hatten, der letzte Greuel gewesen wäre; ja, als der Pfaffe mit dem Krankentrost erschien, früher Viatikum genannt, verbot er ihm nicht das Haus, sondern empfing auch diesen schwarzen Herrn mit der Beobachtung, daß es Balthasar Demuth gut gehe, wobei sein Blick beinahe etwas Bittendes hatte. Es war klar, er beneidete den Gipser. Bei seinem Übertritt war er zugegen, nickte bedeutsam und schwersinnig, als Demuths Atem schwächer wurde, als wäre der andere im Examen und im Begriff, es zu bestehen, während er, Friedrich, unvernünftigerweise noch ein Jahr ausharren mußte. Es wurden zwei Jahre daraus, aber dann, im Oktober 1956, war es soweit, da war sein Krebs gar geworden, und die

Reihe kam endlich an ihn. Es traf sich aber so, daß sich gerade in Friedrichs Sterbezeit die Ungarn erhoben; das Feuer der Revolution brachte auch Friedrichs Asche nochmals zum Glimmen, und Fee erzählte mir, wie er, obwohl er sich vor Schwäche kaum mehr aufrichten konnte, mit herrischem Flüstern die Zeitung herbeibefahl, es war diejenige, die dreimal am Tag erscheint, und er war schon so schwach, daß er sonst keinen Mucks mehr machte, nahm auch die Müslein nicht mehr zu sich, die sie ihm brachte, wollte nur noch die nächste Zeitung erleben. Er duldete auch nicht, daß man ihm vorlas, er wollte mit eigenen Augen sehen, und weil diese Augen jetzt auch nicht mehr die stärksten waren, wollte er immer noch mehr Licht, und Tobias hatte doch schon einen ganzen Beleuchtungsapparat an seinem Kopfende aufgebaut; dann schlug er sich den Zwicker auf die Nase und bohrte die Augen ins Papier. Erst gingen seine Lippen noch mit; später klemmte er sie zusammen. «Nimm die Zeitung weg!» herrschte er den Tobias an, legte sie aber nicht zur Seite, sondern hielt sie eisern fest, und seine Knöchel waren kalt und blau. Als ihm Fee nach einer Weile den Zwicker wieder abnahm, keifte er lautlos wie ein Schwan – sein Gebiß lag neben ihm im Nachttischglas –, behielt aber die Augen geschlossen. Da hielt Fee den Moment für gekommen, ihn ins Spital überführen zu lassen, denn obwohl sie Krankenschwester war, wurde ihr die Verantwortung zu schwer. Im Krankenauto verlangte der fiebernde Hüttenrauch nach seinem Karabiner, schwenkte die Faust links und rechts, so daß sich Tobias, der mitfuhr, wegbeugen mußte, und bedrohte bald die Russen, die damals mit ihren Panzern gegen Budapest rollten, bald ein paar namentlich genannte Gemeinderäte, die seiner Meinung nach die Seele Überseens für einen Judaslohn verkauften, mit gänzlicher Ausrottung, und sagte Gottverdammich, wenn er einen Fuß in das städtische Krankenhaus setze, nur über seine Leiche, Schmerz uns ein Spott, und er wisse wohl, wer ihn aus dem Weg haben wolle. Aber beim letzten Gottverdammich faltete er plötzlich die Hände über dem Mund, das Auto nahm die scharfe Kurve zum Spitaleingang, und Hüttenrauch, Haut und Bein wie er war, wäre vom Schragen geweht, wenn ihn Tobias, der damals 19 war, nicht blockiert hätte, aber als er den Vater wieder zurückrollte, hatte der zwar immer noch die Hände vor dem Mund gefaltet, aber die Augen waren ihm aufgegangen, und er atmete nicht mehr. Er hatte Wort gehalten. Hoffentlich ist ihm das Gottverdammich nicht angerechnet worden; ich habe es nur von Tobias, daß er es gesagt hat, Fee hat es immer abgestritten, nur hatte sie wohl ein Interesse daran, denn sie gehörte auch zu den Frommen. Ich aber bin verpflichtet, mich zu dokumentieren und die wirklichen Quellen zu benutzen.

Aber blicken wir nun vom Totenbett Hüttenrauchs, das Fee bald schmücken wird, wie sie's versteht, wieder auf den sechs Jahre jüngern Katasterplan hier auf meinem Tisch. Der Tote hat umsonst geflucht, die Baulinie ist gewichen, aus ihrem projektierten Bett gewichen auch die Straße, die – 1962 muß es gewesen sein – inzwischen fertig gebaut und mit Hilfe der Blechharmonie eingeweiht worden ist. Wir haben, mit einem Wort, den Bogen, den die Straße auch heute noch vom Fenster sichtbar beschreibt; wir haben bloß immer noch keine Erklärung für den Bogen. Mitleid und Nachsicht, so viel darf ich schon sagen, sind an dem Bogen unbeteiligt. Der Fall lag damals nicht so, daß die Straße mit ihrem kleinen Umweg jemandem eine Gefälligkeit erweisen konnte, ohne jemand anderem zu schaden. Erstens kommt im Straßeningenieurswesen Nachsicht auf Kosten der geraden Linie nicht vor. Zweitens hat der Schwenker allerdings jemandem geschadet, und zwar einem, den man ursprünglich zu schonen versprochen hatte: dem Milchmann Gautschi. Sein grünlicher Block ist glatt weggespült. Ich erinnere mich noch gut, wie die Gemeinde ein ganzes Luftschutzbataillon anheuerte, um ihn niederzureißen, weil es ihr so am billigsten kam; die Stahlhelmmännchen stießen ins Horn, wenn wieder eine Explosion fällig war, und diese oder jene Wand, genau am richtigen Punkt gekitzelt, neigte sich vornüber und zerschellte in einem prächtigen Staubgewitter. Dann hatten wir ein Jahr lang eine Aussicht, wie wir sie nie mehr gehabt haben, auf See und Albiskette, bis der Neubau der Post sie uns um so gründlicher wegnahm. Die «Soldanella» aber erschien immer wieder mit allen Türmen wie ein Taschenkreuzer aus den Pulver- und Staubwolken, die Stahlhelmmännchen behandelten sie besonders rücksichtsvoll, obwohl nur noch Felicitas und Tobias darin hausten und mehr oder weniger Matthias Kahlmann, der ein Bildhauer, wenn auch noch kein berühmter geworden war und die alte Kegelbahn zum Atelier umgebaut hatte. Das Überleben der «Soldanella» wird doppelt erstaunlich, wenn man weiß, daß sie seit einigen Jahren, nämlich seit Friedrichs zornigem Hinscheiden, keine Wirtschaft im engern Sinn mehr war. Fee kochte ihre italienischen Spezialitäten nur noch fürs Haus, das heißt: für den Studenten Tobias und seine Freunde. Ja, es ist ein Wunder zu nennen, daß die «Soldanella» im letzten Augenblick der Zerstörung entrissen wurde – es sind Mächte im Spiel, die ich getrost höhere nennen darf, nicht umsonst bewahren sie ja die höchsten Güter des Abendlandes. Aber um sie ins Spiel zu bringen, brauchte es Phantasie, mehr Phantasie, als der alte Hüttenrauch für möglich gehalten hätte; es brauchte wohl auch ein gewisses Maß moralischer Unvoreingenommenheit, die er, freisinnig und autoritär wie er war, nicht kannte. Ein Preis war zu erlegen, wenn man die «Soldanella» fünf Minuten nach zwölf noch retten wollte, und wer nicht gesonnen war, den Spaß weit zu treiben, durfte nicht daran denken, ihn zu beginnen. Aber Tobias und seine Freunde waren ganz die Leute für eine weit gehende Spekulation. Sie gelang, die höheren Mächte ließen sich überlisten, wenn auch nicht auf die Dauer. Drei Jahre über ihren offiziellen Todestag hinweg fristete die «Soldanella» als Balthasar-Demuth-Stiftung ein höheres und beinahe geistiges Leben, bis sie von Roland verraten wurde, die Mächte den Rückzug antraten, die «Soldanella» fiel und Überseen sich eingemeinden ließ – das sind alles Glieder einer festen Kette von Ursache und Wirkung. Man kann eine gewisse Gerechtigkeit darin sehen: die Gemeinde hat Friedrich Hüttenrauchs Werk, an dem sie sich versündigt hatte, nicht überlebt. Und man versteht jetzt wohl auch, warum ich von dieser Kreuzung als einem Schlachtfeld sprach – da unten, wo der Speiser seine Kunden parken läßt, hat die Geschichte zweier Gemeinden geendet: die Geschichte der alten Winzergemeinde Überseen, die im 10. Jahrhundert erstmals belegt ist und im 20., üppig und feige geworden, ihren Charakter verlor – und die Geschichte einer verborgenen, kühnen und ganz unglaubwürdigen Gemeinde, die nur ein paar Jahre dauerte, aber unter anderem den Vorzug hat, zugleich meine Geschichte, diese Geschichte zu sein. Und damit stehe ich schon wieder ganz dicht vor dem Käfig des Tigers. Denn ich will hier vom Wunder berichten und nicht so bald vom Ende des Wunders, will für das Wunder zeugen gegen den, der es beendete, indem er zuerst von ihm zeugte, aber falsch zeugte; ich will die drei überzähligen Jahre zählen, in denen die «Soldanella» am Rande des Bogens und im erschlichenen Schutz höherer Mächte fortbestand und ihren schelmischen Frühling erlebte, die Jahre des Tobias und die Jahre seiner Freunde und Freundinnen, auch der falschen Freunde, die letzten Jahre der unsterblichen Fee – die alle zufällig auch die Jahre meiner Kindheit waren, soweit ich eine hatte.

ZWEITES BUCH

DA WARD AUS ABEND UND MORGEN DER ERSTE TAG

Ein betrübter Raum muß reden

Wieder ein Anfang. Ich dachte, ich hätte das hinter mir.

Die Szene ist für diesen Anfang folgende:

Ein Raum, den man leicht überblickt, denn er ist nur grob und lückenhaft möbliert; ich würde ihn Saal nennen, wenn er nicht so winklig wäre; genau genommen hat er den Grundriß eines Kreuzes. Drei Balken führen ins Offene, will sagen: sind nur durch Fenster abgeschlossen, von denen die meisten spiegeln; einige lassen die Schwärze der frühen Maiennacht durchsehen, lassen auch den Wind herein, Durchzug, der die drei nackten Birnen an ihren langen Schnüren schaukelt. Jede gibt kaum 30 Watt her, man kann ihr feines Eingeweide zählen; danach muß man die Augen sich erholen lassen, ehe man den vierten Balken erforscht, der ins Innere des Hauses zeigt. Dort erkennt man erst einen Eisenofen mit umständlich gebogenem und gefälteltem Rohr, daneben ein Stück Hintergrund, an dem Zeitungsstöcke schweben, in Stangen geklemmte, wie Fahnen etwas schräg geneigte Zeitungen, ein lokales und drei größere Formate in regelmäßigem Abstand, ungleich gerollt; ab und zu blättert der Wind in den abgegriffenen Ecken, läßt die Stöcke anschlagen steif wie Galgenvögel. Dann eine Tür, angelehnt; der Lichtspalt verdunkelt sich hin und wieder, in vertrauenswürdigen Abständen klirrt Geschirr.

Ich sitze am Boden in der Ecke neben der Haupttür, auf der außen «Restaurant» steht; ich habe wahrscheinlich ein Lateinbuch auf den Beinen, das mir in Mums Augen die Erlaubnis verschafft, hier zu sein, wo ich nichts zu suchen habe, wo ich sicher bin, daß keiner mich abfragt; ich bin hergekommen, um zuzusehen. Ich sitze unter einem der offenen Fenster; es ist so viel höher als ich, daß ich den Wind nur in den Haarspitzen spüre; manchmal spült er eine Welle kalter Frühlingsluft nach, die mir zu fühlen gibt, daß ich unter dem Hemd warme Haut habe. Das Lateinbuch liegt offen; ich gebe ihm keinen Blick.

Da ist, vielleicht zum letzten Mal, das alte Wirtsmobiliar. Tische aus gelbem Holz stehen durcheinander; einige sind auch zusammengeschoben, bilden Abschiedsgruppen, halb zerstörte Tischgesellschaften, Andeutungen von Bühnen, Podesten; da und dort ist noch ein Stuhl aufgebockt, streckt starre Beine in ein längst verflossenes Morgengrauen; draußen aber fährt die Amsel fort zu beteuern, daß es Abend sei und immer blauer Abend werden wolle. Andere Stühle verhungern im Leeren, stehen geniert herum, als hätten sie Menschen im Zorn verlassen. Auch die Wände sind gelb: das mürbe Honiggelb alter Drittklaßwaggons der Schweizerischen Bundesbahn. Im mittleren Erker, dem Südbalken des Kreuzes, hängt ein Plakat, dessen starke Farben bei dieser Beleuchtung eintönig wirken; darunter steht in rußiger Schablonenschrift: SEE CHANDIGARH. Neben Holzbeinen, sehr einzeln, steht die Blattpflanze, aus einem Wirbel steif nach allen Seiten gekämmt; sie rührt sich auch bei stärkerem Durchzug nicht. Beim Ofen hängt das Sammelportrait einer Liedertafel, eine bräunliche Anordnung sauber abgeschnittener, in eine Ranke geschlungener Großvaterköpfe. Der Fußboden ist, an weniger begangenen Stellen, grüngraues geblümtes Linoleum; um die Türen und gegen die Zeitungswand, auch beim Ofen hat es sich rötlich abgewetzt und verrät das Muster der Dielen; man ahnt müdes, mit Staub und Asche imprägniertes Holz.

Aber es sind Bewohner da – auch wenn der weite Raum erlaubt, an ihnen vorbeizusehen. Keine drei Meter entfernt, am ersten der Tische, der sonst von Stühlen geräumt ist, sitzt Stefan Sommer. Er wendet mir den Rücken zu, aber man sieht auch so: er ist für den Abend gekleidet, makellos dunkel; bei dem Lichte läßt sich schwer sagen, ob seine Hose tatsächlich gestreift ist, aber der Verdacht besteht. Dafür zündet ihm eine der tiefhangenden Birnen gerade hinter dem Haar hervor, das immer schwarz ist, jetzt aber lackschwarz erscheint, jede der gut fixierten Strähnen scharf umrissen wie ein Hahnenschweif im östlichen Schattentheater; sein Hemdkragen leuchtet dagegen aus sich selbst, legt einen silbernen Schnitt zwischen Rumpf und Kopf, Stefans schwarzen Kopf, der immer, sei's Gewohnheit, sei's Nervosität, leicht vibriert, sich regelmäßig auf dem silbernen Kragen hin und her dreht und die Andeutung eines südlich scharfen Profils zu erkennen gibt, den Rumpf dagegen vollkommen straff und ruhig läßt. Außerdem bewegen sich Stefans Hände, treten schlank aus breiten, gleichfalls silbern oszillierenden Manschetten, bewegen sich weltmännisch fast nur mit den Fingerspitzen. Stefan Sommer schneidet Rotkohl, führt mit angelegten Ellbogen das Küchenmesser, als taktiere er ein Menuett. Man kann zusehen, wie der Kohlkopf bei dieser Behandlung zur Delikatesse wird; immer wieder schiebt die Klinge ein zerschnittenes Segment beiseite, das dann in tausend feine Präparate auseinanderfällt. Der halbe Rotkohl, der noch, Schnittfläche nach oben, auf dem Tisch liegt, ist das Muster eines halben Rotkohls; wie ein phantastischer Krebs durchflicht ihn der blasse Strunk, ein Bild für moderne Grafiker.

Stefan Sommer ist der nächste auf der Szene, aber er beherrscht sie nicht. Das tut viel eher Herbert Frischknecht; der hat volles Rampenlicht. Er sitzt halb, halb liegt er auf dem Tisch unter dem Chandigarh-Plakat und läßt sich das Haar verklären, mit 30-Watt-Shampoo waschen; bei Tageslicht wäre es ordinäres Kraushaar, wie es seine gutmütige Physiognomie verlangt, sein breites, kaum schattierbares Sennengesicht, das er unbeweglich über einen Stoß Papier gesenkt hat. Manchmal trägt er ein Blatt ab und legt es prüfend einzeln auf den Tisch; dann wirft er mit einem feinen Silberstift, der von hier aus keine Spuren hinterläßt, ein paar Zeichen darauf, blitzartig, als müßte er das Papier überraschen. Dann rückt er ein wenig daran, starrt darauf nieder, wobei seine fette Stirn doch etwas Schatten kriegt; dann schiebt er es zögernd auf die Seite und scheint auf ein Kommando zu warten, um sich vom Stoß herab ein neues Blatt vorzulegen. Gelegentlich sucht er sich die verworfenen Blätter wieder zusammen, arrangiert sie gedankenvoll nebeneinander, vertauscht ihre Plätze; dann beugt er vielleicht den Kopf zurück, so daß man ihm in die Nasenlöcher sieht – es braucht nicht viel dazu, Herbert Frischknecht hat eine kurze, stark aufgeworfene Nase –, schließt die Augen und schleudert dazu den Silberstift zwischen den Fingern seiner linken Hand hin und her – richtig, Herbert ist Linkshänder. Seine beherrschende Lage ist ein Zufall; er ist sonst ein bescheidener Mensch, aber er braucht Licht für sein Geschäft. Wer ihn kennt, weiß: er «formuliert» – was bei ihm alles andere als Dichten bedeutet. Herbert ist Mathematiker, und nicht der erste beste; heute abend gibt er wieder, was er eine Formel-Party nennt, beobachtet das Verhalten seiner höheren Gruppen auf dem Tisch, und wenn er ein Thema gefunden hat, bei dem sie alle mitsprechen können, so wird ein neues Weltbild daraus. Er ist schäbig angezogen: graue Drilchhosen, denen Kuhdreck nicht fern zu liegen scheint, dazu eine braune Wolljacke über gestreiftem Leibchen, das den wuchtigen Hals freiläßt; der Kopf, den der Hals zu bewegen hat, ist lächerlich klein, an der Körperlänge gemessen: diese nimmt fast die ganze Tischlänge in Anspruch. Unter Herberts aufgestütztem Ellbogen quillt ein Segeltuchsack hervor. Er enthält einiges Notdürftige wie: Trinkbecher, Nachthemd (Herbert hat nie Pyjamas getragen), Zahnbürste, ein abergläubisch gehütetes Mundwasser, aber auch allerlei Bastelzeug: Buchsen und Sicherungen, Filter und Spulensätze, Gleichrichter und Heißleiter, Widerstände und Verbundröhren, in denen zu wühlen ihn inspiriere, behauptet Herbert; es erinnere ihn an den paradiesischen Zustand vor Erschaffung der Welt. Das ist aber wohl ein Vorwand; hauptsächlich dient der Sack Herbert dazu, seine Hände in ihm zu verstecken, denn es sind – darum habe ich sie aufgespart – fabelhaft häßliche, kaktusförmige Hände, geschwollen, so sagt er, noch von seiner Geburt her; seine Mutter habe ihm nicht öffnen wollen. Ich stellte mir das früher grauenhaft vor, als eine Art Tortur zwischen Tür und Angel des Kinderzimmers, und ich fürchtete mich vor Herberts Mutter, die ich nicht kannte. Dabei waren Herberts Hände sicher und sehr ruhig, wenn er bastelte oder «formulierte», auch waren sie trocken bei jedem Wetter; Herbert bestand aber darauf, daß die Frauen Angst vor ihnen hätten und daß er darum besser keine Frau anrühre.

Monika, die am untern Ende von Herberts Tisch und also beinahe zu seinen Füßen sitzt, scheint davon gänzlich unbeeindruckt. Sie ist aber auch nicht seine Freundin, sondern die des Tobias – obwohl der Titel zu diesem Verhältnis nicht recht paßt. Herbert läßt ihr nicht viel Platz neben seinen ausgelatschten Turnschuhen, aber immer noch mehr Platz, als sie beansprucht. Sie kauert gleichsam über ihrem Strickzeug; man sieht nur ihre wattigen Schultern und eine Garbe dicken rötlichen Haars; die Nadel führt sie so dicht vor den kurzsichtigen Augen, als wolle sie sich verwunden. Sie preßt sich gegen den Tisch, man denkt, ohne den Tisch müsse sie fallen; ihr schartiger weiter Rock läßt keine Vermutung über ihre Beine zu; vielleicht hat sie gar keine Beine.

Wo ist Tobias? Man muß ihn suchen. Er sitzt am Rande in dem von ihm geschätzten Halbdunkel, sitzt, wo es zur Küche geht, flach neben dem Ofen mit bloßen Füßen, dunkler Manchesterhose, wahrscheinlich dunkelblauem Rollkragenpullover und ist still. Seine Jugend ist schwer zu schätzen; unten schätzt man ihn jünger, weil er so abgerissen wirkt, aber oben ist sein Haar schon ziemlich gelichtet und das wenige Haar widerspenstig und ohne erkennbare Farbe. Die stark gekrümmte Nase scheint sein Gesicht niederzuziehen und läßt seinen Mund halb verschwinden, den er, um ihn undeutlicher zu machen, auch noch zwischen die Zähne nimmt; Monika findet, er sehe aus wie ein Kakadu in der Mauser. Tobias ist «angeschlossen», das heißt: von seinem einen Ohr weg kräuselt sich ein Faden hinüber zum Transistorradio, der mit ausgezogener Antenne neben ihm im Türrahmen steht. Man kann natürlich nicht erkennen, ob das Radio angedreht ist; wenn ja, dann will Tobias nicht stören, wenn nein – dann will er nicht gestört sein. Auf seinen flachen Knien liegt ein Buch; hier ist kein Rätselraten nötig. Es ist das «Book of World Facts 1929», der statistische Almanach eines eingegangenen amerikanischen Magazins, eine umfängliche Sammlung teils überflüssiger, teils veralteter Information. Tobias kann es auswendig, braucht also nicht darin zu lesen, läßt es nur auf den Knien liegen, hält die Arme verschränkt und blickt über mich weg durchs offene Fenster zum Apothekerhaus hinüber, auf dessen Spitze seit Stunden die Amsel singt, ein winziger schwarzer Knauf.

Hinter der Wand, an die er sich lehnt, hinter der Tür, die seine Antenne bewacht, liegt sein Zimmer, früher das Séparée des katholischen Gipsers Balthasar Demuth. Durch den Türspalt dringt Schreibmaschinengeklapper. Es hat einen bestimmten Rhythmus, es läßt sich studieren: der Schreiber holt immer drei, vier Minuten Atem, totenstille Minuten bis auf das Knirschen des Rotkohls, das geruhsam gehende und kommende Küchengeräusch, das Toben der Amsel (Autos lassen sich überhören). Dann hämmert's wieder los, konzentriert, etwa gleich lange, wie es geschwiegen hat. Hier ist jemand in der Lage, sich zehn Sätze im Kopf zu überlegen und sie dann auf einen Sitz niederzuschreiben. Es ist der Wohlklang einer guten Technik, ich gebe es zu.

Es war möglich, sehr lange in dieser zweckentfremdeten Gaststube zu sitzen, ohne daß sich viel veränderte: höchstens wurden die offenen Fenster blauer und spiegelten die geschlossenen stärker; höchstens wurde Stefans Rotkohl kleiner oder spannte Roland drüben einen neuen Bogen ein; Tobias aber rührte sich nicht, Herberts Patience ging nicht auf, die Amsel kannte kein Ende. Es war, ich spürte es an meinen Augen, die manchmal aussetzten, es war die Stunde, wo ich drüben im Bungalow mein Buch hätte weglegen dürfen, wo mich Mum für bettreif erklärt hätte, um uns beiden zu beweisen, daß wenigstens sie sich mit der Elternpflicht anstrengte, wenn schon Pa sie vergaß und seine anderen Pflichten dazu. Um keine Komplikationen zu schaffen, wäre ich wohl auch zu Bette gegangen; es war mühsam, auf die Probleme der Eltern Rücksicht zu nehmen, aber ich war gewöhnlich bereit, mitzuspielen, damit es bei meiner Erziehung einigermaßen mit rechten Dingen zugehe. Aber wenn ich hier in der «Soldanella» saß, hatten die Probleme des Bungalows keine Macht über mich; niemals würde Mum so weit gehen, mich hier herauszuholen; niemand verbot mir, zu dieser verbotenen Stunde unter meinem Fenster zu sitzen, sie war aus dem Druck der Dinge herausgenommen. Zwar wußte ich – und es war mir unangenehm –, daß Mum jetzt Zeit hatte, sich ihren entlaufenen Automobilhändler vorzustellen, sich die Gesichter auszumalen, hündisch verschleierte und hingerissene, die Sabine diesem Manne machte; oder vielleicht war alles schon vorüber, dann konnte Pa in einer Stunde wieder aufkreuzen, geräuschvoll die Garage öffnen, deutlich die Zündung abwürgen, im Garten bei diesem oder jenem Busch stehenbleiben, einen überstelligen Zweig knakken oder eine geknickte Tulpe aufheben, als kümmerte er sich um seinen Garten, konnte schon in der Tür fragen, wie sich der Klaus angestellt und ob alles «geklappt» habe. Er ist noch drüben, wird Mum sagen, und wenn Pa die Brauen hochzieht, wird sie sich abwenden, und wenn er tobt, es ist ihm eine Erleichterung, daß er toben kann, sagt sie spitz: Warum bist *du* nicht da –, und dann hat sie eine Art, «still» zu sein, daß es auf eine Meile zu hören ist, sich umzudrehen und abzusegeln, die Pa verstummen machen soll; natürlich verstummt er nicht, sondern tobt erst recht weiter, aber man merkt, daß er jetzt Angst hat, wütende Angst um mein Seelenheil, aber nicht den Mut, mich eigenhändig herüberzuholen; er wüßte den Spruch nicht, den er Fee ins Gesicht sagen sollte; er schämt sich, daß ich da bin, daß er da ist. Ich kenne diesen Auftritt, weil ihn Mum hie und da auch inszeniert, wenn ich durchaus zu Hause und vorschriftsgemäß im Bett bin. Sie weiß ja nicht, daß ich nicht schlafe und jedes Wort verstehe; sie verläßt sich darauf, daß Pa nicht hinübergeht, um nachzusehen; sie will nur die Angst in seiner Stimme hören. Ich eigne mich hervorragend für Erpressungen. Warum soll ich also nicht gleich in der «Soldanella» bleiben und dafür sorgen, daß sie nicht lügen muß? Sie weiß ja, daß mich Fee schließlich doch nach Hause schickt; ich wiederum weiß, daß sie hinter der Tür auf mich gewartet hat, mich mit hastigen Bewegungen in die Küche zieht, wo sie einen Haufen Vanillecrème und ein Coca-Cola bereitgestellt hat; sie drängt mich dann, aber ich tu ihr ja den Gefallen, esse ruhig, während sie mir fast gierig zusieht, ihren Rauch tief in die Lunge zieht. Langsam beruhigt sie sich auch, wirft nur manchmal einen nervösen und nicht unzufriedenen Blick zur Decke, über der mein Vater in langen Schritten hin und her geht und den Abstand von Wand zu Wand mißt und immer wieder mißt, vor der Wand einen Augenblick stokkend, den Hals werfend wie der Eisbär im Zoo. Wenn ich ihr dann ein ehrliches Lächeln entlockt habe, kann ich unbesorgt zu Bett gehen.

Hier aber, hier drüben liegt mir kein Heimweg auf dem Gewissen. Ich sitze mit dem Rücken zum Bungalow; der Luftzug von Pas Dienstfahrten reicht nicht bis in diesen Raum. Ich behalte mein Buch auf den Knien, wie Tobias das seine; so haben unsere Knie ein wenig Gefühl. Wir brauchen beide nicht zu lernen, blicken einander auch nicht an, sondern übereinander weg: er auf die Amsel, ich auf die Liedertafel an der Wand; es genügt, voneinander zu wissen, daß wir da sind. Auch schlafen wäre leicht bei dieser Drittklaßbeleuchtung, leicht würde es meine Körperschwere machen, an der sich die kühle Luft nicht stößt; aber auch wachen kostet nichts, und so bleibe ich wach und fahre fort mit Zusehen.

Es wird Zeit, daß Fee durch die Küchentür tritt. Sie ist gealtert, aber sie füllt den Rahmen immer noch. Ihre schwarzen und grau gemaserten Röcke fallen ihr gleichmäßig rund von der Leibesmitte, mit der perlgrauen Schürze als Vorspann, dem Schoß für jedes Elend: ein breiter, bei den Hüften mit hundert Falten geraffter, südlich kompakter Röckesockel, der sich selbsttätig zu bewegen scheint. Man hat Mühe, bei gewissen Wendungen am Herd, oder wenn sich Fee nach dem Gewürzkasten streckt, einen Blick auf die craquelierten, sehr feinen Schnürstiefel zu erhaschen. Massiv ist auch die Brust, in heimliche Panzer geschnürt, aber massiv wie ein doppelter Bauernaltar; das Wolljäckchen, das sie mit zwei Knöpfen überspannt, wirkt angestrengt, aber nicht gequält. Massiv in jedem Sinn ist der Kopf, an den man sich noch erinnern muß; Schnurrbart und überhängende Stirn und ein gepreßter, aber gewaltiger Ausdruck von Güte dazwischen. Laß dich nicht gehen, Klaus, und berichte endlich in der Vergangenheitsform. Auf dem immer noch kräftigen Haar klebte ein Häubchen, Zeichen verflossener Schwesternschaft, an die auch Fees Hände erinnerten, erstaunlich feine, zum kleinen Fuß stimmende Hände; Hebammenhände, zu denen sich die rissigen breiten Arme – auch sie taten dem Jäckchen nicht gut – plötzlich verjüngten. Diese Hände legte Felicitas Schnetzler nun auf ihrem Schürzensockel zusammen und sagte: «Es wäre dann gerüstet.»

Darauf geschah gleichzeitig folgendes:

Stefan Sommer trug seine Schüssel voll Rotkohl an den Tisch neben meinem Fenster, der als Anrichte diente. Herbert räumte seinen Tisch, wischte die Stelle flüchtig ab, wo seine Turnschuhe gelegen hatten, sammelte die Blätter mit den Formeln ein und schob sie in den Sack. Monika legte ihr Strickzeug auf den Fenstersims und begann aus einem Spind unterm Fenster Geschirr an den Tisch heranzutragen, von dem Herbert herabgesprungen war: sieben teilweise beschädigte Suppenteller aus grauem Steingut und ebensoviele Blechlöffel mit Bißspuren. Während Fee sich in die Küche zurückwandte, war Stefan beschäftigt, mit raschen diskreten Bewegungen seiner Manschettengelenke, in denen je ein Amethystknopf aufschien, die Salatsauce zu bereiten: er vereinigte fliegend verschiedenen Essig, Senf, Salz und Pfeffer und schlug, indem seine gestreifte Hose neben mir zu tänzeln begann, einige schwerfällige Flecken Öl unter die ockerfarbene Masse. Unterdessen war Roland von Aesch aus seiner Tür getreten, hatte sich umgeblickt, geräkelt, beide Hände an den Hosennähten abgewischt und reckte sich nun nach einem Tablett mit Gläsern, das auf einer Etagère neben der Liedertafel stand. An den Tisch tretend, begann er die Gläser auf die Teller zu verteilen, wobei er gelegentlich innehielt und Gläser umstellen mußte: ein venezianisches Glas, ein Zahnglas, einen Humpen, ein Joghurtglas, eine henkellose

Tasse, ein größeres Zahnglas, ein Glas mit Guter Form und einen Plasticbecher; ein Glas aus grünem Glasfluß blieb auf dem Tablett zurück. Herbert kam schon mit einer Korbflasche Rosatello hinterher und füllte die Gläser, füllte sie ungleich, so daß jedes Glas zu gleich viel Rosatello kam; er tat es so geschickt und rasch wie ein Gärtner, der in der Reihe einen Setzling nach dem andern begießt, ohne dazwischen einen Tropfen zu verlieren. Tobias war sitzen geblieben, beobachtete nur, seinen Stöpsel im Ohr, aus den Augenwinkeln jeden Vorgang. Erst als Stefan seine Teigschüssel voll ölig glänzender Präparate mit beiden Händen auf den Eßtisch hinübergehoben hatte, nahm er den Stöpsel aus dem Ohr, rollte den Kontaktfaden zusammen, zog sorgfältig die Antenne ein und schnellte auf; dann drückte er zweimal das Kreuz durch, schlenderte in meine Gegend, zog eine alte Autohupe mit schwarzem Gummiball aus der Tasche und hupte dreimal jämmerlich zum Fenster hinaus. Die Amsel verstummte augenblicklich.

Fee trat wieder durch die Tür, einen gewaltigen dampfenden Topf in den Händen, die jetzt in Lappen staken; sie setzte den Topf auf den Tisch auf das Rotkohlbrett, zog einen Schöpflöffel aus der Schürze und legte ihn neben den Topf. Wir standen hinter unsern Stühlen; zwei Stühle blieben noch leer. Wir standen vielleicht eine Minute – dann knirschte der Kies draußen auf dem Platanenvorplatz, eine Tür ging, dann die zweite, und Matthias Kahlmann, von der Hupe aus seinem Atelier gelockt, betrat den Gastraum. Er war klein, schmächtig, mit fallenden Schultern, die aber spitz werden konnten, wenn er sie hochzog. Er ging wie fröstelnd in seinem vergipsten Leinenkittel, den staubigen Waschhosen, ging rasch auf zu großen Füßen oder in zu großen Sandalen. Sein Mund lächelte, etwas dümmlich und lehrlingshaft wie immer, wenn er nichts gearbeitet hatte; die Augen blickten klug, traurig, auch etwas schlüpfrig und rot gerändert hinter der rundäugigen Drahtbrille hervor. Diese hing geknickt an weit abstehenden Ohren, durchsichtigen Kohlblattohren, die keine Andeutung von Haar milderte;

soweit Matthias Haare hatte, waren sie in einer schwarzen Netzkappe zusammengefaßt und ließen ihre Farbe im Dunkeln. Alles an Matthias Kahlmanns Konfirmandengesicht war lang, blut- und fettarm; es konnte jung und pickelig erscheinen oder kalkig erloschen wie das eines pensionierten Organisten. Auch Matthias faßte die Lehne seines Stuhls. Wir standen jetzt um den Tisch: Tobias an der Schmalseite beim Fenster, Fee ihm gegenüber; die Birnen waren ausgedreht bis auf die eine zu unsern Häuptern, und Fee sprach: *Schpys Gott tränk Gott ali arme Chind wo uf Ärde sind, Amen.* Dann setzten wir uns.

Minestrone, Brot, Rosatello und zum Nachtisch Rotkohl – es war ein «Soldanella»-Nachtessen, und man nahm es schweigend zu sich. Man hörte das Knirschen des gebrochenen Brotes – hier wurde das Brot alt genossen –, hörte den heller werdenden Klang der Teller; den Klang der Becher hörte man nur andeutungsweise, weil man mit ihnen anzustoßen unterließ. Meiner war aus Plastic und hätte ohnehin keinen Klang gegeben, aber den Rosatello ließ ich mir nicht nehmen. Jetzt hörte man auch die Motoren vor den Fenstern vorbeischnurren. Meist schalteten sie vor der Kreuzung herunter; der Pas war nicht dabei. Weder suchte man gegenseitig den Blick, noch vermied man ihn; die Regel war bloß, nicht zu sprechen, sonst gab es keine Regel. Monika nahm, wie immer, nur ein paar Löffel, und auch das Brot, das sie zerkrümelte, ließ sie liegen; Tobias aß äußerst langsam, Stefan hoch aufgerichtet. Wenn ein Teller leer war, hatte der Nachbar zur Linken dazu zu sehen, daß er wieder gefüllt wurde, außer man gab durch ein Kopfneigen zu verstehen, daß man bedient sei. Ich wurde von Tobias bedient; mein Nachbar zur Rechten aber war Roland von Aesch; er war also der einzige, den ich zu beobachten hatte. Er brachte es fertig, beim Suppenlöffeln den Mund gespitzt zu halten; ich hatte es ihm nachzumachen versucht, bis ich das Gefühl bekam, daß der Spitzmund mein Gesicht auf unnötige Art wichtig mache; ich war froh, hier nicht wichtig zu sein. Aber trotz seiner Wichtigkeit mochte ich Roland damals nicht schlecht.

Er war ein hübscher Mann mit fliegendem Profil und kühn vorgeschobenem, sehr schmalem und dennoch gespaltenem Kinn; da er seinen Hengstkopf gern im Nacken trug, so daß sein glattes dunkelblondes Haar hinten am Kragen aufstieß und Büschchen machte, trat sein Adamsapfel kräftig hervor: eine gebrechliche Halslinie, die ungeheuer arbeitete, wenn er schluckte oder sprach. Er pflegte mit viel Luft zu sprechen, bei locker schwingenden, durch Sprechunterricht geübten Stimmbändern, die bewirkten, daß seine Stimme weit hergeholt und angenehm schwankend klang und – Gott sei's geklagt – viel vom Jugendlichen Liebhaber hatte. Auch darauf fiel ich damals herein, hörte ihn gerne reden, schämte mich nicht einmal, vor dem Spiegel seine Klangfarben zu proben und dazu passende Gesichter zu schneiden. Fee hatte über einen leeren Platz hinweg Herbert Frischknecht zu bedienen, einen gewaltigen Esser; er und Tobias waren aus entgegengesetzten Gründen immer die Letzten mit dem Löffel.

Man blieb vor geleerten Tellern noch eine Weile sitzen, redend, nachdem Tobias das Zeichen zu reden gegeben hatte. Es war die Regel, daß man zur Verdauung nicht in eigener Sache redete, auch nicht über gegenwärtige Dinge, sondern solche, die viele Jahre zurücklagen; man tat es natürlich nicht aus Rücksicht auf mich, im Gegenteil, man sah es wohl lieber, wenn ich dazu schwieg, und es blieb mir auch gar nichts anderes übrig. Denn die Wein- und Pflaumengärten, die in diesen Gesprächen wieder zum Blühen kamen, kannte ich nicht, sie waren verschollen oder überbaut, in dörfliche Dämmerung versunken; die Röhren waren längst in den Boden verlegt oder schon ersetzt, durch die Tobias mit Monika gekrochen sein wollte, zugeschüttet die Höhlen, melioriert die Binsenwäldchen, begradigt der Bachlauf, an dem Stefan sich nicht gescheut hatte, vom damals noch rundlichen Arm Matthias Kahlmanns Bruderblut zu trinken. Diese Nachtischgespräche unter den Augen der aufmerksam gerührten Fee kamen mir damals wehleidig vor: so redete Mums Onkel von seinen sogenannten Studentenjahren. Ja, ich fühlte mich betupft; ich, damals ebenfalls Gymnasiast erster Klasse, hätte nicht mehr im Traum daran gedacht, Bruderblut zu trinken; die Hygiene hatte seither Fortschritte gemacht. Erinnerungen gingen mich nichts an. Aber ich verstand zur Not, daß die sechs Freunde daran festhielten, denn jenes erste Jahr Gymnasium war das Jahr ihrer größten und eigentlich einzigen Gemeinsamkeit gewesen, ehe sie nach vielen Jahren als unterschiedlich gemachte Leute wieder in der verwaisten «Soldanella» zusammenkamen, und zwar unter dem Titel jener offenbar merkwürdigen Erinnerung und mit Berufung auf sie.

Denn wie war es damals gewesen: Tobias hatte sich in seinem ersten, von Fee mühsam erwirkten Jahr an der städtischen Schule in Freundschaften und Pflaumenwäldern so verausgabt, daß er am Ende des Jahres sitzenblieb und wiederholen mußte (es sollte nicht bei diesem einen Mal bleiben), womit er den Anschluß an seine Blutsbrüder als erster verlor; zwar versuchten beide Teile über den Abgrund einer Klasse hinweg das Band festzuhalten, aber die neuen Gruppierungen waren stärker, und es zerriß, auch dasjenige zu der von Tobias kindisch geliebten Monika, der die Eltern damals nicht erlaubten, sich einen sitzengebliebenen Freund zu halten. Matthias blühte eine Klasse höher ein ähnliches Geschick, nur zog er, von keiner Fee auf dem Pfad zur höheren Bildung festgehalten, radikalere Konsequenzen, besuchte erst die Kunstgewerbeschule und resignierte, als er auch da herausfaulte, zum Buchbinderlehrling, bis er seine Pubertät vollendet hatte, endgültig seine Berufung zum Bildhauer entdeckte und die verlassene Kegelbahn bezog. Monika, wie sich das für eine Tochter aus sehr gutem Hause schickt, schmuste sich ohne große Komplikationen zur Matura hinauf, schnupperte dann ohne viel Spaß ein paar Semester im Gebiete der Psychologie herum, um dann doch, nicht ohne Erleichterung, auf den inzwischen nachgerückten Tobias zurückzukommen, an dessen Seite sie ihren Müßiggang als einen höheren empfand. Ihre Mutter, die früher so sehr auf Familie gehalten hatte, war, offenbar von einer Wallung ihrer

Wechseljahre übernommen, ihrer eigenen Familie nach Südamerika durchgebrannt, was sich auch auf Monikas Lebensführung enthemmend ausgewirkt hatte; sie war buchstäblich Tag und Nacht in der «Soldanella» zu finden, ohne sich übrigens von Tobias großer Zärtlichkeit zu versehen; er hatte kaum welche für sie übrig. Aber er duldete, daß sie dabei war, worauf sie großen Wert legte; er schalt sie, wenn sie mit ihren Erfahrungen aus der «Soldanella» hausieren ging; wenn es hoch kam, so nahm er ihr einmal bei Dämmerung die Sonnenbrille ab, mit der sie die häufige Rötung ihrer Augen verbarg. Im übrigen ließ er sie, ohne zu schelten, unter seinen Augen stark werden – ja, sie setzte Fülle an, Gott weiß wie; Fett, das aus ihrer stillen Traurigkeit stammte, wölbte ihr die Bäckchen, versenkte die Mundwinkel, die sie, wenn eine gewisse wilde Gesprächigkeit sie überkam, aber auch wieder freischütteln oder zu einem breiten, ergreifend rotznasigen Lächeln entfalten konnte; dann wurde auch der benachbarte Teint, der schon Verfallsspuren zeigte, wieder flaumig rosa. Sie wäre gern verworfen gewesen, wenn man ihr gezeigt hätte, wie; ihre besondere Gutartigkeit ließ sie immer nicht recht dazu kommen. So war sie schließlich zufrieden, ihre Studienjahre bei Tobias zu verewigen, in seiner Nähe ihr Leben in der Schwebe zu halten und, bevor sie einmal zu viele Schlafmittel nahm, an diesen Tischen noch ein paar Höschen und Häubchen für ihre kleinen Neffen zu vollenden.

Herbert Frischknecht und Roland von Aesch stiegen damals im Gymnasium ohne Zwischenfall eine Sprosse um die andere, stiegen also ebenfalls außer Sichtweite des Tobias, bis sie kürzlich wieder darin auftauchten, Roland als Juniorredaktor (Film und Musik) an einer, wie er sagte, «möglichen» Wochenzeitung, Herbert als Rückkehrer aus Amerika, wo er, wie man hörte, einige unglaubliche Angebote ausgeschlagen hatte, um weiterhin in der Schweiz als sein eigener Nikolaus mit dem Sack umherziehen und unter dem Schieferdach des falschen Loireschlößchens seine mathematischen Patiencen legen zu können.

Mit Bitz Bär, der seinen Stuhl diesen Abend leer gelassen hatte, aber damals gleichzeitig mit Tobias sitzengeblieben war, freilich nicht, um eine Klasse zu repetieren, sondern um die nächsten Lebensjahre an der Rudolf-Steiner-Schule zu verbringen und seine Bildung auf mehr organische Weise, das heißt: mit Hilfe farbiger Klötzchen aufzubauen, deren Ecken natürlich abgeschliffen waren, um das Organische zu betonen, – mit Bitz Bär war Tobias ziemlich ununterbrochen verbunden geblieben, unter anderem, weil ihn die farbigen Klötzchen überzeugten. Von Stefan Sommer hingegen hatte er Jahre nichts gehört. Auch Stefan hatte das Gymnasium bald verlassen, aber nicht auf höheren Befehl, sondern auf allerhöchsten Wunsch. Er hatte den Erbprinzen des Hauses zu Wied beim Skilaufen im Kandertal kennengelernt, welcher sich dann, auf Grund der Übereinstimmung ihrer Sonnenschutzmittel und Wachsgewohnheiten, den angenehmen Jüngling von seinem fürstlichen Vater und dem pfarrherrlichen Vater Sommer zum Geschenk ausbat. Gebildet von Biarritz bis Pozzuoli, umgetan in Monte Carlo nicht weniger als in den Uffizien, kehrte der Spiel- und Lerngefährte des hoffentlich nur vorübergehend heimatlosen Prinzen von Albanien nach einigen Jahren nach Zürich zurück, um dort die eidgenössische Maturität vor schwitzenden Experten mit der Maximalnote zu bestehen. Nachlässig sah er sich nach einem Studium für sich um und ergriff schließlich gleichsam mit zwei Fingern dasjenige der Kunstgeschichte; da ihm jetzt in diesem Lande nicht leicht etwas vornehm genug war, ließ er seine Lebensgewohnheiten umschlagen und schloß sich seinem alten Schulgefährten Tobias an, in dem er, zu Recht oder Unrecht, viel umgekehrte, lax und sumpfig gewordene Vornehmheit witterte, und brachte seine Feierabende mit Vorzug in der «Soldanella» zu. Da er zu vornehm war, um Leutseligkeit zu zeigen, war er dort wohl gelitten, und sein Abendanzug – Abende waren nach Stefans prinzlicher Gewohnheit dazu da, daß man sie durch den Anzug kenntlich machte – erregte keinerlei Aufsehen. Er war, trotz seiner Jugend, auch sonst ein gemachter Mann.

Unnötig zu versichern, daß seine Verbindungen mit europäischen Herrenhäusern nicht abrissen und die Freundinnen, die er sich in Venedig oder Epsom in Übereinstimmung mit dem Ortsgeist angeschafft hatte, auch nach ihrer meist standesgemäßen Heirat fortfuhren, brieflich an Stefan zu hangen, was sich auf meine Briefmarkensammlung günstig auswirkte. Aber auch im akademischen Fach stand er seinen Mann, hatte gleich nach Beginn des kavaliersmäßig behandelten Studiums mit einer Doktorarbeit über die Raumbehandlung der Fresken von Piero della Francesca begonnen, nach sechs Semestern – dem strikten Minimum – *summa cum laude* dafür eingezogen und sich von seinem Doktorvater Prof. Anderegg anschließend für einen Lehrauftrag gewinnen lassen, der ihn unterhalten mochte, bis die von ihm dringend erwartete Habilitation vollendet war; einen Ruf an eine schweizerische Provinzuniversität hatte er bereits abgelehnt. Kein Zweifel: es waren mindestens zwei Genies unter denen, die damals einen Schlüssel zur «Soldanella» besaßen: Herbert Frischknecht, der das seine im Segeltuchsack versteckte, und Stefan Sommer, dem es nichts ausmachte, es auch an einem Rotkohl zu demonstrieren. Es war gut so; die «Soldanella» sollte in den kommenden Monaten auf Genies dringend angewiesen sein.

Ich wiederhole: man sprach von simpeln und gemeinverständlichen Dingen: von Kaulquappen, die man gemeinsam zu Fröschen erzogen hatte, wobei Stefan zugeben mußte, er habe sich vor dem Kotstreifen geekelt, den die Kaulquappen nachzogen; man sprach von Nachbarsbuben, die man im Felde geschlagen hatte und die seither auch so gleichgültige Dinge wie Bankprokurist oder Reklameberater geworden waren. Man hatte sich so wohl eine halbe Stunde verplaudert, als der Kies abermals knirschte. Man lauschte dem untauglichen Versuch, draußen die unverschlossene Tür mit dem Schlüssel zu öffnen. Der Fummler versuchte es mit Gewalt, die nicht nötig war – und dann stand er in der Tür, noch gerötet vom Bücken, rechtfertigte sich mit einem schnellen Grinsen und fragte: «Wie geht's?» Das war Bitz Bär.

Der Rahmen kleidete ihn gut, denn Bitz war zwar klein, aber gewichtig gebaut. Seine Korpulenz war nicht diskret verschwommen wie diejenige der armen Monika, schlug auch keine Falten wie diejenige, die der aufgestützte Mathematiker durch seinen Leibchenausschnitt hatte sehen lassen; sie war muskulös und kompakt, sie wirkte bei aller Behäbigkeit nicht ungefährlich, und darauf legte Bitz Wert. Es war einige zwanzig Jahre her, seit er seinen Taufnamen Fritz in das putzigere Bitz umgeplappert hatte, um den Doppelkonsonanten zu vermeiden; lange her auch schon seit seinen Latein- und Arithmetik-Studien, denen er in Gestalt von bunten Klötzchen unter Aufsicht unterernährter Naturphilosophen und harmonischer alter Damen obgelegen hatte. Bitz, nachdem er die Matura dennoch, wenn auch glanzlos, geschafft hatte, entdeckte im Verlauf eines Literaturstudiums, dessen wissenschaftliche Ansprüche ihn langweilten, seinen wahren Beruf: den zum Revolutionär. Er entdeckte ihn nicht sogleich, trotz häufiger Befragung des Spiegels und vorsorglichen Änderungen an seiner Person; auch als er zu Khaki übergegangen war (wenigstens in der warmen Jahreszeit), als sich sein Haar nach dem Vorbild eines zeitgenössischen Dichters über die leicht schwitzende Stirn legte und ein Henri-Quatre sein bis zum Zerreißen herzhaftes Lachen einfaßte, stand erst fest, daß man mit diesem Gesicht zu rechnen haben würde: wer, wo und wie, das mußte sich noch zeigen. Bitz schob die Entscheidung über diesen Punkt nicht ungern hinaus; er war ein Mann, dem plumpe Tatsachen sehr viel weniger lagen als aufgehobene Möglichkeiten; und da sein Vater, ein Industrieller, in der Lage war, ihn beliebig lange auch in unentschiedener – Bitz nannte sie: ‹existenzieller› – Lage zu versorgen, so ließ es sich mit diesem Gesicht eine Weile leben. Schließlich aber traf ihn ein Ruf, den er um so weniger abweisen konnte, als er von sehr weit her, geradezu aus dem Urwald erscholl, unbeschränkte Möglichkeiten eröffnete und ein unbegrenztes Andauern der existenziellen Lage versprach. Bitz lernte beim Schwänzen der Vorlesungen einen jungen, dem diplomatischen Corps seines Landes vage affiliierten Negerstudenten kennen, der die seinen schwänzte. Es zeigte sich aber bald, daß er dies, wie Bitz, aus höheren Gründen tat, denn Barnabas Alunda war nicht so sehr nach Europa gekommen, um seine forstwirtschaftlichen Studien, als vielmehr, um die Aufwiegelung seines Landes zu betreiben, eines Territoriums in der Gegend des Sambesi, das, wenn man Barnabas glauben durfte – und Bitz bereitete es Vergnügen, ihm zu glauben –, eine uralte völkische Einheit darstellte, von den Kolonialherren aber auseinandergerissen und in diesem trostlosen Zustand ihren afrikanischen Nachfolgestaaten vererbt worden war, so daß seine Wiederherstellung afrikanische, ja weltpolitische Komplikationen absetzen mußte. Die Utopie im Bogen des Sambesi war ein gefundenes Fressen für Bitz. Schlagartig hoben sich die Zweifel über die Rolle, die er zu spielen gerüstet sein wollte; und indem er fortfuhr, die nun erst recht zweitrangig gewordenen Literaturvorlesungen zu schwänzen, arbeitete er – obwohl ‹arbeiten› vielleicht nicht das hinreichende Wort ist – mit Barnabas zusammen an der Befreiung jenes fernen Landes. Selbstverständlich fehlte es Barnabas und seinen Gesinnungsfreunden, denen Bitz im Schutze der Dunkelheit vorgestellt wurde, zunächst einmal an Entwicklungshilfe, das heißt: an kurzfristigen Krediten, aus denen die Exilorganisation zu bestreiten war; aber wozu hatte Bitz einen reichen Vater. Selbstverständlich – darin waren sich Bitz und seine afrikanischen Freunde einig – war bei ihren Vorkehrungen Geheimhaltung und maximale Vorsicht geboten. Man weiß ja, daß politische Tätigkeit fremder Aufenthalter von der eidgenössischen Regierung nicht gern gesehen wird; zusätzlich mußte man bedenken, daß Barnabas und die Seinen sich ja auf Kosten eines der Puppenstaaten in Europa befanden, gegen den sie zu gegebener Zeit die Flamme des Aufruhrs zu entzünden hofften. Das unerlöste Territorium im Sambesibogen gab Bitz und seinen Freunden unerschöpflich Gelegenheit, den Entwicklungsfonds des alten Bär vorleistungsweise zu beanspruchen; im Hinblick auf die kommende Befreiung konnte schließlich kein Whisky teuer genug sein, und wenn man den ersten noch im «Cooperativo» gehoben hatte, so siedelte man für den letzten in die «Kronenhalle» oder ins «Baur en ville» über. Dafür war dann gegen Mitternacht die Ministerliste komplett; zwar wurde sie, in Übereinstimmung mit dem Verlauf der Interessengegensätze innerhalb der afrikanischen Gruppe, am nächsten Abend wieder abgeändert, aber sie behielt die Eigentümlichkeit, auf die es Bitz ankam: daß nämlich für ihn selbst eine Schlüsselposition im Kabinett vorgesehen war, Planung zum Beispiel, auch Sport oder Information. «Car je suis nègre!» zischte er aus seinem Bart, und seine Gefährten nickten und ließen ihre schönen Gebisse blitzen. Für den Druck von Visitenkarten, die – höchst geheime – Xerographierung von Manifesten, Tagesbefehlen und selbst Verfassungsentwürfen blieben sie auf ihren schweizerischen Gönner angewiesen; und der alte Bär, über die Verwendung seiner Gelder wohltätig im dunkeln gelassen, hielt wacker mit und pflegte nur zu sagen, man könne seinen Sohn nicht im Geiste der Freiheit erziehen, wenn man später nicht bereit sei, sich diese Freiheit etwas kosten zu lassen. Bitz war in seinem Element. Er taktierte und finassierte, gab zu bedenken und ließ durchblicken, hinterließ Spuren, um sie geschickt zu verwischen, bildete Fronten und bereitete Machtübernahmen vor; er unterwanderte und gab gezielte Indiskretionen preis, pflegte Zweckpessimismus und gute Kontakte, plazierte rote Heringe und hatte sie sorgfältig vergiftet. Er versuchte auch die «Soldanella», wo er – seltener als früher – seine Feierabende zubrachte, in seinen Wirbel hineinzuziehen; aber Tobias, der nur mit einem Ohr zuhörte (im andern stak der Radiostöpsel) sagte bloß: «In diesem Haus wird keine Rasse gehaßt, nicht einmal die eigene.» Vielleicht hatte er seinen Halbbruder im Sinn, den Baptistenprediger aus Louisiana.

An jenem Maitag also vor sechs Jahren, da es ein milder Abend war: in Khaki, die Dokumentenmappe unterm Arm, die mit mattem Saffian merkwürdig von den *fatigues* abstach, stand Bitz Bär in unserer Tür und sagte: «Wie geht's?»

«Wir wollen diese Frage heute so genau wie möglich beantworten», sagte Tobias. «Klaus, holst du uns den Retsina herauf?»

Das war sehr ernst. Ich konnte sehen, wie sich alle Anwesenden in ihren Stühlen etwas aufrichteten. Retsina war all die Jahre in diesem Kreis erst zweimal ausgeschenkt worden. Zum ersten Male, noch beiläufig, als das halbe Dutzend der Freunde (Monika nicht eingeschlossen) voll gewesen war, zum Zeichen, daß der Kreis nun als abgerundet zu betrachten sei; das andere Mal vor zwei Jahren im Frühling, als Herbert von Michigan zurückgekommen war und Stefan seinen Ruf nach Fribourg abgelehnt hatte. Damals war man sich des Symbolischen der Handlung bewußt geworden, die Tobias mit halb spielerischer und doch hartnäckiger Pedanterie, sozusagen liturgisch aufzog: Erst rühmte er den Wein, sagte ihm nach, daß er durch den Zusatz von Harz nüchtern mache statt trunken, einen Rausch von Nüchternheit bewirke; dann forderte er die Freunde auf, die volle Schale – eine irdene japanische Teeschale von unregelmäßiger Form und nur flüchtig lasiert – dreimal kreisen zu lassen, zweimal stumm die Schale mit beiden Händen umfassend zu trinken und beim dritten Mal zu reden. «Sich zu erklären» – so lauteten seine Worte. Roland von Aesch hat diesen Brauch in seinem Buch beschrieben und das darauf verwendet, was er wohl für feine Ironie hält. Natürlich stimmt kein Wort. Man braucht das Palaver der Bantus nicht ins Spiel zu bringen, und die Schwarzen Messen der modernen Literatur auch nicht. Es genügt, wenn man schon Einflüsse nachweisen will, auf Überseens Lokalgeschichte zurückzugreifen, die man mit dem Heimatkunde-Lehrmittel eingelöffelt bekommt. Ich meine die Episode, wo die alte Rebgemeinde ein wenig geistige Weltgeschichte machte; ich denke an die heilig-törichten Gruppen der Wiedertäufer, die sich anfangs des 16. Jahrhunderts in Überseen gebildet hatten, mit Zauberkünsten des Glaubens das Oberdorf erleuchteten und das Hinterdorf, dann das Gstad und schließlich sogar das Kirchdorf, um dem Leutpriester einzuheizen. Man unterbrach ihn mitten in der Predigt und jagte ihn zum Tempel hinaus, den man hinter ihm verschloß; dann verteilte man die Kirche wieder auf die Einzelhöfe, wie sie zur Zeit der Verfolgungen verteilt gewesen war, und in niederen Bauernstuben schenkten Manz und Hottinger, Blaurock und Grebel Taufwasser aus Milchkübeln, ließen den Geist Gottes um die Bauernohren sausen und wie Wein die eichenen Tische überschwemmen. Dazu beichteten sie sich gegenseitig ihre Sünden; und siehe, keine war so groß, daß sie nicht mit stachligem Bruderkuß vergeben werden konnte. Aber in den Augen der Gnädigen Herren in Zürich und ihres Oberleutpriesters Zwingli war diese feuergeistige und gleichmacherische Täuferei selbst die Sünde, die nicht vergeben werden konnte, und man vergab sie auch nicht, sondern bereitete ihr pflichtschuldigst jene Verfolgung, auf die sie sich ja gleichsam eingerichtet hatte. Die treu gebliebenen Knechte ihrer Herren trieben die schwarzen Schafe mit Prügeln und Schwertern in den Pferch zurück, wo sie das Wort Gottes wieder dosiert und aus der vorgeschriebenen Richtung – von oben nach unten – vernahmen und der Leutpriester ein ordentlich bestallter war. Mit den Häuptern des auflüpfischen Urchristentums aber verfuhr man nach Verdienst. Am sichersten war, wenn man sie gleich abschlug; da aber die meisten über die Grenze flüchtig wurden, hielt man sich an den Manz, der nicht so gut zu Fuß war, und schwemmte ihn unter Zwinglis Aufsicht umständlich und mit vielen Finessen zwischen Groß- und Fraumünster in der Limmat, bis daß alle Unruhe aus ihm gewichen war. Die übrigbleibenden Täufer aber – und es blieben immer mehr übrig, als man schwemmen konnte – trugen ihr paradiesisches Evangelium von Überseen hinaus in die Welt, wo es Wunder wirkte bis nach Holland hinunter und Amerika hinüber und heute noch unter der Asche der Kirchen weiterglost. – Es ist möglich, daß Tobias an diese verflossenen Zusammenrottungen gedacht hat; zu mir hat er nie davon gesprochen. Er war von Natur ein Mann vertrackter Bräuche. Einige Male noch sollte ich die Retsina-Tafel erleben, freilich erst am Ende auch als Teilnehmer; ich hatte, nachdem ich den Wein geholt hatte, meinen Platz selbstverständlich außerhalb des Kreises. Daß beichtähnliche Vorgänge mit diesem Umtrunk verbunden waren, will ich nicht leugnen. Wenn die Schale zum dritten Mal an einen Trinker kam, mußte er sprechen. Und die Frage lautete: «Wie geht es?»

Tobias fing an. «Es geht nicht gut», sagte er. «Heute ist der Tag, an dem die Einspruchsfrist abläuft. Ich habe sie nicht benützt. Es fällt mir nichts ein, was das Leben dieses Hauses verlängern könnte. Es ist alt. Niemand braucht es als wir. Man kann ein Fahrzeug stoppen; eine Straße kann man nicht stoppen. Fee und ich können uns nicht vor die Straße werfen. Die andern Anlieger sind befriedigt worden, ehe die Einspruchsfrist zu laufen begann. Sie läuft nur noch gegen uns; sie läuft keine Gefahr mehr, denn schon mein Vater hatte nicht, womit er sie benutzen konnte. Die ‹Soldanella› kann keine Gründe für ihre Existenz anführen. So habe ich die Frist, die ohnehin verfallen ist, verfallen lassen. Heute um Mitternacht steht der Zeiger still über diesem Haus. In wenigen Wochen können die Abbruchhämmer kommen. Vielleicht hat man die Aufmerksamkeit, uns vorher einen Mann in Zivil vorbeizuschicken, der seinen Mund auftun und sprechen wird: ‹Auf meinem Schreibtisch, Tobias Hüttenrauch, liegt die Abfindungssumme für dich bereit. Hole sie ab, sei ein gemachter Mann, und sorge dich nicht fürder. Siehe dich um in der Welt: wenn dieses Haus aus dem Wege ist, gehört sie dir.›»

Tobias setzte die Schale ab. Er sprach monoton und hatte die Augen nur wenig offen.

«Ich bekenne euch meine Schlaflosigkeit. Mein Zimmer wird früh hell, ihr wißt es, denn Balthasar Demuth schlief und starb ohne Vorhänge, und es lohnt sich jetzt nicht mehr, welche aufzuhängen. Es gab eine Zeit, da war ich vergnügt, im Lichte zu schlafen: einzuschlafen im Licht der Straßenlaterne, die der Wind wie eine Fackel über mein Gesicht hin und her führte; aufzuwachen in das andere Licht des Morgens, das mein Zimmer gefüllt hatte, ehe ich's mich versah. Heute aber gehen mir die Augen auf in der Nacht; und Stunde um Stunde liegend sehe ich die Nacht grau werden und den Morgen sich anschleichen von einem Winkel in den andern. Wenn aber der Tag kommt, so wird es Dämmerung bei mir, denn mein Kopf setzt dem Tag seine Dunkelheit entgegen, und fast könnte ich bei Tage schlafen. Aber, Freunde, ich bekenne euch meine Schlaflosigkeit bei Tag und bei Nacht.

Wenn der Mann in Zivil kommen wird und sagen, ich brauche mich nicht zu sorgen – was kann ich ihm antworten? Denn tatsächlich sorge ich mich nicht, auch nicht so weit, daß ich mich etwa umgesehen hätte, wo ich mein Haupt niederlege, um hoffentlich wieder einmal zu schlafen, wenn dieses Haus verschwunden sein wird; mir scheint, dazu werde es gar nicht kommen. Ich sorge mich nicht, soviel ich weiß, und doch schlafe ich nicht; sorge ich mich etwa doch, nämlich darüber, daß ich so lächerlich unbesorgt bin? Oder ist meine Schlaflosigkeit an meiner Sorglosigkeit schuld – aber das wäre ja keine Erklärung, sondern nur das Verschieben einer solchen, denn wie bin ich zuallererst zu meiner Schlaflosigkeit gekommen? Wohl liegt ihr eine Nervosität zugrunde; aber wenn ihr mich auf mein Gewissen fragt, so scheint mir fast, als deutete die Dämmerung in meinem Kopf auf einen Morgen hin, der höher wäre als alle Vernunft. Ist das noch vernünftig gesprochen, Freunde? Erklärt mir meine Lage, wenn es euch beliebt, denn sie ist ganz und gar nicht normal. Aber» – fügte er beinahe hastig hinzu – «nicht von mir, sondern von euch redend erklärt mir meine Lage.»

Womit er die Schale an Monika weitergab. Aber die machte nur Miene zu trinken, trank aber nicht, konnte offenbar nach Tobias' Rede nicht trinken, ließ dagegen eine dicke Träne ausführlich und höchst sichtbar über ihre Backe rutschen und dann auf den Tisch fallen. Frauen sind so eingerichtet, daß sie das können, und genau zur richtigen Zeit. Sie sprach auch nicht, schluckte nur und schob dann die Schale mit dem Handrücken zu Matthias hinüber.

«Es geht bitter», sagte Matthias Kahlmann, «es geht ganz bitter. Wenn die ‹Soldanella› verschwindet, bin ich erschossen. Denn sie werden die Kegelbahn ja nicht stehen lassen; und was ist ein Bildhauer ohne Atelier? Gut, ihr könnt sagen, daß ich gar kein Bildhauer bin. Ich habe noch keine Ausstellung gehabt, hätte auch gar nichts auszustellen, denn was ich anfange, stampfe ich am nächsten Tag wieder ein; nichts ist gebrannt, keine meiner Figuren in Gips gegossen, von Bronze zu schweigen; für Stein- und auch Holzarbeiten bin ich nicht kräftig genug. Jedermann hier weiß, daß ich im Zeichnen ‹ungenügend› gehabt habe; ihr verzichtet darauf, mich im Atelier zu besuchen, aus Sorge, mich beim Nichtstun zu ertappen. Ich weiß diese Rücksicht zu schätzen, so kränkend sie für mich ist. Kränkend nicht deswegen, weil es sich etwa anders verhalten würde, als ihr vermutet – tatsächlich beschränke ich mich seit Monaten, eigentlich Jahren, darauf, meinen Ton im Verlies feucht zu halten –, sondern kränkend, weil ihr zu glauben scheint, daß ich meinerseits mich kränken würde, wenn mein Nichtstun an den Tag käme; weil ihr mir also Prestigerücksichten unterschiebt, die ich nicht gerne nötig habe. Gehört es doch nicht zu den Pflichten unseres Kreises, daß jemand etwas Sinnvolles tue. Nichtsdestoweniger, Freunde, wäre ich verloren ohne mein Atelier – bedenkt nur, in wieviel höherem Maße einer, der kein Bildhauer ist, auf sein Atelier angewiesen sein muß als einer, der tatsächlich bildhauert und etwas hinter sich bringt. Diesen kostet es weiter nichts als Geld und Mühe, sich anderswo wieder einzurichten; ich aber bin an diesen Ort Gleichgesinnter gebunden. Aber auch das ist nicht der letzte Grund, warum ich es bis zur Verzweiflung bedauern muß, wenn ich von hier vertrieben werde. Ich sage euch jetzt ein Geheimnis, beichte euch, was nur beim Retsina ungestraft ausgesprochen werden darf: Freunde, ich *bin* nämlich ein

Bildhauer! Wenn ein Bildhauer mehr ist als einer, der Beitel und Geißfuß führt; wenn ein Bild mehr ist als ein Stück Ton oder Stein, dann bin ich ein Bildhauer, so wahr ich jetzt den oder jenen an diesem Tisch lächeln sehe. Denn: in jenem ‹Mehr›, Freunde, bin ich zu Hause und in meinem Eigen, auch wenn es in fremden Augen tausendmal nach weniger, ja wie gar nichts aussieht; ich bin nicht mehr oder weniger ein Bildhauer, ich bin's mehr *und* weniger, das ist der große Unterschied. Jetzt macht der Gips bloß meine Jacke weiß, dem es bestimmt gewesen wäre, die Züge des Letzten Menschen anzunehmen – damit ich euch jetzt auch dies zweite, mein innerstes Geheimnis verrate. Aber ihr müßt wissen, daß ich lieber auf diesem Stück Land mein einziges, obwohl ungeschaffenes Bild für immer begrabe als anderswo damit anfange; ich denke an keinen Umzug, ich wüßte nicht, wofür. Ich habe meine Verzweiflung ausgedrückt, und sie kommt mir von Herzen; nun werde aber auch, wie in Tobias' Trinkspruch, der Sorglosigkeit ihr Recht – sie hat in diesem Kreise immer das höchste besessen, und wir sind auch an diesem letzten Abend ohne sie nicht zu denken. Ja, ich bin verzweifelt, Freunde, aber sorglos. Als der Bildhauer, der ich bin, weiß ich: der Letzte Mensch wird geschaffen, seine Züge werden geformt und gebrannt werden, wenn auch nicht von mir. Er wird geschaffen werden in dem schon bald überholten Werkstoff von Fleisch und Blut, und es wird definitiv der Letzte Mensch sein; die Gefühle dessen aber, der ihn schaffen wird, dürften denen gleichen, die uns heute nochmals vereinigen: sie werden aus Verzweiflung und Erleichterung gemischt sein. Freunde, ich gestehe euch meine erleichterte Verzweiflung – meine verzweifelte Erleichterung.»

Damit gab er die Schale an Roland von Aesch weiter; der trank und sprach mit angenehm hohler Stimme:

«Freunde, es wäre das erste Mal, daß ich wüßte, wie es mir geht; ich müßte mir rasch einen Zustand erfinden, und heute abend möchte ich das einmal nicht tun. Ehrlich also: daß die ‹Soldanella› abgebrochen wird, ist mir weder lieb noch leid; es interessiert mich. Es gibt Leute, die vom Interesse geringer denken als von anderen Äußerungen des Seelenlebens, die sie für charaktervoller halten, als da sind: Verzweiflung, Teilnahme, Betroffenheit und dergleichen; diese Leute pflegen bei mir etwas zu vermissen, und auch das interessiert mich. Ich bin Musikkritiker, bei Bedarf Filmkritiker; ich habe meine Erfahrungen gemacht und möchte hier nur die interessanteste zitieren. Es ist die folgende: meine Kritiken können geschrieben werden, ohne daß ich die Veranstaltungen besuche. Bei Filmen möchte man das für ausgeschlossen halten; es ist schwieriger, ich gebe es zu, aber es hat auch seinen Reiz. Ich brauche den *cast,* den Regisseur, eventuell den Kameramann, das steht auf den Prospekten oder spricht sich unter den Kollegen herum; für den Rest gibt es Wörter. Wenn meine Kritiken in diesem Kreis gelesen würden – sie werden es nicht, was ich interessant finde –, so würdet ihr sehen, daß sich meine Kritiken nur durch eine gewisse Brillanz von den landesüblichen unterscheiden: ihr bekämt einen Begriff von dem, was ich Meta-Sprache nenne. Meta-Sprache ist ein Idiom aus vollkommen deutschen Wörtern, die einen Sinn zu ergeben scheinen, ohne eigentlich das geringste zu heißen. Es sind Plastic-Wörter, die in verschiedenen Gemütsfarben und Paßformen vorfabriziert werden können und so einfach zu handhaben sind, daß man ihnen keine Wirkung zutrauen möchte und nur immer wieder staunt, wie gut sie ankommen. ‹Anliegen› ist eins, gerne in Verbindung mit ‹echt›, das ein anderes ist; ‹Ebene› ist ein drittes, und wohin käme man ohne ‹Spannungsfelder› und ‹Aspekte›! Man braucht jetzt nur noch eins auf das andere durchsichtig sein zu lassen, den Aspekt auf die Ebene, eine Ebene auf die andere und die dritte Ebene aufs Grundsätzliche, und man hat schon das echteste Anliegen beieinander. Der doppelte Boden im Hut des Taschenspielers! Ihr würdet aber sehr fehlgehen, wenn ihr aus dieser Beschreibung ein sittliches Urteil über meine Praktik heraushörtet. Ich habe Grund, ihr dankbar zu sein; sie hat mir manchen Gang, manchen langweiligen Film erspart, von Konzerten zu schweigen, zu denen ich im Grunde gar kein Verhältnis habe. Außerdem halte ich wirklich nichts von echten Begegnungen; man kann diese Kombination nicht so brauchen, wie ich es tue, und dann selber darauf hereinfallen. Wer die synthetischen Schauer unserer Kulturindustrie kennt, der weiß, daß er am stillen Schreibtisch zu Hause nicht weiter vom Geschütz ist als zu den Füßen des Maestro. Mit einem Wort: ich habe kein schlechtes Gewissen. Wer hat heute noch Lust, zu unterscheiden, was produziert ist und was reproduziert? Wer weiß, wer will wissen, wie das Konzert mit der Partitur zusammenhängt und wie die Rezension mit dem Konzert? Das Wasser, Freunde, in dem wir schwimmen, ist trübe; lasse sich also keiner den Vorwurf verdrießen, daß er im Trüben fische. Meine Rezensionen sind für den Tag, da wird wenig verlangt; sie sind in sich schlüssig, das ist eigentlich schon mehr, als man verlangen kann. Zufällig anwesende Briefmarkensammler werden die Sondermarke gesehen haben, die die deutsche Bundespost zu Ehren des Benzolrings herausbrachte. Ob er vor fünfzig oder hundert Jahren gefunden oder erfunden wurde, entzieht sich meiner Kenntnis. Ich nehme aber an, wir feiern das Jubiläum einer Formel, einer bestimmten Notation, die sich als praktisch und erweiterungsfähig erwiesen hat. Wir feiern damit das Zeitgemäße, Freunde, an dem auch der Sprechende in aller Bescheidenheit teilhat. Meine Kritiken sind Benzolringe; eine begrenzte Kombination von Sprachmolekülen, die, anders montiert, eine verblüffend andere Wirkung zeitigen – das geht vom Zyankali-Surrogat bis zum seelsorgerlichen Placebo. Die Ingredienzen sind dieselben, die Kombination variiert. Es ist dies eine Schwarzkunst, die prinzipiell ganz unabhängig von der sogenannten Wirklichkeit betrieben werden kann. Ein Zufall, eine ökonomische Rücksicht, daß meine Übungen als Film-, respektive Musikkritiken deklariert sind und als solche gelesen werden – flüchtig, selbstverständlich, das heißt: in dem Tempo, für das sie gebaut sind. Ich habe gelernt, ohne Ansehung meiner Sachen zu schreiben und notabene zu leben – so daß ich mir die Frage nach meinem Befinden kaum mehr stelle und auch die Frage nach dem Vorhandensein der ‹Soldanella› eigentlich eine müßige ist. Ich traue mir zu, dieses Häuschen, wenn nötig, zu rekonstruieren, in meiner Meta-Sprache wieder aufzubauen, unbekümmert um den Zufall seiner physischen Existenz. Ich will euch immerhin entgegenkommen und sagen: wenn es nun abgebrochen wird, dann ist mir das doch eher leid als lieb. Ich habe hier manche Stunde erlebt, die für mich von Interesse war. Aber im Grunde, Freunde, bekenne auch ich euch meine Sorglosigkeit: mein Interesse an der ‹Soldanella› ist so erzogen, daß es ohne die ‹Soldanella› bestehen kann.»

Fee nahm die Schale. Ihr Mund unter dem Schnurrbart war verzogen wie zum Heulen. Aber sie heulte nicht, nahm nur die halbe Schale zwischen die Lippen und sagte:

«Es tut mir leid, wenn der Minestrone heute versalzen war und ich auch zu viel Majoran genommen habe. Heute hätte der Minestrone doch besonders gut sein müssen, aber ich hatte meinen Kopf nicht dabei, und ihr könnt das doch verstehen.»

Bitz, der trotz seiner *fatigues* heikel war, drehte die Schale unauffällig, um seine Lippen an einem unberührten Punkte zu landen. Dann leckte er sie ab, strengte sie zu einer Art Lächeln an und sagte:

«Wie geht's, danke für die dumme Frage. Ich habe sie selbst gestellt, aber nur, weil ich keine Antwort darauf erwartete. Denn ehrlich antworten heißt ja wehleidig antworten. Wir haben immer Anlaß, es uns schlecht gehen zu lassen, und der kleine Hätschelhans in uns wartet bloß darauf, daß er jammern darf.» Der Hätschelhans ging ihm fast andächtig vom Mund, und wie ich ihn ansah, Henri Quatre und alles, dachte ich mir: Henri Quatre hin oder her, genau so wie du sieht ein Hätschelhans aus. Er aber fuhr fort: «Freunde: ich dächte, das hätten wir hinter uns. Ihr habt mich beim Wort genommen – gut, ihr sollt mein Wort haben. Geht es heute noch darum, wie es dem oder jenem unter uns geht? Freunde: nein. Unser Wohlergehen ist diskreditiert; es ist seit Jahrhunderten gemästet mit dem Schweiß und Blut derjenigen, die wir vergessen haben mitzuzählen, weil es so viel bequemer war, sie zu verbrauchen. Unser Wohlergehen riecht nach Menschenfleisch, Freunde; es wird höchste Zeit, daß wir unsere abendländische Diät wechseln, und wäre es nur aus wohlverstandenem Egoismus. Denn das fremde Fett, das wir angesetzt haben, könnte uns nächstens wieder abgefordert werden, und wer weiß, ob das Messer dann an unserer Kehle haltmacht. Ich weiß, es ist gegen die Etikette, in diesem Kreise zu politisieren, und besonders ungern wird von einigen gehört, wenn ich meine revolutionäre Arbeit hier zur Sprache bringe. Aber wir sitzen beim Retsina; das gibt mir die Freiheit, auch sonst klaren Wein einzuschenken. Ich liebte die ‹Soldanella›, ihr wißt es. Die Bräuche, die hier herrschen, entsprachen meinem Geschmack. Es war mir gemäß, meinen Bart pflegend auf diesen Tischen herumzuliegen und nichtstuend eurem glücklichen Nichtstun beizuwohnen. Fees unvergleichliche Küche sagte mir zu; ich genoß es, sie schweigend zu genießen, und war euer Mann, wenn es nach Tische galt, nur die entfernten Dinge gesprächsweise zu berühren und die gegenwärtigen aus dem Spiel zu lassen. Es waren Bräuche unter Kindern, und ich machte sie mit; mein nicht geringer Spieltrieb empfand das Verlockende, das darin lag, die Fahne der Unverantwortlichkeit über viele Jahre hochzuhalten. Aber Freunde: man mausert sich doch, da hilft einmal nichts; ihr mögt meine neue, glanzlose und gehärtete Gestalt nicht lieben, aber glaubt mir, es ist meine eigene. Mein Gewissen hat sie mir abverlangt; der Blick auf das, was heute not tut, hat sie mir reifen lassen. Dieser Blick greift über die Grenzen unseres Landes, ja unseres Erdteils hinaus, wieviel mehr über die Grenzen dieses Häuschens namens ‹Soldanella› – ich muß euch weh tun, aber es ist die Wahrheit. Der Abschied von diesem Tempel war in mir vorbereitet, lange bevor die Umstände mich ohnehin zwingen, ihn zu nehmen. Keinerlei Geringschätzung mische sich in diese Absage! Ich verkenne nicht, daß wir an einem symbolischen Ort versammelt sind, daß dieses winklige Dach ein paar Jahrhunderte nobler, allzu nobler Kultur beherbergt, wenn auch etwas vulgarisiert, in der Form einer ausgedienten Bierwirtschaft. Aber die Stunde ist gekommen, wo das Dach abgedeckt, das Symbol destruiert werden muß – gewiß nicht mit unserem privaten, wohl aber mit unserem geschichtlichen Einverständnis. Ich für meinen Teil habe die Konsequenz gezogen; ich habe mich engagiert – ihr wißt, wo, wenn ihr auch nicht alles wißt, denn vieles ist Staatsgeheimnis. Ich sage nur so viel, daß ich jeden Augenblick gefaßt sein muß, abzureisen, um vielleicht nie mehr nach Europa zurückzukehren; so bitte ich, mich jetzt schon einfachheitshalber als Neger zu betrachten. Es tut mir weh, euch noch mit meinem letzten Schritt ins Fettnäpfchen treten zu müssen, von dem ich selber viele Jahre gut gelebt habe – aber Freunde: Fett bleibt Fett, auch wenn es hier aus Stil und Geschmack gewissermaßen mager serviert wurde, und Fett verdirbt das Herz. Und Freunde, so muß ich euch meine Sorglosigkeit bekennen, was das Los der ‹Soldanella› betrifft; aber ich muß euch auch bekennen, was meiner Sorglosigkeit zugrunde liegt und was sie allein rechtfertigen kann: die brennende Sorge um die Dritte Welt, die schwarze Welt von morgen!»

«Ich kann keine Worte machen», sagte Herbert Frischknecht, nachdem er einen ganz gewöhnlichen Schluck aus der Schale genommen hatte, «ich weiß, das ist ein Klischee für Männer der sogenannten Praxis, aber ich kann trotzdem keine Worte machen. Wenn ihr mich fragt, wie es mir gehe, so sage ich immer noch: gut – es fällt mir nichts Klügeres ein, auch wenn ich jetzt beim Retsina antworten soll. Ich mag ihn nicht, und von mir aus ist es ganz gut, daß es bei drei Schlücken sein Bewenden hat. Daß das Zeug betrunken machen soll, will mir nicht in den Kopf; davon, daß es nüchtern macht, spüre ich freilich allerhand. In aller Nüchternheit: es geht mir gut, aber es ginge mir wahrscheinlich noch besser, wenn ich wüßte, daß die ‹Soldanella› stehen bliebe. Bei mir im Institut herrscht Ordnung, nicht wahr, die Sekretärin hat meine Bleistifte gespitzt, das Millimeterpapier liegt bereit, sogar die Computer sind abgestaubt, die Bücher stehen an ihrem Ort, und wenn ich mich setze, um womöglich meine Darstellungstheorie komplexer Liegruppen ins reine zu bringen – es geht um die abschließende Entwicklung eines

Ansatzes von I. Ado aus dem Jahre 1935, der bewiesen hat, daß jede Liegruppe lokalisomorph zu einer Matrixgruppe ist –, dann herrscht in meinem Büro totale Ruhe. Man geht von der Annahme aus, daß ich ein goldenes Huhn bin, und daß ein goldenes Huhn Ordnung und Ruhe braucht, um ein goldenes Ei zu legen. Das wäre in neunundneunzig von hundert Fällen eine vernünftige Annahme. Na, offenbar bin ich der hundertste Fall, denn auf mich trifft sie nicht zu, ich bin kein *clean desk man*, ich kann mit der Arbeitsruhe nichts anfangen; zwar brüte ich redlich, aber ich brüte nichts aus. Es gelingt allenfalls, ein einfacheres Lemma auszuführen oder ein kleines Corollar, aber die Sätze zeigen sich unschlüssig, und die Beweise muß ich schuldig bleiben. Wenn ich nicht fräße, Schokolade und Süßholz den ganzen Morgen, ich brächte es nicht fertig, die mich belauernde Ordentlichkeit und Aufgeräumtheit, den sterilen Glanz meines Büros auch nur mit einem gescheiten Gedanken zu überlisten. Wenn ich noch meinen Sack bei mir hätte! Aber seht: ich bin noch nicht berühmt genug, um mir Mucken vom Format dieses Segeltuchsackes leisten zu können; meine Schuhe läßt man mir gerade noch durchgehen, aber der Sack auf meiner Schulter, das wäre zuviel, damit ließe man mich nicht über die Schwelle des Instituts, denn Ordnung muß sein. Mensch, wenn ich erst den Nobelpreis kriege, was ich da Säcke im Institut abladen werde, Säcke voll Mäusefallen, Altpapier, Sprungfedern und versteinerter Schnecken! Aber bis dahin kann es noch lange dauern, und wenn es vom Institut abhinge, käme es überhaupt nie dahin. Zum Glück gibt es die ‹Soldanella›, diesen nicht stubenreinen Kreis lächerlicher Leute, der durch meinen Sack nicht zu erschüttern ist! Glücklicherweise gibt es diesen einen Ort auf der Welt, an dem die Unordnung zur Regel, ja zur Kunst entwickelt wurde – eine wunderbare Unordnung, denn man findet darin nicht nur alle die Dinge, die man braucht, sondern auch unvermutete Dinge, solche, nach denen zu suchen man sich nicht einmal getraut hat. Plötzlich fördere ich sie, in meinem Sack kruschend, zu Tage, und siehe: da sind sie selber klar wie der

Tag. Seit Jahren erlaubt ihr mir, auf diesen Tischen zu liegen, zu kruschen und zu formulieren. Noch nie hat mir jemand bedeutet, die Schuhe dazu auszuziehen, obwohl mein Liegetisch auch der Tisch ist, an dem wir essen. Unbesehen nehmt ihr an, daß mir wohler sei in Schuhen und Schuhe dem Formulieren förderlicher, und habt wohl recht, obschon ihr mir wahrscheinlich mehr Gedankenlosigkeit unterstellt, als ich verdiene; denn tatsächlich behalte ich meine Schuhe nur an, weil ich sommers stark an den Füßen schwitze, und bringe wiederum dies nur zur Sprache, um anzudeuten, daß auch meinerseits ein bißchen Takt und Zartsinn im Spiele war – seit Jahren warte ich auf die Gelegenheit, euch das anzudeuten. Es will mir nicht in den Kopf, daß die Stunde der ‹Soldanella› geschlagen haben soll; Freunde, diese Stunde schlägt mich auf den Kopf, sie stört die Verbindung meiner Gruppen, die sich so schön angelassen hatte. Es wäre eine Lüge, euch deswegen meine Sorglosigkeit zu bekennen. Ich bin kein feiner Mann, Freunde, und kein guter Verlierer. Wo ich nun schon Worte gemacht habe, will ich auch das letzte sagen: ich sorge mich, ich habe großen Kummer.»

Ich verfolgte das Schauspiel dieser Trinksprüche mit angehaltenem Atem. Ich verstand, daß hier Unerhörtes geschah. Nicht nur kam Gegenwärtiges zur Sprache statt, wie sonst schicklich, kindheitlich Verwunschenes; es wurde auch *geklagt*. Worte wie Sorge und Kummer standen unwidersprochen und offenbar unwidersprechlich im Raum, diesem sorglos gewesenen Wirtsraum, dessen Mobiliar sich in meinen Augen verfärbt hatte: zum ersten Mal *sah* ich, daß etwas zu Ende war. Oder konnte jemand wie Stefan, der letzte Trinker, den Spruch ändern? Behutsam trank er, mit unerschüttertem Torso (er saß immer noch mit dem Rücken zu mir); dann sprach er mit feiner Betonung:

«Freunde, Sorge und Sorglosigkeit sind vorgebracht worden, teilweise in so künstlicher Mischung, daß nicht abzusehen ist, was daraus für unsere Zukunft hervorgehen kann; gestattet, daß auch ich noch mein Los in die gemeinsame Urne werfe, ehe wir sie erhöhen und für immer begraben.

Auch mich laßt aus der Schule plaudern, jener Hochschule, an der ich mich, könnte man meinen, mit so viel *désinvolture* bewege; aber betrügt euch nicht, Freunde, ich tu's auch nicht mehr. Ich habe mich übernommen. Mein Fall ist in Kürze dieser: es gibt in meinem Fach eigentlich nichts mehr zu tun. Mit der Kunst ist es aus; was noch unter diesem Titel hervorgebracht wird, notiert man besser auf dem Aktienmarkt, es ist ein Gegenstand psychologisch gewitzter Soziologie, aber keiner frei schwebenden Geisteswissenschaft mehr, erst recht keiner blauäugigen Andacht. Daß die Kunstwissenschaft diese Entwicklung nicht zur Kenntnis genommen hat, beweist nichts als ihren Selbsterhaltungstrieb; daß sie noch existiert, daß die Geisteswissenschaften noch existieren, wirft ein schlechtes Licht auf die Buchhaltung unserer Gesellschaft, die fiktiv gewordene Posten aus Trägheit weiterführt und nicht gelernt hat, ihren Anachronismen auf die Finger zu sehen. Die Fakultät, der ich bald angehören werde, ist eine gesellschaftlich mausetote Gruppe, die ihren völligen Mangel an echter Produktivität und Funktion mit betriebsamer Folklore kompensiert. Sie kennt diesen Mangel, weiß im stillen ganz gut, daß sie eine Zumutung für alle wirklich arbeitenden Leute ist. Aber ihre Vertuschungsreflexe funktionieren vorzüglich: in einer Art Flucht nach vorn, in der sie immer stark gewesen ist, hat sie sich das Krisenzeichen selbst auf die Stirn gemalt und passiert in seinem Schutz als besonders ernst zu nehmende Wissenschaft, nach dem Rezept: wer sich so schwer tut, den muß man schonen. Aber das antiquarische Interesse? Soll das nicht geehrt werden und mit ihm die Wissenschaft, die es pflegt? Freunde, diese Pflege ist längst zur Spiegelfechterei geworden. Was da seriöserweise zu tun war, ist getan worden; man hat die Lebensumstände der Kunstmacher so ziemlich beigebracht, ihre Sachen inventarisiert und datiert, ihre Quellen geprüft und ihren Motiven nachgeforscht; man hat ihre Kompositionsart ergründet und sich in ihre Perspektiven versenkt; man hat ihre Linien nachgezogen und ihre Farben nachbehandelt. Als das nicht mehr half, hat man das Angucken selber zu einer Wissenschaft gemacht und unter der Hand wissen lassen, daß es sich um eine Kunst handle, womit man denn endlich auch ein Künstler war. Der Kreis war geschlossen, und das Elend fing an, das Kavaliersverhältnis zu Kunstsachen, ein lächerliches Mißverhältnis für jeden, der kein Kavalier ist, also für die erdrückende Mehrzahl...»

Hier entriß Stefan seiner Brust ein Fetzchen Seide und tupfte sich damit die Stirn.

«Freunde», sagte er, «es wäre sträflich, euch so zu langweilen, wie ich mich gelangweilt habe. Ach, diese Liebhaber, die keine genügenden Liebhaber sind und zu faul, sich bei Röntgentechnikern Rat zu holen, um ihren Bildern einmal unter die Haut zu kommen! Aber sie himmeln lieber und setzen ihrer Anbiederung einen Jargon auf, der ebenso lernbar ist wie deine Musikkritiken, Roland, und – verzeih mir – ebenso ekelhaft, ein Materialisationsschleim, der sich wie trüber Firnis über die Bilder legt und einem die hübschesten für immer verderben kann... Freunde, wenn das Unvermögen geil und die Geilheit zum wissenschaftlichen Betrieb wird, dann entsteht eine Ausgeburt... eine Ausgeburt...»

Nochmals zog Stefan Seide auf, führte sie aber nur bis zum Mund, als müßte er das nächste Wort im Keim ersticken. Dann richtete er sich wieder gerade.

«Ich hätte aus der Kunstwissenschaft aussteigen können; ich beschloß, ihr nichts schuldig zu bleiben. Mein Freiheitsbedürfnis, mein Temperament verlangen zusammen nach jener Höhe, von der die Kritik – jede Kritik! – möglich ist, ohne des Ressentiments verdächtig zu sein... nicht das Ambitiöse, das Legere in meinem Charakter verspricht sich einen gewissen Spaß von der Professur. Ich beschloß, mich durchzuseuchen und mein Fach, indem ich seine Prinzipienlosigkeit zu meinem Prinzip erhob, *ad absurdum* zu führen, aber auf unterhaltende Weise. Was tut ein erwachsener Mensch, wenn seine Arbeit gegenstandslos geworden ist? Nun, er bastelt sich einen neuen Gegenstand. Ich sagte mir: wo alle Kühe grau sind, da fällt eine überzählige nicht so auf. Unsere Künste beweisen nichts mehr; sorg dafür, daß man dir auch nichts beweisen kann. Ich beschloß, einen Maler zu *erfinden*; er konnte, moralisch betrachtet – Freunde, ich bin ein Moralist, jeder Feinschmecker ist für die Moral –, kaum nichtexistenter sein als die übrigen Entdeckungen meiner Wissenschaft. Aber Freunde: erfundene Maler haben ihre Tücken. Zum Beispiel: sie dürfen nicht gemalt haben; denn es gehört zu den Versäumnissen meiner Erziehung, daß ich nicht gelernt habe, Bilder zu fälschen – auf die ehrliche, handwerkliche Weise, versteht sich; wenn's zum Interpretieren kommt, könnt ihr auf mich zählen. Was tun? Die Wahrheit zu sagen, Mathis, ich hatte vor, dich als Modell zu benützen. Ich war gewiß, daß es deinesgleichen schon im 17. oder wenigstens im 19. Jahrhundert gegeben habe, den Typ Kahlmann, verstehst du, der Künstler ist, ohne recht den Mut zum Werk zu finden sein Leben lang. Am Ende hinterläßt er doch das eine oder andere, eine verwischte Skizze, angesengte Kohlezeichnungen, einen Haufen Schnipsel, aus denen ein Mann wie ich das Drama dieses Schöpfertums rekonstruiert und in einen Triumph umdeutet, einen schmerzhaften Triumph der Zeit voraus: was kann es Aktuelleres geben als die Unfähigkeit zum Werk? Die Kunstwissenschaft wäre auf ihresgleichen gestoßen, und wie ich sie kenne, hätte sie sich dazu gratuliert.

Aber das Projekt scheiterte an meiner Bequemlichkeit. Mein Maler wollte ja nicht nur erfunden, er wollte belegt sein – belegt zwar nur durch ein Minimum an Material, aber ein erlesenes und suggestives Minimum. Ich hätte es im Schweiße meines Angesichtes zusammentragen müssen; ja, ich wäre schwerlich darum herumgekommen, in Kirchenrodeln, Tauf- und Totenbüchern, Archiven und womöglich Friedhöfen nachzugraben, um meinen Maler gegen Zweifel abzusichern. Kurz, es hätte mich fast so viel Mühe gekostet, ihm eine Existenz zu schaffen, als ihn selber diese Existenz gekostet hätte, gesetzt, es hätte ihn gegeben; viel mehr Mühe auch, als wenn ich auf vorhandene Maler zurückgegriffen hätte, und so viel Mühe war doch der Zweck meiner Übung nicht.

Freunde, am Ende schloß ich einen Kompromiß mit mir

selbst. Ich ließ den Einzelmaler fallen und beschränkte mich auf eine ganze Epoche – ja, *beschränkte* mich; denn natürlich ist es leichter, sein Steckenpferd auf weitem Feld zu tummeln als auf eng begrenztem. Ich erfand meine Epoche und ihren Stil nicht geradezu, das wäre, wie ihr euch denken könnt, schwer angegangen. Aber ich wählte sie so, daß meiner Einbildung fast völlige Freiheit gelassen war. Eine solche Epoche gibt es, Freunde, und nicht weit weg; ich fand sie im Vorfeld unserer Gegenwart, im Stil des mittleren und späten 19. Jahrhunderts, der so gut wie kein Stil war, die schwelgerische Abwesenheit von Stil. Diese Epoche, von noch jungen Maschinen befeuert, erfand das Quantum. Sie entdeckte, daß der Reproduktion keine Grenzen gesetzt sind und daß *eine* Sixtinische Madonna weniger ist als hunderttausend Sixtinische Madonnen. Sie drehte das Universum durch die Dampfmaschine und spie es auf einen babylonischen Haufen. Von der Anstrengung, in gotischen Schlössern zu wohnen, erholte sie sich in maurischen Badehäuschen. Die Zeit ist verschrien, Freunde, denn wir hängen noch zu sehr von ihr ab; der strenge Kitsch von Knoll International darf dem üppigen Kitsch jener Jahre nicht grade ins Auge schauen. Aber Knoll International würde unfehlbar darauf hereinfallen, wenn man ihm die Familienähnlichkeit unter unverfänglichem Titul insinuierte und appetitlich machte. Will sagen: unsere Zivilisationshöhlenbewohner warten darauf, daß man ihnen erlaube, im größten Maßstab rückfällig zu werden, zum handgeschnitzten Kreuz zurückzukriechen und ihre Spannteppiche mit süßem Abfall zu überschwemmen. Auf den Gelegenheitsmacher kommt es an, und ein Snob muß er sein; wenn das Stichwort nicht wenigstens vom Katheder herab geflüstert wird, dürfte sich das Publikum hüten, auf seine stille Liebe zurückzukommen. Wie sehe ich aus, Freunde? Wie würdet ihr das finden, wenn ich jene bodenlose Gründerzeit neu begründete? Wäre der Spaß eine Habilitation wert?

Der Gegenstand verlockte mich. So gewaltig seine Maße, so gering sein spezifisches Gewicht. Beinahe fiel seine gespenstisch gewordene Genialität zusammen mit meiner eigenen, ja kam eigentlich nur als Anlaß in Betracht, diese zu entfalten. Auch war es im Grunde egal, wo man den Gallert anschnitt. Ich beschloß, mit den *meubles* zu beginnen, vielleicht auch, um meine Kollegen zu verwirren, bei denen die Kunstgeschichte nur gerahmt vorkommt. Ich habe mir Notizen gemacht; ich habe gelesen – es gibt sehr wenig Sekundärliteratur, glücklicherweise, und meist bieder-betulichen Charakters. Ich habe mir also lieber Messe- und Warenhauskataloge vorgenommen, den Anzeigenteil der «Gartenlaube», die Akten des k. u. k. Patentamtes und Besprechungen der Londoner Weltausstellung Anno 1851 im Crystal Palace. Man muß Kriminalgeschichten lesen; ich empfehle den schwarzen Kitsch von Edgar Poe und den weißen von Wilkie Collins. «Edwin Drood» ist schon Literatur, aber es gibt noch Conan Doyle, es gibt die schreibende Dame Green und das «Phantom der Oper». Von Fontane kann man sich dies oder jenes psychologische Möbelstück borgen; fetter sind die Wohngruben des Holzischen «Phantasus» und die Versatzstücke jenes undurchdringlichen Theaters, das sich naturalistisch nannte, Tanten mordete und mit Tischen rückte. Es lebe die klassische Atelierphotographie mit Braunstich, das artige Mädelchen aus Großmutters Kinderbuch und die weiße Puppe, die ihm nachgebildet ist: rührt nicht dran, sie schlägt noch immer ihre fürchterlichen Äuglein auf. Aber nach Mitternacht soll man sich nur noch Alice im Wunderland vornehmen. Was nun? Ich sollte mich jetzt wohl wie du, Herbert, auf einen dieser Tische legen und zu formulieren beginnen, um übers Jahr bereit zu sein für den Lehrstuhl, den mir Anderegg, der gute, schon ein Jahr über die Pensionsgrenze hinaus warmhält. Wenn ich mich nur nicht so langweilte! Ich habe mich übernommen, Freunde, und langweile mich doch – das ist leider nicht zweierlei Holz. Ich habe mir ausgedacht, was es zu diesem Sujet so zu denken gibt – fehlte nur, daß ich mich auch noch hinsetzte, um es niederzuschreiben. Ich käme mir vor wie einer, der über seinen eigenen Witz lacht und mit Lachen nicht aufhören kann – ein tieftrauriges Schauspiel, und mein Schamgefühl, mein Stolz und meine Faulheit weigern sich gemeinsam, es zu bieten. *C'est pour les domestiques.*

Freunde, ich gestehe euch meine Übernommenheit zusammen mit meiner Langeweile, und beides soll euch nicht kümmern. Reden wir von ernsten Dingen, reden wir von der ‹Soldanella›, die mir so bitter fehlen wird wie euch. Auch für mich war sie ein begnadeter Ort. Hier war es mir leichtgemacht, nicht zu arbeiten, ich meine: auf der Höhe meiner Möglichkeiten innezuhalten, ohne diese Höhe zu überschreiten; auszuscheren aus der akademischen Farce in die fachmännische Zubereitung eines Kohlkopfs. Er schmeckte euch, Freunde, nicht wahr? Ein Kohlkopf gegen eine Habilitation! Ich fühle, wie ich allmählich zu alt, zu heiklig werde, um mich gegen den Kohlkopf zu entscheiden. Hier vielleicht, im Abendanzug, im Schatten eurer gesammelten, mir so angenehmen Gleichgültigkeit hätte sich beides unter einen Hut bringen lassen – hier und nur hier. Aber jetzt! Ich bin im Begriff, mit dem Abbruch dieses Häuschens die Aussicht auf Rotkohl und Karriere mit einem Schlag zu verlieren. Freunde, es müßte erlaubt sein, zu klagen.

Ich klage nicht. Da ich der letzte am Wort bin und es ohnehin überzogen habe, so laßt mich nun dem Genius loci einen Trinkspruch zum Abschied bringen:

Heiliger Geist der ‹Soldanella›! Wir wissen, du bist nicht verpflanzbar; das Zelt, in dem es dir zu wohnen beliebt, erträgt keine andere Stätte. Herrlicher, nichtstuerischer, gänzlich folgenloser Geist – so laß uns denn noch einmal völlig in deinem Namen von dir Abschied nehmen, im Namen des Unwiederbringlichen, im Namen der zweiten Kindheit, die du uns geschenkt hast, obwohl auch wir uns Mühe gegeben haben, sie zu pflegen; du weißt es und hast unsere Mühe gesegnet. Du hast es getan, weil es unsere einzige Mühe war; weil die Unbrauchbarkeit, die wir in deinen Räumen unterhielten, eine zum letzten entschlossene und also keineswegs faule, sondern mutige und herzhafte war. Es ist uns nicht erlaubt – unsere Lebenserwartung verbietet es uns –, mit dir zusammen unterzugehen. Aber Freunde! sollen wir uns künftig in irgendeinem fertig fabrizierten Gebäude wiederfinden und den Leichnam dieser vertrödelten Monate zu beleben suchen? Mancher träumt wohl in einem schwachen Augenblick von dergleichen; aber keiner denkt im Ernste daran. Es würde uns ja alles fehlen dazu. Es würde die kunstvolle Unbequemlichkeit dieser Räume fehlen, das mürbe Gelb des Mobiliars, das unersetzliche, weil schicklich vernützte Linoleum des Fußbodens – du weißt, dieses abscheuliche Muster ist kaum noch nachlieferbar. Ja, nicht einmal das Liedertafelbild an der Wand würde sich übertragen lassen; wir fühlen, daß es auf irgendeiner waschbaren Tapete in Staub zerfallen würde, und wir müßten ihm Recht geben. So heißt es denn Abschied nehmen, sanfter Geist der ‹Soldanella›, von diesen Wänden, die in einem guten Menschenalter verraucht wurden. Um anderswo andere Wände ähnlich zu verrauchen, dafür, lieber Geist, reicht unsere Lebenserwartung wiederum nicht aus. Wir sind Selbstverbraucher, und rabiate; unser Müßiggang hat dich hoffentlich nicht darüber hinweggetäuscht. So laßt uns denn in dieser Abendstunde Mitspieler bleiben, da uns schon mitgespielt werden soll. Sieh unsere gute Miene in Gnaden an. Auf dein Wohl also trotz deinem Wehe, das unser Wehe ist; auf dein Wohl zum letzten wie zum ersten Male!»

Und damit schleuderte er die japanische Teeschale im Bogen über die angezogenen Schultern des Matthias gegen die Wand mit dem Chandigarh-Plakat, wo sie im nächsten Augenblick zerschellen mußte – wo sie seltsamerweise *nicht* zerschellte. Gewiß, zerbrechlich war sie; nein, die Naturgesetze machten keine Ausnahme. Sie taten keinen Sprung; vielmehr: sie ließen sich dabei durch Herbert Frischknecht vertreten. Ein Wunder war es nicht, aber auf die Länge wohl der Anfang eines Wunders. Aber bevor ich mich erkläre, muß ich eine technische Erörterung einschalten.

Ich habe die letzten Seiten nochmals überlesen und fürchte, Lessing würde da wieder ein Haar in der Suppe finden. Angenommen, er sagte, da werde ja nur geredet und nichts geleistet, was könnte ich antworten? Lessing, du schneidest dich, würde ich sagen. Zuviel geredet? Die Helden deines Homer legen sich noch ganz anders ins Zeug, wie ich höre. Kein Schwert können sie kreuzen, ohne erst umständlich sein Fabrikat auszuweisen. Jeder Schild muß mit zwanzig Hexametern nachgehämmert werden, bevor sie auch nur anfangen, ihn zu schütteln, und wenn einer nicht weiß, was er vom Stammbaum seines Gegners zu halten hat, und zwar bis zur Großtante göttlicherseits, läßt er sich nur ungern von ihm totschlagen. Da läßt du's durchgehen, Lessing, aber was habe ich viel anderes getan? Auch ich habe die Herkunft meiner sechs Redner in ihre Rede einfließen lassen – wobei du schon erlauben mußt, daß ich den Begriff der Herkunft ein wenig lockerer fasse als dein Gewährsmann. Es tut zum Beispiel wenig zur Sache, daß Roland von Aesch in Sellenbüren heimatberechtigt ist, aber es könnte Folgen haben, daß er Filmkritiken schreibt, ohne den zugehörigen Film gesehen zu haben; das nenne ich einen Charakter charakterisieren. Nichts geleistet? Eine rasche Kritik; denn wenn etwas leisten heißt: etwas für den Aufbau der Geschichte tun, dann habe ich während der Trinksprüche schon dies und das eingefädelt. Daß ich's jetzt nicht beweisen kann, sondern den Leser auf Treu und Glauben weiterschicken muß, damit er's selbst erfahre, liegt in der Natur einer Schreibe begründet, die sich dem Sukzessiven beugen muß und vom Simultanen überfordert ist – eine Lessingsche Entdeckung, wenn ich nicht irre. Aber gut: es sollen handlungsarme Szenen gewesen sein (ich will meine Technik nicht besser machen, als sie ist). So will ich ein übriges tun und Lessing in seiner Münze auszahlen. Ja, es passierte wohl dies und das, während die Freunde reihum redeten und nichts als redeten wie homerische Götter. Wer nicht am Reden war, zog sich etwa ein störendes Haar vom Kinn aus (Monika) oder bohrte in der Nase (Stefan strikte ausgenommen), fraß an seinen Fingernägeln (wieder Monika, aber auch Bitz), denn man darf sich, auch beim Retsinatrinken, die Freunde nicht in Förmlichkeit erstarrt denken; schließlich war auch die Förmlichkeit Spaß, wenn auch ein besonders ernster. Auch erschütterndere Dinge trugen sich zu. Monika ließ fort und fort Tränen laufen (auch beim Haarezupfen), wenn das etwas Erschütterndes ist, denn Frauen können das; Fee schien es auch nicht gut zu sein, aber sie verkniff das Weinen, was mich stärker erschütterte, Lessing zum Trotz, denn der hat Weinen wenigstens im dichterischen Zusammenhang für unbedenklich erklärt. Es muß ihn erleichtern, daß einer der sieben, wenn er nicht selber redete, beinahe geschäftig war: Herbert Frischknecht hatte aus seinem Nikolaussack einen Notizblock gezogen und schrieb. Da er bei jedem Redner ein neues Blatt anfing, konnte es scheinen, als schreibe er mit; als aber Stefan zu seinem großen feierlichen Toast auf den Geist usw. ausholte, riß der Mathematiker die Blättchen heraus und arrangierte sie nach bekanntem Muster um und um. Dann flog die Schale, und siehe, Herbert tat Lessing einen großen Gefallen: er fing sie. Fast geräuschlos war er aus seinem Stuhl geschossen und hatte sich mit der sicheren Technik eines Goalies ins Kreuz geworfen: da knallte die Schale nicht und bekam keine Chance, zu zerschellen, sondern mit einem weichen Flopp verschwand sie, verschwand beinahe ganz in der großen, häßlichen, ruhigen Hand und wurde dann ebenso ruhig auf den Tisch zurückgestellt. Apropos Goalie: Herbert war tatsächlich einmal ein solcher gewesen, und zwar bei der Juniorenmannschaft des FC Mettmenstetten. Das war lange her, aber offenbar hält Mathematik die Reflexe frisch.

«So geht man mit gutem Geschirr nicht um», sagte er und setzte sich wieder. «Ich bin als Mathematiker nicht verpflichtet, jede eurer Pointen hinzunehmen. Ich habe für meine Liegruppen zu sorgen und, wenn's hoch kommt und es sonst keiner tut, auch für den Tobias. Ein altmodischer Muskel hier unterm Brustbein macht bei mir nicht mit, wenn ich euch deklamieren höre. Ich bin dagegen, daß wir aufgeben.»

Man blickte auf Tobias, und der blickte vor sich hin. Dann hob er die Hand ein wenig vom Tisch, um sie sogleich mit einem schwachen Schlag wieder zurückfallen zu lassen.

Das war das Zeichen – ich kannte es von früheren Retsina-Gelegenheiten –, das den förmlichen, liebesmahlähnlichen

Teil des Abends abschloß und einen andern eröffnete – einen bequemeren? Das war jetzt sehr die Frage. Vorläufig schwieg man.

Konstruktion einer Chance

Stefan sprach als erster. «Du hast recht, Herbert», sagte er. «Du hast mir zwar das Finale verpatzt, aber offenbar sollte das Finale nicht sein – also hast du recht. Bloß: wie weiter?»

«Heute verfällt die Einsprachefrist», sagte Mathis Kahlmann.

«Laß das», sagte Herbert ärgerlich. «Ich müßte ja ein ganz schlechter Mathematiker sein, wenn es mir in diesem Fall nicht gelänge, die Zeit als Variable zu behandeln.»

Hier war es, daß Monika sprach. Sie sprach rasch und schüttelte den Kopf dabei. Ein paar Tränen flogen von ihrem Gesicht über den Tisch, aber es waren keine frischen, sondern im Mundwinkel hängengebliebene; diesen schüttelte sie jetzt frei, wie es ihre Art war, schüttelte ihren flaumigen Wangenspeck und natürlich das lückenlose rote Haar mit und sagte:

«Etwas tun. Einmal im Leben sollten wir jetzt etwas tun. Nicht nur, daß uns etwas einfällt und wir's dann liegen lassen, wie sonst immer, sondern jetzt sollten wir's auch noch tun, etwas so Schlagendes, daß die Gemeinde nicht mehr wagen kann, uns auf die Straße zu stellen...»

Bitz fiel ein: «Uns freiwillig in die Luft sprengen ist das einzige, was ich sehe. Bloß: mich müßtet ihr dabei auslassen. Nicht meinetwegen, das wißt ihr, sondern weil ich über mein Leben jetzt nicht mehr beliebig verfügen kann.»

«Wir wissen schon, Bitz», sagte Roland spöttisch. Dann blickte man wieder auf Tobias, der immer noch die Augen niedergeschlagen hatte.

«Wie gesund das wäre: etwas tun», sagte er leise. «Was für eine Abwechslung. Ausziehen würde man ja doch müssen, Umtrieb gäbe es ohnehin, warum also nicht gleich das Richtige tun. Aber mir scheint, wenn es menschenmöglich gewesen wäre, hätte mein Vater es getan.» Er begann, mit dem Finger, den er im Retsinarest genäßt hatte, auf dem Tisch zu schreiben.

«Kein Ding ist unmöglich dem, der da glaubt. Ihr werdet größere Wunder tun denn ich, und Friedrich Hüttenrauch war ein alter Mann.» Felicitas Schnetzler hatte ihrem Schwager nie über den Weg getraut. Sie war immer der stillschweigenden, aber dennoch hörbaren Ansicht gewesen, wenn Klara einen jüngeren Hochzeiter gehabt hätte, dann hätte sie länger leben mögen. Sie sagte ihre Sätze streng und teilweise sogar auf hochdeutsch.

«Nicht möglich, Fee», antwortetest du, Roland von Aesch. «Größere Wunder als deine Suppen kann niemand tun, und der Minestrone war durchaus nicht versalzen. Er war auf der Höhe des Augenblicks. Denn», fuhr er, seine Frivolität einsehend, mit einer gewissen Hast fort, «wie ihr einen Gemeinderat umstimmen, einen sogenannten Volksbeschluß umstürzen, eine Nationalstraße abbiegen wollt für nichts und wieder nichts – ich meine: für uns –, das sehe ich noch nicht, solche Wunder kommen in diesen Breiten nicht vor.»

Matthias Kahlmann hatte seine Netzkappe abgenommen und, starr von Staub wie sie war, vor sich auf den Tisch gesetzt. Man konnte endlich sein Haar sehen, womit nichts gewonnen war, denn es hatte eigentlich keine Farbe. Es war staubfarbenes Haar, ein dünner, gepreßter Anstrich von Haar, der im Sonnenlicht wie verdorbenes Stroh, nachts wie blätternder Firnis wirkte. Mathis nahm auch noch seine Drahtbrille ab, blinzelte wie der Grottenolm und sagte, indem er den steifen Scheitel vor ihm streichelte:

«Früher gab es die Tarnkappe, ein märchenhaftes, aber praktisches Patent. Hätten wir eine, nicht kleiner als dieses Haus, sondern womöglich etwas größer, so wären wir fein raus. Das heißt: verschieben müßten wir uns auch. Also noch einen fliegenden Teppich.»

«Kürzlich hat man in der Innerschweiz ein Kirchlein mitsamt dem Fundament herausgehoben und ein paar Meter weiterverpflanzt», sagte Roland von Aesch.

«Das war in der Innerschweiz und ein Kirchlein», sagte Mathis neidisch.

«Zu teuer», bestimmte Bitz Bär, «und außerdem war jenes Kirchlein heimatschutzwürdig. Aber», unterbrach er sich, «was schreibt denn der Herbert die ganze Zeit?»

«Tarnkappe... Heimatschutz...» flüsterte Herbert seine Notizen zu Ende. Dann legte er den Silberstift weg und versteckte die Hände unter dem Tisch, von dem Mathis, der Hasenfuß, sofort ein bißchen wegrückte. Mathis, vermutlich weil er die seinen zu nichts Vernünftigem gebrauchte, hatte unsinnige Angst vor Händen, besonders vor versteckten; niemals gab er Hand, und wer ihn verstören wollte, brauchte ihm nur mit der Hand in der Tasche einen Schritt näherzutreten. Aber Herbert, der seine Hände ja nur aus Zartgefühl unter den Tisch steckte, erwürgte keinen im stillen, sondern tat etwas viel Erstaunlicheres. Er beugte seinen goldenen Kopf tief über die so und so arrangierten Zettelchen auf dem Tisch und sagte:

«Ich war am Formulieren. – Ich glaube, es ist nicht nötig, daß wir zur Rettung der ‹Soldanella› auf auswärtiges und lange nicht mehr erprobtes Material zurückgreifen, als da sind Tarnkappen oder Zauberteppiche. Wenn es uns freilich gelänge, diese Gegenstände *à jour* zu bringen... Dies nur nebenbei oder eigentlich: dies vorweg.»

Sein Blick, den er jetzt ohne Festigkeit auf den einen oder andern richtete, begegnete tiefstem Unverständnis. Er fuhr fort:

«Ich habe eine Theorie. Meine Theorie ist diese, daß alles zur Rettung der ‹Soldanella› notwendige Material schon beieinander ist. Ich habe unsere Trinksprüche in Gedanken mitgeschnitten und gewisse erfolgversprechende Stellen hier auf dem Papier neu zusammengesetzt. Vielleicht hört ihr euch das einmal an.»

Und dann begann er mit monotoner und etwas zu hoher Stimme Wörter oder Wortgruppen von seinen Blättchen herunterzulesen, eine von der andern durch ein kurzes Besinnen abgesetzt, während er unterm Tisch die Hände zu reiben schien:

«Messer an unserer Kehle
Etwas tun
nicht geringer Spieltrieb
im Trüben fischen
unabhängig von der sogenannten Wirklichkeit
Meubles. Intérieurs.
Ungeist – höchst geistvoll
Nacht, in der alle Kühe grau
Plastic-Wörter
Echtes Anliegen
Prof. Anderegg
Heimatschutz
Gemeinderat
Sorglosigkeit.»

Die Runde blieb unbeweglich, unterließ sogar die kleinen nur um Lessings willen genannten Nebenhandlungen; einzig Bitz behielt den Finger in der Nase, so mächtig erstaunt war er. Er war dennoch der erste, der wieder sprach.

«Reizwörter», sagte er. «Aus dem Busch, wer C. G. Jung gelesen hat.» Aber da war Stefan schon aus dem Busch. Er stand schnell vom Stuhle auf, beinahe hastig, ohne irgendwo anzustoßen; es war eine kolossal reinliche Hast, wie bei einem Zirkusdirektor. Dann ließ er den Stuhl, wo er war, schritt an Bitz vorbei, an Fee vorbei um den Tisch herum, und siehe, da hatte sich auch Herbert Frischknecht erhoben, beinahe verlegen, offenbar wußte er, was kommen sollte. Jetzt nahm ihn Stefan an den Schultern und sogleich darauf in die Arme, immer in bester Haltung; da er etwas kleiner war als Herbert, dieser aber eingesunken stand, kamen sie ungefähr auf gleiche Höhe, und auf dieser hielt also Stefan den andern fest, beinahe förmlich, eine gute Weile. Das war etwas Unerhörtes, und sogar Tobias hatte sich mit seinem Stuhl danach umgedreht. Dann ließ Stefan los, blickte aber Herbert immer noch ins niedergeschlagene Auge und sagte: «Vorzüglich. Ganz vorzüglich, Herbert. Ich sehe nur eine Schwierigkeit», sagte er weiter und zog die Schulter andeutungsweise gegen den

Kopf. «Professor Anderegg», sagte Herbert ergriffen. «Professor Anderegg», echote Stefan. Die beiden nickten einander an. Herbert vergaß sogar seine Hände und rieb sie offen gegeneinander.

In das Staunen der andern hatte sich jetzt eine gewisse Mißstimmung eingeschlichen. Man wird als Mehrheit nicht gern übersehen, ja vergessen; man möchte als solche den Ausschlag geben, und da ist es kränkend, nicht zu wissen, wohin und wozu. Tobias reagierte deshalb nur langsam, als Stefan, seine Versonnenheit überwindend, auf heitere Erregung zurückschaltete und um eine weitere Runde Retsina bat. Ich wäre beinahe aufgesprungen unter meinem Fenster; Tobias aber beeilte sich nicht, schien von Retsina erst gar nichts wissen zu wollen, ließ sich dann doch herbei, nach der Flasche unter seinem Stuhl zu tasten. Er wog sie in der Hand; dann stellte er sie wieder auf den Boden. «Laß erst hören, Stefan», sagte er kühl.

Und Stefan ließ hören. Er stellte sich dazu unter *See Chandigarh* und ließ seinen dunklen Kopf in die Wüste ragen, dahinter, etwas umfangreicher, den Schatten des Kopfes. Während er redete, wippte er sich mit den im Rücken aufgestützten Händen leicht von der Wand weg, hin und weg, so daß der Schatten bald die Höhe des Regierungsgebäudes erstieg, bald sich verkleinernd und verdunkelnd mit Stefans Kopf, wieder zusammenfiel und einen nur wenig hellern Rand darum zog. Es war, als ob Stefan Ball spielte mit seinem Kopf, oder als ob ein großer Kondor immer wieder darauf niedersänke.

«Wenn ich Herbert recht verstanden habe», sagte Stefan, «so könnten wir jetzt folgendes tun. Laßt es mich mit meinen Worten sagen, da uns die Sache zwar alle angeht, aber mich vielleicht noch einmal besonders. Wir könnten... Nein, ich muß an einem anderen Ende anfangen, sonst überstürze ich die Pointe. Verzeiht, wenn ich zusammenhangslos zu reden scheine – sobald ich anfangen will der Ordnung nach, schießen gleich neue, aufregende Einfälle herbei und reißen mir den Faden wieder aus der Hand. Freunde, die Sache hat Dimensionen, ihr glaubt es nicht.» «Er macht's halt spannend», sagte einer, Bitz, oder war es Roland. Stefan wippte nicht mehr. Kopf an Kopf mit seinem Schatten sagte er ruhig:

«Wie du willst. – Das Problem ist dieses: wie stimmt man so etwas wie die Öffentlichkeit, vertreten, wacker vertreten durch die Behörde der aufstrebenden Gemeinde Überseen, zugunsten der ‹Soldanella›? Da diese Behörde den Untergang dieses Hauses schon beschlossen hat: wie stimmt man sie *um*? Wie machen wir das, eine Gruppe von sieben oder acht politisch einflußlosen Leuten – ich nehme dich natürlich aus, Bitz, aber ich fürchte, deine Hausmacht ist ein bißchen weit weg. Antwort: aus eigener Kraft können wir das nicht machen.»

«So weit waren wir schon», sagte einer der vorigen.

«Ich sagte: nicht aus eigener Kraft. Aber auf andere Art, meint Herbert, wäre es zu machen. Wer vermag die Beschlüsse der Öffentlichkeit aufzuheben? Nur wieder die Öffentlichkeit. Wenn sie – wie sagen die Kommunisten? – ein monolithischer Corpus wäre, dann könnten wir einpacken; glücklicherweise ist sie ein vielgliedriges Geschöpf, sich selber dunkel, von Tag zu Tag neu zu definieren, und dessen rechte Hand nicht weiß, was die linke tut.»

Stefan ist ein Liebhaber französisch gebauter Sätze. Bewegt fuhr er fort:

«Das ist unsere Chance: wir müssen die linke Hand gegen die rechte ausspielen. An der kommunalen Front ist für uns nichts zu wollen. Da sind sie alle zu stark engagiert: der Pfaff der Wiprächtiger, der Krebs oder wie sie heißen; ja wir hätten jetzt sogar den Apotheker und den Gautschi gegen uns, deren Gemeinsinn ja des Karats beraubt wäre, wenn *wir* die ‹Soldanella› über die Runden brächten. Aber da ist noch ein anderes Gebiet, Freunde, dessen Wartung ebenfalls der Öffentlichkeit anvertraut ist, obwohl sie im Grunde kein echtes Verhältnis und keine natürliche Berufung dazu hat – ein Gebiet, das sie sich um so eifriger vorbehält, je unsicherer sie sich fühlt; denn es gilt als besonders schmählich, sich ohne Schliff darauf zu bewegen, und nichts fürchten die Spitzen dieser Öffentlichkeit mehr als die Nachrede des Banausentums... ein öffentliches Gebiet also, in dem Affekt und Unsicherheit, Kurzsichtigkeit und Angst vor der Kurzsichtigkeit eine besonders trübe und explosive Mischung eingehen, eine für unsern Zweck möglicherweise günstige Mischung. ‹Im Trüben fischen› war dein Stichwort, Herbert – ja, ich lasse es dir, denn du hast ihm die Seele gegeben. Kann ein Zweifel herrschen, Freunde, welches Gebiet gemeint ist?»

«Das kulturelle», sagte Matthias Kahlmann, und seine Wangen hatten sich leicht gerötet von wunderlicher Morgenluft.

«Selbstverständlich: der sogenannte kulturpolitische Sektor», sagte Stefan und verschränkte jetzt die Arme auf der Brust, so daß seine Amethystmanschetten zart heraustraten, «eine Ausdrucksweise, deren Hilflosigkeit ins Auge springt. Nun, unter uns ist dieser oder jener, der auf diesem schönen Sektor nicht ganz unbewandert sein dürfte. Freunde, wenn wir verhindern wollen, daß die ‹Soldanella› abgerissen wird, müssen wir sie zum zweiten Male aufbauen; nicht physisch, wie es dein nicht genug zu rühmender Vater getan hat, Tobias, sondern geistig und in keckerem Sinn; aufbauen müssen wir sie zum Denkmal, vor dem sich die Öffentlichkeit in ihrer Unsicherheit verneigen soll, es sei ihr lieb oder leid. Hat sie sich erst verneigt, so wird sie Abstand nehmen, uns zu zerstören, und auch die Straße von uns Abstand nehmen lassen; die linke Hand wird der rechten nicht mehr zu tun erlauben, was sie zu tun im Begriffe ist.»

«Es sei denn, daß einer zum zweiten Mal geboren würde», sagte Fee. Ihr fiel immer der einschlägige Bibelspruch ein; sonst verstand sie augenscheinlich noch nichts, wie ihre heftig zusammengekniffenen Züge bewiesen.

«Genau das ist es», sagte Stefan ernst. «Wahrlich, wahrlich. Sonst wird er das Himmelreich nicht sehen.»

«Stichwort Heimatschutz?» fragte jetzt Bitz. «Wie das Gemäuer hier steht, sehe ich nicht ganz, was daran schutzwürdig sein soll.»

«Es soll aber nicht so stehen bleiben, nicht ganz. Zu dem, was ich den innerlichen Aufbau der ‹Soldanella› nennen möchte, gehören gewisse Veränderungen, intelligente Retouchen. Freilich, Bitz: mit dem Heimatschutz springen wir nicht weit. Wie ich den Heimatschutz kenne, würde er sich zwar für jedes einzelne Oberdorfhaus und sein Fachwerk in die Schanze schlagen; um aber die eigentümliche Schönheit unseres Hauses zu erblicken und zu schützen, dafür, fürchte ich, ist sein Bewußtsein nicht fortgeschritten genug. Nein, wir benötigen einen stärkeren und, wenn ihr wollt, unübersichtlicheren Appell. Preisfrage: wie wird man ein Denkmal, Freunde, unschätzbar und unersetzlich in den Augen der öffentlichen Meinung und am Ende auch des Heimatschutzes, ohne die Fassade zu ändern, ohne die Hilfe schwarzer Künste, nur mit Köpfchen?»

«*Meubles. Intérieurs*», schmunzelte Herbert Frischknecht, der schließlich auch einmal etwas sagen wollte. Stefan nickte, wieder nickten die beiden, der eine von der Wand, der andere wieder aus seinem Stuhl, nickten lange und herzinnig und lächelten unabhängig voneinander.

«Ich verstehe so viel», sagte Roland mit einer gewissen Schärfe, «daß ihr die ‹Soldanella› ausstatten wollt, und das offenbar heute abend noch, denn morgen kommt der Mann mit der Spitzhacke. Ausstatten womit? Biedermeier? Empire? Louis XV.? Oder darf es auch was Älteres sein? Müßte wohl, denn auch mit einem Häuschen voll Renaissance lockt ihr keinen Hund mehr vom Ofen – wo halb Überseen sich heute Renaissance-Musiktruhen leistet und seine Drinks hinter echter Gotik kühlt. Ich erwähne nur spaßeshalber, daß eure Aufbauarbeit, selbst wenn sie innerhalb –» er blickte auf die Armbanduhr, «wir haben zehn Uhr, also innerhalb zweier Stunden noch möglich wäre, ins dicke Geld laufen würde. Aber gut; nehmen wir an, jemand zaubert noch rechtzeitig eine verstorbene Erbtante aus dem Schrank und legt die paar hundert Mille auf den Tisch. Was wäre damit gewonnen? Selbst wenn der Gemeinderat eure Sächelchen schluckt – ihr müßtet ihm immer noch plausibel machen, daß sie *hier* stehen müssen und an keinem andern Ort; ihr müßtet sie an diese Wände binden, Parkett und Linol für unantastbar erklären, und wie ihr das anfangen wollt, möchte ich wohl gerne wissen. Man wird euch sagen: wie hübsch sich diese alten Möbel in einer neuen Wohnung machen werden, nehmt sie nur wieder mit und laßt uns das Haus da. Verzeih, Tobias, schon zum Wirtshaus hat die Bude eigentlich nicht getaugt, aber zum Museum taugt sie noch viel weniger; ihr müßtet geradezu eine Gedenkstätte daraus machen. Nur: wessen soll hier gedacht werden? Hier haben brave Leute gewohnt, Friedrich Hüttenrauch mit seinen zwei Sippen –»

«Balthasar Demuth!» rief Bitz.

«Meinetwegen Balthasar Demuth, und dann natürlich du, Fee, alles kreuzbrave, ja wunderbare Leute, aber gänzlich unberühmte, leider. Unter den Anwesenden mögen ja ein paar kapitale Hirsche sein, aber wir müßten sie erst umbringen, um ihrer zu gedenken, und das würde wohl auffallen. Nein, Freunde, ich sehe schwarz durch die Bank, und wenn euch sonst nichts einfällt, so wird die Spitzhacke das letzte Wort haben.»

Ich muß zugeben, daß diese Einrede damals unter den Anwesenden ihren Eindruck nicht verfehlte, und wundere mich beinahe, daß sie Roland in seinem Buch nicht zitiert, für sein Double namens Rd. nicht beansprucht hat... Das heißt, ich wundere mich nicht. Roland war natürlich daran gelegen, Rd. vielmehr das Verdienst an der Sinneswandlung, am pfingstlichen Umschwung zuzuschanzen, der die Geister dennoch ergriff, nachdem sie einen Augenblick darniedergelegen hatten – so tief, daß sogar Herbert Frischknecht sich wieder an seine Hände erinnerte und sie unter dem Tisch versteckte; schien es jetzt doch, als hätte er die Schale ebensogut an der Wand zerschellen lassen können. Nein, die Ehre, den Abend und damit die «Soldanella» gerettet zu haben, kommt gerade Roland von Aesch am wenigsten zu; sie gebührt an dieser Wendung meiner Geschichte vor allen andern Stefan Sommer, der lächelnd an seiner Wand lehnen blieb, angesichts von Rolands kalter Dusche nicht einmal zu wippen begann, sondern nur die hübsch verjüngten Hosenbeine übereinanderschlug und mit geschürzter Lippe sagte:

«Das war bemerkenswert überlegt, Roland, und spricht für deinen Witz, wenn auch nicht gerade für dein Engagement. Es stört mich an dir, daß du von ‹eurer› Arbeit sprichst, ‹eurer› Soldanella, immerzu von uns als ‹euch›, und also zu verstehen gibst, daß du dich selber nicht dazuzählst und die Stimme der Vernunft von weit außen erschallen läßt. Das gibt schlechte Grammatik und falsche Akustik. Denn so viel Neutralität ist allerdings geeignet, jeden Schritt, den wir unternehmen, zweifelhaft zu machen –»

Und hier sagte er so leise, daß ich zusammenfuhr, sagte es federnd wie mit einer Reitgerte und wiegte sich jetzt auch wieder dabei:

«Ab sofort, ihr guten Freunde, gibt es unter uns keine Neutralität mehr, was den Kampf um dieses Haus betrifft. Es darf nichts mehr geben außer diesem Haus, damit es dieses Haus morgen und übermorgen noch gebe. Damit es dieses Haus so lange gebe, als wir Kraft und Lust haben, unser Leben aus freiem Spaß zu leben und seine Regeln selber zu machen. Ich schwöre euch: der Ernst, mit dem wir in diesen Wochen unsern Spaß treiben müssen, ist befristet. Wir plagen uns keinen Augenblick länger, als bis dieses Haus ins Trockene gebracht ist. Dann können die Revolutionen im Sambesibogen wieder steigen, können Letzte Menschen abgebildet, Liegruppen entwickelt, Habilitationen geschrieben, Konzerte und Filme besucht oder nicht besucht werden. Bis dahin: nichts dergleichen. Bis dahin, ihr versteht mich, wird nicht geruht. Ich meine es wörtlich. Es wird schlimmstenfalls nicht geschlafen, und es wird überhaupt nicht beigeschlafen. Eine Zigarette kann zu lange dauern, verglichen mit der Zeit, die uns noch bleibt – also wird die Zigarette wieder ausgedrückt. Gegessen und getrunken haben muß der Mensch, aber bitte, es geht auch im Stehen. Ich gebe jedem, der keinen Grund sieht, sich dem Notstand der ‹Soldanella› zu beugen, eine Minute zum Verlassen dieses Raumes. Wer aber bleibt, wird arbeiten.»

In der Minute geschah folgendes. Bei Gautschi fuhr der Lieferwagen mit der Spätmilch vor und wurde gedämpft entladen. Oben in der Küche ging Licht an und wieder aus; geisterhaft und traulich nah fiel eine Eisschranktür ins Schloß. Die Luft trug wie bei Föhn; Lüfte meldeten sich wieder und brachten die Birnen ins Schwingen, die eine entzündete und die vier dunklen; das Licht ließ die Gesichter am Tisch unruhig erscheinen, obwohl keins sich rührte, und wippte selbsttätig mit dem Schattenkopf Stefans, schaukelte ihn schwunghaft kreuz und quer über Wüste und Chandigarh, obwohl auch Stefan keinen Wank tat. Unter die kälteren Lüfte, die vorherrschten, war eine deutlich laue gemischt; die roch nach Glyzinien, die nächste nach Karbolineum. Viermal schaltete sich ein Durchfahrer in die Kreuzung herunter; Pa war nicht dabei. Sonst geschah nichts in dieser Minute.

«Für alles andere läßt sich aufkommen», fing jetzt Stefan mit ruhiger Stimme wieder an. «Es steht zum Teil schon in Herberts Formeln; man muß es nur herauslesen. Zuerst die Stilfrage. Louis XV. wurde genannt, Empire, Biedermeier, sogar Gotik. Gut. Ich gehe weiter: Romanik, Perpendikel, Strozzi, Augsburger Renaissance, Barock, Kolonialstil, Chinoiserien, Chippendale – warum nicht. Roland hat recht: jeder Stil für sich ist uns unerschwinglich. In ihrer Gesamtheit aber sind sie's nicht. Das tönt wunderbar und ist doch so simpel wie das bekannte Ei. Alle diese Stile sind verschmolzen, zu wilder und witziger Ehe vereinigt im Stil des mittleren und späten 19. Jahrhunderts. Ich habe mich schon beim Retsina darüber verbreitet. Gut. Diese Möbel sind noch erhältlich, und zwar zu Althandelspreisen. Sie stehen im Brockenhaus herum, in den Brockenstuben der Heilsarmee, in Gebrauchtmöbelläden, aber auch im Estrich der Familie. Diese Möbel sind zu bezahlen. Natürlich, die wirklich schlagenden Stücke muß man suchen. Das ist überall so. Ich weiß, worauf ich uns verpflichtet habe. Wir werden in den nächsten Tagen schwitzen, aber wir werden finden.»

«Aber Stefan», wandte Matthias Kahlmann ein und nahm kummervoll die Brille ab, «du hast selbst gesagt, daß diese Möbel weiter nichts als Schund sind und von der Kunstwissenschaft nicht zur Kenntnis genommen werden. Offenbar wollen auch gewöhnliche Leute nichts davon wissen, wozu ständen sie sonst im Brockenhaus. Wie wir mit dem Zeug unser Glück machen und die ‹Soldanella› herausreißen sollen, verstehe ich nicht.»

«Es ist nicht sofort zu verstehen», sagte Stefan. «Man muß dafür eine gewisse Kenntnis der besonderen auf dem Kunstmarkt herrschenden Gesetze mitbringen. Es stimmt: heute und morgen und noch in einer Woche, wenn wir, so Gott will, unsere Einkäufe tätigen, sind die Sachen nichts wert, kosten nicht einmal das Holz, das daran verzimmert ist. Wir müssen dafür sorgen, daß sich das plötzlich ändert, wenn sie bei uns im Hause stehen. ‹Ungeist – höchst geistreich› hat sich Herbert aus meiner Rede notiert. Geist ist nötig, um aus dem Plunder den letzten Schrei zu machen. Aber es ist möglich. Auf dem kulturellen Sektor ist jetzt fast alles möglich. Der Snobismus verzerrt den Markt nach Belieben – wer ist so dumm und zerrt nicht mit? Es kommt nur darauf an, den rechten Punkt zu finden. Mir ist, als läge so viel Schund in der Luft und drängte nach Legitimation, daß wir für die nächsten Jahre ausgesorgt haben.»

«Erst also fingieren wir einen Stil», sagte Bitz, «bringen die Fiktion unters Volk und lassen sie dort einen Körper und Tempo gewinnen, kinetische Energie, und dann verwenden wir diese Energie zur Rettung der ‹Soldanella›. Das heiße ich aus nichts etwas machen. Münchhausen zieht sich an seinen Schnürsenkeln aus der Patsche.»

«Eins lädt das andere auf», begeisterte sich Matthias, «wir die Möbel und die Möbel die Bude.»

«Ich beobachte an euch geistigen Menschen eine seltsame Neigung zu Metaphern aus dem Gebiet der genauen Wissenschaften», sagte Herbert. «Das Minderwertigkeitsgefühl, das ich hinter dieser Praxis vermute, erlote ich nicht, es ist mir, wie üblich, zu tief. Aber ich erweitere gern eure Sammlung um das Phänomen der Resonanz. Es tritt zum Beispiel da auf, wo eine Gruppe im Gleichtritt Marschierender eine Brücke zum Einsturz bringt. Scheinbar geringe Ursachen zeitigen scheinbar inkommensurable Wirkungen. Es wäre schadenfroh von mir und Zeitverlust, hier die Formel zu entwickeln. Die Hauptsache für euch ist der Gleichtritt. Gott behüte uns vor ihm.»

«Du weißt, wir marschieren nicht, um zu schlagen», sagte Matthias.

«Wir marschieren ausnahmsweise gemeinsam, um uns ein für allemal wieder so getrennt wie möglich schlagen zu können», dozierte Stefan.

«Das ist Männerlogik», ließ sich jetzt Monika vernehmen. «Das sagen die Kommunisten auch. Und seither marschieren sie. Es haben sich noch immer Gründe gefunden, das gemeinsame Marschieren fortzusetzen und den Individualismus zu vertagen.»

«Wir sind anders», sagte Tobias. «Wir wollen doch die Welt nicht verändern.»

«Sondern?» fragte Bitz gereizt.

«Unsern Frieden», sagte Tobias.

«Ich habe schon gesagt: unsere Aktion ist befristet», erinnerte Stefan. «Sie ist eingegeben vom Nichtstun und führt zu ihm zurück. Sie ist Faulheit in Lebensgefahr: also wehrhafte Faulheit. Nie wurde für eine bessere Sache gekämpft.»

«Roland hat noch etwas auf dem Herzen», sagte Herbert.

«Glaubt nicht», sagtest du mit schönen Betonungen, Roland von Aesch, «daß ich mir in der Rolle des Realisten gefalle, sie liegt mir fern von Natur, aber hier gebietet wohl die Kameradschaft, daß ich sie übernehme. Ich will glauben, daß der Antiquitätenrummel ein weites und also unübersichtliches Feld, daß der populäre Snobismus eine steuerbare Größe sei. Ich will einräumen, daß sich da herrlich im Trüben fischen lasse; ich weiß aus Film und Musik: es geschieht, es geschieht mit solchem Erfolg, daß jeder in Personalunion Bescheißer und beschissen ist und schon ein Gott hermüßte, um zu entscheiden, wo der Betrug aufhört und der Selbstbetrug anfängt – die Verwirrung ist so allgemein, daß sich am Ende jeder, der Wert darauf legt, wieder als ehrlicher Mann vorkommen kann. So viel zum Dunkel, in dem alle Kühe grau sind; so viel zu Mackie Messer, dem man nichts beweisen wird. Die Bühne ist frei für den Beleuchtungskünstler, den Regisseur der Unsicherheit – wunderbar. Aber ist der Mann unter uns? Zu einem Effekt, wie wir ihn benötigen, gehört mehr als dein Regieeinfall, Stefan; es gehört dazu, wenn ich im Bilde bleiben darf, ein ganz großes, ja blendendes Licht. Es gibt solche Lichter unter uns, kein Zweifel, bloß: noch leuchten sie unter dem Scheffel. Das wäre aber noch nicht das Schlimmste. Nehmen wir an, es gelingt uns, die ‹Soldanella› nach Wunsch zu möblieren; nehmen wir an, wir schreiben Artikel, Abhandlungen, Flugblätter, die unsern Hausrat ins günstigste Licht rücken und ihm epochalen Rang abgewinnen. Nehmen wir weiter an – das ist schon nicht mehr so sicher –, der ‹Überseer Bote› oder gar diese oder jene Stadtzeitung läßt sich erweichen, unsere Propaganda unter Eingesandt zu drucken – was wird ein hoher Gemeinderat dazu sagen? Er wird vielleicht sagen, daß unser privates Interesse an der Erhaltung der ‹Soldanella› allzu durchsichtig sei, um dem Wissenden mehr als ein mitleidiges Lächeln zu entlocken – das beim Gedanken, aus der ‹Soldanella› könne etwas Gutes und gar des kulturellen Schutzes Würdiges kommen, unwillkürlich in ein herzhaftes Gelächter übergehe. Noch wahrscheinlicher aber wird ein hoher Gemeinderat gar nichts sagen, sondern im lässigen Besitz seiner Vollmachten über unsere Aphorismen zur Tagesordnung übergehen.»

«Hier liegt wohl das Problem», sagte Herbert Frischknecht.

«Hier liegt *ein* Problem», verbesserte Roland. «Ich bin bereit, mit drei weiteren, ebenso kapitalen aufzuwarten, wenn Stefan seinen Solidaritätsterrorismus im Zaume hält.»

«Solidarität entbindet nicht von kritischer Prüfung», sagte Stefan ruhig, «sondern hat diese zur Voraussetzung. Ich bin dir also dankbar. Nur glaube ich, daß wir im genannten Punkt nicht zu verzweifeln brauchen.»

«Professor Anderegg», sagte Monika. «Er ist Kunstgelehrter. Man kennt ihn auch im Ausland. Er ist Stefans Chef. Er hat Sinn für Humor. Wenn wir nun alles so einrichteten, wie du gesagt hast, Stefan, wenn es uns gelänge, wirklich haarsträubende Stücke zusammenzutragen, und wenn wir ihn dann zu einer Tasse Tee einlüden, ob er da nicht, aus Gefälligkeit...»

«Ausgeschlossen», sagte Roland. «Gerade weil der Mann einen Ruf zu verlieren hat, wird er sich hüten, ihn mit unserem Kram zu assoziieren. Das heißt den Humor des stärksten Mannes überfordern. Schlag dir das nur gleich aus dem Kopf.»

«Ich weiß nicht, ich weiß nicht», sagte Stefan. Er hatte plötzlich eine kurze Pfeife herausgezogen, stopfte sie mit nachdenklichen Fingerspitzen aus einem billigen Beutel und ließ sein Gesicht in geräuschvoller Flamme aufscheinen. Dann hielt er sie, ohne sie in die Pfeife zu ziehen, bis sie beinahe verlöscht war, schüttelte sie aus und steckte die gestopfte Pfeife wieder in die Brusttasche. Langsam ging er an seinen Platz zurück.

«Ich habe mich darüber schon mit Herbert unterhalten», sagte er unterwegs. «Tatsächlich: an Anderegg hängt es. Ein Gutachten von ihm würde weite Kreise ziehen. Kriegen wir's, so sind wir gemachte Leute. Andernfalls... Ich würde bei Anderegg aber nichts ausschließen. Ich glaube, er fürchtet den Ruhestand. Wir müßten *gute* Sachen finden. Vergebens ist der Tod. Ihr müßtet mich bei Anderegg machen lassen.» Und damit setzte er sich.

Fees Räuspern machte mich aufhorchen. Sie hatte eine überraschend feine, doch eher tiefe Stimme, einen brüchigen Alt, der jetzt, wohl durch ein gewisses Lampenfieber, noch brüchiger und etwas kurzatmig wirkte. Sie sagte: «Also wenn ihr da neue Möbel hineintun wollt, wo sollen dann die alten hin?»

«Kleinholz, Fee, Kleinholz», sagte Matthias Kahlmann entschieden. «Mein Atelier ist schon voll Gartenmöbel und Zeugs. Da kommt nichts mehr dazu.»

Fee schluckte. «Es sind aber zum Teil Klaras Möbel», sagte sie. «Ihre Aussteuer. Die erste Frau hat ja nichts Ganzes hinterlassen.»

«Vielleicht ist das eine oder andere schauerlich genug, daß wir es stehen lassen können, Fee», sagte Bitz. Man hörte ihn seit längerer Zeit zum ersten Mal: er mußte über die Zumutung verschnupft sein, mit seiner Revolution eine Weile auszusetzen.

«Aber», sagte Fee. Es wisse doch jedermann, daß die ‹Soldanella› ein Restaurant gewesen sei, und das, woran wir säßen, sei eben Wirtsmobiliar schlecht und recht. Woher die Leute jetzt plötzlich glauben sollten, es gäbe noch andere Möbel im Haus, und dann so kostbare (Fee sagte mundartlich *köstlige*), wie wir gesagt hätten?

Ein vortrefflicher Einwand, lobte Herbert Frischknecht. Die Wirtsstube sei früher von Krethi und Plethi betreten worden – es komme also nicht in Frage, sie in die Neuordnung der Dinge einzubeziehen.

«Aber höre einmal!» sagte Tobias. «Diese Stube ist der beste Raum im Haus. Wohin sollen wir Möbel stellen, wenn nicht hierher? Wo Empfänge halten? Wo Anderegg und die Denkmalpflegekommission begrüßen?»

Zum ersten Mal sah ich Tobias mit roten Backen. Gewiß, der Schein der einzigen Birne täuschte – aber nicht so sehr, daß diese Einzelheit zu übersehen gewesen wäre. Tobias, mit dem Stöpsel im Ohr, der nur noch ein einziges Buch las und auch dieses nicht mehr – Tobias begann irgend etwas für möglich zu halten, für so möglich, daß seine kaum mehr vorhandenen Backen brannten. Damit nicht genug: er hatte auch die Retsinaflasche neben sich auf den Tisch gestellt. Niemand hatte den Vorgang beachtet – jetzt, da er sprach, sahen wir es, und es schien, alle sahen es zur gleichen Zeit. Tobias freute sich, oder wenn das zuviel gesagt ist, er war erregt – beinahe konnte man das Aufatmen hören, das jetzt die Runde machte. Stefan entzündete seine Pfeife – mit dem Rücken zu mir, aber ich sah den Rauch hinter seinem schmalen schwarzen Kopf hervorblühen und, vom Luftzug ergriffen, sich überstürzend abtreiben. Plötzlich rauchte alles. Monika ebenfalls Pfeife, eine goldgelbe Maispfeife mit beinahe durchgebissenem Schaft, Mathis Stumpen, die übrigen Zigaretten. Farbige Packungen lagen wie vom Weihnachtsmann ausgeschüttet über den ganzen Tisch. Auch Fee rauchte eine Zigarette, die sie unendlich vorsichtig und ungeschickt, auch ein wenig angeekelt, in ihrer feinen Hand hielt (nicht zwischen den Fingern, sondern in der hohlen Hand), während ihr Herbert Frischknecht Feuer gab; dabei zog sie fast wild, höhlte ihre festen Bäckchen dabei, zog in sehr kurzen Abständen; sie machte den größten Rauch. Nur Tobias zog an nichts. Er hielt die Retsinaflasche auf dem Tisch in beiden Händen, als hätte sie keinen Boden zum Stehen.

«Also möblieren wir *diesen* Raum», sagte Herbert behaglich, «das wird eine gute Stube, Fee, wie du im Leben noch keine gesehen hast. Und wenn einer fragt: die Möbel dazu stammen aus dem übrigen Haus. Alte Hüttenrauchsche Stücke, die nun endlich zu ihrem Recht kommen, nachdem die Wirtschaft ausgedient hat.»

«O.K.», sagte Bitz, «aber das verschiebt unser Problem nur. Es gibt vermutlich Leute in Überseen, die auch das übrige Haus kennen. Den Demuthschen Annex und den Oberstock. Die werden angesichts unserer Novitäten Unrat wittern.»

«Wer kommt in Frage?» erkundigte sich Mathis. «Wer kennt sich hier noch aus?» «Nicht viele Leute», antwortete Fee. «Friedrich lebte ja so eingezogen, je länger, desto strenger. Im Hinterzimmer war vor dem Tobias eigentlich nur der Balzli Demuth, und der war solide, und natürlich ein paarmal der katholische Pfarrer; aber der Balzli ist tot, und der Pfarrer ist seither ein anderer. Nach oben haben Hüttenrauchs niemand gelassen, höchstens einmal ein paar Fraueli von der Abendandacht, wenn sie zu Klara kamen, aber die kamen nur zum Lesen.»

«Lesen?» fragte Bitz.

«Das Evangeli», sagte Fee, stark rauchend.

«O weh», seufzte Bitz. «Lauter geistliche Seelen. Die pflegen sich gut umzuschauen, ob es auch überall mit der christlichen Demut zugehe.»

«Sie waren damals schon alte», tröstete Fee.

«Wie ist das mit deinen Halbgeschwistern, Tobias?» fragte Monika.

Tobias verlor einen Augenblick das Rote aus den Wangen. «Natürlich, die. Alexander ist in Louisiana... der kommt wohl nicht mehr zurück. Aber Eliane... das obere Zimmer, der Straße zu, war ihres, und Eliane hängt sehr an diesem Haus. Ich weiß nicht...»

«Die kommt nicht mehr über diese Schwelle!» sagte Fee und hatte plötzlich Eisen im Alt. Der Bruch war repariert. «Die nicht. Am Haus hängen, jawohl die! Diese Katze mit den Krokodilsaugen...»

«Sie darf wirklich nicht, Fee», sagte Mathis und tropfte einen langen Aschenbengel vom Stumpen. «Das wäre die Katastrophe.»

«Bei meiner Seele nicht», sagte Fee und richtete den Kopf so auf, daß man beinahe ihre Augen sah. «Bei meiner lebendigen Seele.»

«Wir haben aber noch eine zweite Gruppe von Zeugen in acht zu nehmen», meldete sich Bitz zum Wort, «es gibt auch noch die Leute, die uns ihren Ramsch ablassen und ihn wieder erkennen könnten, wenn er berühmt geworden ist. Wie können wir verhindern, daß sie plaudern?»

«Mein Bester», sagte Stefan und fand, die Pfeife mit beiden Händen fassend, wieder Gelegenheit zu einem Kolleg, «da mach du dir bloß keine Sorgen. Ich gehe dir jede Wette ein: sie werden ihre Stücke nicht wiedererkennen, wenn sie berühmt geworden sind, und weißt du warum? *Weil* sie berühmt geworden sind. Sie haben sie vorher nicht angeschaut. Gekauft und verkauft, ja; mit einem Blick gestreift, ja. Was soll's? Es war ein alter Schrank, ein ausrangierter Fauteuil, halb aus Erbarmen irgendwo mitgenommen, eilig wieder losgeschlagen. Aber wenn der Schrank erst einen Namen hat – und wir werden ihm einen hübschen Namen geben –, dann ist das ein anderer, ein unbekannter Schrank; man erinnert sich nicht, ihn einmal in staubiger Ecke beherbergt zu haben, aber man gäbe jetzt viel darum, ihn zu bekommen – es wäre geradezu ein Gelegenheitskauf. Freunde, des Kaisers neue Kleider sind das einzige Kostüm, das nie aus der Mode kommt. Ewig werden sich die Leute schämen, nichts zu sehen, wo etwas zu sehen sein soll; und lieber werden sie den Schrank aus byzantinischem Chippendale nie besessen, als nicht bemerkt haben, daß es sich ja um byzantinisches Chippendale handelte. Die ganze Kunst ist die: das byzantinische Chippendale mit dem Wort ‹bekanntlich› einzuführen und in der rechten Leute Mund zu bringen. Bald werden sich so viele gescheite Gedanken, so viele gerissene Spekulationen an das byzantinische Chippendale geheftet haben, daß es sich gar nicht mehr leisten kann, nicht zu existieren. – Selbstverständlich werden wir die gekauften Stücke nicht geradewegs in die ‹Soldanella› schicken, sondern eine Deckadresse gebrauchen.»

«In meines Vaters Haus», sagte Bitz Bär, «ist ein großer Estrich, nur ganz teilweise bewohnt, und zwar von einem Fremdarbeiter. Der ist die nächsten Wochen abwesend. Er muß seine Schwester verheiraten.»

«Wie heißt er?» fragte Herbert.

«Gözübyüklü», sagte Bitz.

«Aufschreiben», befahl Stefan, «unsere Käufe gehen an Herrn – wie heißt er?» Bitz buchstabierte. Wir schrieben – ich auch, schrieb neben Kapitel XXVIII *(De re publica)* einen Namen, hinter dem der Hilfslehrer, wenn er darauf stieß, irgendwelchen schwarzen Betrug vermuten durfte, schrieb Gözübyüklü und bin heute froh darum. Aus dem Gedächtnis hätte ich den nicht mehr zusammengebracht. Ich habe eben früh daran gedacht, mich zu dokumentieren. Aber was, wenn der Gözü die Schwester dem Gatten früher als erwartet gefreit hätte und wäre zur Unzeit wieder vor seine schwer umlagerte Estrichtür getrudelt? Schöne Bescherung! Die Türken sollen tapfere Leute sein, ich hätte dem unseren ganz das Herz zugetraut, auf das Chippendale mit seinem Finger zu zeigen und zu rufen: der Kaiser ist ja nackt! Aber Gott sei Dank fiel der Schleier weit hinten in der Türkei, und die Schwester hielt den Gözü fest, oder der Gatte der Schwester, oder sie hielten einander zu dritt fest, wer kennt sich mit den Sitten dort aus; ich hoffe: die fröhlichste Türkenhochzeit hielt ihn fest bis Ende Juni, bis dahin hatten wir das Chippendale bereits im Trockenen.

Man war sich einig, daß der Transport von der Sammelstelle Gözübyüklü zur «Soldanella» mit Schwierigkeiten verbunden sein würde. Er mußte bei Neumond in einem Lastwagen mit Geräuschdämpfung (Herbert war ein guter Lastwagenfahrer) unternommen werden und im Schutz besonderer Umstände, die man nicht diskutierte, da wiederum Herbert für sie aufzukommen versprach. In solchen Dingen durfte man Herbert nicht in Zweifel ziehen. Wer dennoch zweifelte und ein Gesicht schnitt, das warst du, Roland, nicht wahr. Was gab es denn noch? Es gab immer noch die Frage, für Rolands Gefühl offener denn je, wie man denn die Verbindung von Byzantiner Chippendale mit der «Soldanella» rechtfertigen und als zwingend hinstellen wolle – an deren Unlösbarkeit schließlich alles gelegen sei. «Was, wenn der Gemeinderat findet, das Möbelwunder komme anderswo besser zur Geltung? Was dann?»

Stefan – ich sah es an seinen Schultern – wurde von innerlichem Lachen geschüttelt. Mit der hohen Stimme eines Bauchredners antwortete er:

«Roland, Roland, das ist doch der Clou. Wo anders sollten, könnten, dürften die Sachen stehen als gerade hier? Die ‹Soldanella›, Hüttenrauch sei gelobt, ist doch selber byzantinisches Chippendale oder noch was viel Schöneres, sie ist mit Zinnen und falschen Kaminen selbst ihr bestes Ausstattungsstück, und zwanzig Kilometer im Umkreis ist nicht ihresgleichen. Daß Möbel und ‹Soldanella› zusammengehören, *das* springt ins Auge, da fängt unser Handel an, beinahe redlich zu werden, davon wird man jeden empfindlichen Menschen überzeugen können. Die Wahrheit zu sagen: wo, meint ihr denn, hätte ich auf meine Stilakrobatik kommen sollen, wenn nicht im wackligen Schatten dieses Hauses?»

«Dieses Haus», wandte Mathis ein, «wurde aber 1911 gebaut, fünfzig Jahre nach deiner Periode, Stefan.»

«Nie was von schweizerischer Stilverspätung gehört?» sagte Stefan und verbiß sein Lächeln am Pfeifenstiel.

«Der Worte sind genug gewechselt», entschied Bitz. «Ich bin dabei.» Er hatte die Brieftasche hervorgezogen, einen

Schein aus der Brieftasche, diesen gefaltet, in den zierlichen Umschlag einer Visitenkarte – *Fred W. Baer, Government of Older Alabama, General Representative for Western and Central Europe* – gesteckt und aus dem Handgelenk auf den Tisch geschleudert.

«Augenblick, Herr Entwicklungshelfer», sagte Herbert Frischknecht. «Die Kollekte findet am Ende des Gottesdienstes statt, und mit offenem Geld, bitte. Wir schämen uns nicht, Bitz, wenn es weniger sein sollte als bei dir, im Gegenteil. Mit der dreistelligen Zahl, die ich habe blinken sehen, ist es ohnehin nicht getan.»

«Richtig, Herbert: erst der Plan, dann das Geld», sekundierte Matthias. Ob Bitz immer noch nicht aus den Erfahrungen der Amerikaner gelernt habe?

«Ein Plan!» flüsterte Tobias mit immer noch sichtbaren Backen.

«Erstens», schlug Herbert vor, «liest uns jetzt der Stefan ein Kolleg über die Sorte Möbel, die gefragt sind. Jeder muß genau wissen, was er einkauft. Wir können uns beispielsweise kein echtes Stück leisten.»

«Richtig», sagte Stefan. Er freute sich sichtlich auf das Kolleg. Er hatte sogar die Pfeife darüber ausgehen lassen.

«Auf Grund von Stefans Informationen», fuhr Herbert fort, «geht zweitens der Roland hin und setzt die Einsprache an den Gemeinderat auf: so und so, und ein Haus von diesem kulturgeschichtlichen Wert vertrage den Abbruch nicht; nach allen Regeln der Kunst.»

«Aber –» sagte Roland.

«Denk daran, daß es sich um ein echtes Anliegen handelt», fiel ihm der andere scharf ins Wort. «Drittens», fuhr er fort, während man auch Roland ansah, daß er, seinem Aber zum Trotz, rote Backen bekam, «drittens müssen wir uns über die technische Seite der Sache klar werden: Arbeitsteilung, Kompetenzen, Transporte, *timing*. Viertens: die Finanzierung. Eine Kleinigkeit, hoffe ich, bei dem hier herrschenden Opferwillen. – Ein abendfüllendes Programm, leider. Die Zeit der Schlaflosen hat schon begonnen.»

Und so geschah es auch. Stefan las sein Kolleg – es dauerte, wie ein richtiges, eine knappe Stunde und ließ Mitternacht vergessen – und illustrierte seine Worte mit weißer Kreide auf großem Packpapier, das er hinter dem Ofen an die Wand genagelt hatte. Die Zeitungsstöcke mußten Platz machen; ja, des toten Friedrich Hüttenrauch knisternde Komparserie wurde an diesem Abend abserviert, und wie sich zeigen sollte: für immer, denn bald nach den Möbelskizzen kamen ja die richtigen Möbel und füllten alle Wände. Roland hatte kaum das Ende des Vortrags abgewartet, um zu verschwinden; und während die übrigen am Tisch berieten, klapperte die Maschine drüben wieder im bewußten Rhythmus, kürzer Atem holend als bei der Filmkritik, klapperte unentwegt in die nun schweigsame Nacht, deren gegenstandslose Winde von Zeit zu Zeit den Papierbogen lüfteten. Roland brauchte kaum hinzusehen, es lief ihm zu gut; mit allen zehn Fingern brachte er Schlag auf Schlag seine Plastic-Wörter hervor, Wörter, die er gerade zum ersten Male gehört hatte, ohne daß dies ihrer Wirkung abträglich war. Sie nahmen die halbe Ahnung, halbe Gewißheit, ergriffene Vermutung ihres Urhebers in sich auf und erhielten dadurch etwas Weitreichendes, an die kulturelle Pietät des Lesers Appellierendes – es war vortrefflich gemacht, als Roland es uns nach einer halben Stunde vom Blatt las. Selbst Stefan schien überrascht von der Tragweite seiner Idee. Man brauchte kein Wort zu ändern. Es fällt mir nicht leicht, im Zusammenhang mit Roland das Wort «Ergriffenheit» zu gebrauchen – hier ist es einmal beinahe am Platz. Ich bleibe bei «beinahe», denn ich bin überzeugt, daß Rolands Ergriffenheit viel mehr der Erweiterung seines Wort- und Formelschatzes galt als der Sache – was freilich im Effekt auf eines herauskommt. Auch der Schein von Ergriffenheit brachte so etwas wie Ergriffenheit, jedenfalls: Beunruhigung auf der andern Seite zustande – ich bin glücklich, dies vorwegnehmen zu dürfen, und will es selbst um den Preis tun, daß Rolands Technik vorübergehend im besten Lichte erscheint.

In feinen und dringlichen, nirgends aus dem Rahmen fallenden Worten ist von einer Innenausstattung die Rede, deren voller antiquarischer Wert, deren kunstgeschichtliche Bedeutung zwar von Liebhabern längst geahnt, aber erst in jüngster Vergangenheit durch fachmännische Expertisen zur Gewißheit erhärtet sei – so erhärtet nun freilich und zu so überwältigender Gewißheit, daß die Ansicht, hier gelte es in letzter Stunde ein nicht nur eigentümliches, sondern einzigartiges bauliches Zeugnis vor dem Untergang zu bewahren, unter den maßgeblichen Kulturträgern unserer Stadt zur herrschenden geworden sei und sich nächstens in einem öffentlichen Aufruf seitens dieser Kreise niederschlagen werde. Ohne dieser Intervention vorgreifen zu wollen, ja eigentlich nur, um einem hohen Gemeinderat Zeit und Gelegenheit zu sichern, sie dannzumal unvoreingenommen zu prüfen, werde hiermit vorsorglich der Weg der Einsprache gegen den Abbruch der «Soldanella» beschritten. Daß man privat bereit gewesen wäre, Gemeinsinn walten zu lassen und dem neuen Straßenprojekt nichts in den Weg zu legen, habe man bisher durch Stillhalten bewiesen; da nun freilich ein öffentliches und, wie man zuständigerseits versichere, ein unbedingt schutzwürdiges Interesse an der Erhaltung der Baulichkeit vorliege, glaube sich der Eigentümer dem so dringlichen Appell aus dem kulturellen Sektor nicht verschließen dürfen zu sollen (oder hieß es: sollen zu dürfen?). Das Anliegen der verkehrstechnischen Erschließung des Heimatortes sei freilich ein echtes und unbestreitbares; indessen gebe es andere, höhere und stillere Werte, deren drohender Verlust durch keinen noch so plausiblen straßenbaulichen Vorteil aufzuwiegen wäre, und diese Werte im zweiten Sinn, so versichere man dem Schreibenden, seien hier ernstlich bedroht. Die Überlegung des Gemeinderates vorwegnehmend, daß er sich eines gravierenden kulturellen Versäumnisses, ja einer von den kommenden Geschlechtern kaum verstandenen Übereilung nicht schuldig zu machen wünsche; in Anbetracht ferner der Tatsache, daß Überseen an sprechenden Kulturdenkmälern zwar reich, aber wiederum nicht so reich sei, um sich die Einbuße eines unschätzbaren und von

ler Forschung erst heute ganz gewürdigten Kleinods aus der
ıäheren Vergangenheit leisten zu können; im Wunsche also,
las bisher einwandfreie, kulturpolitisch zugleich voraus-
chauende und gediegener Tradition verpflichtete Gesicht
ınserer Gemeinde wahren zu helfen, finde er, Eigentümer,
ich bewogen, von besagtem Rechtsmittel Gebrauch zu ma-
:hen. Und so weiter; wer durchaus will, mag es bei Roland
5. 63 ff. nachlesen. Noch wußte damals kein Mensch, ob wir
iberhaupt Anderegg auf unsere Seite kriegen, ja nicht ein-
nal, ob wir je über das nötige Mobiliar verfügen würden.
:n diesem Brief war es schon beieinander, ein nicht mehr ganz
geisterhafter, mit kunstvoller Realität ausgestatteter Haus-
at; es war ein Sachverhalt geworden, mit dem sich der Ge-
neinderat jedenfalls würde zu befassen haben. Roland blieb,
wenn man näher zusah, überall allgemein, so allgemein, wie
las Unsichere unserer Lage es gebot; aber die Wörter, die er
verwendete, wirkten dahin, daß der Leser gehindert wurde,
a sich selber hinderte, näher zuzusehen; alle guten Engel der
Freien Welt, alle Reiz- und Zwangsvorstellungen einer klei-
ıen abendländischen Gemeinde wurden bemüht, das Leser-
ıuge vom nicht existierenden Detail abzulenken, edel zu
:rüben und höher zu beschäftigen. Wir alle erlagen damals
der Magie dieses Schriftstückes, sogar Roland, sein Ver-
fasser, begann daran zu glauben – wie hätte ein hoher Gemeinderat es nicht tun sollen!

Fast andächtig setzte Tobias seine Unterschrift unter den
ins reine geschriebenen Bogen, auf dem nichts fehlte als der
Hinweis auf den knapp geretteten Abu Simbel - und auch dieser lag, wenn ich mich so ausdrücken darf, in der Luft dieses
Papiers. Die sicherste Karte aber, die Roland ausspielte, ohne
sie klugerweise aufzudecken, waren zweifellos die «maßgeblichen Kulturträger» und ihre zu erwartende Intervention.
Wenn etwas das Herz eines Überseer Gemeinderates konnte
stocken und dann schneller gehen lassen, war es der Gedanke,
in den Augen der Maßgeblichen oder gar in der «gewissen
Presse» – man beachte, wie diskret Roland auch mit diesem
Zaunpfahl winkt! – als Banause dazustehen.

Aber zunächst geschah etwas, das *unser* Herz stocken ließ Der Brief war adressiert, geklebt und frankiert, da sagte Matthias Kahlmann mit dumpfer Stimme: «Zu spät.»

«Was heißt da zu spät?» fragte dieser oder jener.

Mathis knotete seine alte Armbanduhr los, legte sie vor sich auf den Tisch und beugte sein Gesicht tief über das angelaufene Zifferblatt.

«Bald zwei Uhr», sagte er tonlos. «Wir haben's schon verpaßt. Die Frist ist um.»

Tiefes Schweigen herrschte. Besonders Tobias sagte nichts. Nur Fee seufzte einmal tief, mit Geräusch, wie große Hunde seufzen. «Jemand hätte vor zwei Stunden auf der Hauptpost sein müssen», sagte Stefan kleinlaut.

«Schad um den Brief», meinte Roland.

«Schade, daß Herbert die Zeit nicht angehalten hat», sagte Bitz. «Es wäre das wenigste, was man von so einem Mathematiker verlangen kann.»

«Was habt ihr eigentlich?» fragte Herbert.

«Kannst du fragen», sagte Matthias. «Der Poststempel hätte von gestern sein müssen.»

«So hängt alles am Poststempel?» fragte Herbert harmlos und wühlte in seinem Sack.

«Mistkerl», sagte Matthias.

«Also wenn das alles nur am Poststempel hängt», sagte Herbert und wurde immer behaglicher, «dann ist doch nichts passiert.»

Er blickte sich um und wühlte. Man beobachtete ihn von unten. Aber notfalls war Herbert ziemlich stark.

«Die Zeit stillstehen lassen kann ich nicht», sagte er und wühlte. «Aber wenn alles, wie ihr meint, am Poststempel hängt», fuhr er gedehnt fort, «wenn es bloß am Poststempel hängt, einen Poststempel sollte der Mann doch auf sich tragen.» Und damit klaubte er tatsächlich aus einem Knäuel von Bananensteckern einen Stempel heraus, drehte ihn um, behauchte ihn und machte sich mit Monikas Pfeifenbesteck daran zu schaffen. Dann grub er, wieder sehr ausführlich, ein Stempelkissen aus dem Sack, klappte es auf und führte, wie ein veritabler Beamter, rasch hintereinander zwei Schläge: da saß der Stempel genau so, wie Sammler ihn lieben, ein knappes Viertel des Markenbildes deckend, und ließ gestochen klar das folgende sehen:

Herbert nahm den Umschlag in beide Hände, hielt ihn, indem er seine Kreuzstichaugen zusammenkniff, vor sich wie ein Maler oder Falschmünzer, der seine Effekte prüft, und sagte dazu:

«Das Gemeindehaus besitzt beim Hauptportal einen eigenen Briefkasten. Es bleibt weiter nichts zu tun, als diesen Brief diese Nacht dort einzuwerfen. Man wird denken, daß er bei der letzten Leerung versehentlich liegengeblieben sei. Man wird aber auch gar nichts dabei zu denken brauchen.»

Tobias füllte die Schale. Sie ging von einem lächelnden Mund zum andern. Monika lächelte, natürlich wieder durch Wasser, über beide Ohren. Mathis lächelte dürftig, aber er konnte nicht anders, es lag an seinen schlechten Zähnen. Roland ließ bloß seine Zunge hinter den Lippen spielen. Herbert lächelte wieder streng wissenschaftlich. Fee hielt die Hand vor den Mund, aber alle Falten zitterten ihr. Stefans Lächeln konnte ich nicht sehen; ich bin sicher, es war beherrscht. Bitz lächelte nicht, er grinste, aber bloß in Abständen; er schonte sein Gesicht. Nur Tobias lächelte die ganze Zeit, auch beim Trinken. Die Schale ging dreimal herum; am Schluß stellte sie Stefan sorgfältig neben die paar Hunderternoten und die zwei Fünfhunderter, die plötzlich auf dem Tisch lagen, ohne daß jemand ein Wort gesagt hätte.

Dann nahm Tobias Schale und Brief und brachte sie zu mir herüber. Ich trank einen Schluck; ich konnte nicht lächeln. Es war das erste Mal. Es schmeckte schlecht, aber es war das erste Mal. Ich wußte, daß ich nach diesem Schluck reinen Mund halten sollte. Ich gab ihm den Inhalt meines Portemonnaies in die Hand. Den Brief ließ er da. Das war das Wildeste am ganzen Abend: den Brief ließ er da liegen, da neben mir, auf dem Boden. Ich nahm ihn in die Hand.

Als ich den Brief zum Gemeindehaus hinübertrug, schaute ich nicht auf die Uhr. Aber es war mitten in der Nacht, noch kaum dem Morgen zu. Da begann eine Amsel zu singen, die Amsel, es war nicht möglich mitten in der Nacht, aber ich hörte sie. Ich hörte sie, als ich den Brief hineinschob, langsam, bis er das Übergewicht bekam; dann hörte ich den klaren, kurzen Anschlag der Briefkante auf dem Kastenboden. Es war ganz sinnlos, daß ich noch mit der halben Hand hineinfuhr und mich versicherte, daß der Brief an keiner der glatten Wände hängengeblieben sei; kein bösartiges Wunder hatte mehr Lust zu geschehen. Der Brief war gefallen, in Ordnung; nur meine Hand war nicht in Ordnung, sie zitterte lächerlich unter der federnden Briefkastenklappe. Dafür hörte ich jetzt die schlaflose Amsel wieder. Meine Ohren läuteten. Als ich beinahe wieder über der Straße war, fuhr ein Wagen vorbei, hielt brüsk drei Schritte vor mir, rollte dann zögernd weiter, mit kurz aufjaulendem Gas. Ich wartete, bis Pa die Garage geschlossen hatte. Wir sprachen nichts, als wir die Treppe hochstiegen. Oben ließ ich ihm den Vortritt.

DRITTES BUCH

SIE SCHUFEN GROSSE WALFISCHE UND ALLERLEI GETIER

Jagd in Außersihl et ubique

«Gefahr über uns –

Ist Ihr Dachstuhl gesund?
Wir brauchen den Hausbock nicht vorzustellen.
Leider ist er nur allzu bekannt.
Sollte man meinen.
Aber Hand aufs Herz: Was wissen Sie über Ihr Dach?
Noch steht es, Gott sei Dank.
Sie sehen ihm nichts an.
Alles in Ordnung?
Das, leider, wissen Sie nicht. Wir auch nicht –
Bis wir es genau feststellen.
Wir können das. Erfahrung seit 1827.
Der Hausbock – wie jeder Volksschädling – wirkt im Dunkeln.
Dem unbewaffneten Auge kann er etwas vormachen.
Uns nicht.
Wir haben die Mittel, ihn aus seinem Schlupfwinkel zu treiben.
Für immer. Wissenschaftlich.
Aber dazu müssen Sie uns einmal heranlassen.
An Ihr Dach.
An Träger und Pfetten, Sparren und Streben.
Es dauert nicht lange und kostet Sie nichts.
Keinen Rappen.
Dafür erhalten Sie etwas Unbezahlbares: Gewißheit.
Alles in Ordnung? Dann freuen wir uns mit Ihnen.
Zweifelhaft? Dann können wir das Nötige tun. Rasch. Gründlich.
Wir machen das seit Jahrzehnten. Beste Referenzen.
Wir gehen noch weiter.
Wußten Sie schon, wo der Hausbock sein Werk beginnt?
Im Dach?
Das hat man lange geglaubt.

Heute weiß man es besser.
Der Hausbock sitzt in Ihrer Stube!
In Ihrem Lehnsessel! Unter Ihrem Bett!
Ja, das ist das Neueste aus dem Reich der Wissenschaft.
Nicht angenehm. Aber verzagen Sie nicht.
Auch dafür kommen wir auf.
Wir prüfen Ihre Möbel kostenlos.
Ältere Möbel sind besonders gefährdet.
Da nimmt das Übel seinen Anfang.
Die klassische Volksweisheit sagt aber: wehret den Anfängen!
Wir wehren ihnen. Wir lassen Sie nicht warten.
Wir erlauben uns, in den nächsten Tagen an Ihre Tür zu klopfen.
Unverbindlich.
Leichter angegriffene Möbel behandeln wir auf der Stelle.
Schwere Fälle nehmen wir gleich mit.
Unser Kundendienst ist berühmt.
LIGNOFIRM ist mit der Zeit gegangen.
Nur in einem Punkt sind wir altmodisch geblieben:
Wir nehmen es genau. Mit dem Hausbock ist nicht zu spassen.
Unser Fachmann freut sich auf Ihre Bekanntschaft.

LIGNOFIRM
Holzpflege seit 1827»

Diese ochsenblutrote Drucksache – sie erinnerte an ein Mobilmachungsplakat – verteilte ich an meinem nächsten schulfreien Tag in alle Briefkästen der Lagerstraße, der Hohlstraße, der Molken- und Bäckerstraße, der Engel-, Anwand- und Kanzleistraße, der Zeughaus-, Morgarten- und Köchlistraße, Urselweg und Hermann-Greulich-Straße, denn «Außersihl», hatte Stefan gesagt, «ist unsere große Hoffnung.» Es war kein gutes Quartier und kein miserables, ein Quartier der kleinen Leute, nur mäßig nach Kohl riechend, eher nach frischen Bäckersemmeln und preiswertem Kaffee-Ersatz; der Bahnhofnähe begegnete man mit Tüllvorhängen, die vielen italienischen Gäste bekamen trotzige Rechtschaffenheit zu spüren. In diesem Geiste empfing man auch die drei Herren von LIGNOFIRM, als sie in der Tür erschienen; man brachte es nicht übers Herz, ihnen dieselbe wieder zu weisen, schon gar nicht, wenn man die Hausfrau war, was beinahe immer eintraf, da die wenigsten Ernährer sich leisten können, ihre Vormittage zu Hause zu verbringen, wohl auch nicht immer Wert darauf legen würden. Immerhin, es gab Ausnahmen, Mißverständnisse; es kam vor, daß die zarte Erkundigung nach dem Hausbock übel aufgenommen wurde, sei es, weil man sie auf den Ehemann bezog, sei es, daß man eine unsittliche Zumutung dahinter witterte. Die Regel aber war, wie gesagt, daß die Tür sich allmählich weiter öffnete, die Frau, oft eine ganz appetitliche Frau, meist aber das saubere Hausmütterchen, die Schwelle freigab, die Herren einzutreten bat, denn mindestens einer davon sah wirklich wie ein Herr aus, ein Herr in jedem Betracht. Über einem englischen Kammgarnanzug trug er, salopp und doch vertrauenerwekkend, das weiße Mäntelchen des Wissenschafters; dunkle Augen von vollendeter Seriosität leuchteten ihm aus dem liebenswürdig, aber keineswegs verwegen gebräunten Gesicht; seine Umgangsformen waren so, daß man sich die Hände möglichst unsichtbar unter der Schürze abwischte – kurz, es war geradezu eine Ehre, ihm die gute Stube zu öffnen und ihn dort nach Hausböcken suchen zu lassen. Meist kam es, glücklicherweise und doch beinahe leider, nicht dazu; der Herr überflog die Einrichtung mit einem kurzen Blick, erklärte sie für hübsch, gediegen, vom Standpunkt der LIGNOFIRM aus gesehen vollkommen unbedenklich; an dieses staubfreie Nußbaumbüfett, an dieses Teaktischchen würde sich auch der verruchteste Hausbock nicht wagen. Ob man noch den Dachstuhl sehen könne? Man konnte, selbstverständlich; das saubere usw. stapfte voran, entriegelte, je nachdem, die Lattenverschläge, senkte die Falltür mit beim Senken hervortretender Leiter (patentiert), schlüsselte in selteneren Fällen eine verheißungsvoll verschabte Holztür auf. Aber wenn man auf die staubigen, nach Ziegelwärme riechenden Dielen trat, war es immer dasselbe: Koffergebirge, mit Plastic bedeckte Babywäsche, gesömmerte Skis, allenfalls ein Fußschemel, ein emaillierter Krankenstuhl, abgehalfterte Kinderwagen, Gestelle voll Zeitschriften, «Leben und Glauben», «Nebelspalter», Unteroffiziersorgane – nein, der Herr sah sich bald in der Lage, auch diesen Dachstuhl unbedenklich zu finden. Vielleicht daß er da und dort eine Faser anriß, an einem Träger lauschte, sein Instrumentenköfferchen umbaute, um das Gesicht zu wahren; im allgemeinen mußte er die Erfahrung machen, daß im Kreis Außersihl die Dachstöcke in erschreckend wohlerhaltenem Zustande waren. Die gutkonservierte junge Frau, das saubere Hausmütterchen strahlte, wenn sie den LIGNOFIRM-Herren den Abschiedsgruß bot, wußte diesem sogar nicht selten einen schadenfrohen oder schelmischen Dreh zu geben: wohin man bei ihr gedacht habe? Wie man auf den Gedanken habe kommen können, daß sie mit Hausböcken lebe? Sie und Hausböcke!

Die LIGNOFIRM-Herren gönnten sich keine Ruhe. Sie fluchten leise, sobald sie ihr LIGNOFIRM-Lächeln abblenden durften; sie fluchten beim Gehen; sie fluchten beim Fahren, wenn man das Vorrücken ihres mit grellen LIGNOFIRM-Streifen beklebten Lieferwagens (er gehörte dem mathematisch-physikalischen Institut) von einem Ochsnerkübel zum nächsten Fahren nennen konnte. Sie hatten schon zwanzig gute Stuben visitiert, drei Dutzend Wohnstuben, sieben Doppelschlafzimmer, sieben unergiebige Kinderzimmer und zwei Mädchenzimmer – diese Zahlen enthalten für den, der sie zu lesen versteht, wichtige volkskundliche Aufschlüsse über den Kreis Außersihl. Sie hatten die Köpfchen Minderjähriger aller Größen getätschelt und dazu chemische Formeln aufgesagt, innig hoffend, nirgends an eine praktizierende Chemikersfrau zu geraten. Sie waren unter Betten gekrochen, um Löcher zu bohren, wo Löcher nicht störten. Sie hatten rund zwanzig Dachböden betreten, waren über Öldrucke geturnt, auf denen Jesus oder Antonius den Fischern predigte, Maria Magdalena mit immer noch schlüpfrigem Blick auf dem Brunnenrand saß, ein stilles Gelände am See mit Perlmutterglanz von ferne zu grüßen lud. Zwischen staubfrei verpackten Feldweibeluniformen und zu langen Ballkleidern waren sie herumgestiegen, ohne andern Erfolg, als ihrerseits Staub zu fangen. Staubgewitter waren ihnen aus den Pfetten entgegengerieselt, die sie bebohrten, ausgediente Hornissennester entluden sich über ihren schuldigen Häuptern, freigewordene Bettfedern sprangen an ihrem Bein, Sterilisierglasdeckel, Papiermaché-Indianer knirschten unter ihren Sohlen, versteinertes Dörrobst bebaumelte sie, Spinnweb ließ sich spulenweise mitschleppen, ihre Nasen verstaubten, das englische Kammgarn war unter den Schultern durchgeschwitzt, immer unfrischer blickten sie der nächsten sauberen Hausfrau in die Augen, immer mehr kostete es sie, deren Mißtrauen zu überwinden, um sich weiter berieseln, bestauben, karrensalben, ölen und teeren zu lassen.

Ausbeute: Null; genauer: weniger als Null. Sie führten nämlich drei absolut negative Stücke im Lieferwagen mit: ein Nierentischchen, ein Kinderstühlchen mit Topf und eine kleine Heimatstilgarderobe – Massenware von gestern, die ihnen aber, trotz ihrer Gegenbeschwichtigungen, von den Besitzerinnen als wurmpflegebedürftig regelrecht aufgedrängt worden war. Seither zitterten sie davor, irgendwo wirklichen Würmern zu begegnen, beseitigten schleunigst, und ehe die teilnehmende Besitzerin dahinterkam, verdächtige Mehlspuren, bohrten nur, wo das Holz kugelfest aussah, und begnügten sich, als auch das wissenschaftliche Röckchen durchgeschwitzt war, mit immer summarischeren Unbedenklichkeitserklärungen. Kurz vor Mittag begegneten sie im Gastzimmer einer Hutmacherswitwe endlich einem verrenkten Tischchen, das ihr Herz schneller schlagen ließ, aber dann war es aus Gußeisen und also unter keinem Vorwand der Erde einer Holzwurmbehandlung zuzuführen.

Als sie in irgendeiner «Eintracht» oder einem «Frohsinn» beim kleinbürgerlichen Mittagstisch saßen, jeder ein großes Bier bei der Hand, da war ihnen sogar das Fluchen vergangen. Erst beim schwarzen Kaffee – alles was recht war, ein schwarzer Kaffee ließ sich unter ihren Umständen verantworten – fanden sie wieder Worte.

«Soziologe müßte man sein», sagte Bitz und hatte den Reißverschluß seines braunen Overalls bis zum Bauchnabel aufgezogen. Er ließ eine verfärbte Leibchenbrust und dahinter eine unsittlich gekräuselte Haarflora sehen. Das Personal hatte ihr zuerst einen bestürzten Blick gewidmet, bald aber ließ es sich zur Duldung stimmen: mehr als je sah der arme schwitzende Bitz ja aus wie ein bärtiges Baby in Strampelhosen. «Mein Gott», sagte er, «wie diese Leute in den letzten Jahren verdorben sind. Wo gibt es noch das überladene Stübchen? Wo den Geschmack am Mops? Großmütter mit Wachsblumen unter Glas? Großmütter gibt es noch, ja, aber mit gefärbtem Haar und ohne Lebensart, sie sehen schon aus wie ihre Töchter, nur etwas verwackelt. Messingständerchen, Philodendron, fröhlich gemusterte Tapeten, ein Palisandermöbelchen und gleich noch eins, zu volkstümlichen Preisen, die man den dünnen Beinchen ansieht, ein passend bezogenes Stühlchen, rustique – Freunde, mein Glaube an Außersihl ist zerbrochen.»

«Und was sie auf dem Boden haben», echote Herbert, ebenfalls als brauner Packer verkleidet, «das ist auch schon Möbel-Kräuchi. Mensch, wie ist die Vergangenheit dünn geworden. Ich wette, wir sind auf der ganzen Tour keinem Stück begegnet, das älter war als vierzig Jahre.»

«Ich kann den Hausböcken nicht verdenken», fuhr Bitz fort, «daß sie sich auf so was nicht einlassen. Heutzutage ist auch das Gerümpel neu – schäbig, aber neu.»

«Kleingläubige», sagte Stefan. Aber auch er sog, bei aller Haltung, Enttäuschung aus seiner Pfeife. Fast schien es, als sei echter Schund schwieriger zu finden als Stilmöbel. Aber dann straffte er sich die Kammgarnweste. «Wir haben noch die Hermann-Greulich-Straße vor uns», sagte er. «Tönt die nicht verheißungsvoll?»

Aber auch die Hermann-Greulich-Straße war ein Fiasko. Selbst unter dem Namen dieses glorreichen Sozialdemokraten hatte sich der waschbare Ersatz, der Mief aus Kunststoff breitmachen können. Nicht einmal ein Kanarienvogel die ganze lange Straße lang – geschweige denn eine Scheußlichkeit von Format. Auch hier war der Hausbock gebannt; Tierfeindschaft auf der ganzen Linie. Nichts klapperte auf der Ladebrücke des heimziehenden Lieferwagens als ein fetter Spiegelrahmen ohne Spiegel, den man angeblich zu Testzwecken noch so gern hatte mitnehmen können, und ein Gerüstchen aus Bambus, das einmal als Palmständer mochte gedient haben. Stefan hatte sich beinahe auf den Kopf stellen müssen, um in diesem Bambus Holzwürmer nachzuweisen. Schließlich hatte er die notwendigen Löcher selbst gebohrt, während Bitz den Besitzer, einen verwitweten Abwart, in ein Gespräch über Kehrichtverbrennung verwickelte. Für diese Souvenirs hätten sie keine Ladebrücke gebraucht. Mißmutig drehte Herbert an seinem riesigen Steuer. Wie der verkörperte Stumpfsinn zickte und zuckte der Scheibenwischer vor seinem Gesicht hin und her. Es hatte gegen Abend zu regnen begonnen; es war zu lange schwül gewesen. Kein einziger rechter Coup gelandet, keine wurmstichige Hofratswohnung ausgeräumt. Sie waren um die Pointe ihres Einfalls betrogen. Er war zu gut für diese halbschlächtige Zeit, die nicht einmal mehr unter allem Geschmack zu wohnen verstand. Aber sie kratzten die LIGNOFIRM-Streifen noch nicht von der Karosserie. Sie hatten noch die Eisgasse vor sich, die Magazinstraße, andere mögliche Rückzugsgebiete für den aussterbenden Hausbock, den aussterbenden Mops. Und vielleicht waren die andern glücklicher gewesen. Vielleicht führten konventionelle Methoden doch eher zum Ziel.

Man traf sich regelmäßig um sieben Uhr im Dachstock von Bitzens Vaterhaus vor der verschlossenen Tür Gözübyüklüs. Tobias war in den Pfandhäusern gewesen, bei Gebrauchtmöbelhändlern, auch im Brockenhaus. Kaum zu glauben: im Brockenhaus war es dasselbe wie an der Hermann-Greulich-Straße. Braven Schund, durchschnittliche Scheußlichkeiten gab es jede Menge; ein Abenteuer gab es nicht. Wenn man eine Verkäuferin, die Tobias dort getroffen hatte, nicht abenteuerlich finden wollte. Zuerst hatte er Mühe gehabt, ihr Geschlecht festzustellen. In Hosen und weißem Mäntelchen sei sie auf dem Deckel eines Pianinos gesessen, klein und schmal, ein Buch in der Hand. Ganz kurze, abgefressene Haare, ziemlich eindrucksvolle Augen, als sie dieselben endlich aufschlug. Er habe ungern gestört, aber er habe doch bedient werden wollen. Der Stimme habe er dann angehört, daß es ein Mädchen war, da sei kein Mißverständnis möglich gewesen: warm, tief, etwas brüchig. Obwohl sie sich zwischen den Möbeln dann wieder bewegte wie ein Bub. Aber immer war sie im Hui wieder an ihrem Buch. Man habe sie gleich wieder stören müssen.

«Was für ein Buch?» wollte Monika wissen. Als ob sie *das* hätte wissen wollen! Viel eher: was für Hosen? natürlich zu enge? Und warum gleich wieder stören? hättest du nicht für dich sehen können? – Ich kenne diese Art Verhöre von zu Hause. Kannte sie damals; heute finden sie nicht mehr statt. Fänden natürlich immer noch statt, wenn Pa nicht einsame Entschlüsse gefaßt hätte. Ich will nichts wissen! laß mich mit deinen Ekelhaftigkeiten in Ruhe! Dabei hatte Pa nichts gesagt – hütete sich wohl, schwieg noch so gerne. Feigling! hieß es dann. Steh wenigstens dazu! Tränen. Dann sogenannte Gefaßtheit: Ich kann es hören. Wenn ich dir schon nichts mehr bin, deine Aufrichtigkeit verdien ich noch. Wie ist sie denn? Was ist denn so ganz anders? Und dann schloß sie eine Frage an, die mir damals schon ganz besonders unsinnig vorkam, Mum fragte nämlich: Wie macht sie es denn? Was mach ich denn falsch... Und dann bekam er zwei Sätze für Beschwichtigungen. Sie saß wie eine überzogene Feder. Aber er brauchte nur einmal «sie» zu sagen – ich sah nicht, wie er darum herumkam – dann schrie Mum: Bleib mir mit deinen Schweinereien vom Leib! Es interessiert mich nicht, hörstu! Nicht im geringsten! Wie du mich bloß in einem Atemzug – – und dann schlug sie wieder auf die Armlehne auf, machte weiche Lippen, und man verstand nichts mehr. ‹Und er stand dabei›, heißt es irgendwo in der Literatur. Man kann es nicht besser sagen. Der Autohändler tat mir leid, schon damals. Es war nicht zu übersehen, Mums Tränenbäche wuschen es nicht hinweg, daß sie im Grunde doch mehr Spaß bei der Sache hatte als er. Sie war notfalls immer sofort wieder fit. Er aber lief herum wie die gekalkte Wand und hatte Mühe, oft tagelang. Er hat seine beiden Frauen teuer bezahlt.

«Husserls logische Untersuchungen», sagte Tobias.

Nun, natürlich war die junge Dame keine regelrechte Verkäuferin, nein, Tobias wußte keinen Namen, sie studierte Philosophie, genau das, was für ein Mädchen am wenigsten in Frage kommt, natürlich aus Trotz gegen ihren Clan, der von Bankdirektoren starrte und am Zürichberg wohnte, da war sie natürlich ausgezogen, wohnte im vergitterten Soussol eines Abbruchhauses in der Altstadt, schnitt ihr Haar selbst, verkleidete sich als Tramp, nährte sich natürlich von halbgaren Kartoffeln und verkaufte, um das Maß vollzumachen, halbtags im Brockenhaus.

Warum er die ganze Zeit «natürlich» sage, wollte Monika wissen. Ihre Gereiztheit warf sich jetzt aufs Linguistische: Bitz aber summte mit der wurstigen Salbung von H. Albers: Aläsweisich – einzideinenamenniichd.

Vielleicht dürfe man vielmehr wissen, ob Tobias' übrige Ouvertüren im Brockenhaus gesegnet gewesen seien? fragte Stefan. Man konnte ihm seine Müdigkeit ansehen.

Tobias förderte aus dem Dunkel des Dachbodens eine Art Bild ins Halbdunkel, eine hölzerne Bildtafel, deren zittrig eingebrannte Frakturbuchstaben folgenden Sinn ergaben:

Er lebte,
wie er lebte,
Und kämpfte,
wie er stritt.

Zum Glück kam es auf den Sinn nicht an. Entscheidend war der Rahmen. Er bestand aus gichtigem, aschgrauem, nach allen Seiten gezwirbeltem echtem Wurzelgeflecht, vom Alter mürbe gewordenen Rübezahlbärten.

«Ist das alles für die eindrucksvollen Augen der Kartoffelprinzessin?» fragte Monika. Sie konnte es nicht lassen.

«Ist es nicht furchtbar?» fragte Tobias unsicher.

«Furchtbar schon, aber wenig», sagte Herbert Frischknecht.

Was hatte denn Monika, daß sie so angab? Sie war früh aufgestanden, freilich, das war schon viel. Dann hatte sie sich ins Entrée des «Zürcher Tagblattes» gestellt, um sofort beim Erscheinen dieses reinen Anzeigenorgans auf dem Posten zu sein. Mit dem noch feuchten Blatt stürzte sie ins nächste Café und durchflog die Inserate. Wo eine Telephonnummer angegeben war, telephonierte sie auf der Stelle und kündigte ihre nahe Ankunft an. Wo man sich mit einer Adresse zufriedengeben mußte, suchte sie dieselbe auf einem weit und breit auf zwei Kaffeehaustischen entfalteten Stadtplan heraus und legte danach ihre Marsch- resp. Fahrroute zurecht, denn sie zirkulierte im Taxi, einem schwarzen Coupé, das mit brummendem Motor vor jedem Eingang, den sie durchschritt, für sie bereitstand wie für eine Gangsterbraut. Sie konnte es beiläufig nicht unterlassen, über den Chauffeur schmeichelhafte Dinge zu sagen. Armer Tobias! Kein Taxi ist deiner Monika als Retourkutsche zu schlecht! Aber du merktest sie wohl nicht einmal. – Kurz, es war ein aufwendiger Tag gewesen. Monika hatte zwei Pfund verloren. Monika würde morgen wieder denselben Chauffeur haben und weitere zwei Pfund verlieren. Rank und schlank würde sie nach einigen Tagen zu Tobias zurückkehren und an seinen geöffneten Armen leider vorbeisehen müssen. Aber die Ausbeute?

Bitte. Die mochte man abholen, da und da, so und so. Sie konnte sich natürlich nicht eigenhändig mit Möbelstücken schleppen. Bezahlt seien sie. Und Monika zog einen Zettel mit fünf Adressen hervor. Herbert und Stefan mußten nochmals fahren. Sie klagten nicht. Bitz natürlich klagte; er hatte sich auf der Suche nach dem Hausbock einen Splitter unter den Nagel gerissen. Er durfte also aus der Strampelhose steigen und zu Hause bleiben.

Die andern hätten nun gehen können – da wurde noch

einer sichtbar, knapp, offenbar ungern. Richtig, Roland von Aesch; fast hätte man ihn vergessen. Was hatte er zu bieten? Wenig, leider; genau gesagt: nichts. Es sei nicht seine Schuld. Auch er war frühe auf gewesen. Wo? Im Industriequartier, an der Pfingstweidstraße, wo auf dem Gelände einer großen Transportfirma allerhand Auktionen durchgeführt wurden und hinterlassener oder überschuldeter Hausrat unter den Hammer kam. Von Aesch war frühe auf gewesen und dennoch zu spät gekommen. Augenscheinlich gab es Leute, die auf der schmalen blechernen Wendeltreppe übernachtet hatten, auf der er sich weit unten hatte anstellen müssen. Rauchen verboten. Halb eingeschlagen in die Busentücher zweier machtvoller Matronen, war er im Laufe des Vormittages hochgedrängt worden, Stufe um Stufe, eine ranzige Himmelfahrt. Vor elf war es ihm beschieden gewesen, anzukommen: mit einem gewaltigen Schub explodierte die Nahkampfgruppe, in die er eingebacken gewesen war, über stürzende Barrikaden ins Innere der Möbelhöhle. Sie war ausgeweidet, auf Schleichwegen geleert – die wenigen interessanten Stücke, die es gab, fand Roland ihrer Nummer entkleidet, was bedeutete – Roland vermutete es stark –, daß sie schon *vor* Ladenöffnung unter der Hand weggegeben und nur noch als Lockvögel für den schäbigen Rest stehengelassen worden waren. Man kaufte jetzt aus Trotz, was sonst unverkäuflich gewesen wäre. Auch die amtlichen Versteigerungen, die Roland am Nachmittag besucht hatte – er sagte tatsächlich: «besucht», wie bei einem Symphoniekonzert –, waren ihm nicht bekommen. Wieder waren die Frauen rascher am Ball als er; bis er seinen feuchten Finger gehoben hatte, um ein vorbehaltsreiches Interesse nicht geradezu in Abrede zu stellen, war das vulgäre Konkursgut längst andere Wege gegangen. Für diese Art Wettbewerb sei er offensichtlich nicht robust genug, bemerkte Roland kokett. Kein Zweifel, daß er seine Mission rasch leid geworden war und lieber wieder an seinen Musikkritiken gebastelt hätte.

Man schickte sich an, in die «Soldanella» hinüberzuwechseln – zu Fuß, denn der Physikwagen fuhr Monikas Adressen nach. Fee mußte Stefans und Herberts Essen an die Wärme zurückstellen. Die Mahlzeit war lückenhaft auch so: da Mobiliar hatte sich radikal gelichtet. Wer noch einen Stuh fand, konnte von Glück sagen. Wie ging das zu?

Nun, Matthias Kahlmann, der zurückgebliebene Bild hauer, hatte sich betätigt. Man konnte sagen, daß wenigsten *sein* Tagewerk gesegnet gewesen war. Er hatte sich aber auch mit Herz und Seele ins Zeug gelegt. Schon am Vortage, in Schutz der Dunkelheit, war ein großer Teil des Wirtsmo biliars ins «Atelier» verschoben worden; klaglos hatte Mat thias, um Platz zu schaffen, sein Bildhauergerät zu einen schäbigen staubigen Häufchen zusammengekehrt. Früh morgens aber rollte er einen verschlissenen Baumstrunk in seine Klause und begann zu arbeiten, wie seit Jahren nicht wie noch nie. Schon am Mittag stand er bis an die Knie in einem wahren Schlachthaus gespaltener Beine und gespreng ter Lehnen, hartnäckig zerkleinerter Sitzflächen – man weiß wie schwer Sperrholz zu brechen ist – und zerschmetterten Tischplatten. Er schlug Funken aus heimtückisch verborge nen Nägeln, teilte ein gutartiges Brettchen so gezielt, daß es kaum was merkte, langsam und erstaunt auseinanderfiel, biß einem andern, querläufigen, Faser um boshafte Faser durch ließ halbe und Drittel – und Vierteltürken zur Rechten und Linken bald sinken, bald springen, hielt sich mit Zinsen schad los für alle Bilder, die ihm nicht hatten werden wollen, knackte seine ungereiften Blütenträume im dürren Holz und stand schließlich, als ihm Fee zum Mittagsbrot hupte, mit beschla gener Brille und wogender Schmalbrust (er war dienstuntaug lich) in der Fülle seiner Splitter selbst wie sein sagenhafter Letzter Mensch da. Bedauernd legte er die Axt beiseite; sie war schon brav zerarbeitet. Bei Tisch entdeckte er, daß er kaum den Löffel bewegen konnte; seine Hände, in Ruhe gelassen, liefen blau an, wässerten, schälten sich, schwollen ins Überlebens große. Nach dem Essen fanden sich ein paar überlebensgroße Handschuhe; der Bildhauer kroch hinein und verschwand aufs neue im «Atelier». Als die Expeditionen zurückkamen war er fertig – fertig in jedem Sinn. Der Scheiterhaufen um ihn hätte für viele Ketzer gereicht. Aber was jetzt noch durch die Axt fiel, mußte Matthias fallen lassen. Er hatte nicht mehr die Kraft, sich danach zu bücken.

«Da hast du noch mehr», schmunzelte Bitz, in bester Laune über seinen dramatisch verbundenen Daumen. Und wie die Drei Könige in der Weihnachtsgeschichte kramten sie ihre Gaben hervor: Bitz das Nierentischchen, Monika das untertopfte Stühlchen, Roland die Garderobe. Die Sächelchen leisteten wenig Widerstand. Würmer hatten sie übrigens keine.

Dann legten Bitz und Roland je einen steifen Arm des Holzfällers um ihre Schultern und trugen ihn im Triumph zum Abendessen. Ihre Tritte hallten im Gastraum. Einsam und spiegelnd stand die Terrine mit ihren sieben Tellern im Raum wie für eine Gespensterhochzeit. Man war müde, ohnehin, aber es lag auch am Echo, daß man so wenig sprach. Die Brücken zur alten «Soldanella» waren abgebrochen. Man öffnete die Fenster, um den Wind mit der neuen Sachlage bekannt zu machen. Jetzt mochte er wehen, wie er wollte.

Gegen zehn Uhr kamen Stefan und Herbert. Stefan lächelte schwach. «Alle Achtung, Monika», sagte er. «Drei Treffer.» Er hatte die Sachen vor Gözübyüklüs Tor abgestellt. Was? Ein sehr hübsches Barometer, beschriftet mit englischer Schreibschrift; an die Thermometerskala schmiegten sich links und rechts zwei schwindsüchtige Schutzengel, der Holzklumpen unter dem Barometerrund zeigte eine Trauerweide, unter der eine stark untersetzte Nymphe, von Schwänen belauscht, ins Wasser stieg. Das zweite, sehr beachtliche Stück war ein Bett – das Chassis eines Bettes, ein Ungetüm, an dem sie sich halb zu Tode geschleppt hätten.

«Das Bett ist aus Eisen», nickte Monika froh.

Stefan zog seinen Notizblock aus dem Overall und skizzierte. Allerdings, das Ding mußte Kopf und Fuß haben. Da stand massiv Wand gegen Wand, zwei leichenbitterartige Silhouetten, deren kurze Schweinsfüße etwas auseinanderwichen, als ob das Federbett, der hochgewölbte Grill, den sie zwischen sich schleppten, selbst für sie zu schwer wäre – kein

Wunder, denn seine Aufhängung erinnerte an diejenige eines Eisenbahnwaggons aus der Frühzeit dieses Verkehrsmittels und war ihr offensichtlich nachempfunden. Es war die sadistische Karikatur eines Bettes, es schien nur zu bereit, alle Komplexe seines Entwerfers auf den Schläfer zu übertragen, der den traurigen Mut haben sollte, es zu benützen. Die Außenseite der beiden Bettwände war mit totschlägerartigem Rankenwerk ausgegossen (das Fußende trug ein wappenförmiges Loch zur Schau); die Innenseiten aber zeigten fette Polsterung aus schwächlichem Hellblau, schmutzigem Hortensienblau; unter den Polsterknöpfen, die in Abständen eingelassen waren, fanden sich Spuren eines intensiveren Blaus, das diesem Gußeisentraum einst zu stürmischer Zierde gereicht haben mußte.

Das dritte Stück – leichter zu bewältigen – war offensichtlich ein Stuhl. «Abbotsford», sagte Stefan und zeichnete: einen gepolsterten Sitz, eine flach gepolsterte Rückenlehne, von stark gewundenen Säulen rechts und links begleitet; über den Säulen ein giebelartiger Aufsatz, der sich seinerseits aufwärts, aber auch abwärts in Giebelchen und gedrechselte Zäpfchen weiterverzweigte. Jetzt beschäftigte sich Stefans Stift mit den Beinen: sie schienen niedrig, im Vergleich zur Lehne, schmucklos die Hinterbeine, die vorderen aber, die sich nach unten verjüngten, wieder gezogen, daß Gott erbarm.

«Roter Plüsch?» wollte Fee wissen. Der Stuhl beeindruckte sie sichtlich. Träume von Luxus aus ihrer Kindheit, unerfüllte Verheißungen mochten hinter ihrer bergigen Stirn dämmern. Bald würde sie sich auf diesen Stuhl setzen – er stand noch genauso da, wie sie ihn vor fünfzig Jahren geträumt hatte. Sie begann den Sinn unseres Unternehmens einzusehen. – Es war übrigens grüner Plüsch.

«Grüner Plüsch!» entzückte sich Matthias, der sogar seine geschwollenen Hände vergaß. «Man glaubt das Photographierbaby darauf zu sehen, das arme Albumopfer, das Damastpaketchen mit beleidigten Zuckeraugen und steifen Ärmchen.»

«Und daneben das Brüderchen, bleichsüchtig, im Matrosenkleid, und die Beine hat es vom Großvater», spann Herbert weiter.

«Und im Hintergrund die Zimmerpalme, täglich zu bürsten», sagte Matthias.

«Du wirst sie uns bürsten», versprach Monika, «wenn deine Hände wieder gut sind.» So klang der Tag doch noch mit einer hoffnungsvollen Note aus.

Glückhafte Austreibung eines Präsidenten vermittels der Cholera

Die Woche blieb arbeitsam. Stefan, Herbert und Bitz setzten ihren Würmer-Parcours fort. Dann mußten sie sich für den großen Mittwoch bereithalten. Mittwoch war ein Termin der städtischen Müllabfuhr, und zwar der für Gerümpel und Sperrgut vorgesehene. Schon am Vorabend stellten die Leute alte Kinderwagen, Korbwagen, Puppenwagen, Nachttische, Kredenzen, Konsolen, Schuhschränklein, Schuhe, Lampenschirme, Schützentaler, Schirmleichen, darniederliegende Bügelbretter, Rundfunkgeräte, Kalenderhalter, Zeitungswiegen, Alpenstöcke, Nippes und erbauliche Bücher vor ihre Türen, und der Dienstwagen des math.-physikalischen Instituts nahm zweimal die triste Parade ab, einmal schon Dienstagabend um zehn Uhr, um der sprungbereiten Heilsarmee das Geschäft zu vermiesen, einmal am Mittwoch zwischen acht und zehn Uhr. Herbert brauchte nicht oft von der Erlaubnis zum Güterumschlag Gebrauch zu machen, leider; wenn Stefan sich nicht auf das Einsammeln von Erbauungsschriften, «Palmwedeln», «Rosenkränzen» und «Pilgerstäben» kapriziert hätte («wir können unsere Regale nicht mit Cronin und Hesse füllen»), die drei wären so gut wie leer gefahren. Halb aus Verzweiflung nahmen sie irgendwo ein wenig aufregendes Tischchen mit drei Beinen und herunterklappbaren Rundungen mit, das Stefan notfalls für Glastonbury erklärte, ferner einen Armleuchter und eine leidlich erhaltene Kamingarnitur aus künstlichem Muschelkalk. Sie bestand aus einem rosa Rahmen mit Mantelpiece, Vorsatz, Poker und ornamentiertem Blasebalg, rosa auch dieser. Tobias streifte einige Tage den Trödlern nach, nicht nur den einheimischen, deren Angebot uninteressant war, sondern denen in Zofingen und Rheineck, so daß Monika ihn nicht im Brockenhaus fand. Um so ungestörter beäugte sie natürlich jenes Knabenmädchen, das immer noch über Husserls logischen Untersuchungen saß, aber nicht mehr auf dem Pianino, das war verkauft, sondern auf der Armlehne einer vermotteten Plüschcouch. Monika kam sogar mit dem Mädchen ins Gespräch, Agnes Bock hieß sie, und abgesehen davon, daß Monika nichts an ihr finden konnte (außer, daß sie schlank war, aber wer war nicht schlanker als Monika? Das war eine Generalvollmacht für Eifersucht), verstand sie sich mit ihr recht gut. Sie war, bei aller Sympathie, so beschäftigt damit, nichts an Agnes Bock zu finden, daß sie das Plüschsofa vor ihrer Nase glatt übersah. Es wäre ein hübsches Stück gewesen, bequemer vielleicht als die Ottomane, auf der wir am Ende sitzen blieben. Aber was will man, Frauen sind nie ganz bei einer Sache, sondern immer halb und halb bei ihrer eigenen.

Der Nutzwert dieser Expeditionen blieb bescheiden; auch Roland fischte mit wenig Glück in den trüben Wassern der städtischen Auktionen, Betreibungen und Konkurse herum. Was kam zusammen? Nochmals ein Barometer, eher im Stil von Monikas Stuhl, ein längliches Wesen aus polierter amerikanischer Esche, das auf drei verschnörkelten Spitzbogenfeldern all das zu messen vorgab, was zu einer angelsächsischen Konversation gehört, Temperatur, Wetteraussichten und Luftfeuchtigkeit. Es hieß «Admiral Fitzroy Barometer» und war von den Danziel Brothers, Hull, 1883 gefertigt. Eine weitere feinmechanische Akquisition war ein Tintengeschirr in Gestalt eines hohlen Mädchenrückens. In den Hintern war ein winziges Glasgefäß mit vertrockneter Tinte eingelassen, der Kopf fehlte anständigerweise, aber zwischen den rosigen Armen hielt der Torso eine Uhr mit zerbrechlichen Zeigern, die, nicht unpassend in unserer Lage, auf drei

Minuten nach zwölf zeigten. Tobias hatte zwei Pfauenfedern gesammelt, von denen Stefan fand, sie seien im Geist der Periode, ohne daß damit für die Ausstattung der «Soldanella» viel gewonnen war.

Ach, und weitere Kleinigkeiten: Türgriffe aus geschliffenem Glas, eine Glaskugel mit einer Ansicht Lübecks inseitig, die man nur umzukehren brauchte, um einen etwas hastigen Schneesturm über die gotischen Dächer zu entfesseln; zwei Schnupfdosen, eine ambulante und eine schwerere für häuslichen Gebrauch mit eingelegtem Holzmosaik (Tunbridge). Schließlich eine Art Jagdtrophäe aus massiver Eiche, die Stefans höchste Billigung fand, weil sie, wie er mit prüfendem Daumen feststellte, maschinengeschnitzt war: an einer hölzernen Jagdbüchse, die sie fast völlig zudeckten, hing kunstvoll verteilt ein Schock erlegter Vögel mit geknickten Hälsen und leeren Augen: ein hölzerner Reiher in der Mitte, eine Schnepfe, eine Wachtel, ein Rebhuhn; hinten noch ein größerer Vogel, von dem nur Bürzel und Schwanzfedern zu sehen waren, ein Auerhahn vermutlich, alle hölzern (Singvögel fehlten durchaus, denn Singvögel erlegen ist nicht menschlich). Als zweiter Träger strebte hinter der Büchse ein hölzerner Eichenstrunk hervor, der, hölzern begrünt, unten von einer hölzernen Rebe umschlungen, oben mit einer hölzernen Rose besteckt war. Ganz oben prangte eine hölzerne Schottenmütze mit feingerippter hölzerner Feder und Fransen seitlich; diese aber waren aus dünnem Draht.

Eine hölzerne Jagdtrophäe macht noch kein Interieur, ein Schock toter Vögel keinen «Soldanella»-Sommer – sie entbanden uns nicht von weiterer Jagd. Auf Gözübyüklüs Boden läpperte sich's zusammen, aber spärlich: das knappe Dutzend Scheußlichkeiten stand verloren zum Erbarmen unter dem immensen Dachstuhl. Es fehlte uns vor allem am Substantiellen: an Schränken, Tischen und Stühlen – von Fauteuils wagten wir schon nicht mehr zu träumen.

Es war der 19. Mai, ein Donnerstag. Gewittergüsse wechselten schon am Morgen mit nicht geheurer Helligkeit; erst gegen Mittag pendelte sich das Wetter ein und wurde gleichmäßig trübe. Nach dem Mittagessen, das Mum, da Diana frei hatte, persönlich richtete – ein leichtes, noch blutiges Steak, ich erinnere mich so genau, weil es mir später in der Angst einmal aufstieß –, ging ich hinüber. Erst guckte ich in die Kegelbahn und schloß die Tür gleich wieder: Mathis schlief auf seinem Feldbett, schlief ohne Brille und mit halboffenem Mund inmitten seiner Holzstöße. (Wenn die «Soldanella» noch einen Winter vor sich hatte, mochten wir ihn getrost erwarten.) Im Hause selbst fand ich nur Monika und Tobias. Sie saßen im Oberstock und spielten mit einem Steinbaukasten aus Tobias' Kinderzeit. Auf dem Lukenfenster, unter dem sie saßen, breiteten sich dann und wann einzelne Tropfen aus, schwer wie Ölflecke, und rannen träge ineinander. Herbert Frischknecht turnte auf Stühlen und Bockleitern im Dach umher und spann alle möglichen Drähte. Fee war nicht zu Hause; sie hatte jeden Donnerstag Ringkampfstunde in der Stadt (griechisch-römischer Stil). Auch Stefan hatte darauf verzichtet, heute seine Vorlesung über die Perspektive bei Piero della Francesca ausfallen zu lassen, denn er beabsichtigte, im Seminar Prof. Anderegg zu stellen und ihn für einen Besuch in der «Soldanella» zu gewinnen – nicht zu bald, aber auch nicht zu spät; bis dahin hofften wir uns ja noch zu verbessern. Roland saß in einem literarischen Café und schrieb drei Musikkritiken auf Vorrat. Der Verbleib Bitzens war, wie üblich, Staatsgeheimnis; mochte sich die Bundesanwaltschaft darum kümmern, wir taten es nicht.

Plötzlich – ich hatte mich ebenfalls zum Bauen hingesetzt – hoben wir den Kopf. Nah oder fern, wer wußte es, jedenfalls ungeheuer distinkt und mit eindringlicher, zwanglos die Luft erfüllender Sanftmut erklang das Liedchen «Gott ist die Liebe»; eifrig zirpten ein paar Instrumente unter einer heiseren, kurzatmigen Kinderstimme. Keine flache Musikkulisse, sondern ein räumlich gegliederter, rührender Ablauf, wie eine richtige Sonntagsschulprobe irgendwo im Haus, ganz nebenan, neben dem Ohr. Die letzten Künste der Akustik waren an das zuckersüße Stücklein verausgabt; man hörte keinen Nebenton, kein Abschnappen, das Stimmchen verschwebte naturgetreu, und als Herbert die Nadel zurücklegte, klatschten wir ihm Beifall. Das Liedlein war eine Geburtstagsüberraschung für Fee; es würde sie erquicken, wenn sie vom Griechisch-Römischen zurückkam. Wir hatten unterdessen einen Friedhof erbaut, ein fettes rot- und- weißes Erbbegräbnis neben dem anderen und sogar ein Kolumbarium; auch wir waren fertig, und Tobias erhob sich, um sich im Stehen zu räkeln. Er traf alle Vorbereitungen dazu, hatte sich schon halb der Luke zugedreht und beide Arme weit nach hinten aus den Gelenken gekugelt – da sahen wir ihn mitten in der Pose erstarren und dann erschlaffen. Er war nie besonders rosig gewesen. Jetzt war er sehr blaß.

«Was hast du?» fragte Monika bequem von unten. Sie glaubte nicht an Sensationen.

Tobias, immer noch zur Luke hinausstarrend, griff mit der Hand nach hinten, nach Herbert, nach irgendwem.

«Pfaff kommt über den Platz», und seine Stimme, obwohl tonlos, brach sich dabei.

«Wer?» wollte Herbert wissen.

«Der Gemeindepräsident», flüsterte Tobias. «Er kommt nachsehen. Wegen unserem Brief. Er ist schon beim Tor.»

Man brauchte keine zehn Sekunden – der Anmarschweg des Gemeindepräsidenten –, um sich vor Augen zu halten, was das bedeutete. Pfaff kam zur Besichtigung der Möbel, die wir einem hohen Gemeinderat vorgegaukelt hatten. Pfaff wollte wissen, woran er war. Pfaff würde ein leeres Haus betreten. Zehn Sekunden genügten nicht, um das Unheil abzuwenden. Acht davon sahen wir uns an. In der vorletzten sagte Monika:

«Rührt euch nicht. Laßt mich machen.»

Dann klingelte es.

«Wir sind nicht zu Hause», flüsterte Herbert.

«Dann kommt er wieder», sagte Monika, «in einem ungünstigeren Moment», und erhob sich geräuschvoll. Sie konnte nicht leise.

«Es gibt keinen ungünstigeren Moment», zischte Herbert,

und seine roten Bärenaugen waren vor Schreck so groß wie normale.

Es klingelte wieder.

«Doch», flüsterte Monika, öffnete den Schrank und schlüpfte in Fees blaugeblümten Morgenrock.

«Jetzt rührt euch nicht», sagte sie. Dann warf sie sich das Haar durcheinander und betrat die Treppe. Nun war kein Halten mehr. Die Treppe ächzte zum Steinerweichen. Herbert ging hinter seinem Grammophon in Deckung, Tobias beim Friedhof. Ich legte mich flach auf den Vorplatz, wo er eine Art Kanzel über der engen Treppe bildete. Zwischen den Latten des Schuhgestells spähte ich in die Tiefe. Monika hatte eben die Tür geöffnet. Dazu rieb sie sich die Augen. «Morgen, Herr Präsident», sagte sie ohne Umstände. Es war gegen vier Uhr nachmittags.

Gemeindepräsident Pfaff war ein großer, sehr dünner Mann mit schmalem, rötlich poliertem Schädel; bloß über die Ohren hing ihm noch etwas grauer Besatz. Er ging leicht vorgebeugt. So wirkte seine Nase noch spitzer, als sie war; der Seehundschnauz nahm ihrem Profil wieder etwas Schärfe, drapierte ferner den Mund und ließ auch das fliehende Kinn vergessen, was vermutlich sein Zweck in Pfaffs Augen war, anderseits aber auch mit meiner Perspektive zusammenhing. Der Schnauz hinderte übrigens Pfaff nicht, klar zu artikulieren, während seine Augen durch die Brille mit dünner Schalkheit auf die offenbar provisorisch bekleidete Monika blickten – im Gegenteil, er ging wacker mit, der Schnauz, und ließ ebenfalls schalkhaft gekräuselte, etwas weibliche Lippen durchschimmern, und wir hörten:

«Na, junge Dame, gut geschlafen?»

«Geschlafen – ach», sagte Monika und stellte sich, ohne ihm den Eintritt geradezu zu verwehren, etwas abgedreht so in die Tür, daß er sie berühren mußte, wenn er durch wollte. Er blieb also stehen, mit einem kleinen, etwas verklemmten Ruck, der vielleicht als Galanterie gemeint war.

«Ist Herr Hüttenrauch zu Hause?» fragte Pfaff.

«Welcher Herr Hüttenrauch?» miaute Monika.

«Ich dächte, es gäbe hier nur einen.»

«Das dachten wir auch», sagte Monika, «bis vor kurzem.» Sie sah Pfaff mit aufgerissenen Augen an. Und dann fuhr sie ganz geläufig weiter:

«Aber wenn Sie den Herrn *Tobias* Hüttenrauch meinen, nein, *der* ist nicht zu Hause. Wenn er Ihren Besuch vorausgesehen hätte ... jetzt frühstückt er mit dem Sammler Papierbuch. Nachher sieht er den Stadtpräsidenten. Er wird kaum vor den frühen Morgenstunden zu Hause sein.»

«Ist Frau Schnetzler zu Hause?» wollte Pfaff wissen. Er lächelte immer noch.

«Niemand ist zu Hause», sagte Monika langsam. «Wir sind ganz allein. Wenn Sie die Möbel ansehen wollen ...» flüsterte sie mit verwunschenen Augen.

«In der Tat», sagte der Gemeindepräsident, raffte seinen Regenmantel strenger unter die Achselhöhle und betrat den Flur.

«Ich bin eigentlich die Verlobte des jungen Herrn Hüttenrauch», sagte Monika und nahm Herrn Pfaff den Regenmantel ab. Sie hängte ihn umständlich auf und strich versonnen ein paarmal über die epaulettierten Schultern. «Aber wir haben beide eine sehr freie Auffassung von der Sache. Es dauert ja furchtbar lange, bis so ein Student fertig ist.» Sie drehte sich um. Sie hatte die Sonnenbrille aufgesetzt. Über ihren Blick ließ sich nichts mehr sagen. Der Gemeindepräsident begann sie zu mustern.

«Das soll ja heute so sein bei jungen Leuten», meinte er.

Monika schauderte plötzlich zusammen. Sie erbleichte bis zu den Haarwurzeln. Es schien, als wollte sie einsinken; gerade noch klammerte sie sich am Treppengeländer fest. Die Hand, mit der sie es tat, schlotterte: es war eine Kralle. «Hören Sie das?» fragte sie mit unbeherrschten Lippen. Sie ließ die Lippen ein Stück offen.

«Was denn? Was ist Ihnen, Kind?» fragte Pfaff stillstehend.

«Der Ton. Der Ton», sagte Monika tonlos, mit offenen Lippen.

Pfaff blickte sich um; er blickte sogar in die Höhe. Sein

Brillenauge traf das meine; ich begann zu blinzeln. Aber Pfaff hatte nur ein Schuhgestell gesehen.

«Also Sie hören nichts», sagte Monika und versuchte ein Lächeln. Am Ende lächelte sie breit und begütigend. «Merkwürdig», sagte sie. «Amtspersonen hören es sonst immer. Der Präsident der städtischen Kunstkommission hat es gleich gehört. Offenbar ist es gegen Amtspersonen gerichtet.»

«Gegen Amtspersonen?» fragte Pfaff.

«Friedrich Hüttenrauch mochte sie wenig leiden», nickte Monika. «Man kann es ihm kaum verdenken, nach allem, was er mit Behörden gehabt hat. Immerhin, mit Ihnen scheint er eine Ausnahme zu machen. Er hat aber auch immer gut von Ihnen geredet, soviel ich mich erinnere. Sie sind eben keine Amtsperson... nicht nur, meine ich. Sondern ein Mann. Ein – senkrechter Mann.» Monikas Gesicht trug Verwirrung zur Schau.

Gemeindepräsident Pfaff hatte ein paar Schritte gegen die Wirtstür getan. Jetzt stockte er und lächelte, aber, wie ich durchs Bullauge feststellen konnte, nicht völlig entspannt.

«Sie meinen im Ernst –» sagte er.

«Oh – *ich* meine nichts», fiel ihm Monika ins Wort. «C. G. Jung kam zu diesem Schluß, als er neulich hereinschaute. Er hält es für möglich, daß die alten Möbel den Schatten der Psyche noch eine Weile fixieren. Ich dachte, Sie wüßten davon. Deshalb fragte ich Sie gleich, ob Sie den jungen Hüttenrauch sprechen wollten oder den alten. Neulich war auch der Parapsychologe der Duke University hier. Er ließ uns Lebendige ganz schön stehen und hatte nur noch Ohren für Friedrich Hüttenrauch, obwohl der sich ziemlich reserviert verhielt. Er scheint Amerikaner so wenig zu mögen wie Behörden und redete kaum vernehmbar. Ich selber höre dieStimme übrigens auch nicht regelmäßig. Nur während meiner empfängnisfreien Tage. Aber dann geht sie mir durch Mark und Bein: ahh, uhh.»

«C. G. Jung hat sich dahin geäußert?» fragte Pfaff, der dem amerikanischen Parapsychologen offenbar nicht traute. Ich möchte beifügen, daß C. G. Jung damals noch unter den Le-

ɔenden weilte. Pfaff war jetzt irritiert, unsicher, und da seines-
ʒleichen diesen Zustand nicht erträgt, ernstlich böse, und er
nußte sich entschließen: böse worauf; das Lächeln war ihm
vergangen, noch stockte er, aber es war vorauszusehen, ich
ah es hinter meinem Gitter bebend kommen, daß er jetzt mit
drei Schritten an der Klinke sein und die Tür zum alten Wirts-
aum aufgerissen haben würde, um was zu sehen? Um nichts
zu sehen, ein total kahl geschlagenes Zimmer, gelichtet bis
auf einige Matratzen da und dort, auf denen wir den Einbruch
des Möbelwunders erwarteten. In einem Augenblick, wenn
es nicht gelang, aus meiner Schießscharte den Pfaff abzuschie-
ßen oder mit Blindheit zu schlagen, war der Zauber bloßge-
stellt, die Zukunft der «Soldanella» besiegelt.

«Herr Pfaff», sagte Monika mit herzzerreißender Stimme,
«können Sie mir die Wahrheit sagen? Sie kommen von
draußen, Sie sind meine ganze Hoffnung. Bin – ich – krank?»

Diesen letzten Satz flüsterte sie kursiv und starrte den
Mann – sie hatte die Sonnenbrille wieder abgenommen – mit
entzündeten Augen an. Ihr Gesicht war gefleckt – allen Ern-
stes, es war, auf zehn Meter sichtbar, mit scharfen Rändern
rot und bleich marmoriert.

Monika konnte dergleichen, hatte uns dieses Gesicht schon
gelegentlich vorgezeigt, aber so malerisch noch nie; Not be-
flügelt.

Pfaff konnte nicht zurückprallen, sonst wäre er im Wirtsraum gestanden – und man flieht bei Gefahr nicht ins Innere
eines fremden Hauses. Man sucht das Weite. Pfaff markierte
wenigstens Flucht, indem er auswich, seitlich zwei Schritte,
zwei Schritte sowohl von Monika weg wie von der Tür, eine
schmale Spanne Hoffnung.

Ob sie wirklich so krank sei? Nur wegen der paar Flecken
im Gesicht, die übrigens kämen und gingen? Sie spüre zwar,
man gebe sich Mühe, sich nichts anmerken zu lassen, aber
Pfaff sehe selber: das Haus sei leer, man benütze jede Gelegenheit, sie sich selbst zu überlassen, was sie unfein finde,
besonders, wenn sie ernstlich krank sein sollte, was doch aber
nicht der Fall sei, nicht wahr, Herr Gemeindepräsident? Daß

sie imstande sei, die Manifestationen des alten Hüttenrauc
zu vernehmen, dürfe wohl kaum als Beweis erschütterter Ge
sundheit gelten, und sie sei es ja gar nicht immer imstande
Knötchen in der Achselhöhle habe jeder schon gehabt, un
wenn sie zur Zeit etwas größer seien, auch gelegentlich etwa
Blut und Wasser verlören, so habe das nichts zu besagen; o
Pfaff sich vergewissern wolle? Und damit machte sie Miene
sich aus dem Morgenrock zu schälen. Pfaff, der unterdesse
zwei weitere Schritte gewichen war, hob abwehrend die
Hand. Eben, sagte Monika, indem sie den Rock wieder fest
zog, übrigens mit einer vulgär schüttelnden Bewegung, eben
er meine doch auch, das verlohne der Mühe nicht. Um so
weniger verstehe sie, daß man ihr in der «Soldanella» aus dem
Wege gehe – sachlich enttäusche sie das von Fräulein Schnetz
ler, die schließlich einmal Krankenschwester gewesen sei
und daß es sie von ihrem Verlobten persönlich enttäusche
könne er, Pfaff, gewiß nachfühlen. Sie sei ja so froh, daß e
gekommen sei. Er könne sehen, daß es ihr, von gelegentlichen
Schwindelanfällen abgesehen oder einem Fieberschauerchen
dann und wann, ganz wohl sei, kreuzwohl, manchmal fast zu
wohl. Und da habe sie dann eben das Bedürfnis nach einem
Menschen.

Es gelang ihr, zu lächeln, wie ich es nie an ihr gesehen habe
– treuherzig mit einem Stich ins Greuliche. Dieses Lächeln
bewirkte eine weitere Standortverschiebung des Gemeindepräsidenten.

«Sie sollten einen Arzt aufsuchen», sagte er mit entschlossener, aber bebender Stimme. «Sie sollten ohne jeden Verzug
einen Arzt aufsuchen und sich eventuell in Quarantäne bege-
ben. Es ist unverantwortlich, daß Sie noch herumlaufen. Es
ist unqualifizierbar, daß Sie Leute wie C. G. Jung oder den Präsidenten der Kunstkommission mutwillig in Gefahr bringen.»

Monika senkte die Augen. Prompt kamen die Tränen.
Monikas altbekannte dicke Tränen zickzackten gut sichtbar
über ihr immer noch geflecktes Gesicht.

«Nu, nu», sagte der Gemeindepräsident und war schon
beinahe an der Haustür. «Seien Sie ein gutes Kind und gehor-

chen Sie mal schön. Es wird schon nicht die Cholera sein.»

«Jetzt sagen *Sie* das auch», schnupfte Monika. Sie schnupfte so wirklichkeitsnahe, man verstand sie kaum.

«Ich sage gar nichts», sagte Pfaff. «Da hat nur der Arzt zu sagen. Aber wenn ich Sie wäre, hinlegen würde ich mich erst einmal.» Und damit hatte er schon beinahe die Klinke in der Hand, aber diesmal die richtige. Noch zögerte er, sie zu ergreifen. Ein Königreich für ein gutes Rückzugsmotiv. Natürlich: die Uhr, Herr Präsident. Was würde aus uns ohne Blick auf die Uhr.

«Du lieber Gott, schon zehn nach vier», sagte er. Er hätte auch gesagt: schon fünf vor sieben. Oder: viertel vor zehn. Ein Mann wie er ist immer dringlich, wenn er will.

«Ja, Herr Präsident», sagte Monika töricht und ließ beide Hände hangen.

«Ich habe Sitzung», sagte er und griff jetzt wirklich nach der Klinke. Dann wurde er wieder streng. Mit der Hand auf der Klinke war das viel einfacher – obwohl er plötzlich zurückzuckte, die Klinke war schließlich auch nicht steril. Dann ergriff er sie aber wieder, sogar mit Bestimmtheit, denn hinaus mußte er ja.

«Tun Sie, wie ich gesagt habe», schloß er. «Ich melde mich telephonisch.»

Das mochte er. Seit Friedrichs Ableben hatte die «Soldanella» kein Telephon mehr. Wozu auch.

Er war hinaus und entwanderte knirschend, immer leiser knirschend über den Kies des alten Biergartens. Dann schwang das Gartentor und fiel.

Wir stürzten hinunter, Herbert, Tobias und ich. Die andern nahmen Monika in die Arme. So viele Arme gab es gar nicht, wie sich da um die runde und etwas einsinkende Monika schlangen. Es erinnerte stark an Laokoon. Sie heulte wieder, aber richtig. Ich stand beiseite. Es war meine reservierte Phase.

Über den Gemüsegarten kam Matthias Kahlmann gelatscht und rieb sich die Augen. Der Mensch hatte sich in all der Zeit ausgeschlafen.

Den Mantel hatte Gemeindepräsident Pfaff hier gelassen. Schließlich hatte ihm Monika zwei, drei Male über die Schulterstücke gestrichen. Tobias brachte ihn, nachdem die Möbel zur Stelle waren, eigenhändig ins Gemeindehaus hinüber. Die Jungfer bei der Anmeldung blickte kritisch. Auf dem Paket stand in großen Lettern:

«Desinfiziert.»

«Für den Herrn Präsidenten?» fragte sie mit gefälteltem Mund.

«Ganz richtig», sagte Tobias. «Der Brief liegt bei.»

In dem Brief stand – immer noch unter dem Kopf des alten Hüttenrauch –, Tobias entschuldige sich für die verunglückte Visite. Der Präsident möge doch bald wiederkommen. Monika schwebe außer Lebensgefahr.

Er kam erst in corpore, das heißt mit seinem Kollegen und mit der städtischen Denkmalkommission. Er war vielleicht kein mutiger Mann. Aber beim zweiten Mal außerordentlich höflich. Die «Soldanella» wurde dennoch sein Schicksal. De mortuis nil nisi bene.

Schwarze Tasten meines Klaviers

Stefan brachte Prof. Andereggs Zusage nach Hause. Am kommenden Dienstagnachmittag durfte man mit seinem Erscheinen und seiner Kritik rechnen, von der für die Pressekampagne und also für die Erhaltung des Hauses so viel abhing. Nein: *alles* hing davon ab, ob sie etwas mehr als nachsichtige oder amüsierte Billigung, nämlich Zustimmung sein würde – überraschte und entzückte Zustimmung, mit der sich spontan der Wunsch verbinden würde, sich für diese ausgezeichnete, aber leider gefährdete Sache zu rühren. Tobias und Monika kannten den alten Anderegg aus Distanz, aus einer seiner Vorlesungen über Chinoiserie im 18. Jahrhundert, der seine besondere Vorliebe galt – vielleicht kein übler Ausgangspunkt; sie kannten ihn also eigentlich nicht, zumal Tobias, wie er pflegte, sein kleines Radio auch in diese Stunde mitgenommen hatte und «angeschlossen» gewesen war. Das heißt, unter dem Vorwand der Schwerhörigkeit, in der vordersten Bank sitzend und sein Schlänglein im Ohr aller Augen darbietend, auch mit beinahe gequälter Aufmerksamkeit ins Gesicht des Vortragenden starrend, hatte er in Wahrheit irgendeiner Tanzmusik oder Bauernstunde gelauscht und darüber die Vorlesung gänzlich überhört. Vom Sehen, vom teilnahmsvollen Ansehen mochte dem Professor Tobias' Erscheinung bekannt sein; auf die Art, die wir brauchten, kannte er nur seinen Assistenten Stefan, und dem fiel es also zu, ihn zu präparieren. Zum Glück nahm sich Anderegg, der zwar bequem, aber neugierig war, Zeit für Unvorhergesehenes. Stefan hatte ihm bei einem Kaffee im «Pfauen» unsern Fall unterbreiten können, wenigstens das Zuträgliche davon; wie weit es ihm gelungen war, ihn zu engagieren, «einzuwickeln», wie Herbert vulgär sagte, mußte sich weisen. Wir hatten noch ein langes Wochenende Zeit, dafür zu sorgen, daß die Wicklung nicht ganz ohne materiellen Kern blieb. Ich zwar unterlag wieder der Schulpflicht, die mir gerade jetzt besonders komisch vorkam, aber die andern sammelten. Bitz flog sogar nach Paris, um in der Gegend des Boulevard Richard Lenoir den Chineurs und Brocateurs nachzugehen. Er wollte Samstag, an unserem Einzugstermin in die «Soldanella», zurück sein.

Tobias trug noch aus dem Brockenhaus dies und das heran. Seine Gänge waren gesegnet, dank jener Verkäuferin, die ihm, zu Monikas kaum unterdrücktem Argwohn, an den Augen abzulesen schien, was er suchte, und ihm ohne Aufforderung diese oder jene neu eingetroffene Absonderlichkeit zuhielt. Als die Gruppe aber am Samstagabend gegen halb zehn Uhr zum Bärschen Dachboden hinaufstieg, um die Möbel, Trophäen und Nippes in der Stille heimzuführen – der Lastwagen des physikalischen Instituts parkte unter einem stark duftenden Holunder in tiefem Fliegerschatten –, da waren zwei Leute nicht dabei: Bitz unentschuldigt, Herbert, wie man sehen wird, aus einem sehr triftigen Grund.

Es war gut, daß Tobias und Monika, Roland, Stefan und

Matthias eins von Fees solideren Nachtessen hinter sich hatten – Zuppa pavese, Paupiettes de bœuf und Broccoli –, als sie die Plattform zum Dachstock des Bärschen Anwesens betraten. Auf nüchternen Magen hätte sie der Schlag treffen können. Nein, Gözü war nicht zurück. Nein, die Souvenirs, die Nippes waren noch vorhanden. Auch die Möbel. Aber sie waren besetzt.

Die schwarzen Flecken, die auf ihnen schwammen, wichen nicht, wenn man die Augen rieb, im Gegenteil: sie wurden schwärzer. Es waren keine subjektiven Farben, obwohl man sich darüber streiten kann, ob Schwarz eine Farbe sei; in den amerikanischen Südstaaten würde man es nicht bestreiten. Die Schwärze rührte sich da und dort; Bewegung wie in einem Raubtierhaus nach Eintritt der Dämmerung. Die Phantasie zauberte Neger in die Möbel. Sie hatte recht. Auf den Möbeln saßen Neger. Sie warteten freundlich; zwei rauchten. Regelmäßig atmeten die Glutpunkte ihrer Zigaretten im Raum; die Gesichter hell zu machen, genügten sie nicht.

Auf dem Abbotsford-Stuhl saß ein Neger. Auf der Rückenlehne, wie ein Kondor, Gott weiß wie, saß ein zweiter. Sie mußte doch solider sein, als sie aussah. Den Mann schienen die Zinnen und Zäpfchen in seinem Sitzfleisch nicht zu scheren; er ließ seine Beine nach hinten baumeln, indem er uns ein rollendes Auge über die Schulter zudrehte. Auf dem Gußeisenbett rauchte ein dritter Neger. Seine Haut war schwach heller als das Estrichdunkel; ein Mischling vielleicht, dem weißen Manne näher, wofür der leicht flegelhafte Gebrauch sprach, den er von unserem Bette machte. Ein vierter Neger saß flach unter der Fensterluke und baute aus verschiedenen Nippes ein gläsernes Monument zusammen; Tobias, vom ersten Schreck erholt, wird ihn mit zunehmender Sympathie betrachten. Ein fünfter, wahrhaftig, hatte sich, seines schwarzen Anzugs ungeachtet, mit zwar angezogenen, aber immer noch phantastisch langen Beinen in einen kaum dafür vorgesehenen Winkel im Dachstock geklemmt. Sie alle trugen modisch dunkle Anzüge, aus denen die seidenen Kragen leuchteten, von Schwarz und Schwarz auf beiden Seiten gehoben.

Es gab aber noch einen sechsten Neger, gab ihn so plötzlich, daß unser Herz, kaum erholt, wieder Miene machte zu stocken. Er wuchs aus dem Boden, aus kahler Finsternis, riesig wie ein Affenbrotbaum. Aber der Affenbrotbaum lächelte. Auf der flachen Hand, die bei besseren Lichtverhältnissen rosa gewesen wäre, überreichte er einen Brief, überreichte ihn keinem einzelnen, sondern der Gruppe *en bloc,* die immer noch festgenagelt vor der verwandelten Szene stand.

Stefan, der einzige, der für ein so unerwartetes Zusammentreffen standesgemäß gekleidet war – wie üblich in seinem Hochzeiteraufzug südlichen Zuschnitts, wenig praktisch, wie man zugeben mußte, für den vorgesehenen Umzug, aber es machte Stefan wiederum nichts aus, seine gestreiften Hosen zu bestauben –, Stefan also faßte sich und ergriff den Brief. Dann trat er zwei Schritte zurück ins fadenscheinige Licht der Birne hinter dem Estricheingang. Er öffnete den Umschlag mit einem silbernen Nagelputzer, den er an einem Kettchen aus seiner Westentasche zog, und las.

Es war Bitzens Schrift. Der Brief bedauerte zunächst sich selbst, das heißt, die Form, in der er dem Empfänger zukommen müsse, bedauerte dann auch seinen Inhalt, der den Empfänger nicht heftiger schmerzen könne als den Schreiber, aber sie müsse sein, nämlich Bitzens Abwesenheit an diesem wichtigen Tag und leider auch alle die kommenden Wochen. Die Rede vorher auf diese Reisepläne bringen, hätte bedeutet, sie zu gefährden; so habe es Bitz vorgezogen, sich zunächst aus Kräften und ganzer Seele an der Möbelfahndung zu beteiligen und im übrigen reinen Mund zu halten. Man möge ihm doch nicht zu böse sein. Paris sei ein Vorwand gewesen; zwar sei er in Paris, doch leider nicht bei den Trödlern. Vielmehr halte er sich gerüstet, an einen dritten, vermutlich weit entfernten Ort weiterzureisen – ostwärts, so viel möge man wissen. Zum Beweis aber, daß er fortfahre, unserer Sache die Treue zu halten, habe er folgende Maßnahme getroffen. Er habe veranlaßt, daß seine afrikanischen Freunde für die ganze Dauer seiner Abwesenheit der «Soldanella» zur Verfügung stünden, und zwar mit Haut und Haar. Sie seien ganz damit einverstanden, wobei er nicht umhin gekonnt habe, ihnen zu versichern, daß sie damit der Neuordnung im Sambesibogen nützten und es bei den «Soldanella»-Leuten überhaupt mit einer ebenfalls revolutionären, unter dem Deckmantel des Möbelgeschäfts operierenden Gruppe zu tun hätten. Man möge doch bei ihrer Behandlung auf diesen Punkt Rücksicht nehmen. Unnötig, hinzuzufügen, daß Takt und Rücksicht überhaupt geboten seien – nicht nur in der Ansehung der Tatsache, daß diese Männer aus einem entfernten Kulturkreis stammten und des Deutschen nur unvollkommen mächtig, auch in ihren Sitten etwas gefühlsbetonter seien als hierzulande gebräuchlich und deshalb auf unsere Schonung Anspruch hätten. Man werde ihnen ganz von selbst mit Respekt begegnen beim Gedanken, daß sie in absehbarer Zeit die Zügel ihres noch zu befreienden Landes in den Händen halten würden, und man möge doch nicht versäumen, um sie bei Laune zu halten, ihnen jetzt schon die Titulaturen beizulegen, unter denen sie dannzumal der Welt bekannt sein würden; diese Titulaturen seien von ihnen selbst ohne Umstände zu erfahren. Anderseits brauche dieser Respekt durchaus nicht so weit zu gehen, daß man sich etwa scheuen müßte, ihnen körperliche Arbeit zuzumuten. Gerade im Hinblick auf ihre Nützlichkeit im Möbeltransport und für andere nicht zu anspruchsvolle Tätigkeiten habe ja er, Bitz, sie für die Sache der «Soldanella» geworben und gleich auf diesen Montagabend in den Estrich bestellt.

Und hier waren sie. Sie wichen nicht, wenn man blinzelte, höchstens blinzelten sie herzhaft zurück. Stefan räusperte sich. Dann faltete er den Brief umständlich und legte ihn in das ebenso umständlich gezogene Portefeuille. Nach einem Blick auf die Uhr trat er wieder drei Schritte vor. Obwohl er den Kopf aufwarf, blickte der schwarze Briefträger immer noch auf ihn hinunter. Er mußte weit über sechs Fuß hoch sein.

«O.K.?» fragte Stefan mit zusammengezogenen Brauen.

«O.K.», strahlte der andere. «I boss. You boss?»

«I boss here», betonte Stefan, übrigens mit Oxbridge-Aussprache, so daß «here» sich anhörte wie «he-ah». «Real boss home», fuhr Stefan mit gekniffenen Mundwinkeln fort. «Real boss woman.»

«Uhh», sagte der Neger erheitert. «Real boss 'oman. O.K.»

«Old womannn», korrigierte Stefan für alle Fälle.

«Uhh», sagte der Neger galant.

«You take them things, O.K.?» fragte Stefan mit einer Handbewegung in den Hintergrund. «Lorry downstairs.»

Die Neger standen schon auf den Füßen. Der aus dem Dachwinkel war heruntergeglitten wie eine schöne Katze. Schon waren sie beladen. Das Gußeisenbett schwankte herbei.

«Stop a second!» schrie Stefan leise. Der Erfolg war fabelhaft. Das Bett stand bockstill.

Da hob Stefan langsam und bedeutungsvoll seinen beringten Zeigefinger vor den Mund.

«Top secret», flüsterte er.

«O.K.», gegenflüsterte es unter dem Bett hervor. Dann schwankte das Bett, ohne anzustoßen, durch die Tür. Als sie draußen waren, erläuterte Stefan seiner immer noch belämmerten Gruppe den Fall.

Die Ecke bei des Türken Tür war so gut wie leer. Tobias brauchte nur noch einen Briefbeschwerer in die Tasche zu stecken, Roland einen von Monikas Barometern. Jetzt gähnte der Dachstuhl wieder wie zu Gözübyüklüs Zeiten.

«Wir haben nichts», schnödete Mathis auf der Treppe, «aber wir haben sechs Neger. Schlimmstenfalls können wir ein Völkerkunde-Museum aufmachen.» Er tönte nicht gerade verzweifelt. Er war ganz froh, mit seinen Händen keine Möbel schleppen zu müssen.

«*A gentleman is a man who is acceptable at a dance and invaluable in a ship-wreck.*» Das habe ich seither gelernt. Aber ich wußte schon vorher, was ein Gentleman ist; ich hatte das Beispiel Stefans. Er wußte einen Rotkohl zu zerlegen, er hielt Vorlesungen über die Perspektive bei Piero della Francesca, und jetzt manövrierte er den Lieferwagen des math.-physikalischen Instituts unter dem duftenden Holunder hervor in den öffentlichen Verkehrsraum. Über ein paar Nebenwege gewann er die Ausfallstraße Richtung Bühl, Richtung Überseen. Der Motor summte ruhig. Stefan, am Steuer hoch aufgerichtet, wirkte ruhig, aber er summte nicht. Im Grunde war er verzweifelt. Seiner Fahrspur wäre es nicht anzusehen gewesen. Aber auch ein Gentleman hat im stillen ein Recht zur Verzweiflung, wenn er in seinem geschlossenen Lieferwagen folgendes führt: zwei verkommene Studenten, einer davon weiblich; einen Bildhauer mit geschwollenen Händen; einen Musikkritiker; sechs Neger und eine unzureichende Anzahl häßlicher Gegenstände. Wie man damit Prof. Anderegg beeindrucken sollte, wußte er nicht. Wie ein schlechter Witz war das, oder eines dieser Kartenkunststücke, bei denen schließlich auf je einen König und einen Buben eine Dame kommt. Aber die Parteien drinnen, zu leise geschüttelt, mischten sich nicht. Monika benützte höchstens die herrschende Enge, um ein wenig näher an Tobias heranzurücken. Agnes Bock hatte sie vergessen.

Draußen aber in der Kabine, mit halb geöffneten Seitenflügeln, saß der Steuermann *gentlemanlike,* hatte die gestreifte Hose ein wenig hochgezogen, damit sie sich beim Bedienen der Pedale nicht beulte, wechselte bei aller Verzweiflung untadelig die Spur, um für den Einstieg nach Überseen-Dorf bereit zu sein, ließ höflich noch zwei, drei Stück Gegenverkehr, die ganz unnötig aufblendeten, passieren, überfuhr, indem er die Kupplung durchtrat, das Bahnniveau und stach mit stärkerem Kehllaut des Motors die Steigung an. Im Rückspiegel vergewisserte er sich, ob niemand ihm folge. Niemand außer einem offenbar gänzlich ausgedienten Lieferwagen mit stark schielenden Lichtern.

Erst jetzt, wo es ohne Gefährdung der übrigen Verkehrsteilnehmer zu wagen war – es waren wenige zu dieser Stunde, aber gerade dann läßt der feine Mann besondere Vorsicht walten –, blickte Stefan auf die Uhr. Es war 22 Uhr 14. Der

Dufourplatz kam in Sicht, eine fortschrittliche Verkehrsanlage in halber Hanghöhe mit einem hohen, bläulich leuchtenden, sonst jedes praktischen Zweckes baren Betonpilz in der Mitte. Ihn mußte der Lieferwagen umfahren und dann scharf links biegen, um die von mir längst eingeführte Bergstraße zu gewinnen; auf dieser waren es keine fünfhundert Meter mehr bis zur Höhe der «Soldanella». Der Wagen summte inbrünstiger. Der Pilz verbreitete gläserne Schönheit durch den Windschutz.

Dann geschah es: der Pilz erlosch. Vielmehr: die gewöhnliche Straßenbeleuchtung war es, die erlosch; der Pilz dagegen erstarb, grünlicher und grüner werdend, erstarb gedehnt wie ein Theaterlüster vor dem Aufgehen des Vorhangs. Stefans Lächeln –, etwas schmerzlich in Anbetracht aller Umstände, aber ein Lächeln dennoch, sah niemand mehr; es war viel zu dunkel. Neumond herrschte, wie bestellt, die Wolken zogen stürmisch, als hätten sie einen Bestimmungsort. Stefan dämpfte sein Lächeln, blendete dafür seine Scheinwerfer auf, um den toten Pilz konzentriert zu umfahren; die Bergstraße empfing ihn mit herzlichem Zittern. Nach weiteren hundert Metern ließ er auch seine Scheinwerfer ausgehn. Auf diesem Weg sollte ihm keiner mehr kommen.

Keiner sollte, aber einer tat es dennoch. Daß ihn der Teufel! Stefan, unruhig in den vibrierenden Spiegel auf seinem Kotflügel starrend, sah nicht nur seinen Verfolger, einen Viehhändler vermutlich, mit seinem lächerlich überhöhten Kasten wieder darin erscheinen; er sah auch, wie der Schielende plötzlich ebenfalls seine Lichter verglühen ließ und ihm als erloschenes Ungetüm folgte. Das war lächerlich, es war ein Zufall. Stefan vermied den Blick in den Rückspiegel.

Das war leicht. Denn vor ihm lag die Straße, lagen die wohlbekannten Silhouetten des Oberdorfs, der baumverkleideten Villen der Bergstraße träumerisch verdunkelt. Verzauberte Gerüche, deren man bei Licht nicht achtete, zogen durch die offenen Fensterchen des Wagens, ein Aufatmen der Nacht, mit Blumenstaub gesättigte Frische, überreifer Flieder, Ferne von Akazien und jungem Heu. Die Glimmerpartikeln auf den Kopfsteinen der Straße glühten schwach wie Meeresleuchten. In den Wohnungsfenstern links und rechts gingen Kerzen an, ließen die Wände wanken, hochsommerlicher Advent. Die Gesichter, die sich aus den Fensterkreuzen beugten, als ob ihnen von der Straße Hilfe käme, unterschied man nicht, glücklicherweise; auch ihre Zurufe gingen unter im wackeren Kehllaut des Motors. Den meisten mochten die Spätnachrichten gestorben sein und, was schlimmer war, das Zeitzeichen, so daß sie ihre Uhren nicht vergleichen konnten; die Fernsehschirme waren ihnen erloschen, schön von außen nach innen, was kein Trost ist, wenn der Quizmaster eben im Begriffe war, die 1000-Franken-Frage zu stellen; wellenförmig schnurrte der Smarte zusammen. Der Grill unter den Hühnern, die sich für eine Gartenparty drehten, nicht mehr drehten, wurde grau; dafür bekam die Gartenparty eine Chance, aus herrschender Finsternis Nutzen zu ziehen und auszuarten. Vielleicht rasierten sich aber auch irgendwo Er oder Sie, Er am Kinn, Sie unterm Arm, für eine noch spätere, noch schickere Party. Hätten sie sich früher rasiert, denn nun stand ihnen das Apparätlein still am Kinn, still unter der Achsel, und sie drehten einander ein dummes Gesicht zu, das sie nicht sahen, keiner vom andern. Vielleicht streckten sie einander auch bei solcher Gelegenheit endlich einmal die Zunge heraus nach Herzenslust. Gab es noch jemand, der zu dieser Stunde bügelte in Überseen? Fönen vielleicht; aber bügeln? Nun, dann tat es uns aufrichtig leid, dann starb eben das Bügeleisen dem Fön nach, dem Luftbefeuchter, der Eisbox, dem elektrischen Rasenmäher und der Minigolfbeleuchtung. Wir konnten's nicht ändern, und der Bügelfrau war am Ende eine Pause zu gönnen, abgesehen davon, daß ihr Eisen noch eine Weile warm blieb, wenn sie's denn darauf anlegte. Kurz, die privilegierten Klassen wurden ein wenig benachteiligt. Aber im übrigen, dachte Stefan, im übrigen war es beinahe wieder mitanzusehen, wie Überseen mit ansteigenden Baum- und Giebelgruppen unter der Nacht des lieben, wenn auch nicht wahrscheinlichen Gottes lag.

Trotz schattenhaften Verhältnissen unterschied Stefan links im Windschutz den Milchmann Gautschi, rechts das Gemeindehaus, geradeaus den Wegweiser mit unlesbaren Hinweisen, der damals noch stand, den er also umfahren mußte, um zwanzig Meter weiter vor dem schmiedeeisernen Tor der «Soldanella» vor Anker gehen zu können. Er tat es, sah Fee schon mit einer Kerze in jedem Arm im offenen Fenster stehen und zog den Wagen so vor, daß die Abladearbeiten auf der kürzesten Linie zwischen Ladebrücke und Gartentor vonstatten gehen konnten. Einen Augenblick dachte Stefan wieder an das erloschene Ungetüm, den grauen Giraffenwagen; der mochte ihn jetzt endlich überholen.

Ihr Haar war abgefressen, die Kollision mit dem Wunder

Ein Blick in den Rückspiegel ließ Stefan erstarren. Der Kastenwagen war hinter den seinen aufgefahren; ganz langsam rollte er noch etwas dichter heran, überfüllte den Rückspiegel und kam mit einem kleinen Winseln zum Stehen.

Stefan lehnte sich zurück. Er war ein Gentleman; gegen Foulplay hilft nichts als Fairplay. Gut, das Spiel war aus. Es sollte nicht sein. Schließlich, etwas Spaß hatte man schon gehabt. «Soldanella» mit deinen fünf Zinnen. Er sah sie einen Augenblick, etwas verschwommen, unter dem schweren Himmel stehen, sah auch noch einmal die Kerzen in Fees Händen, sah vier, sah acht Kerzen, sah einen ganzen flimmernden Weihnachtsbaum. Dann gab er sich einen Ruck, zog den Zündschlüssel ab, kletterte aus den Schalthebeln und sprang auf das Trottoir.

Es war der Gefängniswagen. So etwas war zu vermuten gewesen. Ein ganz kleines Fenster seitlich oben, ein zweites über der Führerkabine, beide vergittert. Stefan tastete nach der Pfeife in seiner Tasche. Er dachte nicht daran, seine Ladebrücke zu öffnen, die Neger, die Möbel, den Tobias durchlibcken zu lassen. Allein war er gefahren; allein wollte er den

Wärtern, den Beamten, den Offiziellen begegnen, die jeden Augenblick hinter jenem Windschutz hervorkriechen mußten. Während er Feuer in seinen Pfeifenkopf sog, wunderte er sich. Ein altes Modell. Ein eckiger Kühler mit rührenden Lamellen, sogar mit einer weiblichen Kühlerfigur. Die Staatsgewalt unterhielt verspielte Vehikel. Das würde sie nicht hindern, sich gleich bemerkbar zu machen. Sie öffnete schon den bergseitigen Schlag. Sie glitt heraus. Sie war einen Kopf kürzer als Stefan. Ein Chinese?

Stefan zog nicht mehr an der Pfeife, damit auch der schwächste Dunst vor seinen Augen sich verziehe. Auf dem Trottoir, zehn Schritt von ihm entfernt, stand es, stand in tiefem Dunkel, dafür war gesorgt, und war doch eigentlich erkennbar: ein halbwüchsiges Geschöpf mit kurzem Haar, ebenfalls kurzem Mäntelchen, wenn es nicht überhaupt ein Hemd war, und zierlichen Beinen darunter, die außerdem nach dem bewährten Muster von Standbein und Spielbein arrangiert waren. Hoffentlich staken sie, allem Anschein zum Trotz, in Hosen, sonst hätte es sich kaum geschickt, daß Stefan, der Gentleman, so hinstarrte. Er war in Verlegenheit, wie er sich verhalten sollte. Es gibt natürlich klassische Muster, wie man einer vom Himmel geschneiten Erscheinung begegnet, etwa: «Sterblich seiest du nun, oder einer der seligen Götter.» Auch bei Dante kann man in diesem Stück allerhand profitieren, der oft in den Fall kommt, Unbekannte in heiklen Lagen anzusprechen. Oder Hamlet: «Thou comest in such a questionable shape.» Stefan, der sonst ein gebildeter Mann war, fiel nichts dergleichen ein; er ließ lediglich seine Pfeife ausgehen, schaute und tat keinen Wank. Fest stand eines: die Staatsgewalt war das nicht. Unverständlich bleibt also, warum Stefan dennoch zusammenzuckte, als sie nun ihrerseits auf ihn zukam, immerhin drei Schritte vor ihm stehen blieb und sagte:

«Guten Abend. Ich bin Agnes Bock. Ich habe herausgefunden, daß ihr heute einzieht. Ich habe auch ein paar Sachen mitgebracht. Aber ihr müßtet mir helfen, sie auszuladen.»

Stefan schaute immer noch.

«Es hat Eile, nicht?» sagte die Figur. «Die Lichter können bald wieder angehen.»

Stefan benahm sich zum ersten Male unmöglich. Erst blickte er um sich wie einer, der aus einer Operation erwacht. Fee mit ihren Kerzen stand jetzt in der Haustür. Vermutlich dachte sie, die zwei Lieferwagen, die zwei Figuren, drei Schritt auseinander, gehörten dazu. Die Kerzen brannten geisterhaft ruhig. Dann schüttelte Stefan den Kopf, nicht abwehrend, eher wie ein Hund, dem Wasser ins Ohr geraten ist. «O.K.», sagte er und riegelte den hintern Schlag seines Lieferwagens auf. Die Afrikaner polterten heraus und blieben vor Agnes stehen.

«She boss?» fragte der vorderste und schlenkerte eine Schulter gegen die Figur.

Natürlich, die waren keinen Augenblick im Zweifel, daß das ein Mädchen war, Chromosomensatz XX. Kein Zögern, nichts. Die Instinkte des Sambesibogens. Jetzt erwachte Stefan. Brüsk sagte er:

«*Me* boss, chum. You take them things out now. Two lorry, see.»

Der mathematisch-physikalische Wagen war bald leer. Tobias, Monika und sogar Mathis trugen ihr Scherflein ins Haus. Aber das magere Züglein wurde zur Karawane, als Agnes ihre Hintertür geöffnet hatte. Die Männer vom Sambesi zeigten ihre Zähne, aber nicht zum Vergnügen, sondern weil sie sie zusammenbissen. Wie ihre Vorfahren schwankten sie unter unmäßigen Lasten, unter Polstern mit fleischigem Bauch, unter erdrückenden Kästen, bizarren Gerüsten und Gerichten, unsinnigen Bettstatten, Sesseln, Konsolen, Gitterwerk, Tabernakeln, wobei Stefan dafür sorgte, daß der kolonialistische Eindruck des Transports etwas gedämpft wurde: er legte selber Hand an, ließ auch die andern am Schleppzug sich beteiligen, zog sogar die Handschuhe aus, um die wahnsinnigen Strukturen, das Feinkorn der Monstrositäten auf sich wirken zu lassen, die er schleppte, begann sich sogar um die Stücke zu reißen, die aus der offenbar unerschöpflichen Nacht des Gefängniswagens zutage kamen, gönnte sie den Negern nicht, die sie stumpfsinnig, aber in bester Haltung über den Kiesweg an der kerzenhellen Fee vorbei ins ebenfalls kerzenschwankende Innere der «Soldanella» trugen. Allmählich lockerte sich der Zug, verdünnte sich die Prozession, der Giraffenwagen gab nur noch Kleinigkeiten her, die selbst Matthias erlaubten, seine bandagierten Hände zu Rate zu ziehen; aber auch mit den Schnupftabakdosen, den Wachsfrüchten und Topffarnen gingen die Afrikaner noch aufrecht wie Könige. Das Wunder der Finsternis hielt an.

Schließlich standen sie alle, soweit neben Bergen von geilem, flackernde Schatten werfendem Zeug noch Raum war, in der alten Wirtsstube nebeneinander. Sie sprachen wenig. Unbefangen waren bloß die Neger.

«Bombs?» fragte einer mit hochgezogenen Brauen und zeigt auf ein fleischiges Stück Ottomane.

«Bombs and things», antwortete Tobias nach einer Pause, da Stefan hartnäckig schwieg. Er hatte sogar vergessen, die Handschuhe wieder anzuziehen. Sie winkten ihm wie Gespensterhände aus der Seitentasche seines über und über staubigen Abendanzugs.

«She boss?» wies ein zweiter zu Fee hinüber. Die sah auch ziemlich belämmert aus. Sie hielt ihre Kerzen schräg, so daß ihr das Wachs über die Finger lief. Sie merkte es nicht. Bald warf sie einen scheuen Blick auf die Fremdlinge, bald auf die Bescherung zu ihren Füßen. Sie war Hebamme in den Bergen gewesen, sie war Kummer gewohnt. Sie hatte begriffen, daß neue, etwas absonderliche Möbel hermußten, um die «Soldanella» zu retten; studierte Leute hatten es gesagt, und sie war von Herzen bereit, das Ihrige zu tun. Aber wenn das nun modern war, dieser Schutthaufen, dieser Krimskrams aus Urväterzeiten! Wie das Staub fangen würde! Und die Neger dazu, alles was recht war! Was meinte denn Stefan? Stefan stierte vor sich hin. Er kam ihr verändert vor.

«Yes, she's the boss», sagte Tobias in korrektem Schulenglisch. Er sagte es leise und lächelte dazu. Wohin lächelte er? Zu Agnes Bock hinüber, die noch bei der Türe stand, still, jetzt etwas besser sichtbar. Die abgefressenen Haare stimmten. Aber auf die kam es nicht an. Es kam tatsächlich auf die Augen an: große, wahrscheinlich grünblaue, im Kerzenlicht etwas verdunkelte Augen, in denen es ebenfalls zu lächeln anfing, obwohl der Mund, ein durch die leicht gehöhlten und doch bübisch vollen Wangen etwas gehobener, ziemlich kleiner, gleichsam gespitzter Mund, nicht darauf einging.

«She's a good lay», sagte einer unserer afrikanischen Freunde.

Stefan belebte sich augenblicklich und sah auf die Uhr.

«Zehn Uhr zweiunddreißig», sagte er. «Jeden Augenblick kann der Strom wieder da sein. Wir müssen sofort die Wagen wegziehen.»

Mit «wir» meinte er Agnes und sich. Agnes wartete trotzdem nicht ab, bis er bei der Tür war, sondern schlüpfte mit einer einzigen Wendung hinaus. Wir hörten ihren Motor anlaufen und, indem er auf Touren kam, verklingen. Sekunden später erst heulte der Physikerwagen auf. Der erste Gang faßte mit einem kratzenden Geräusch. Das war sonst nicht die Art des feinen Mannes. Mit zuviel Gas entschwand er um die Ecke, auf der Gustav-Adolf-Schenkel-Straße, stadtwärts. Bruderers Haus warf nochmals den Schall zurück: dann verklang er auch.

Da saß man nun allein mit den Negern in der «Soldanella» und war noch nicht einmal vorgestellt. Jemand mußte so nett sein, damit anzufangen, und dieser Jemand war Tobias, erstaunlicherweise. Ja, er zeigte, daß er nett sein konnte, nahm seine Lippen, die er gern einzog, hervor und begann, mitten im Kerzenlicht, die Namen zu sagen, einfach die Namen: Felicitas Schnetzler, Monika Hauri, Matthias Kahlmann, Roland von Aesch, Tobias Hüttenrauch. Als er zu sich selbst kam, verhalf ihm das Elektrizitätswerk zu einem Auftritt wie im Theater: die Lichter gingen wieder an, alle fünf Birnen fingen mit einem Schlage Feuer, so daß jedermann blinzeln mußte, Agnes' Schutthaufen erbarmungslos starrten, die Akustik der Nacht sich veränderte. Die Nachbarhäuser,

Gautschis, die Apotheke, der Bungalow zeigten sich im üblichen Licht, Licht hinter Tüll. Vorhänge verschoben sich, die paar Sterne zwischen immer noch ziehenden Wolken verschwanden. Irgendwo, unter Natriumdampf- und Sodiumlicht, jagte Stefan hinter dem Giraffenwagen her. Agnes mußte Stadtlichter aufsetzen: da konnte er wenigstens ihre Nummer lesen. Die Neger waren vom Umzugsgut herabgekommen und hatten sich beinahe in eine Reihe gestellt, als Tobias, mit einer ungeschickten Hand deutend, seine Namen hersagte. Sie hörten diese respektvoll an, als ob wir Jack the Ripper oder Mac the Knife hießen. Wir tönten in ihren Ohren wohl endlich ein bißchen illegal. Fee sah auch finster genug dafür aus.

«This government of Older Alabama», erklärte der Größte, der Wortführer von Gözüs Estrich, der Affenbrotbaum, und schlenkerte den Arm zu seinen Freunden hinüber. Es sah kolossal wegwerfend aus, war aber hoffentlich nicht so gemeint.

«Older Alabama?» wunderte sich Monika. «Aber Alabama liegt in den Vereinigten Staaten, wenn ich nicht irre.»

«Die Leute in den Vereinigten Staaten kommen von uns, kommen von uns in alter Zeit. Wir sind die richtigen Old-Alabama-Leute. Besser als die andern dort drüben. Keine Segregation, alles farbige Leute. Jeder zum Abstimmen geboren. Ich bin Staatschef. Ich bin Premierminister. Ich bin Messiah McNapoleon.»

«Und Ihre Freunde?» fragte Tobias.

«Jedermann hier ist Vize-Premier», lachte Messiah McNapoleon mit geschlossenen Augen ins Licht der Birne. Seine Stirn glänzte noch bläulich von Schweiß. «Alle gleich. Alle demokratisch.»

«Zusätzlich zu meinen Pflichten als Vize-Premier», trat ein zweiter Neger, der hellere, aus der Reihe und überreichte der verdutzten Fee eine Visitenkarte, «werde ich mit denjenigen eines Sonderministers für Antikolonialismus betraut sein. Dasselbe Amt versieht neben mir mein Kollege, Mr. Barnabas Alunda. Es wird Sie mit Staunen erfüllen, daß zwei volle

Ministerien für dieses besondere Portefeuille vorgesehen sind.»

«Es erfüllt mich in der Tat», sagte Monika, die sich auch einmal mit Anglistik beschäftigt hatte. Es war nötig, denn dieser zweite Mann sprach studiert und mit klarem Oxford-Akzent.

«Wir kommen nicht darum herum, leider», fügte der Geläufige bei. «Antikolonialismus wird noch für viele Jahre unsere Spezialität bleiben und die internationale Diskussion beherrschen. Wir werden uns seiner annehmen müssen. Gerade ein Entwicklungsland muß die richtigen Schwerpunkte bilden. Übrigens heiße ich George St. Pancras.»

«Ich bin entzückt», flüsterte Monika.

«Sie erwarten auch die Portefeuilles der übrigen Freunde zu kennen», fuhr St. Pancras fort. «Gut, sehen wir. Da haben wir natürlich Sylvester Mba. Er wird – was wirst du, Sylvester? Du wirst Polizeiminister.»

«Transportminister, bitte», sagte Sylvester schüchtern. Er war ein eher feingliedriger Neger und hatte Mühe gehabt mit seinem Stück Ottomane.

«Transportpolizeiminister», lenkte St. Pancras ein. «Ein hochwichtiges Amt. Der Sambesi will überwacht sein. Und denk nur an all die Straßen, die wir durch den Dschungel bauen werden. Die Kolonialisten haben da viel versäumt. Unter Kolonialisten verstehe ich auch das gegenwärtige Marionettenregime. Es taugt nichts. Eine gekaufte Bande, Neger im schlechten Sinn, Söldlinge des internationalen Großkapitals, Ausbeuter der Volkskraft.»

«Und Ihre anderen Freunde?» wollte Monika wissen. Sie konnte vom Verkehr mit Ministern nicht genug bekommen.

«Ah», sagte St. Pancras und wand sich in den Schultern, was ihm übrigens ausgezeichnet stand, es waren die reinen Basketball-Schultern, geölt wie Kugellager, und der schwarze Anzug hob sie eher, als er sie verbarg, «in erster Linie, natürlich, sind sie Vizepremiers der Republik, das ist schon sehr viel, nicht wahr, Jack und Jim. Außerdem, nun, gegenwärtig verzichten wir noch darauf, feste Aufgaben für sie ins Auge zu fassen. Man muß flexibel bleiben in einem jungen Land. Wir werden sie auf Sondermission schicken, zum Beispiel werden sie uns im Ausland kugelsichere Automobile einkaufen, auch Schwimmbäder und andere Artikel zur Entwicklungshilfe. Geht ihr nicht gern auf Reisen, Jim und Jack?»

«Yeah», lachten Jack und Jim herzlich.

Tobias flüsterte mit Monika.

«Er hat das Gefühl, es fehle Ihnen noch dieses oder jenes Ministerium, Herr St. Pancras», sagte sie dann. «Zum Beispiel das Innenministerium, oder das für Finanzen, oder für Agrikultur.»

«Wir denken nicht daran, ein Ministerium für Agrikultur einzurichten», sagte St. Pancras. «Das ist ein imperialistischer Trick. Wir werden es einrichten, wenn wir Hilfe von den Imperialisten bekommen.»

Er sah sich vergnügt um. Dann fuhr er fort: «Das Innenministerium wird natürlich dem Präsidenten zugeschlagen. Ebenfalls das Planungsministerium.»

«Ich bin der Größte!» strahlte Messiah McNapoleon.

«Er ist nicht immer besonders artikuliert», fuhr St. Pancras fort. «Aber er hat starken Rückhalt im Volk. Er ist so etwas wie ein Mythos für die zukünftigen Bürger von Older Alabama. Ich würde meine Bescheidenheit zu weit treiben», sagte er und schlug die Augen nieder, «wollte ich bestreiten, daß mir einiges Verdienst daran zukommt. Aber es ist wahrscheinlich – ich bin auch Propagandaminister – mein Job, einen Staatschef aufzubauen.»

«Wer ist Außenminister?» fragte Tobias.

«Ich», sagte St. Pancras und blickte auf seine Fingernägel: zehn geschliffene Rauchtopase. Die Manicure war einwandfrei.

Tobias betrachtete ihn aufmerksam. Dann sagte er:

«Stimmt meine Vermutung, daß auch Herr Fritz Bär ein Regierungsamt in Older Alabama bekleiden wird?»

«Well, yes», antwortete der helle Neger. «Wir wollen doch zeigen, daß wir keine Rassenvorurteile haben. Augenblickch verwenden wir ihn als Reisediplomaten. Er wird bei den nverpflichteten Nationen für Older Alabama werben. Später ekommt er vielleicht das Ministerium für Koordination.»

«Koordination wovon?» fragte Tobias.

«Let's cross that bridge when we come to it», erwiderte t. Pancras mit delikatem Lächeln. «Ich habe Ihnen ja gesagt: vir werden ein junges Land sein. Da muß man flexibel leiben.»

Fee hatte unterdessen Rosatello aus dem Keller und Gläser us der Küche geholt. Setzen konnte man sich nirgends nehr, aber es war auch vornehmer so, wie bei einem diplonatischen Empfang für ein Entwicklungsland. Nicht einmal lie Zimmerpalme fehlte, auch ein Farnstrauch auf drahtig rerschnörkeltem Ständer war da. Gar nicht schlecht stimmte uch der Untergang des Abendlandes dazu, verkörpert in enem zusammengebrochenen Babelturm, dem verspielten Scherbenhaufen, dem Hatelma-Berg noch unsortierten apokalyptischen Hausrats. Messiah und Barnabas, George und Sylvester, Jack und Jim, zu weltmännischen Stellungen zurechtgebogen, hielten ihre Gläser, als ob sie mit Gläsern n der Hand erschaffen worden wären. Wenn sie dem Rosatello dennoch nur maßvoll zusprachen, mochte es daran liegen, daß sie bessere Säfte gewohnt waren.

«What you're up to?» fragte einer, vielleicht Mr. Alunda. Es klang wie: Aucherupto, und niemand verstand es außer Monika.

«Subversion, natürlich», nickte Monika mit trüben Augen und setzte die Sonnenbrille auf. Die Neger nickten gleichfalls. Das verstanden sie.

«*Sie* ist boss», beteuerte Tobias, indem er zu Fee hinüberdeutete, die eben aus hoher Korbflasche Jack oder Jim das Glas – es war das venezianische – vollgoß. «Sie weiß alles. Sie führt den Laden.»

«Aber sie *serviert!*» sagte St. Pancras, der offenbar Sinn hatte für soziale Distinktionen.

«Camouflage», sagte Tobias trocken wie Zunder.

Die Neger nickten. Das verstanden sie wieder. Jack oder

Jim nickte so ehrerbietig, daß der Venezianerkelch in seine
Hand überschwappte. Darauf entriß er seinem Busen ei
segelartiges weißes Tuch und bückte sich, um damit de
Fleck auf dem Linoleum aufzunehmen; beim Bücken ver
schüttete er nochmals. Da erhob er sich, lachte, verrieb ge
mächlich erst den einen, dann den andern Fleck mit der Sohl
und kippte den Kelch in einem einzigen Zug.

Die «Soldanella» erlebte, zu unerwarteter Stunde, etwa
bisher Unerhörtes: eine Party. Man unterhielt sich, ma
hätte sich sogar gelangweilt, wenn es nicht erlaubt, ja gebo
ten gewesen wäre, anzugeben. So gaben sie an, mit von Rosa
tello und Salzbrezeln vollem Mund, daß sich die Balke
bogen. Keine gesellschaftliche Delikatesse brauchte diesma
obzuwalten, sie wäre ganz verlorene Mühe gewesen. Ein
revolutionäre Parole gab die andere, Schwarz und Weiß reiz
ten einander hoch, führten sich die gegenseitigen Barrikade
vor, ließen Verbindungen durchblicken, die fast schon Zünd
schnüre zu nennen waren, und da man die Luft zu diese
Ruhmestaten nicht aus der Luft, sondern aus teuren Havana
zog, mit denen der Staatschef aufwartete (Monikas Mund
stück war bald so naß wie eine Babywindel), wuchs un
blühte allmählich ein bläulicher Dschungel um die Gruppe
um Palme und Trümmerhaufen, und so eingedunstet fan
Herbert Frischknecht die Gesellschaft vor, als er gegen el
unter der Tür erschien.

Er erschien im Monteurkleid, mit verschwitztem Kragen
seinen Sack über die Schulter geworfen, und es war vielleich
gut, daß der blaue Dunst ihm die Szene nur allmählich ent
hüllte. So konnte ihn Mathis festhalten, ehe er, von Nege
zu Neger blickend (ich habe gesagt: er konnte dumm aus
sehen), gleich wieder Reißaus nehmen konnte, wozu e
Miene machte, und, von seinem Standpunkt, mit Recht.
Aber siehe da: auch Mathis war ein artiger Mann, auch ih
hatte die Party warm gemacht, und sein langes Gesicht lie
wie geölt, als er, mit beschlagenen und doch glänzenden
Brillenaugen, Herbert unterm Arm faßte und mit wackelige
Stimme rief:

«And here comes the technician of our revolution!»

In einem Englisch, das offensichtlich sehr lange her war, gleichsam aus dem helvetischen Busch hervorklang, erklärte der Bildhauer, Herbert habe eben mit Erfolg die städtische Elektrizitätsversorgung gesprengt («*blown up all the electricity of the city*»), er sei der große Sabotagespezialist, und lange werde es nicht mehr dauern, bis er einen atomischen Apparat entwickelt haben werde, gegen den die konventionellen Atomwaffen Pappe seien, und wenn sie, die afrikanischen Freunde, darum bäten, dann würde er ihnen den Apparat wohl einmal für ihre Revolution ausleihen. Die Neger klatschten teils in die Hände, soweit sie dieselben frei hatten, teils verbeugten sie sich. Einer, Barnabas Alunda, der andere Antikolonialminister, trat auf Herbert zu, legte ihm einen Arm um die Schultern, einen langen prachtvollen Kugelstoßerarm mit offenbar zahllosen Gelenken, und hielt ihm mit der andern Hand den Becher, genau genommen war es das kleine Zahnglas, vor den Mund. «Skol!» sagte er, denn Neger haben oft schwedische Freundinnen, außerdem war es damals in Zürich chic, «Skol» zu sagen. Herbert Frischknecht, soweit das bei seiner Fettleibigkeit möglich war, erstarrte. Dann trat er unter dem Arm hervor, wischte sich mit einer Hand über Stirn und Augen und trat beinahe hilfesuchend zu Fee hinüber. Er konnte einem leid tun.

«Hat es geklappt?» fragte er mit leiser Stimme.

«Geklappt ist nur der Vorname!» schrie Matthias, vom Rosatello begeistert. Und weil er am Reden war, sagte er noch:

«Ägyptisch war es! Darkness at noon! Schwarz wie die Nacht! Schwarz wie im tiefsten Afrika!»

«I beg your pardon?» sagte St. Pancras kalt.

Neger sind empfindlich. Das tiefste Afrika ist nicht schwarz, so wenig wie sie. Dabei war es St. Pancras noch am wenigsten, schwarz, ein angefochtener Neger, und also doppelt schwierig im Punkte der *negritude*. Mathis mochte kein Bildhauer sein, aber ein Psychologe war er noch viel weniger. Ich trank keinen Rosatello, gut, aber mir wäre das auch sonst nicht passiert. Anderseits: wohin kommt man, wenn man einen Neger nicht mehr schwarz nennen darf? Sind Farben böse? Wird es einmal möglich sein, von der Schwärze eines Negers zu reden oder auch nicht zu reden, wie es kommt; wie vom Wetter? In dem Augenblick fehlte Stefan, der hätte das ausgebügelt. Aber Tobias machte es auch gar nicht so schlecht.

«Herbert», sagte er und zwinkerte dabei, nicht einmal, sondern zehnmal, als ob ihm ein Tierchen ins Auge gekommen sei, «Herbert, auch das sind Revolutionäre. Auch sie kämpfen für ein Land, das es noch nicht gibt. Es sind Freunde von Bitz, und sie sind bereit, mit uns zusammenzuarbeiten, solange Bitz abwesend ist. Er ist nämlich verreist, in den Osten, glaube ich; du weißt, seine Ziele haben solche Reisen nötig. Nun hat es sich so gefügt, daß diese Herren bereit sind, in die Bresche zu springen. Wir dürfen sie unsere Genossen nennen, obwohl jeder einzelne von ihnen Ministerrang hat.»

Herbert verbeugte sich etwas. Es war ihm anzusehen, daß er es zum ersten Male in seinem Leben tat. Die Neger konnten es viel besser, sogar Jack und Jim, die Vizeministerpräsidenten waren und weiter nichts. Matthias hatte sich gegen die Wand gedreht und trank ein Glas Rosatello nach dem andern. Dann begann er mit den Schultern zu zucken. Man mußte denken, er kichere sich den Buckel voll, und es fing schon wieder an, peinlich zu werden. Aber als ihm Fee auf den Rücken klopfte, gab er falschen Laut: es wurde deutlich, daß Matthias weinte. Fee führte ihn sanft ins Nebenzimmer und nahm ihm im Gehen die Brille ab. Der Tag war zu viel gewesen für Matthias Kahlmann.

«Und was ist das für Zeugs?» fragte Herbert und deutete auf die Ablagerungen. Aber bevor jemand auch diesen Punkt aufklären konnte – wer wußte schon richtig Bescheid –, ging die Tür auf, und Stefan stand darin. Da war er ja, der Bescheidwisser, aber er war nicht in der rechten Verfassung. Wie sah Dr. Stefan Sommer aus? Er sah nicht aus. Er sah aus wie ein entlaufener Bräutigam, ein Operettenbandit am Ende der Operette, die Haare schief in die blasse Stirn gepappt, mit brennenden Augen, eingezogenen Wangen, geduschten Schultern – regnete es denn? erst jetzt konnte ich es rauschen hören –, stand nicht mehr wirklich aufrecht, schämte sich nicht zu lehnen, atmete, und es war, als ob man ihn zum ersten Male atmen sähe, atmete ruckartig in seinem plötzlich verbeult wirkenden Abendanzug, lehnte kurz und gut wie ein geprügelter Kellner im Türgericht. Dann rappelte er sich auf, trat einen Schritt vor, stand noch keineswegs anständig da, blickte aber schon wieder auf seine Armbanduhr.

«Man ist uns auf den Fersen», herrschte er die Neger an. «Man kann gleich hier sein. Machen Sie, daß Sie fortkommen. Hauen Sie auf der Stelle ab. Sie haben keine Minute zu verlieren.» Und damit gab er die Tür frei und wies mit gestrecktem Arm hinaus.

Seine Geste war so gebieterisch, daß man glaubte, die Reitpeitsche in seiner Hand zittern zu sehen. Die Neger erschraken auch. Mein Gott, die erschraken. Die Minister waren nirgends mehr. Ein Häufchen schwarze Verstörung kehrte sich zusammen und wollte nichts weiter als Richtung Reitpeitsche verschwinden, wollte es so dringlich und gleichzeitig, daß es sich nun doch wieder in der Tür staute. Der Effekt der jäh umgedrehten Flasche. Stefan, du verdammte Herrenseele. Nur weil du den Giraffenwagen nicht mehr eingeholt hast.

«Stop!» rief Fee. Es war sicher das einzige englische Wort, das sie kannte. Schließlich, es steht auf jeder zweiten Straße. Eigentlich sagte sie Schtopp! und sagte es, als die sechs Negerköpfe schon in der Tür sich nach ihr umdrehten wie auf dem berühmten Bild von Rubens, sechs zurückgepfiffene Köpfe auf immer noch fliehenden Körpern, sagte es mit gerecktem Kinn nochmals: Schtopp! und hatte es gesagt. Es wirkte, das stärkere Gestirn bewährte sich. Der Magnetismus des vibrierenden Manschettenärmels erlosch, die Reitpeitsche wurde zusehends unsichtbar. Alle sechs Minister aus dem Sambesibogen standen jetzt Richtung Fee, ein leicht zerrütteter Verein, eine Bittstellergruppe, aber standen deutlich wieder im Saal der «Soldanella».

Wußte Fee weiter? Sie konnte kein Englisch, sie schluckte auch zweimal dicht hintereinander, aber sie wußte weiter. Sie machte auf Hochdeutsch darauf aufmerksam, es regne, und die Herren möchten einen Augenblick warten. Dann ging sie an den Ministern und an Stefan, der sich wieder anlehnte, vorbei ins Vestibül und kehrte mit zwei Schirmen zurück. Zwei Schirme für sechs Herren, es tue ihr leid, aber mehr sei nicht im Haus. Sie möchten sich bitte behelfen und doch bald wiederkommen.

«Wann?» fragte St. Pancras, der selbstverständlich deutsch konnte. Fee sah sich nach Tobias um. Der nickte und sagte heiter:

«Am kommenden Dienstagnachmittag zum Tee, so please your excellencies.»

Die Exzellenzen waren wieder solche: erstaunlich, was eine leichte Verneigung im rechten Moment bewirkt. Messiah McNapoleon, auch der sprach eine Art Deutsch, warf den Kopf zurück und fragte:

«Abholen, du?»

«Natürlich holen wir Sie ab», sagte Tobias. «Um vier Uhr nachmittags bei Herrn Bär?»

«O.K.», meinte Messiah gnädig.

«Ich weiß nicht, ob du daran gedacht hast, Tobias», sagte jetzt Stefan mit müder Stimme und schlenderte an den Ablagerungen vorbei zum Fenster hinüber, die Hände auf dem Rücken, «ich habe auf Dienstagnachmittag zufällig Prof. Anderegg eingeladen. Es ist natürlich nicht wichtig.»

«Wirklich? Ich hätte beinahe nicht daran gedacht», sagte Tobias, immer deutlicher lächelnd. Und dann zu Messiah gewendet:

«Wir erwarten am Dienstagnachmittag einen wichtigen Verbindungsmann. Er hat Kontakte zu einer westlichen Großmacht. Vielleicht können wir ihn keilen.»

«Wie heißt?» fragte Messiah.

«Professor», sagte Tobias.

Professor. Es gibt Titel, die in keinem Zusammenhang ihre Wirkung verfehlen. Nicht alle Verschwörer sind auch feine Leute; diese hielten an den Distinktionen der Gesellschaft fest, gegen die sie ihre Minen legten. Die Aussicht auf den «Professor» entschädigte sie vielleicht für die Enttäuschung, die sie jetzt mit Stefan erleben mußten. Ein Herr, der keiner war, stand er neben der Palme und hatte keine Antwort mehr auf die «Soldanella» als seinen Rücken. Er rührte sich nicht, als sich die Neger verabschiedeten. Nur Fee ging mit ihnen bis unter die Haustür und noch einen Schritt in den Regen hinaus. Sie sah ihnen nach: sechs Neger unter zwei Schirmen, je drei und drei eng zusammen, rasch undeutlich werdend in der glänzenden Dunkelheit.

Tobias stellte sich hinter Stefan und ließ einen der staubigen Palmwedel langsam durch seine Finger gleiten. Dazu sagte er wie im Selbstgespräch:

«Bis dahin, ihr versteht mich, wird nicht geruht. Es wird schlimmstenfalls nicht geschlafen, und es wird überhaupt nicht beigeschlafen. Ich gebe jedem, der nicht bereit ist, sich dem Notstand der «Soldanella» entsprechend zu verhalten, eine Minute zum Verlassen dieses Raumes. – Ich zitiere nur. Ich habe das nicht gesagt. Ich hätte es kaum sagen dürfen.»

Stefan strich sich die Haare weit hinter die Stirn zurück. Dann wischte er die Hände an den Beinkleidern ab. Dann steckte er die Hände in die Taschen, ballte sie dort zu Fäusten und zog einmal tief Atem.

«Sie hat mich abgehängt», sagte er.

«Sie hat einen verdammt guten Motor», erläuterte Tobias. «Sie hat ihn selbst umgebaut.»

«Was soll das überhaupt für ein Wagen sein», murrte Stefan.

«Es *ist* wirklich ein Gefängniswagen, soviel ich weiß», antwortete Tobias. «Die erste Benzindroschke zu solchen Zwecken, die es in der Schweiz gab. Ein Hupmobil. Der Kanton Zug hat sie im Jahre 1903 angeschafft. Es war eine Sensation, auch für die Sträflinge. Vor ein paar Jahren hatte man sie noch unter die Guillotine gelegt. Und jetzt fuhr man sie völlig staub- und pferdefrei ins Gefängnis. Ein gewaltiger Fortschritt.»

«Das weißt du also alles», sagte Stefan bitter.

«Sie wird es dir doch erst recht sagen, wenn sie wieder herkommt.»

«Wenn», murrte Stefan.

«Hier liegt doch ihre Mitgift», gab Tobias zu bedenken. «Sonst holst du sie. Sie kann nicht immer Hupmobil fahren. Vormittags ist sie auf der Universität und nachmittags im Brockenhaus.»

Stefan hatte sich halb umgewandt. Er straffte seinen aus der Form geratenen Rock, ringsum, abwesend, mit nervös klaubenden Fingern. Er musterte das Gerümpel. Uns sah er nicht. «Verdammte Komplikationen», flüsterte er, aber seine Augen glänzten.

«Taugt es denn etwas?» fragte Monika. Sie war dem Geflüster wie ein Sperber gefolgt und wirkte jetzt seltsam erleichtert. Ihr Lächeln war so breit, als wollte sie Tobias damit verschlingen.

Stefan antwortete nicht. Er ließ nur noch die Arme hängen und staunte nieder auf Schwarten und Wülste, Gerippe und Voluten, auf die ganze Bescherung. Seine Augen glänzten immer mehr.

(Nur eine Zeitungsnotiz)

Notiz in der «Zürichsee-Zeitung» vom Montag, dem 23. Mai 1960:

br. Einige Aufregung verursachte ein Stromausfall auf dem Netz der Gemeinde Überseen am späten Samstagabend. Kurz nach 22 Uhr gingen im Quartier Oberdorf alle Lichter aus, und alsbald wurden alle möglichen öffentlichen Stellen – darunter auch die unsinnigsten, wie die Telefonseelsorge und der Seerettungsdienst – von Anrufen der bestürzten Anwohner belagert. Mühsam mußte vom Pikettchef der städtischen Elektrizitätswerke, denen Überseen angeschlossen ist, eine Entstörpatrouille zusammengestellt werden, die eilig die ganze Verkabelung durchprüfte, jedoch keine Störung an der Leitung feststellen konnte.

Inzwischen hatte man auch im Elektrizitätswerk Salster, das den Strom für das betreffende Quartier liefert, nach einem Fehler gesucht und im ersten Durchgang nichts gefunden. Erst bei der zweiten Inspektion fand man, daß der Schalter, der den Stromkreis zu dem erwähnten Quartier schließt, ganz raffiniert um drei Millimeter verschoben worden war, so daß die Stromzufuhr unterbrochen wurde, jedoch ein Kontrolleur auf den ersten Blick nichts vom Unterbruch feststellen konnte. Dieser Unterbruch muß von einem Teilnehmer der Führung, die am Samstagnachmittag im Rahmen der Veranstaltungen der «offenen Tür» auch im Salster durchgeführt wurde, verursacht worden sein. Die raffinierte Schalterstellung deutet auf einen Fachmann hin. Überreste einer Mahlzeit unter dem Schreibtisch im Direktionszimmer lassen vermuten, daß der Täter, nachdem er sich unbemerkt von der geführten Gruppe entfernt hatte, an diesem Ort den Einbruch der Dunkelheit abgewartet, die Störung verursacht und dann durch ein offenstehendes Abtrittfenster das Weite gesucht haben muß. Über seine Motive ist nichts bekannt. Trotz emsiger Nachforschungen konnte er bisher nicht ermittelt werden.

Das Elektrizitätswerk entschuldigt sich bei allen Bewohnern des Quartiers Oberdorf, denen durch diesen bübischen Streich Ungelegenheiten erwachsen sind.

Lessing wird bestreikt, und Einmischung in eine Corrida

Für dieses Kapitel, vor dem ich mich schon ziemlich lange fürchte, habe ich mir wenigstens einen feinen Anfang ausgedacht. «Ich kann Lessing nicht helfen», so habe ich schreiben wollen – und dann wäre ein ganzer Katalog über den Leser hereingestürzt, Agnesens Mitgift Stück für Stück, gelockert auch nicht durch die mindeste Leseerleichterung, als da wäre: kleine Spitzen gegen den oder jenen Anwesenden, Abendstimmungen und Morgenröten, Bemerkungen über den Gang der Welt. Sorgsame Leser haben vielleicht beachtet, daß ich mich bei der Schilderung der früheren Greuel nach Möglichkeit von Rücksichten auf Lessing und die Schwachheit des Lesers habe leiten lassen. Ich nahm Abstand davon, den Abbotsford-Stuhl oder das Leichenbitter-Bett einfach platt hinzustellen, ich löste sie in Handlung auf: ich ließ sie durch Stefan *zeichnen*. Schön und gut. Aber dem Monument, das sich an jenem spannenden Abend in der leeren «Soldanella»-Stube aufbaute, der Mitgift, welche die fronenden Minister aus dem Sambesibogen im Triumph über knirschenden Kies in unsere Mitte trugen, all dem ist auch sprachlich nur die herzhafteste Zumutung gemäß: ein wahrer Bergsturz von Beschreibung. Keine Nadel sollte mir zwischen die epische Schilderung der Stuhl- und Tischbeine, der Polster und Käfigdrähte fallen dürfen; auch der Leser sollte sein Scherflein an Erschöpfung angesichts dieses wahrhaft erschöpfenden Schauspiels beitragen, Lessing hin oder her. So schwor ich mir.

Ich bin davon abgekommen. Nicht weil ich mich hätte zur Milde stimmen lassen. Sondern weil ich Glück gehabt habe, genauer: weil der Leser das Glück haben wird, von mir ein Dokument vorgesetzt zu bekommen, in dem alles Nötige zur Beschreibung der «Mitgift» geliefert wird, das heißt: mitgeliefert unter der Hand, als Ablagerung und Sinkstoff einer Bewegung, deren die Seele nicht unter allen Umständen fähig ist und meine, so fürchte ich, unter gar keinen Umständen fähig wäre.

Ich will deutlicher werden. Man erinnert sich an Stefans glänzende Augen, die schließlich, unter dem Zuspruch des Tobias, den Sieg über seinen verbeulten Abendanzug davontrugen. Durch diese Augen darf ich nun den Leser unsere Schätze sehen lassen, Schätze, die nach unserem Überschlag durchaus hinreichten, die «Soldanella» zu salvieren. Es waren museumsreife Schätze, ich spotte nicht, Victoria & Albert zu London hätten sie uns ohne Wimpernzucken für schweres Geld abgekauft. Aber es war ja nicht dieses kulturgeschichtliche Himmelsgeschenk in erster Linie, was Stefans Kennerblick erglänzen und gleich wieder sich verdunkeln ließ, was den Zuspruch des Tobias herausforderte und noch in der nämlichen Nacht das Dokument hervorbrachte, das ich gleich einrücken darf. Es war etwas entsetzlich Altbekanntes, der konventionelle Treibstoff von Petrarcas Sonetten oder der gemütlichen Szenen daheim im Bungalow; es war doch offenbar etwas so Neues, daß Stefan seine florentinischen Prinzessen, seine glutäugigen Abbéstöchter, sein Rudel von istrischen Marquisen und Berner Barettlitöchtern flugs unter die Horizontlinie sinken sah, auf der nur noch ein Büschel abgefressener Haare trieb, langsam auftauchte, eine dunkle Geburt aus dem unendlichen Meer, ein Inselchen voll halbgarer Kartoffeln, schiffbar nur für Gefängnis- und Giraffenwagen – und siehe, Stefan hatte schon begonnen, dahin Segel zu setzen, während ihn Millionen Fische im Hemdchen von unten anschauten mit Augen, die bemerkenswert waren. Er aber zog und stand, stand im Ziehen, zog im Stehen, was weiß ich, indes das Inselchen näher kam, aber nicht wesentlich sichtbarer wurde, oder sichtbarer, aber nicht näher, was weiß ich. Schwarze Haut war ins Spiel gekommen, enthemmte Stefans Phantasie, befeuerte ihn zu Lebensrettungen, zu Taten unter duftendem Himmel mit Tamtam-Begleitung; daß ein Mann in so merkwürdiger Lage schreiben mag, erstaunt mich tief. Aber Stefan schrieb tatsächlich, schrieb, um zu vergessen, daß er nicht schlafen konnte, um seine Müdigkeit zu reizen, um im Einmaster zu kreuzen, schiffbrüchig zu werden, seinen Atem beim Schwimmen zu vergessen; schwimmend schrieb er, und ich begrüße den Zufall, der ihn jetzt zum Riesen machte und ganz von ungefähr die Möbel mitspülen ließ, die ich sonst mühsam Stück für Stück hätte abschildern müssen. Sie wurden zum Mobiliar seiner Leidenschaft, er hob sie von Ort zu Ort, ohne sie zu spüren, er mußte sie berühren, um Agnes zu erreichen, die sich – wenigstens diese Nacht noch – für ihn dahinter verbarg. Lessing ist mit diesem Verfahren wohl Genüge getan, obschon er, fürchte ich, Stefans Text aus andern Gründen nicht billigen würde. Daß ich diesen Text verwenden kann, ist ein Wunder, das Stefan auch ein bißchen gesteuert hat, also ein doppeltes Wunder für mich. Nichts hatte ja in all den Jahren der «Soldanella» darauf schließen lassen, daß er mich bemerkt hatte und gesonnen war, mir etwas zu hinterlassen. Aber am Tag seiner Berufung zum Professor empfing ich ein kleines Paket von ihm. Es enthielt *Alice in Wonderland* in einer Liebhaberausgabe, englisch. Und hinten war in Gestalt loser Blätter eingelegt, was folgt: das Protokoll jener Nacht nach Ablieferung der Mitgift, einer Nacht, von der Stefan schon zu träumen wagte, es sei eine der letzten ohne Agnes. Man wird ja sehen. Aber ich finde es nett, daß das Papier in meinen Händen ist und daß ich nun, schadenfreudiger Mensch der ich bin, gegen Roland davon Gebrauch machen kann: der wurde keiner solchen Einblicke gewürdigt.

«Die Neger, hoffe ich, schlafen in ihren Betten mit gefalteten Füßen. Laß sie schlafen, ich bitte dich, nur schlafend kann ich sie brauchen, nur als Träumer gehören sie zu uns – als versteinerte Träumer tragen sie die Szene, die wir aufführen, du und ich, seit Jahrtausenden, seit gestern abend um ein Viertel nach zehn, zur Zeit der Spätnachrichten. An ihre Stelle aber tratst du in kurzem Hemd, um die Schwärze zu blenden, meine Augen mit dir einzufärben. Dann schwangst du dich auf deinen Giraffenwagen und zittertest davon, und ließest zurück einen Duft ohne Haar, eine süße Aufsässigkeit ohne Gestalt. Du kennst es doch: nicht die Katze ohne Lächeln blieb zurück; es blieb das Lächeln ohne Katze. Alice: *let's pretend* – das war dein Lieblingszauber, als du noch ein Kind warst (konntest du damals mehr Kind sein als heute? Ich hatte mich lang in Verdacht, jetzt bin ich sicher: ich bin ein Kinderschänder; ich will dich als Kind). *Let's pretend* ich jage dich, laß uns die Bühnenanweisung ändern, verlängern wir die Szene zur Jagd. Was kann ich dafür, daß die Neger unter der Bühne nachgreifen müssen im Traum, nachgreifen wie Wilde, im Takte der Buschtrommel, um unsere Jagd zu stützen, die Bühne in Schwebe zu halten? Ihre knotigen Knöchel galoppieren von unten, unsere lautlosen Füße von oben gegen den dünnen Boden, auf dem wir laufen, und doch ist alles nur Schein: wir bewegen uns nicht. Unverrückbar ist das Kammerspiel, das wir besetzen, unsere Jagd eilt an Ort, wie die Schritte des Pantomimen, den du sehen müßtest, wenn ich dich je erreichen könnte, um dich vor sein kalkweißes Gesicht zu führen. Marcel Marceau, *roi des blêmes*, Ewigkeitsgrimasse über sehnigem schwarzem Tricot, das bei gewissen Wendungen in die Farben des Pierrots hinüberspielt, Schritte zeigend unter apfelgrünem Himmel. Alice, bleib stehen, wenn du so laufen mußt, um am alten Ort zu bleiben, Alice, dann steh still, laß dich zurückfallen zu mir, laß dich bei der Hand nehmen: dann läuft die Bühne ohne uns weiter, die Neger fahren leer mit dem Kammerspiel, wir gleiten ins Dunkel zurück, und die erhellte Bühne schwimmt ab wie ein Geisterschiff, wie eine verlassene Plattform im Raum. Was hält dich unter den verdammten Scheinwerfern meines Herzens fest, du überbelichtete Figur, gestatte den Negern nicht, deinen Sohlen nachzufingern, belaste nicht länger ihren Schlaf, beschlage nicht das blutige Innere ihrer Lider mit Ahnungen von dir. Hör dein Stichwort, Alice, laß dieses Spiel an uns vorübergehen, steig von der Giraffe, ich rette dich, laß die unterirdische Karawane weiterziehn, ich rette dich... Oh, nicht diese alten Geschichten, süßes Herzgespinst, nicht diesen Trick aus dem Handbuch der Mythologie! Seht, sie wirft ihr Spielzeug von der Giraffe Stück um Stück; sie ist nicht zufrieden, daß ich bei vollem Lauf stehen bleibe, ich soll auch noch im Stehen gehemmt werden. Nicht diesen Blick ohne Wimpern, Alice; nicht diesen vorsorglich gekräuselten Mund! Ich kenne ja die Spielregeln. Ich will aufheben, was du fallen läßt, goldene Giraffenäpfel oder was immer, und will meine Fron versüßen im Gefühl, daß du offenbar glaubst, mir ohne List nicht zu entkommen. Besorgst du, mein Stillstand könnte dir immer noch zu schnell sein? Ich laufe auf der Stelle, die Drehbühne springt mir entgegen, der Boden schiebt mir zu, was du mir in den Weg legst, Stück für Stück, und ich hebe es auf... hebe auf die Wachsfrüchte, mit denen du mich köderst, um mich zu bremsen, hebe auf auch die Früchte aus poliertem Jade, mit denen du, immer noch umsonst, meine willigen Taschen beschwerst. Verschärfe deine Prüfung, Alice, noch trage ich nicht schwer! Seht, nun schickt sie mir einen Teppich unter die Füße, zähflüssig rollt er ab, dicker roter Plüsch – es war gut gemeint, Alice, aber siehe, dein Fliegenfänger beschleunigt nur meinen Stillstand, verbessert meine Bodenhaftung, unhörbar mache ich Boden gut zwischen meinem Traum von dir und dir. Ah, nun sendet sie schweres Geschütz, nun erleichtert sie erst ihre Giraffe! Ein Blumenständer aus Draht; etwas in der Art haben wir schon, Agnes – ein Stuhl, schon besser, Alice, ein Stuhl aus Gußeisen, aber mit Holzfirnis behandelt, Holzmaser nachahmend, ich sehe es mit Entzücken. Mit Begeisterung fühlt meine Schulter die Pflanzenwildnisse, die zehnpfündigen Ornamente, die sich eingraben; aber was würde ich nicht tragen, wenn es dir von der Giraffe gefallen ist – siehe, nur unmerklich verlangsamt sich mein Schritt, eigentlich nur dir zu Gefallen, damit du nicht glaubst, deine Mühe sei an mich verschwendet. Nun gar ein Tisch? Brav, Alice, zum Stuhl gehört ein Tischlein, das sich, wie ich dich kenne, gleich decken wird, ein achteckiges Ungeheuer von Tisch, brutal gezimmert und von dem massige Stalaktiten hängen, Protuberanzen aus braungestrichenem Gips. Das läßt sich tragen, holdes Gespenst, weiter im Text! Ein Fauteuil gar, ein richtiger Fauteuil auch noch, wie gut sind deine Gesinnungen! Schwere Sumpf-Eibe, wenn ich nicht irre, und charmant in den Formen, wie ich's von dir gewohnt: zwei gedehnte bärtige Rekken stützen die Rücklehne, die fürchterlich schmale, auf der sich Zinnen und Raben erheben; meine Arme aber könnte ich, wenn ich einen Augenblick rasten dürfte, auf zwei hölzerne Wolfshunde lehnen, einen sanft gekuschten links *(gentle when stroked)*, einen hochgesträubten rechts *(fierce when provoked)*; und stehen würde mir der Stuhl auf vier kurzen Hundsfüßen mit sorgfältig geschnitzten Krallen. Würde!

Statt dessen bin ich es, der den Stuhl sich überwirft, Hunde, Hundsfüße und irische Recken Huckepack nimmt, denn ich darf den Plüsch nicht wachsen lassen zwischen dir und mir. Noch ein Tisch? Wie du mein Haus verschönst, Liebste, das feingesponnene mit köstlichen Erbstücken beschwerst! Was für ein Alptraum von einem Tisch! Meine Fingerspitzen, die zwei oder drei, die ich noch frei habe, ahnen geätzte Schwäne auf den Zargen, die Beine fühlen sich wie gerollte Schirme an, und in die Platten sind, wenn ich nicht irre, Marketten kunstvoll eingelegt. Stark lackierte Pech-Pinie das Ganze, stimmt's? O selbstverständlich, wenn du meinst, ich kann ruhig noch etwas dazunehmen. Einen Schreibtisch, hab ich's erraten? Imitierte prähistorische Eiche? Wunderbar. Ein Schreibtisch wie ein Tanzboden, ein Format, wie es die fürstlichen Analphabeten geliebt haben, mit angebautem Chorstuhl und durchwachsen von Ritterfiguren in allen Stellungen, die keiner Periode angehören: meine Ebenbilder, Alice, ich danke dir für den zarten Wink. Hätte ich dich nicht selbst geträumt, er wäre dir nicht eingefallen. Zu schwer? Kein falsches Mitleid, Alice, her mit dem nächsten Stück. Wenn du hin und wieder ein Stöhnen hörst, dann sind es die Neger im Souterrain, auf deren Buckeln wir unsere Mythe laufen lassen. Würde meine Herztätigkeit, wie bei den Astronauten, von der fernen Erde her geprüft, so würde es heißen: etwas beschleunigt vielleicht, aber ausgezeichnet. Es ist mir nicht entgangen, daß du dir für den Kissenbezug des Chorstuhls etwas Typisches hast einfallen lassen: Tartan... Was weiter? Eine Pause, ist das dein Ernst? Tatsächlich, eine Pause in Gestalt dieses Leichtgewichts, das ich beinahe auf dem Finger balancieren kann und das, würde ich von der Erde her geprüft, mein Herz wohl schneller schlagen ließe: eine Chiffonniere aus Papiermaché, ein Ding aus kohlkopfartigen, an den Rändern vergoldeten Rosen gesponnen, hohltönenden Rosen, in deren Mitte ein blinder Spiegel dämmert. Die Rosenranken aber hast du in der Mitte um eine verschlafene Bacchusmaske zusammengefaßt, Delphinköpfe aber hast du dem Ding zu Füßen erschaffen, die sich aus Füllhörnern ergießen, die ihrerseits von grübchenreichen Kindergesichtern gekrönt sind. Immer aber, wo sich der konstruktive Sinn des Möbelchens verwirrt, die Funktion eines Gliedes unsicher wird: Rosen! Rosen aus echt vergoldeter Pappe! Agnes, diese Chiffonniere bedeutet mir geradezu eine Erleichterung, ich trage sie mit erhobenem Kopf, ich bin voll gerüstet für das nächste Stück, das jetzt ruhig wieder schwer sein darf. Du nimmst mich beim Wort, Alice, es sei dir verziehen, wo du jetzt auf meine höheren Bedürfnisse eingehst und nichts Geringeres als einen Flügel von der Giraffe gleiten läßt. Einen gotischen Flügel, Alice, aus falschem Rosenholz – selig sind, die sich so beladen dürfen. Die Trollblumenmotive auf dem Deckel sind gänzlich mein Geschmack, und wenn ich ihn öffne, mit den Zähnen, denn ich habe jetzt doch keinen Finger mehr frei, grinst mir ein gelbes Gebiß von Tasten entgegen, in die Perlmuttstreifen eingelassen sind. Diesen Kuß der ganzen Welt! Ich habe Sorge getragen, beim Lüften deines Flügels den Spitzenüberhang nicht zu verschieben: tief hängt er seitüber, von Glaskugeln beschwert, und um und um ist ein Galgenmuster in seinen Saum geklöppelt. Auch die Vase, Traumhafte, ist mir weder entgangen noch habe ich sie gestürzt: ihr eignen Form und Farbe eines Plumpuddings, und Harlequin-Figuren umschweben sie rings.

Es gefällt dir zu scherzen, Alice! So das kultivierte Bedürfnis mit dem gemeinen zu konfrontieren! Aber freilich, du bleibst nur deinem Stil treu. Nicht minder liebevoll ersonnen als der Flügel treibt mir auf dickem Plüsch ein Nachtstuhl entgegen; durch das gläserne Gefäß blickend, verliert sich das Auge in einer Illusionsmalerei: Lianen und stehende Wasser, augenrollende Jaguare und sich wiegende Araras, eine Dschungellandschaft, die zu düngen Ehre und Verpflichtung sein muß. Der Nachttopf als Guckkasten! Seufzend schultere ich auch dieses deiner Stücke: beinahe zugemauert das Gesicht von imitierten Wänden und falschen Böden, die Arme gekreuzigt zwischen gewundenen Armen und Beinen, der Rücken graviert von ehernen Arabesken, die Füße bis über die Knöchel durch Plüsch schleppend.

Die Passion; man weiß es. Man sieht auch schon das dicke Ende kommen. Eine unsägliche Ottomane schwimmt heran, deren dick aufgetragenes, mit Gewalt geschnürtes Sitzfleisch der teigfarbene Schonüberzug eher preisgibt als verdeckt... Vor meinen Augen zerlegt sich das weichliche Ungetüm und springt mir stückweise auf den Rücken, soweit noch Platz ist; wie ein Magnet zieht mein überbauter Körper auch diese 1873 patentierte Sitzgelegenheit an. Zu welchem Markt, Alice auf deiner Giraffe, warst du mit solchen Stücken unterwegs? In welchem Serail zwischen Bassora und Samarkand hättest du Käufer gefunden? Nirgends, Alice, als in meinem mutwilligen Kopf, der dich zu träumen nicht anfing und also nicht aufhören kann; nirgends als über diesen meinen Kopf kann die Ware wachsen, mit der du mich hinhältst, um den Wettlauf zu gewinnen, den doch nur gewonnen hat, wer ihn verliert. Ja, du läßt mich schwer daran tragen, daß ich dich so wenig kenne, um dich erfinden zu müssen – und durch mein Umzugsgut hindurch höre ich von sehr weit, von ganz nah deine Stimme sagen: *I don't like belonging to another person's dream*... wer träumt, Alice, wer *dich* träumt, sollte es leichter haben. Statt dessen habe ich mich längst auf Hände und Füße niedergelassen. Die Polsterballen, die Schreibtische und Nachtstühle lassen sich nicht mehr hoch zu Kopfe tragen. Bizarr gerüstet und bekränzt wie ein Opfer, gespickt mit Stuhlbeinen wie ein Stier mit Banderillas trotte ich hinter dir her, die Schnauze auf deiner im Plüsch ertrunkenen Spur. In meine Nüstern steigt der Atem der Neger, deren Augen ich durch die Bühnenritzen glühen sehe, die stöhnen unter meinen immer langsamer gesetzten Hufen, die warten auf meinen Zusammensturz. Manchmal gable ich mit meinem unwillig wegwerfenden Nacken, mit den Hörnern, die mir deine kräftig abwesende Hand aufgesetzt hat, ein weiteres *accessoire* auf, eine uralte Nähmaschine, einen Vogelkäfig, einen Hut- und Schirmständer aus Eisen und Hirschgeweih. Agnes, was muß deine Giraffe leicht geworden sein, wie locker trägt sie dich jetzt, mit deinen Armen um ihren Hals; welche Gelegenheit, leer zu schlucken, für einen Giraffenhals! Warum solltest du zurückblicken? Schwer wie ein Spickbraten, gesträubt wie ein Stachelschweinmann, getarnt wie Abrahams Widder im Gesträuch trabe ich schon viel mehr unter meiner Last als auf deiner Fährte. Ich nehme alle Häßlichkeit auf mich, um deine abwesende Herrlichkeit zu vermehren, ja siehe, ich ziehe alles Gewicht wieder von dir ab, das ich dir zugemutet habe, indem ich dich träumte, um dich zu lieben. Auf meinen schwankenden Beinen erkauf ich dir wieder das Recht, zu verschwinden, mir, du erste unter allen, zu entgehen. Ich entlasse dich aus deinem Verhältnis als meine Figur, ich verzichte auf den Gedanken, dich einzuholen, um statt der Giraffe zwischen deine Beine zu treten und ihren ungeduldigen Griff zu dulden. Geh – ich habe aufgehört zu wittern, ich will dich wieder so gestalt- und namenlos wie du mir gestern vor den Spätnachrichten gewesen bist. Ich drehe die Bühne ab, drehe den Göpel meiner Einfälle nicht mehr. Ich bitte dich, entspring, wie du bist, und laß mich den ganzen Zauber abschütteln, Möbel und Plüsch, Giraffe und Stier...

Vergebens. Dich in tiefste Abwesenheit verscheuchen und dich finden ist eins; wenn deine Spur im Plüschteppich ausfällt, kann das nur heißen, daß ich dich nun auf meinem Rücken trage. Süßeste Arabeske: niemand soll sagen, daß dein Tier weniger sensibel sei als die Prinzessin auf der Erbse: durch klafterdicke Polster schmeck ich dich, du Gleichschwerkuchen aus An- und Abwesenheit, schmaler Körper mit dem ganz unspezifischen Gewicht: siehe, du fällst durch all meine Verpackungen mitten gegen mein umsonst um sich schlagendes Herz. Die Corrida nähert sich ihrem Höhepunkt, keine Sorge, dein Stier weiß, was er dem Augenblick schuldig ist. Ich werde das Schwert in deiner Gestalt zu empfangen wissen, die gut leitende Flüssigkeit, die man Blut nennt, wird sie abnehmen und als Blitz in die feinsten Verzweigungen meiner Adern weiterreichen. Wippender als jedes Stuhlbein, höher aufgerichtet als ein Giraffenhals wirst du in meinem Herzen stehen. Und mich auf die Vorderfüße niederlassend, als stürbe ich nur aus Galanterie, werde ich meine zitternden

Klauen falten unter deinem Gewicht: *enfin touché*. Mein Stiermaul wird ein Lächeln bilden auf dem Boden, den es berührt, unter dem das Flüstern der Neger beinahe verstummt ist: das Lächeln ohne die Katze. Vollkommen abgewendet voneinander, haben wir uns zum ersten Mal vollkommen vereinigt. Meinem brechenden Auge aber wird geschehen, wie geschrieben steht: *to be able to see nobody*. Ja, es ist süß, unter deinem geringfügigen Druck zu erblinden – es ist mir so lange nicht mehr passiert. Erinnerst du dich (noch nie hat Mangel an Erfahrung Liebende am Erinnern gehindert): *So it wasn't dreaming, after all, unless – unless we're all part of the same dream*.»

Man wird nicht erwarten, daß ich zu diesem Dokument Stellung nehme. Ich halte nur fest, daß die von Stefan genannten Möbel anderntags um die selbe Zeit – nach Mitternacht, heißt das – im Hauptraum der «Soldanella» verteilt waren; durch keinerlei Zaubermacht manövriert, leider, sondern durch die harte Arbeit von uns paar Leuten. Von Agnes Bock, der Spenderin, fehlte jede Spur. Wir verdrängten sie. Wir dankten ihr, indem wir ihre Gabe benützten. Um drei Uhr morgens war der Trümmerhaufen abgebaut. Fee mißbilligte uns. Sie fand, wir heiligten den Sonntag nicht genug. Aber wir hatten keine Zeit für fromme Delikatessen. Übermorgen – nein, schon morgen kam Anderegg.

Hoher Besuch

Ich hätte mir ihn anders vorgestellt. Er war der erste Universitätsprofessor in meinem Leben. Pa hatte, soweit er Freunde nach Hause brachte, keine studierten Freunde, nur so Ferienbekannte oder Vertreter oder Partner fürs Bridge. Den Architekten Streuli zähle ich nicht. Erstens stand er zu uns in einem Dienstverhältnis und war nicht bereit, es nach Pas Plänen in ein familiäres zu verwandeln; zweitens habe ich Architekten nie für studierte Leute gehalten. Die schätzen das gar nicht besonders. Je besser sie verdienen, desto proletarischer sehen sie aus; man ist ein feiner Mensch oder ein zeitgemäßer, etwas Drittes gibt es nicht. Nun – zeitgemäß sah Prof. Anderegg wohl nicht aus, als er nach flüchtiger, doch erstaunter Begrüßung, eine Schulter etwas vorgeschoben und den Mund gespitzt, über unsere von zwei Negern flankierte Schwelle trat; er sah aber auch sonst nicht wie jemand aus. Er war klein, leibarm, wirkte abgezehrt mit seinem gefurchten Gesicht, in das zwei ziemlich große Augen eingelassen waren, Kojoten-Augen, die trübe, leicht entzündet, auch etwas lauernd blickten, plötzlich aber, wenn er die Brille abnahm, liebenswürdig, ja humoristisch aufblenden konnten – ein verletzlicher Humor; Stefan, der es wissen mußte, behandelte ihn wie ein rohes Ei. Gewöhnlich aber blieb die stark spiegelnde Brille aufgesetzt, dann war über die Augen nichts auszumachen, ein Glasschneiderdiamant war an ihre Stelle getreten. Die weit zurücktretenden, ganz ergrauten, in kleine Locken gelegten Haare gaben eine hohe und doch zerbrechliche Stirn frei; in ihrem Faltenwerk konnte man so etwas wie ein zweites Gesicht unterscheiden, sprechender als das hauptsächliche, denn Heiterkeit und nervöse Schatten zogen leicht sichtbar darüber hin wie Wetterwechsel im Hochgebirge. Das Bild gefällt mir, denn es fängt etwas für Prof. Anderegg Typisches ein: sein Gesicht schien fortwährend von *außen* geformt zu werden, von einem mit heikler Wachsamkeit registrierten Gegenüber her; es reflektierte die Stimmung der andern, es hatte kaum eigene Stimmung, höchstens die unbeträchtliche der Müdigkeit, in die es von Zeit zu Zeit zurückfiel. Ja, der Mann war sensibel, aber müde, der damals, mit erstauntem Aufblick, etwas gebückt unter seinem eigenen Kopf, zwischen Jack und Jim hindurch, von Stefan wie ein Greis geleitet und umsorgt, durch die ehemalige Gaststubentür trat – und dann doch wie getroffen stehenblieb, die Brille halb abnahm, so daß sie ihm schräg im Gesicht hing, und *witterte*. Doch war das nur ein Augenblick; mit einer Bewegung, die ihm gut stand, die wohl einmal deswegen geübt, jetzt aber Gewohnheit geworden war, streifte er den Bügel der Brille wieder übers Ohr zurück und begann, während wir den Atem anhielten, zu *wandern*. Er ging keineswegs gemächlich, sondern schritt aus, wozu die Abmessungen der Gaststube auch jetzt noch einluden, schritt mit etwas angezogenen Schultern und auffällig schwingenden Armen um die Ottomane herum und von einem Greuel zum andern, nur manchmal ruckartig innehaltend, um dann seinen rudernden Gang um so bestimmter wieder aufzunehmen. Stefan begleitete ihn so unauffällig wie möglich, wie eine Hofcharge; manchmal geschah es, daß sich Anderegg, auf eine geflüsterte Erklärung Stefans hin, brüsk nach ihm umwandte und ihn ansah. Ab und zu blieb er an einem Fenster stehen, als ob er hinausblicke – aber das kam schwerlich in Frage, denn unsere Fenster waren mit massiven Samtgardinen drapiert und mit gerafftem und geklöppeltem Tüll verhängt. Stefan blieb auf Lackzehenspitzen stehen, bis Anderegg seine scheinbare Ausschau befriedigt hatte, dann folgte er ihm wieder, Tour um flüsternde Tour um die Ottomane herum mit ihren geschnürten Polstern, folgte ihm in wechselndem Abstand zur Nähmaschine, zurück in den Erker, ins Südflügelchen der «Soldanella» hinaus, in dem das Tischchen mit den Tuffzapfen stand, seinerseits umstanden von Stühlen verschiedener Machart, über deren Lehnen und Kanten Anderegg im Vorbeigehen den Handrücken schleifen ließ, vorsorglich zurückzuckend, wenn er in einem Rabengiebelchen, einer Zäpfchensilhouette hängenzubleiben drohte (Staub wischte er keinen ab, dafür hatte Fee gesorgt). Dann wanderte er, wanderte Stefan mit ihm an die Stelle, wo früher das Chandigarh-Plakat gehangen hatte, jetzt eines der Barometer hing, man darf ruhig an das scheußlichere von beiden denken, das Andereggs Schritt einen Augenblick hemmte, seinen leibarmen Torso zurückriß, oder war es das Papiermaché-Möbelchen, das sich, Rose an hohler Rose, unter dem Barometer krümmte, gleichviel; Anderegg wanderte schon wieder, wanderte den Hintergrund des Raumes ab, wo kein Gedanke an die Zeitungsstöcke mehr möglich war, die längst unter Mathis' bravem Beil gefallen waren, wo nur noch der Ofen mit gipsweißer, aber hitzebeständiger Farbe bis übers Rohr verfremdet prangte; wanderte am Flügel vorbei, der seine perlmutternen Tasten bleckte, das «Veilchen von Abbazia» auf der Zierleiste zum Spielen ausbot und in einem Arrangement wächserner Kallas gipfelte, zwischen denen gleichfalls künstlicher Efeu über das beinahe überforderte Plumpudding-Gefäß und weit über den Spitzenbehang niederrieselte. Dann schwenkten die beiden Ferse an Ferse türwärts, wo immer noch Jack und Jim zwischen einer kleinen Allee richtiger Topfpalmen und abgestaubter Aspidistren ihre Schwärze präsentierten, strichen unter dem Vogelkäfig durch, der an langem weißem Draht, mit einem ausgestopften Pfau bis zum Bersten gefüllt, von der ebenfalls kalkweißen Decke hing, streiften das gebündelte Gebüsch des Pfauenschweifs, den der Käfig nicht faßte (nur Herbert und der liebe Gott wußten, wie sich das Vieh in diesen Käfig hatte praktizieren lassen), glitten auf Plüsch an der urweltlichen Nähmaschine vorbei, die jetzt den Fensterplatz besetzte, unter dem ich einst den Retsinagesprächen gelauscht und mir den Amselwind durchs Haar hatte gehen lassen. Atemlos, in den fixen Posen von Wachsfiguren verfolgten wir, Schwarz und Weiß, Monika und George St. Pancras, Herbert und McNapoleon, verfolgten wir mit vierundzwanzig Augen diese Nachmittagspantomime in der verzauberten «Soldanella», an die nichts mehr erinnerte, sahen den Professor und seinen Famulus durch die Tür ins Nebenzimmer verschwinden, ins Sterbezimmer Balthasar Demuths, wo nun nichts mehr aufgebahrt stand als jenes mörderische Bett mit der Eisenbahnfederung, das hinter Plüsch und Tüll dämmernde Skelett einer Bundeslade. Wir sahen, je nach unserem Standort, Anderegg an den Schreibtisch treten, dessen weite Fläche spiegelte, sahen ihn einen Augenblick im Gitter des Chorstuhls hängen wie einen gemarterten Glöcknergeist. Dann blitzten die Brillengläser auf, anzeigend, daß Anderegg wieder auf dem Herweg war, und wir sahen ihn, sahen den murmelnden Stefan hinter ihm unter dem Gipsgesicht in die rosa Dämmerung unseres Lustgemachs treten, Kurs auf den Flügel nehmen, an dem er sich doch endlich niederließ, zwischen den Beinen, die er spreizte, das hochgezüchtete Schraubstöcklein von Klavierstuhl, auf dem er sich vom Flügel weg- und uns zudrehte – nicht um uns zu sehen, sondern um die Brille abzunehmen und ausgiebig zu wischen. Ja, da endlich saß er still, so still war es in diesem Raum noch nie gewesen, saß auf seinem lächerlichen Dreifuß, das Veilchen von Abbazia im Rücken, während die mondscheinblasse Klavierleuchte hinter ihm seinen Schatten zögernd auf den Boden malte, saß, ein groteskes Reiterstandbild, saß und befingerte, nachdem er seine Brille zurückgeschoben hatte, eine unserer Schnupftabakdosen und schwieg. Ruhe war eingezogen in diesem Raum, angespannte Stille über der vierzehnköpfigen Gemeinde, Stille vor der Verwandlung des Fleisches, Stille vor dem Urteil; nichts regte sich als die Augen der Neger, die, zum Klaviersessel hin- und zurückwandernd, das Weiße sehen ließen. Ich blickte auf Stefan. Er lehnte am Flügel, die Füße übereinander, einen Arm über die Kante gelegt – nicht so weit, daß es scheinen konnte, er posiere für ein Gruppenbild mit dem Professor; weit genug, um seine Unbefangenheit zu demonstrieren. Aber der Schatten seiner Hand, die er vor das Veilchen von Abbazia hängen ließ, zitterte.

Halt, Klaus Marbach. Du darfst den Professor noch nicht den Mund öffnen lassen, so sehr du damals mit den andern auf nichts anderes wartetest und gebannt auf die trainierten, durch allerlei akademisches Leid tief eingegrabenen Furchen starrtest, die sich leise, wie kauend bewegten – auf die ausdrucksvolle Stirnpartie eines sonst unkenntlichen, weil vom Brillenglas überblendeten Gesichtes der reitenden Gelehrtenfigur, die die Schnupftabakdose mit einem kleinen Dröhnen auf den Flügel zurückgelegt hatte und die Hände zwischen den gespreizten Beinen auf den fast nicht vorhandenen Sitz stützte: der zögernde Schatten zeigte jetzt den Umriß eines Frosches. Kein Zweifel: Anderegg machte sich zum Sprung über diesen Schatten bereit. Aber ich muß ihn noch eine Weile so sitzen und uns andere starren lassen. Man nennt das, glaube ich, ein retardierendes Moment, und es soll ein Kunstgriff sein, obwohl beim Leser unbeliebt. Was ich die Landschaftseinlagen im «Lederstrumpf» gehaßt habe! Aber ich tue es niemandem zuleid, ich schwöre es, wenn ich zu diesem Kunstmittel greife, vielmehr: wenn ich die Notbremse ziehe, – der Fall liegt nur so, daß noch zu vieles nicht gesagt ist. Stefan hat es mitzuschleppen versäumt in seiner verliebten Büffelphantasie. Er konnte in jener Samstagnacht auch nicht alles wissen; zu unübersichtlich war der Haufen gewesen, auf dem wir Agnesens Mitgift liegen ließen, teils um wieder einmal auszuschlafen, teils um mit übernächtigten Augen von der Geberin zu träumen. Ja, wir berührten den Schlaraffenhügel nicht mehr – nachdem er ja so gut wie bestiegen oder ausgebeutet war. Aber wir täuschten uns in ihm. Seine Vorkommen waren noch reicher, als sich beim nächtlichen Ablad hatte vermuten lassen, reicher, als sie Stefan geträumt hatte; ihre Nutzung, zu der wir dann am Sonntag schritten, kostete unvorhergesehenen Schweiß. Denn Agnes oder Alice hatte nicht nur Möbel gebracht. Sie hatte auch ein ganzes Badezimmer gebracht, eine graue Emailwanne mit allerlei Umbauten. Welche Bewandtnis es damit hatte, ahnten wir erst, als wir die Elemente zusammengefügt hatten; dann freilich wurden wir ganz klein davor. Es war ein Monument von Bad, ein Sarkophag mit angebautem Campanile, in dem zittrig ein Büschel verrosteter Brausen baumelte, und die Ohren läuteten uns auch, als wir es aufgerichtet hatten und die Wirtsstube zwanglos dominieren sahen – es war so ungeheuer groß, daß wir, statt auf Gründerzeitmobiliar (Byzantinischem Chippendale) jetzt ebensogut auf dieser Badestube hätten reisen können... Nichts weiter davon. Es war ein Himmelsgeschenk, aber ein erdrückendes, vorläufig; wir montierten es wieder ab im Schweiße unseres Angesichtes, verschoben es blockweise in die Küche hinüber, wo es neuer Auferstehung harrte, wo es noch eine Weile ruhen mag, ehe ich dazu komme, ihm erzählerisch Gerechtigkeit anzutun. (Vielleicht gelingt es mir, es beispielsweise durch Monika benützen, seine geistvollen Quellen auf ihren weißen Leib sprudeln zu lassen, erstens damit ich in mein Buch auch eine schlüpfrige Stelle bekomme wie der Roland, zweitens aber auch um dem Lessing genugzutun, denn ein Bad mit Benützung ist vom Standpunkt der Kunst doch etwas ganz anderes als ein Bad netto.) Wir verloren wertvolle Stunden mit dieser mürben Wasserkunst, die Zeit der katholischen und der reformierten Radiopredigt zusammen, die in halber Stärke aus Tobias' Transistorradio erklangen, denn alles, was recht ist, meinte Fee, Sonntag bleibt Sonntag. In Stefans Inventar fehlt auch sonst allerlei; den Nachtstuhl zwar hat er erwähnt, alle Achtung, ich staune, daß er den nicht verdrängt hat, und wir pflanzten ihn am Fußende des Leichenbitterbettes auf. Entfallen ist Stefan der gewöhnliche Nachttisch, denn einen solchen gab es auch: in Gestalt eines Piedestals wie für eine Büste, aber ohne Büste; ein Obelisk mit gekappter Spitze, gänzlich unbrauchbar, abgedeckt durch eine Marmorplatte, die aber, wenn man zusah, Glas war, das Marmor vortäuschte. Daß Stefan die lebendigen, halb lebendigen oder nachgemachten Pflanzen und Früchte übergangen hat, die uns seine Alice bescherte und die der «Soldanella» schon am ersten Abend das Gepräge einer wüsten Orangerie, einen Anstrich verhexter Üppigkeit gaben, das finde ich typisch für Stefan; Stefan hat wenig Beziehung zum Organischen, es liegt ihm nicht so. Da empfinde ich anders: schon habe ich Anderegg durch das Wäldchen von Farnen und Aspidistren schreiten, Jack und Jim unter Palmen Aufstellung nehmen lassen, denn Neger gehören unter Palmen, auch wenn die Palmen abgestaubt und die eine oder die andere nicht ganz richtig sein sollten. Agnes hatte uns auch allerhand Beleuchtungskörper eingebrockt, die ich dem Leser nicht erlassen möchte: außer dem Mondschein auf dem Flügel ein lächerliches Lüsterchen aus dem Venedig der Philister, das versponnen wie ein gläsernes Ungezieferchen dicht unter der Decke hing und mit seinem von Herbert installierten Licht – vier 15-Watt-Birnen – nirgends hinreichte; es leuchtete nur sich selbst. Auf dem Nachttischobelisk drüben an Demuths Sterbebett stand ein Lämpchen auf ganz großem Fuß, einer bronzenen Bärentatze (sie war, wenn man kratzte, aus Holz), das aber ebenfalls nur so hell gab, um den berühmten Schlafzimmerblick zu erlauben. Auf der Papiermaché-Chiffonniere gloste ein gotischer Armleuchter und hatte seine Flämmchen mit dem trüben Spiegel zu teilen. Ja, die Lichter, die wir besaßen, brannten allesamt unter dem Scheffel, und hätten doch Grund gehabt, sich anzustrengen; denn schon jetzt, um die Teestunde im Spätfrühling, lag der einst nüchterne Wirtsraum in rötlicher Dämmerung. Das lag natürlich an den schweren Gardinen, die weit und prahlend über ihre Grenzen traten und die Freiheit der Fenster verkümmerten, soweit diese Freiheit bestand, denn das Tageslicht fing sich ja auch noch im dichten Tüll. Aber das war noch nicht alles. Das Mittelfenster der Straße, der undenkbar gewordenen Nachmittagssonne zu, war nämlich kein Fenster mehr, sondern eine einzige, in etwas magern und vulgären Farben ausgeführte Glasmalerei, die dennoch für ihren Zweck, zu schummern und zu dämmern, vollständig hinreichte. Sie zeigte auf rötlichem Grund eine in meinen Augen stark tuberkuloseverdächtige Jungfer in gleichfalls rötlichem Kleid, die an einer eckig fließenden Quelle hingegossen lag und die Augen mit einer gewissen Schroffheit geschlossen hielt. Hinter ihr erhoben sich zwei Schutzengel, aufrecht der eine, stark vorgeneigt der andere. Der vorgeneigte, ein dürftiger Bursche von wenig Lebensart, tippte mit dem Zeigefinger auf die magere Wange der Jungfer; der aufrechte machte das steifleinene Gesicht eines englischen Butlers dazu. Das Ganze hieß, wie man einem Spruchband mit Frakturschrift entnehmen konnte: «Die Erschaffung des Grübchens» und war überlebensgroß. Man wird sich fragen, wie unsere Minister vom Sambesibogen einen so kostbaren und zerbrechlichen Gegenstand unversehrt und vor allem: unbemerkt vom Giraffenwagen in die damals noch gute Stube hatten tragen können. Ganz einfach: es war natürlich kein Glasgemälde, sondern die Imitation eines solchen, ein mit glasklarem Klebstoff auf die gewöhnliche Scheibe aufzuziehendes Kunstwerk aus Zellophan, von falschen Bleifassungen durchzogen. Monika hatte sich dieser Aufgabe mit geschickter Hand entledigt, noch ehe Fee mit den eilig vernähten Draperien fertig geworden war und sie aufgezogen hatte, die gewaltige Fee auf ihrem Küchenschemel im Fensterkreuz, viele plüschene Pfunde in einer Hand haltend, Ringe und Zwecken, Schräubchen und Haften vom Mund in die Hand zählend.

Aber die andern, besonders Mathis, dessen Hände sich inzwischen wieder beruhigt hatten, waren auch nicht müßig gewesen. Während Stefan die Möbel inventarisierte und ihren Standort festlegte, während Herbert die elektrischen Apparate flickte und vervollständigte, während Roland die verrauchte Wirtsdecke des alten Hüttenrauch mit einem violett versetzten Weiß, mit einer Art Leichenfarbe überzog, während alledem bauten Mathis und Tobias, der mit großer Kelle Kleister anrührte, die Wände der «Soldanella» neu, – nicht alle, aber die Wände der Gaststube und des Demuth-Zimmers. Man erinnert sich hoffentlich an das matte Honiggelb, das Gelb alter Drittklaßwagen, das mir über mein Lateinbuch hinweg damals so zu Herzen gegangen war, das Verlassenheitsgelb, das die starken Farben des Corbusier-Plakats gehoben und über das der Frühlingswind so spurlos gestrichen hatte, das banale und vaterländische Holzgelb der Hüttenrauchschen Gastwirtschaft. Nun – an diesem Sonntagnachmittag und am nächsten Montagmorgen sahen wir die flache ehrliche Maserung zum letzten Mal, sahen sie unter gewaltigen Marmorquadern verschwinden, die Mathis, abgemessen, aber eher etwas zuviel als zuwenig, von der Rolle schnitt, die ihm Tobias auf dem Boden ausgespannt hinhielt, um dann Streifen um Streifen zu bekleistern, Kante an hohe Kante auf die Wand zu legen, die sich zusehends verdüsterte, immer mehr zur schwärzlichen, von Rahm und Amethyst durchzogenen Gruft wurde, einen schwärzlichen Schatten auf jedes Gesicht warf, das sich erhob, um halb erschrocken, halb erheitert den Fortschritt der Veränderung, des finstern Verwandlungszaubers zu betrachten. Am späten Montagnachmittag war auch das Schlafzimmer, das Sterbezimmer Balthasar Demuths, ausgeschlagen, nicht mit Marmor, sondern mit einer Tapetenarbeit, die lächerlich plastisch eine endlose Flucht von blaßgrünen Baldachinen suggerierte – eine so kräftige Suggestion, daß es Fee Überwindung kostete, diesen Baldachinen nicht gleichfalls, wie schon den Möbelchen, wie schon der Palme, mit dem Staubwedel zu Leibe zu zu rücken. Ja, Agnes oder Alice, die schmale Wagenlenkerin in Hemd und Jeans, hatte an alles gedacht. Sie verwandelte unsere Wände, sie belegte unsern Boden, wir belegten unsern Boden mit ihrem Plüsch, der gleichfalls rollenweise geliefert worden war, belegten ihn alle gemeinsam am Sonntagabend, und danach war es ein Vergnügen, endlich auch die Möbel, die provisorisch bald in diesen, bald in jenen Winkel abgeschobenen Möbeln nach Stefans Angaben aufzustellen, so zu stellen, wie sie dann Prof. Anderegg mit gespitztem Mund erblicken sollte. Die Ottomane zwar gab uns noch allerhand Probleme auf, aber schließlich stand auch sie, stand prall in der Mitte des Raums, der ein Gelaß wie für einen toten Byzantinerfürsten geworden war, ein Zentralraum, der jetzt erst die verborgene Monumentalität von Friedrich Hüttenrauchs Gastwirtschaft enthüllte, postum die Finsternisse jenes bärtigen Radikalen mit dem Adlerprofil spiegelte, aussprach in falschem Marmor, was ihn bewegt hatte. Und auf die Ottomane ließen sich, kurz vor Mitternacht, die erschöpften Einrichter fallen, saßen im Kreise, jeder mit einer andern Front wie die Löwen der Alhambra, starrten durch die versiegelten Fenster oder ins klägliche Licht des Leuchterchens. Es war vollbracht, der geräuschlose Boden war bereitet, die Gruft ausgerüstet, in der sie zu überdauern, dem Einschreiten der Straße zu widerstehen hofften. Sie saßen und blickten. Es fiel kaum auf, daß Mathis den Raum auf ein paar Augenblicke verließ und mit einem unbekannten Gegenstand in der Hand zurückkam. Er nagelte ihn über Demuths Türgericht an die Marmorwand, die hölzern widerhallte, hämmerte Stefans matte Einsprache in Grund und Boden. Als der Bildhauer fertig war, sah man das Konterfei Felicitas Schnetzlers an der Wand, Fees Gesicht in Lava oder auch grauem Gips, etwas verwischt oder versengt, aber unverkennbar. In Gottes Namen, Mathis mochte seinen

Willen haben, seinen hausgemachten Talisman anbringen; ein bißchen vertrauter Zauber konnte gegen all den über Nacht gewachsenen Spuk nichts schaden.

Bald wird Professor Anderegg, jetzt noch Frosch auf seinem Drehstuhl, gerade dieses Stück mit besonderen Augen mustern. Aber noch ist es nicht soweit. Noch trennt uns ein Abgrund, ein Abgrund von Ernüchterung, von diesem letzten, nachdenklichen Aufblick seiner Brillengläser. Noch darf ich sein letztes Wort nicht preisgeben – noch ist nicht einmal das erste gefallen, auf das wir brennend warten. Noch warten wir, noch muß ich den Leser weiter warten lassen. Ich schreite zur zweiten Retardierung; sorry, aber sie ist wieder ein Dokument, und man soll mir nicht nachsagen können, daß ich ein Dokument unterdrückt habe.

Ich muß etwas ausholen: man muß wissen und wird mir glauben, daß ein Mensch wie Herbert Frischknecht selbst unter Zeitnot, selbst in einem Interieur des späten 19. Jahrhunderts sein besonderes Spielzeug im Kopf hatte. Er konnte es nicht lassen: er mußte hinter dem Barometer, unterm Flügel des Pfaus, unter dem Nachtstuhl, ja sogar im Leuchterchen seine Mikrophone plazieren (*bugging* nennt er das), ohne weiteren Zweck, als um – selbst in der Gruft des Byzantinerfürsten – die Präsenz der Technik sicherzustellen; das war nun einmal *sein* Talisman, *seine* Arabeske. Ganz folgenlos freilich hatte er seine Fäden nicht gesponnen, denn sie übermittelten auf Tonband, was folgt: das Gespräch, das Prof. Anderegg und Stefan auf ihren Wanderungen führten, auf ihrem labyrinthischen Rundgang, der also doch keine strenge Pantomime war, sondern eine abgerissene, bald gezischte, bald gemurmelte Verständigung von Möbel zu Möbel, von Graus zu Graus. Die Aufnahme ist schlecht, weil sie technisch so gut ist, weil Herbert außer den kunstkritischen Aperçus auch jedes Scharren der Neger, jeden Seufzer der Statisten, ja, selbst das starre Rascheln der Palme mit aufs Band bekam, – eine unfreiwillige, manchmal surrealistische Montage also, ein exotisches Dokument, aber eben doch ein Dokument.

Stimmen: A. und St.

A. *Aha... aha. Aha?*
St. *Imitation, Herr Professor.*
A. *Natürlich. Will Rosenholz sein.*
St. *Ist aber Buche.*
A. *Hm.*
St. *Bitte?*
A. *Nichts. – Aha. Nicht nur die Farbe. Auch das Korn! Gu nachgemacht.*
St. *Teurer als richtiges Rosenholz, schätze ich.*
A. *Ist ja ganz wild. Also für was überhaupt.*
St. *Ich stelle mir vor –*
A. *Aha. Lackarbeit?*
St. *Imitation, Herr Professor, Papiermaché. Wie das ganze Stück hier.*
A. *Ist ja ganz wild. Funktionell total absurd.*

Hier seufzt jemand ganz in der Nähe eines Mikrophons, seufzt so laut und heiser wie ein Kettenhund, mit kurzem, bebendem Atemholen dazwischen. Es tönt ganz nach Monika.

St. *– – fühlen Sie nur an – –*
A. *Hart. Hart in der Tat. Hält wie Eisen.*
St. *Und die Rosen..*
A. *Falsch vergoldet.*
St. *Nein, Herr Professor. Echt vergoldet.*
A. *Ist doch wohl nicht möglich. Gold auf Papiermaché – –*

Die Palme raschelt. Roland schnalzt heftig bei geschlossenem Mund, nach seiner Gewohnheit, wenn ihn der Gaumen juckt. Einer der Neger summt: Tom Dooley. Das Summen untermalt das ganze folgende Gespräch, obwohl es ganz leise ist, meint der Neger. Ich spiele mit dem Hausschlüssel in der Tasche. Auch das ist drauf.

St. *Merkwürdige Ideen von Veredlung.. das Surrogat empfand sich als Triumph über – – entsprechend kostbarer. Holz wie Marmor, Glas wie Holz – Maskenball der Materialien. Man rechnete damals nicht mit einer Entlarvung.*

A. *Kam aber. 1914 schlug es zwölf.*

St. *So scheint es, Herr Professor. Aber gehen Sie zu Möbel-Kräuchi.*

Hang down your head Tom Dooley – hier tönt der unbekannte Neger so inbrünstig, daß es den beiden auf dem Band das Gespräch verschlägt.

A. *Sie meinen also.. die unnatürliche Behandlung des Materials galt damals als moralisch.*

St. *Ohne Zweifel. Genau wie die unnatürliche Behandlung der Kinder. Das Ergebnis ist etwas Obszönes: das Engelchen ohne Unterleib.*

A. *Alice im Wunderland.*

St. – – –

A. *Kennen Sie die Stelle, gleich zu Beginn, mit dem goldenen Schlüssel?*

St. *Nein.*

A. *Sie probiert alle Türen, «aber ach! entweder waren die Schlösser zu groß oder der Schlüssel war zu klein.»*

St. *Interessant.*

A. *Ein Verplaudern des Verfassers.*

St. *Der verklemmte Mathematiker aus Oxford war wohl ziemlich repräsentativ.*

A. *Wie meinen Sie?*

St. *Die ganze Periode ist Erotik am untauglichen Objekt.*

A. *Das ist gut. Das müssen Sie drucken lassen. «Die Erschaffung des Grübchens»...*

St. *Auf Papier.*

A. *Eben. Und wo diese Vogelscheuche ein Grübchen hernehmen will.. Erotik am untauglichen Objekt...*

St. *Oder Technik am untauglichen Material. Form ohne Funktion.*

A. *Überbestimmte Form..*

St. *.. bis zum Exzeß. Erst im Exzeß zeigt sich der moralische Sieg über das Material.*

A. *Das Material müßte in diesem Prozeß einmal gleich Null geworden sein..*

St. *Ist es auch.*

A. *Aber hören Sie. Die erstickten ja in ihren Stoffen. Die konnten ja keine Ecke unverbaut lassen. Horror vacui.*

St. *Kein Widerspruch, Herr Professor. Die Prätention vollkommener Geistigkeit endet immer in überschüssigem Fleisch.*

A. *Schön, das von Ihnen zu hören, Stefan.. Natürlich. Sie haben recht. Nur die Viktorianer wußten noch, was schlüpfrig ist.*

St. *Nur auf täglich gebohnertem Parkett können Sie ausrutschen.*

Hier hört man Tischrücken. Jemand – Fee wahrscheinlich – klappert mit Täßchen. Ich kann mich daran nicht erinnern. Es war ein so kritischer Augenblick, ich konnte mir nicht vorstellen, daß jemand Gastgeberpflichten wahrnahm. Ich hatte nur Augen für den rudernden Professor.

St. *Die Periode war groß darin, dem Unsinnlichen einen Körper unterzuschieben: im Ersatz. Der Ersatz erscheint uns heute als Lüge. Damals war er eine Idee.*

A. *Damals müßte der Kunststoff aufgekommen sein.*

St. *Ist er. In den 80er Jahren propagierte ein Herr Bampton aus Birmingham ein «Plastikmaterial aus Moosfiber und Kalk».*

A. *Nicht schlecht. Auch das Papiermöbel da. Der Sinn des Möbels ist zwar unklar..*

St. *Er erfüllt sich darin, daß das Möbel* n i c h t *aus Holz ist.*

Hier blieb Professor Anderegg vor Monikas Jagdtrophäe stehen. Man erinnert sich: dem Büschel toter Vögel, das an einem Flintenlauf aufgeknüpft und von der Schottenmütze gekrönt ist.

A. *Was ist das Überflüssiges? Etwa auch kein Holz?*

St. *Doch.*

A. *Sehen Sie. Brave Schnitzarbeit.*

St. *Schnitzarbeit; aber brave? Fühlen Sie einmal.*

A. (fühlt und klopft) *Holz, schlecht und recht. Ich finde nichts dahinter.*

St. *Maschinenarbeit, Herr Professor.*

A. *Hören Sie auf. Diese Federchen? Diese Zweiglein!*

St. *Alles Ersatz. Nicht Ersatzstoff diesmal. Aber Ersatzhandlung. Ein Triumph über das Banale: über die Manufaktur.*

A. *Aber am Ende soll es wie Manufaktur aussehen.*

St. *Natürlich, denn die Maschine wird noch als Reiz behandelt. Ma will ihn spielen lassen, auch empfinden, aber nicht wahrhaben.*

A. *Wie viktorianisch. Glauben Sie, daß diese Holzschnitzmaschine sich amortisiert hat?*

St. *Im Bewußtsein der Zeitgenossen schon. Das Ideelle – und diese Jagdtrophäe war eine Idee – braucht nicht zu rentieren. Es ist ein Luxus, den man gern überzahlt. Uns hat das Stück einen Pappenstiel gekostet. Damals war es ein Kunstwerk und teurer als eine Plastik von Degas.*

A. *Man prämiierte die eigene Abdankung.*

St. *Man prämiierte den gelungenen Ersatz.*

A. *Merkwürdig.*

Nach den Geräuschen zu schließen, bewegte hier Prof. Anderegg mit seinem Fuß das Trittbrett der Nähmaschine. Nicht einmal das hatte ich damals bemerkt. Vor lauter Hinstarren *sah* ich nicht mehr, was er tat.

A. *Wenn Sie denken, Stefan. Das war die erste Maschine, die in die schwer gepolsterten Wohn- und Schlafräume eindrang. Was für ein Fremdkörper. Was für ein Choc für die Damen.*

St. *Die Periode wurde mit ihrer Wahrheit konfrontiert.*

A. *Ein ungebührliches Zusammentreffen.*

St. *Ein wenig ließ sich die Wahrheit ja biegen, ins Gotische oder Maurische...*

A. *Aber im Grunde stehen Plüsch und Zahnrad Aug in Auge.*

St. *Und blinzeln einander zu, Herr Professor... Entschuldigen Sie das Bild. Die verstehen einander ja nur zu gut. So gut, daß es geradezu höflich ist von der Nähmaschine, sich ein bißchen maurisch zu geben.*

A. *Sie meinen...*

St. *...daß die schweren Gardinen und verhexten Möbel nur den Sinn hatten, zu kaschieren, was dieses Maschinchen so vorwitzig an den Tag bringt: das nackte Kalkül.*

A. *Sie meinen, wer nicht brutal rechnete, konnte sich gar nicht erst schwere Gardinen leisten...*

St. *...um sich in der herrschenden Dämmerung wieder über seine eigenen Geschäftspraktiken hinwegzuträumen.*

A. *Wie Sie aus so einer Nähmaschine einen Verräter machen, Stefan. Sehen Sie sie an: ein verspieltes Dingelchen...*

St. *Ja, Herr Professor: verspielt, weil es mitspielt. Der maurische Kitsch macht den ganzen Unterschied: er macht aus dem möglichen Spielverderber einen Komplizen. Die Dame des Hauses, wenn sie sich aus Spaß und Neugier einmal an die Maschine setzt, soll nur das Ornament auf dem Pedal spüren; nicht das, was sie wirklich mit Füßen tritt...*

A. *Was tritt sie wirklich mit Füßen, Stefan?*

St. *Das ist ein weites Feld, Herr Professor. Es bleibt draußen, jenseits der Plüschvorhänge. Genug, wenn ab und zu aus einem schattigen Winkel der Verdacht aufsteigt, daß man sich furchtbar verkalkuliert haben könnte...*

Das ist eine leise Stelle. Es liegt daran, daß sich Prof. Anderegg und Stefan vorübergehend aus dem Einzugsgebiet der Mikrophone entfernt haben, um das Nebenzimmer, das Demuthsche, zu gewinnen. Klar wird der Empfang erst wieder, wie sich Anderegg auf die eherne Bettstatt niederläßt, in Reichweite des Mikrophons im Nachtstuhl, in das er, ohne es zu ahnen, sehr laut die folgenden Sätze spricht – verständlich sind sie trotzdem erst, nachdem sich die Bettfederung beruhigt hat – :

A. – – – *Sie können einen nicht schlecht erschrecken, Stefan. Das ist ja eine Bettstatt wie im Märchen von Dem, der auszog, das Fürchten zu lernen...*

St. (von weit weg) *Wenn ein Junge darin gezeugt wurde, so kann er im 1. Weltkrieg gefallen sein.*

Sehr starkes Geräusch der Bettfedern. Offenbar hat sich Anderegg wieder erhoben.

A. (jetzt auch weiter weg) *Die Baldachin-Tapete ist auch nicht schlecht.*

St. *Sehen Sie: so groß war das Bedürfnis nach Verkleidungen. So viel hatte man zu verbergen. Man traute keiner nackten Wand mehr.*

A. *Der Effekt ist aber verkehrt. In den tausend Fältchen kann sich die Angst erst recht einnisten, scheint mir...*

St. *Was man verbirgt, wird eben dadurch sichtbar.*

A. *Ich finde Sie heute so sentenziös, Stefan. Sie wollen wieder auf ihre Dialektik des Schlüpfrigen hinaus...*

St. *Und des Spukhaften. Hinter all diesen Gardinen steht ES. Und hinter den nachgemachten Gardinen steht ES um so viel näher.*

A. *Eine gemütliche Zeit.*

St. *Oh, damals konnte man noch richtig gemütlich sein. Fragen Sie nur die Leute über 70. Es war die* douceur de vivre.

A. *Unter dem Galgen, meinen Sie.*

St. *Interessant, daß Sie das sagen. Es ist nämlich ganz merkwürdig, wie der Galgen damals als Orakel gefragt war. Ein Schnitzer in Bierton war berühmt für seine Einlegearbeiten, die den örtlichen Galgen zeigten. Sie wurden aus dem Holz ebendieses Galgens gefertigt und gingen so gut, daß der Mann seinen Galgen immer wieder strecken mußte ...*

A. (lacht nicht eigentlich, aber sagt mit lächelnder Stimme) *In Ihrem Klavierüberwurf drüben kommt das liebe Gerüst auch vor, soviel ich gesehen habe.*

St. *Auch, Herr Professor. Das kunstgewerbliche Unterbewußte ahnte schon, was ihm blühte, und kokettierte damit. Es ist dem Galgen darum nicht entgangen.*

A. *Damals kamen auch die spiritistischen Séancen so richtig in Schwung.*

St. *Das waren schon Vulgärformen. Ich will Ihnen sagen, wo ich das Epochengrauen am stärksten gespürt habe. Das war in einem neugotischen Schloß im Morbihan, Datum schätzungsweise 1880. Ich hatte mit dem Hausherrn und seiner Tochter bis gegen Mitternacht gelesen –*

A. *Petrarca?*

St. *Beinahe. – Maurice Scève. – Dann sagten wir einander gute Nacht. Mein Schlafzimmer war leer – bis auf ein Bett, ähnlich diesem da, aber natürlich mit Bettzeug, hohen Daunen, und einem Nachttisch, ähnlich diesem da. Ein Kamin mit gotisierender Ornamentik. Es war mondhell; ich brauchte kein Licht zu machen. Da sah ich: im Kamin stand die Köchin.*

A. *Die Köchin?*

St. *Deutlich die Köchin. Kopf und Oberkörper waren vom Kaminrand abgeschnitten. Aber der weite, grob plissierte Rock buchtete sich im Mondlicht.*

A. *Ein Kaminschirm. Man stellt sie auf bei Nichtgebrauch des Kamins. Es gibt – oder gab – dieses plissierte Modell.*

St. *Das sagte ich mir auch. Ich starrte hin: es bewegte sich nicht. Aber einen Sekundenbruchteil zuvor* hatte *es sich bewegt. Ein unmerkliches Rieseln lief noch über die helle Breite. Sah ich weg – eine Idee weg –, so erkannte ich aus den Augenwinkeln zwei Füße in der Herdvertiefung.*

A. *Man kennt diese Effekte, wenn die Phantasie angeregt ist. Maurice Scève...*

St. *Natürlich. Und so schlief ich denn ein – erstarrt, aber ich schlief ein.*

A. *Und am Morgen –*

St. *Am Morgen war der Herd leer. Es war doch die Köchin gewesen.*

A. (nach einer Pause, in der es rumpelt – Prof. Anderegg setzt sich schräg auf den Schreibtisch) *Ich verstehe, Stefan. Aber jetzt müssen Sie mir etwas sagen. Was versprechen Sie sich davon, ein Milieu zu beschwören und zu konservieren, das Sie so durchschauen? In dem Sie das gespenstische Syndrom einer Verdrängung – einer historischen Verdrängung – erkennen? Warum soll die Köchin in den Kamin zurück – hier, in dieser ausgedienten Gastwirtschaft in Suburbia, haarscharf an einer stark benützten Ausfallstraße? Warum wollen Sie dieser Straße nicht ihren Lauf lassen? Ich glaube, Ihnen selbst scheint das Unternehmen absurd genug; wie kommen Sie und Ihre Freunde auf den Gedanken, mich dafür einzuspannen? Was versprechen Sie sich von meiner Mitwirkung an diesem Studentenulk?*

St. *Viel, Herr Professor – alles. Denn es ist kein Studentenulk. Es ist ein Versuch. Wir richten uns, an diesem von Ihnen vorzüglich charakterisierten Ort, im Jahre 1865 ein.* Wir fangen nochmals an – *unter dem Galgen, angesichts der Köchin im Kamin. Wir spielen die letzten hundert Jahre nochmals durch – zu einem besseren Ende. Wir möchten den Galgen zum Rad biegen und die Köchin zu Tische bitten. Es ist ein auf wenige Personen und auf diese zwei Räume beschränkter Versuch. Er wird keine hundert Jahre dauern – aber länger, als uns die Umstände augenblicklich gestatten. Wir rechnen auf Ihre Hilfe bei der Änderung dieser Umstände. Unter Ihrem Schutz hoffen wir ein Denkmal zu werden: Museum für eine Gegenwart, die noch nicht begonnen hat, aber weiß, daß sie im Plüsch unserer Urgroßmütter, unter dem Gal-*

gen unserer Urgroßväter beginnen muß, um am Ende so intelligent und heiter zu werden, wie die landläufige Gegenwart es nicht geworden ist – aus Gründen, die wir erforschen müssen. Erlauben Sie uns vorderhand, jene halb verschollene Zeit der Surrogate und Imitationen durchzuspielen. Helfen Sie uns, in diesem historischen Kostüm vor die Öffentlichkeit zu treten und ihr die Vorwände zu liefern, auf denen sie besteht – deren sie wohl bedarf –, um unser Experiment schutzwürdig zu finden. Sie *aber mögen wissen: unser Spiel führt nicht nach hinten, in die falsche Gotik, sondern nach vorn, ins Paradies; die Zeit der Imitationen zum zweiten Mal imitierend, befreien wir uns von ihr und entwickeln allmählich, voller Aufmerksamkeit und Neugierde, unsere eigene frische Zeit. Verhelfen Sie uns dazu, Herr Professor. Verwenden Sie sich bei der vorhandenen Welt für uns; diese Galgenfrist ist die erste und die letzte Forderung, die wir an sie zu stellen haben.*

Es ist ein beträchtliches Plädoyer, und gestochen spricht es vom Band in tiefe Stille hinein; ein Bühnenflüstern, als wären wir damals schon Stefans Publikum und so erstaunt gewesen, es zu hören, wie wir es beim ersten Abspielen des Bandes tatsächlich waren. Was war da in Stefan gefahren! Was in seiner Vision aus unserer «Soldanella» geworden! Wir andern wurden nicht einmal gefragt. – Ich habe ihn im Verdacht, daß es auch für ihn neu und vom Augenblick eingegeben war, was er da vom «Paradies» schwärmte. Es wäre ihm wohl nicht leichtgefallen, hätte ihn das Schicksal beim Wort genommen, für seine Phantasie gutzustehen. Tatsächlich ging die «Soldanella» einen andern Weg. Aber das wußten wir damals noch nicht, wußten überhaupt nichts von dem, was in Demuths Sterbezimmer verhandelt wurde, denn wie schon angemerkt: die Verhandlungen der beiden fanden aus irgendeinem Grunde, wohl unter dem Druck unseres angespannt wartenden Schweigens, im Flüsterton statt. Wie aus dem Band hervorgeht, schwieg dann Professor Anderegg eine ganze Weile. Schließlich sagte er:

Sie sind sich darüber im klaren, Stefan, daß Sie so leicht nicht davonkämen. Gesetzt den vollkommen unwahrscheinlichen Fall, Sie oder ich vermöchten ein öffentliches Interesse für Ihren Alptraum zu mobilisieren; gesetzt sogar, eine Stiftung würde sich an Ihrem Häuschen die Hände verbrennen, so hätten Sie sich dann auch wie ein Museum zu benehmen. Ich fürchte, die Freiheit zu Ihren Erfindungen würde Ihnen arg beschnitten. Stefan auf dem Tonband schwieg. Gleich darauf klang die Stimme Andereggs wie diejenige eines Mannes, der wieder auf seinen Füßen steht.

Kurz, das Ganze ist absurd, erklärte er.

Hoffentlich ist es absurd genug, erwiderte Stefan, schon wieder undeutlich – die beiden waren bereits unterwegs. Im nächsten Augenblick erschienen sie, uns allen sichtbar, unter der Tür; im übernächsten saß Anderegg auf seinem Stühlchen und blickte vor sich hin.

Ende des Dokuments, Ende der Retardierungen. Das folgende haben wir alle, die wir in verschiedenen Stellungen bei der Ottomane, unter dem Pfau, zwischen Palmen, vor der zur Marmortapetentür gewordenen Küchentür standen, – das folgende haben wir alle wieder miterlebt. Der Stummfilm bekam wieder Ton.

Rückschlag, aber Erasmus' Leber schafft es noch

Ja, jetzt blickte Professor Anderegg vor sich hin. Ich saß am Boden vor der Ottomane, ihm zugewandt, und es entging mir kein Zucken in seinem Gesicht. Jetzt erhob er es, so daß ich von schräg unten die Leguanstränge loser Haut sah, die sich von der Kehle zu seinem Kinn spannten. Es arbeitete dazwischen, der Adamsapfel glitt spitzig auf und nieder. Anderegg räusperte sich kurz und trocken. Dann sagte er:

«Ich danke euch für euer Vertrauen. Ich habe mich umgeblickt. Ich finde euren Einfall gut. Aber ich sehe nicht, wie er sich verkaufen läßt. Vielmehr –» und hier sah ich sein Gesicht müde werden und die Augäpfel beinahe in ihren Taschen verschwinden – «vielmehr bin *ich* wohl nicht mehr der Mann, ihn zu verkaufen. Es tut mir leid. Aber ich kann's nicht, und ich kann's nicht ändern.»

Beim Theater gibt es den Effekt, daß, wenn das fatale Wort gesprochen ist, die Volksmenge einen Schritt vortut und zu murren beginnt. Bei uns bewegte sich niemand; niemand rhabarberte; niemand sprach ein Wort. Wir standen einfach da und fuhren fort, dazustehen, jeder an seiner Wand, jeder auf seinem zu einem kleinen radioaktiven Klumpen geronnenen Stück Boden. Eine Kathedrale der Erwartung löste sich in falsche Luft auf, in falsche Dämmerung vor falschem Marmor. In unsern Augen wurde ein Wackelkontakt betätigt. Wir standen herum, Figuren in rasch grau werdenden Nischen. Ich zwang mich, trotz Wackelkontakt weiterhin auf Anderegg zu blicken: es bereitete eine Art Lust, sich darüber zu empören, daß der Plüsch ihn nicht verschlungen hatte; daß er sich nicht schämte, unsere Enttäuschung zu überleben. Aber auch er fuhr fort, da zu sein, saß weiterhin in sein Stühlchen gewunden, falscher Anker mit gelichtetem Haar, hielt weiter die Knie gespreizt, geplatzter Frosch, hatte wenigstens die Augen niedergeschlagen, wanderte mit ihnen den Schatten ab, der sich, schärfer als zuvor, auf dem Plüsch abzeichnete, hatte das akademische Leid um seine Mundwinkel vertieft, aber was sollte uns das: *gesprungen* war er nicht. Stefan hatte es in seiner Pose am Flügel getroffen, Tobias am Boden beim Papiermaché-Möbelchen. Roland war im Aufblick zur Decke erstarrt, Monika mit angezogenen Knien auf dem Abbotsford-Stuhl. Mathis hatte es gegen eine Palme gekrümmt, Herbert stand erschlagen unter dem Pfau. Sie waren alle kleiner geworden, geschrumpft in der umgeschlagenen Luft. Der Ton war wieder weg. Vergebens den Hausbock geschossen, vergebens das Elektrizitätswerk gesprengt; Alice war vergebens aus dem Wunderland hergefahren und vergebens in Stefans Spiegel entkommen; vergebens der Marmor, vergebens Retsina ausgeschenkt, die «Soldanella» vergebens. Nur die Neger waren unverändert geblieben, bewegten sich höflich, aber unverändert: die überlegene Rasse aus dem Sambesibogen. Freilich, die hatten für ihre Revolution auch den ganzen Urwald und die Tafelberge und richtige Giraffen für sich; wir nur dieses gefährdete, vom Katasterplan längst erfaßte, in den Plänen der Ingenieure bereits getilgte Grundstück am Straßenbogen in Überseen, Europa, wo das Land knapp und teuer war. Was wußten diese Neger, wie Armut schmeckt.

«Dann darf ich jetzt zum Tee bitten», sagte Fee. Unglaubliche Fee. Die wußte Bescheid, und die bat zum Tee. In der Marmortapetentür stand sie und gab den Negern, die keine Bewegungsprobleme kannten, den Weg in die Küche frei.

Und sie gingen, sie wußten auch Bescheid auf ihre Art, Fee hatte den Auftritt mit ihnen geprobt. Jack und Jim sprangen zuerst; die waren schließlich bloß Vizeministerpräsidenten. Und sie brachten zwischen sich ein Tischchen, das schon beim Transport aufblättern wollte, ein Tischchen, in dem weitere fünf Tischchen verstaut waren, eins immer kleiner als das andere und das kleinste ganz klein. Unter allen andern Umständen wäre es eine Lust gewesen, ihnen zuzusehen, wie sie fliegend Tisch um Tischchen um die Ottomane herum absetzten, eins mit genauem Nachdruck aus dem andern fallen ließen und mit dem größten genau richtig an der dem falschen Glasfenster zugewandten Seite anlangten: so nämlich, daß die Tischchen aufgingen, die Zwischenräume stimmten. Dann trug Barnabas Alunda ein Tablett herein. Habe ich gesagt: trug? Nein, der Transportminister aus dem Sambesibogen zeigte, was er wert war, meisterte die Berge von Täßchen und Tellern wie einstens die Ottomane, die er jetzt ansteuerte; balancierte seine Ladung auf der flachen Hand, unter der die Manschette ehrfürchtig zurücksank, hatte eine Art Step-Schritt angeschlagen, den er zum Spaß wechselte, während sich das klirrende, doch gehorsame Geschirr über ihm im Halbkreis drehte, wunderbar ruhig auf der tänzerischen Bewegung mitschwamm; in die Knie gehend, fing der Gelenkmann jeden Ausbruchsversuch der Fracht auf, erreichte die Ottomane, kreiselte halb kniend von einem Tischchen zum andern und hinterließ auf jedem ein Teegedeck *comme il faut*. Es fehlte nur, daß der brave Sylvester Mba, der offenbar nie in einem kolonialen Haushalt aufgewartet hatte und solcher Nummern nicht mächtig war, mit Zuckerbüchse und Sahne hinterherkam und jedes der Gedecke durch eine Papierserviette vervollständigte. George St. Pancras, der Geläufige, ein Mann, dessen Bewußtsein höher entwickelt und für *show-biz* nicht mehr zu haben war, füllte aus einer bemalten Kanne sachlich ein Täßchen ums andere mit dampfendem Tee (es war kühl in unserer Gruft; wir hatten es bisher nicht gespürt). Fehlte nur noch Messiah McNapoleon, fehlte noch das Gebäck: er brachte es, eine monumentale Nußtorte, auf die eine nicht ganz sichere Hand die Worte gegossen hatte: *We shall overcome*. Messiah hatte übrigens von Fee ein geblümtes Schürzchen umgebunden bekommen; schließlich war er das Staatsoberhaupt. Er strahlte übers ganze Gesicht, aber das Schneiden der Torte überließ er gern jemand anderem – Fee zum Beispiel; wer hätte es sonst tun können. Mit weichem Knirschen gab die Glasur nach, zerlegte sich die Inschrift, bröckelte hie und da, blieb aber lesbar: *We shall overcome*.

Man kann – ich habe den Leser darauf vorbereitet – auf unserer Ottomane nur nach Regeln sitzen, die der Höflichkeit spotten. Die Polster sind zentrifugal um die gemeinsame Rückenlehne angeordnet. Man hat kein Gegenüber, wenn man sich darauf niederläßt; man kann eigentlich nur über die Schulter und halb abgewendet gesellschaftlich verkehren. Immerhin: man kann die Unhöflichkeit mildern, etwa indem man Leute zusammensetzt, die einander, und wäre es über die Schulter, etwas zu sagen haben; Stefan etwa zum Professor, Tobias zu Monika, einen Antikolonialminister zum andern. Nichts davon geschah an diesem Spätnachmittag. Es war, nach gehabter Enttäuschung, weder Stefan noch einem andern von uns Bedürfnis, sich zu Prof. Anderegg an seine Schmalseite zu setzen und seinen Rücken zusätzlich zu polstern. Mochte er sehen, wie er zurechtkam, mochte der Tee nur bald vorbei sein; man hatte ohnehin jeden Appetit auf die Torte, deren Motto sich in Hohn und Spott verkehrt hatte, verloren. So kam es, daß unsere Sitzordnung, als sie zögernd, aber, auf Fees zweite Aufforderung hin, schließlich doch zustande kam, eine mehr als notwendige Unhöflichkeit bedeutete und von keinen gastgeberischen Rücksichten mehr geprägt war. Fee versuchte in ihrer Güte zu retten, was zu retten war, indem sie sich zu Prof. Andereggs Linken setzte; zu seiner Rechten aber saß Messiah McNapoleon, zu dem unser Ehrengast kaum ein Verhältnis hatte, saßen weiterhin Jack und Jim oder auch umgekehrt: kurz, Anderegg war rechts und auch ferner links von den Sambesihäuptlingen eingefaßt und bekam den Schwarzen Peter zu fühlen. In völliger Segregation am andern, der Grabestiefe des Raumes zugekehrten Ende der Ottomane saß das weiße Element, saßen die vereitelten Paradiessucher in *cafard* und dumpfer Erschöpfung. Von Tobias ist dabei abzusehen; dieser ewig fahrlässige Mensch hatte sich bereits wieder gefaßt oder die Fassung nie verloren, wer weiß das. Er war bereits wieder, wie schon an jenem Retsina-Abend, wie gewöhnlich in Andereggs Vorlesung, an seinem Transistorapparat angeschlossen und hörte mit sorglosem Ausdruck was weiß ich, einen Vortrag über die Stützungsaktion des Pfundes oder das Böse bei den Präriehunden. Ihm war nicht zu helfen, und er wußte es; wir andern hatten an Hilfe geglaubt und düsterten vor uns nieder. Es war eine Fügung, daß die Konstruktion der Ottomane uns verbot, dem Professor ins Auge zu schauen. Ja, es war eine Fügung, aber nicht, wie wir meinten; und Tobias mit seiner chronischen Sorglosigkeit hatte am Ende doch wieder recht gehabt. Aber: wer konnte das damals wissen.

Wir brüteten; die disqualifizierte Byzantinergruft brütete; die Akustik war schlecht, ließ die Kuchengabeln laut und aufsässig klirren. Wäre das bequeme Kauen der Neger nicht gewesen, ich bin sicher, der Boden hätte unter der herrschenden Peinlichkeit nachgegeben und uns doch noch verschlungen. Aber die Neger genossen es; um dieser sechs Gerechten willen wurde unsere schiefliegende Teeparty verschont. Und wer dann nicht nur kaute, sondern zum Kauen sprach, wem ein Gott gab, zwar nicht zu sagen, was wir litten, denn das wußte keiner unserer afrikanischen Freunde, aber was not tat, das war Andereggs Nachbar zur Rechten, das Staatsoberhaupt, der vortreffliche Messiah McNapoleon vom Sambesi-Bogen. Er wußte nicht, wovon er sprach, aber er sprach genau das Richtige – ich übersetze.

«*You gotta do somethin', Professor*», sagte McNapoleon und neigte sich so weit vor, daß er Anderegg auf den Teller blickte, ohne ihm übrigens je ins Gesicht zu blicken, was von uns aus – wir drehten nun doch die Köpfe – besonders bedrohlich wirkte. Bedrohlich wohl auch für den Professor, der seine Krumen auflas.

«Sie nennen dich Professor», fuhr McNapoleon mit rauher und eindringlicher Stimme fort. Er sagte selbstverständlich *you* – aber ich zögere nicht, das deutsche Du dafür einzusetzen. McNapoleons Ton schloß jede Förmlichkeit aus. Es war der Ton gekränkter Kameradschaft, ein Ton zwischen Brüdern trotz allem. Die Grobheit, die er enthielt, brauchte nicht weh zu tun; sie setzte die Anerkennung von Gemeinsamkeit, ja einen biederen Respekt voraus.

«Sie nennen dich Professor, und ich kann mir schon denken, warum. Du bist klug, sehr klug, und deine Freunde brauchen deinen Kopf und dein gutes Gehirn. Aber du kannst dich nicht entschließen. Du bist nur im Kopf für die Tat. Wenn es an die Ausführung geht, dann ist kein Verlaß mehr auf dich, dann hast du deine Zweifel zu gern. *Right?*»

«Es stimmt», sagte der Professor. Ja, zu unserem größten Erstaunen antwortete er, und mit einer wunderlich schwankenden Stimme, so als versuchte darin eine heimliche Freude die Flügel. Wir konnten uns verhört haben. – Übrigens sagte er: «*You are right*» – und s e i n *you* war entschieden in der Höflichkeitsform.

«Siehst du», sagte McNapoleon. «Und jetzt will ich dir mal was sagen. Das ist kein Fall wie die andern. Diesmal mußt du in die Hände spucken. Ich weiß, daß du über Verbindungen verfügst, die unsern Freunden hier nützlich sein können. Ihre Sache ist wichtig. Sie zählen auf deine Hilfe. Du kannst sie nicht in die Tinte setzen. Wer weiß, wie bald du in den Fall kommst, deinerseits Hilfe zu benötigen.»

«Sehr richtig», sagte Anderegg und lächelte. Mir schien: traurig. Er hatte die Gabel sinken lassen, obwohl ihm Fee von links ein neues Stück nachgeschoben hatte. Sinnlos glänzend lag es da, unbenützt lag daneben die Gabel.

«Und wenn ich an die Sache nicht glaube? Wenn ich sie für undurchführbar halte?» fragte der Professor. Sein Englisch war nicht akzentfrei, aber verständlich. Messiah Mc Napoleon antwortete:

«Ich weiß nicht, ob du die Sache deiner Freunde genügend überblickst, um sie für durchführbar oder undurchführbar zu halten. Ich kenne die Gruppe (*the gang,* sagte McNapoleon) nicht, zu der du gehörst. Ich will glauben, daß du ein wichtiger Mann darin bist, sonst hätten sie dir ja nicht den Spitznamen ‹Professor› gegeben. Aber selbst wenn du mit deinem Zweifel recht hättest, ich frage dich: hast du in deiner eigenen Gruppe noch nie ein Ding gedreht, das nicht richtig fundiert war, bei dem du etwas wagen mußtest? Hast du nicht Monate und Jahre deines Lebens mit Plänen zugebracht, die eigentlich undurchführbar waren?»

«Oh doch, weiß Gott», sagte Professor Anderegg und klaubte mit der Gabel die Spitze seines Tortenstückes ab.

«Und du würdest deine Erfahrungen für verloren ansehen?»

Anderegg führte den Tortenbissen langsam zum Mund und sagte: «Im Gegenteil. Es gab eigentlich zu wenig von diesen Erfahrungen, wenn ich's mir überlege.»

«Siehst du», sagte McNapoleon.

Dann lehnte er sich eine Weile zurück, um sich seinerseits dem Tortenstück zu widmen. Plötzlich stellte er seinen Teller auf das Tischchen nieder und legte, indem er herzhaft weiterkaute, seinen Arm um die Schulter Prof. Andereggs. Der blickte erstaunt auf; dann setzte er sein Tortenklauben fort. Eine ganze Weile saßen sie so, nämlich bis McNapoleon hinuntergeschluckt hatte. Dann sagte er:

«Sogar wenn du objektiv recht hättest mit deinem Zweifel, Professor: darauf kommt es jetzt nicht an. Sondern darauf kommt es an, daß deine Freunde glauben, es mit deiner Hilfe zu schaffen. Mit dir und deiner Organisation zusammen sehen sie eine Chance. In jedem Fall lernen sie und machen eine wichtige Erfahrung. Und vielleicht ist es auch deine Chance. Wie alt bist du jetzt?»

«66», sagte Prof. Anderegg.

«Siehst du. Und fühlst du dich wohl?»

«Im großen ganzen», antwortete Anderegg. «Nur die Leber macht mir gelegentlich zu schaffen.»

«Die Leber ist ein wichtiges Organ», entschied McNapoleon. «Du siehst, was ich meine. Du hast vielleicht nicht mehr viel Zeit, Solidarität zu üben. Überlege es dir.»

«Sie haben recht», sagte Prof. Anderegg.

McNapoleon nahm den Arm zurück und sah seinen Nachbarn sinnend an. In seinem schwarzen kantigen Kopf arbeitete es. Dann ergriff er seine Teetasse und schwenkte sie weit, mit gebogenem Arm, zum Professor hinüber.

«Messiah!» sagte er.

Anderegg begriff nicht sofort. Aber dann holte auch er seine Teetasse und setzte sich schräg.

«Erasmus», sagte er.

McNapoleon hatte die Lippen schon beinahe an der Tasse. Da nahm er sie wieder weg.

«*You kiddin'?*» fragte er mit gekniffenen Augen.

«*Sorry: Erasmus*», lächelte der Professor.

«O.K. Massmus, Skol, Massmus», erheiterte sich der Neger. Dann tranken sie einander über den Arm zu. Es war eine schwierige Operation, aber sie gelang zu Messiahs Zufriedenheit, obwohl er ein wenig Tee auf Andereggs Knie verschüttete. Wir sahen den Fleck sich ausbreiten, während die beiden sich über den Tassenrand fixierten: genießerisch McNapoleon, Prof. Anderegg mit jenem Ausdruck, den ich schon bei der ersten Anrede des Afrikaners an ihm beobachtet hatte, der aber jetzt unverkennbar geworden war: merkwürdige, etwas mit Scheu und ganz wenig Ironie versetzte Freude. «*You must come down and see us some day*», sagte McNapoleon, während er Andereggs Knie mit seiner Papierserviette abwischte. «*Be my state guest down in Older Alabama. Care for lion-hunting?*»

«*Not particularly*», antwortete Anderegg. Die Silben tröpfelten ihm säuberlich von den gekräuselten Lippen.

«*Might do your liver plenty of good, you know*», gab McNapoleon zu bedenken, während ihm Fee ein neues Stück Torte auf den Teller schob. Damit war für ihn die Diskussion vorläufig erledigt. Er hatte nachzuholen; er mußte fürchten, sein Verhör habe ihn gegenüber uns andern Tortenessern in Rückstand gebracht. Wie er sich täuschte! Außer Tobias, der seinen Radiovortrag heiter und unablässig mit Torte illustrierte, hatte keiner von uns einen Bissen angerührt. Vom Appetit ganz abgesehen: wir wollten uns kein Wort entgehen lassen. In unserem Herzen hörte der Neger auf, Statist zu sein, Möbelträger, Aufwärter, Phantasieminister. Die Dritte Welt begann mitzureden, das 20. Jahrhundert war in der «Soldanella» ausgebrochen, ihr Dekor stimmte nicht mehr. Ein neuer Wind hatte sich erhoben, aber wie sollte er wehen? Ein großer Hase war aufgescheucht, aber wohin sollte er laufen? Die Atmosphäre hatte sich etwas gelockert, sie war zugleich nüchterner und abenteuerlicher geworden, aber man konnte darin wieder, wenn auch vorsichtig, atmen, man begann, wenn auch behutsam, mit der Torte umzugehen, und sie schmeckte nach Torte, sie schmeckte unvergleichlich. Prof. Anderegg äußerte sich in diesem Sinne. Der Zeiger an meinem Handgelenk hatte fünf Uhr überschritten. Wir aßen, wir nahmen den Tee, was konnte man anderes tun, bis Prof. Anderegg das Endspiel eröffnete? Das Gäbelchen- und Täßchenkonzert war regelmäßig geworden, ein so bestimmter Klangkörper, daß es auffiel, wenn eine Stimme länger als drei Sekunden fehlte; wie der Hirt die Häupter seiner Lieben am Glockenklang, dieser einfachen Feld-Wald- und Wiesentonika, kennt und zählt, auch mit geschlossenen Augen, so hielten wir fünfzehn Gabelstimmen Stimmgabeln einander gegenwärtig. Die Gabel Andereggs gab einen hellen Ton – ich bin nicht musikalisch, aber ich würde meinen: in der Gegend des hohen Cis –, der im Glissando etwas tiefer rutschte, wenn Anderegg, was häufig vorkam, vom Tellerrand in die Tellermitte strich, um die Krumen zusammenzukehren, auch die imaginären, was auf seinen gespannten Seelenzustand deutete...

Aber warum hielt ich mich bei diesem besonderen Gabelton auf? Etwa, weil ich ihn längere Zeit *nicht mehr* gehört hatte, weil ich diese wichtige Stimme *vermißte*? Und indem ich mich ganz umdrehte, sah ich auch, daß es sich so verhielt, und ließ meine Gabel verstummen; und indem sich einer nach dem andern umdrehte, sogar die Neger, die vom Kuchen endlich gesättigt schienen, wurde unser Konzert dünn; und je dünner es wurde, desto rascher erstarb es: wir alle hatten uns, so gut es ging, umgedreht und starrten auf Anderegg, der seinerseits, mit erhobener Gabel und wie gebannt, auf einen Punkt an der Wand, genau genommen: über der Tür zu Demuths Zimmer starrte.

Was aber hing dort? Dort hing die Gipsmaske Fees, die Mathis vom lebenden Modell abgenommen und, sei's Zufall, sei's Absicht, beim Abschlagen der Gußform etwas beschädigt hatte, so daß die Ähnlichkeit für jemand, der Fee nur flüchtig kannte, nicht in die Augen sprang. Vor allem die Nase, Fees teils wuchtige, am Ende doch noch spitze Nase war nicht mitgekommen. Daß die Augen unter der felsigen Stirn kaum in Erscheinung traten, ging zu Lasten des lebenden Modells, aber die Maske akzentuierte diesen Mangel noch. Das Bildnis blickte jetzt gleichsam mit der Stirn; das Sehen war, da man es unmöglich der dünnen Kerbe beidseits der Nasenwurzel zutraute, auf eine größere Oberfläche verteilt. Mund und Kinn stimmten in den Proportionen, aber die Binnenformen waren gleichfalls verwischt; das ganze Untergesicht glich beinahe dem Innern einer Hand; Falten, Rinnen, Furchen verliefen unregelmäßiger, freier, abstrakter, aber auch erdiger als in Wirklichkeit. Es war Fees Gesicht, aber stark korrodiert, in irgendeinem Wind, dem Mathis wohl mit dem Spachtel nachgeholfen hatte, einseitig abgewittert, denn die linke Gesichtshälfte war deutlich besser erhalten als die rechte. Ich will es so sagen: es war Fee für den, der sie im Traum kannte – in einem nicht geheuren Traum, der die Gesichter verschleißt und das menschlichunmenschliche Grundmuster durchschlagen läßt. Nochmals: was die Maske an dieser Stelle in diesem Raum verloren hatte, blieb dunkel. Dunkel war es in der «Soldanella» auch sonst geworden, zur Wagner-Dämmerung hinzu, die die Gardinen und die *Erschaffung des Grübchens* verbreiteten; übliche Abenddämmerung. Außerdem hatte Mathis sein Werk grau patiniert (mit Bleistaub) – kurz, Anderegg mußte Teller und Gabel hinlegen, aufstehen und sich unter die Tür bemühen, wenn er klar sehen wollte. Aber er tat es. Da stand er im Schnittpunkt unserer Blicke, etwas verbogen unter dem Gewicht seiner Forschungen, das Gesicht schräg und vogelgleich erhoben, und strich sich mit einer Hand sanft über die Wange. Nach einer Weile, die uns lange vorkam, drehte er sich um und zeigte uns ein Gesicht, das vielleicht im Schein der Flügel-Leuchte übertrieben blaß wirkte.

«Was ist das?» fragte er, und seine Stimme klang mitgenommen. Es war beinahe, als hätte Anderegg keine Antwort erwartet, denn er drehte sich gleich wieder zurück und strich sich über die Wange wie zuvor. Es war die Geste – Tobias berichtete es mir später –, mit der Anderegg in seiner Vorlesung, vor dem Projektionsschirm stehend, auf Bilder reagierte, die ihn kunsthistorisch stark erschütterten. Ich gewann den Eindruck, daß seine Schönheitsempfindung mit Zahnschmerz verwandt sein müsse.

Nun aber geschah etwas Außerordentliches. Matthias Kahlmann, der neben mir saß, legte sein Kuchenwerkzeug weg, nachträglich möchte ich sagen: mit der Bewegung eines Matadors, der sagt: Alles zurück!, einer Bewegung, die Platz frei macht für den Augenblick der Wahrheit. Dann wand er sich aus den Tischchen heraus und stellte sich geräuschlos neben Anderegg auf. Man sah es von hinten: seine Fäuste waren in den Taschen geballt, und seine schmalen Schultern zuckten vor erzwungener Gleichgültigkeit. Er sah ebenfalls empor und sagte:

«Vor ein paar Jahren ist in diesem Hinterzimmer ein Mann gestorben mit Namen Balthasar Demuth, ein alleinstehender Junggeselle, der beim alten Hüttenrauch als Zimmerherr sein

Gnadenbrot aß. Er war Gipser seines Zeichens und unauffällig im Leben wie im Tode. Sorgfältig verbarg er, daß ihm höhere Bedürfnisse nicht fremd waren. Aber in seiner ärmlichen Hinterlassenschaft fanden wir, unter anderem, dies Bildnis.»

Mathis redete über seine Verhältnisse gewählt. Aber wir hatten keine Zeit, darauf zu achten. Wir horchten atemlos.

«Sie sind Bildhauer?» fragte Anderegg. «Was halten Sie davon?»

Mathis blickte wieder auf den Gegenstand und kniff sogar die Augen zusammen.

«Es ist technisch unvollkommen», sagte er langsam, «aber ich leugne nicht, daß ich vom Schaffen dieses stillen Mannes aufs tiefste berührt – ja, daß ich davon beeinflußt bin. Wenn Sie mich fragen – man denkt sich ja beim Hämmern im Atelier so manches –, so möchte ich fast meinen: Balthasar Demuth trieb es, das Antlitz des Letzten Menschen abzubilden.»

Bei diesen Worten nahm Tobias den Stöpsel seines Taschenradios aus dem Ohr. Man hätte die berühmte Nadel fallen hören können.

«Herr Kahlmann», sagte Anderegg und wies sich damit über ein vortreffliches Gedächtnis aus, denn bis heute abend war ihm der Name dieses jungen Künstlers, der nicht konnte, bestimmt nicht begegnet, «Herr Kahlmann. Wissen Sie, daß das etwas ganz Bedeutendes ist?»

«Ich weiß und glaube es», bekannte Mathis wie vor dem Altar.

«Sie sprachen», fuhr Anderegg fort, «wenn ich nicht irre, von mehreren Stücken, die sich in Demuths – mit th? – Hinterlassenschaft gefunden haben. Welcher Art sind diese anderen Stücke?»

Hier entstand eine Pause, eine mich erst tief erschreckende, dann noch tiefer beruhigende Pause. Ich – und wohl sonst noch dieser oder jener auf der Ottomane – realisierte in diesem Augenblick, daß die beiden dort in der Tür *spielten* – daß sie eine Szene aufführten, die, obwohl noch niemals geprobt, nicht verunglücken konnte, weil beide ihr Gelingen *wollten*.

Und sie spielten gleichsam dokumentarisch, *for the record;* sie wählten ihre Ergriffenheit und dosierten ihr Bühnenflüstern so, daß der hinterste Neger *verstand* – wie genau verstand war die Frage, aber jedenfalls so, daß er einmal unter jedem Eid die Entdeckung Balthasar Demuths bezeugen konnte. Ich blickte in diesem Augenblick Stefan an. Der hatte sich zurückgelehnt, schloß die Augen und atmete tief und hörbar.

«Es sind», hörten wir nun Mathis sagen, «tatsächlich mehrere Stücke, in der Hauptsache Ganzfiguren; und doch getraue ich mich zu sagen, daß es im Grunde immer dasselbe Stück ist. Balthasar Demuth kannte nur einen Körper, dessen Gestaltung ihm auferlegt war. Und alle erhaltenen Stücke zeugen von seiner Bemühung um diesen *einen* Körper, sind Stufen, Annäherungen an diese eine letzte Menschengestalt.»

«In verschiedener Höhe der Abstraktion?» fragte Anderegg.

«Was heißt hier abstrakt», sagte Mathis schwermütig. «In meiner Sprache würde ich lieber sagen: in verschiedener Höhe der Konkretheit. Das, wie ich meine, letzte Stück der Reihe ist nicht mehr viel anderes als ein Brocken, ein tief gefurchtes, nur noch zögernd von Menschenhand behandeltes Volumen.» Anderegg wußte einen Augenblick nicht weiter. So blickte er wieder in die Höhe. «Ganz bedeutend», sagte er langsam. «Völlig bedeutend. Tatsächlich: Begriffe wie konkret und abstrakt verlieren hier ihren Sinn.»

«Die Chronologie, die wir versucht haben, leidet darunter, daß Balthasar Demuth den weitaus größeren Teil seiner Versuche vernichtet hat», warf Mathis ein. «Es dürfte der pure Zufall sein, daß doch dies oder jenes auf uns gekommen ist. Wie ich Balthasar Demuth einschätze, hat er den Kampf um den Leib, dessen Gesicht hier hängt, als eine einzige Niederlage erfahren, als einen ganz unzureichenden Abschlag auf seine Träume.»

«Desto wunderbarer», sagte Prof. Anderegg, «desto wunderbarer, wie sich noch diese Trümmer uns, den Nachgeborenen, als Zeugnisse eines ebenso tiefen Gelingens darstellen.»

«Sie sprechen meinen innersten Gedanken aus», erwiderte Mathis, schon fast eintönig, wie in einer Litanei; so gut lief es jetzt den beiden.

«Ich möchte Sie nun nicht mehr bitten», sagte Prof. Anderegg gleichfalls eintönig, wandte sich sogar ab und redete zum Publikum, «heute auch noch die übrigen Stücke hervorzusuchen. *Sie müssen umfänglich sein.* Mein Wunsch, meine Neugierde ist groß – aber es sei an diesem ersten Eindruck genug. Sie mögen einstweilen wissen, Sie und Ihre Freunde hier: meine Betroffenheit steht fest, sie ist so gut wie unerschütterlich.»

Und damit wanderte er zu uns zurück und blieb vor Fee stehen, die er aufmerksam betrachtete. In verändertem Ton sagte er:

«Daraus läßt sich etwas machen. In diesem Nachlaß ist allerhand drin. Ich möchte nur wünschen – ich möchte beinahe darum bitten –, daß die übrigen Stücke für fremde Augen abstrakt – oder konkret – genug sind.» Damit bot er Fee die Hand; Fee erhob sich, zum ersten Mal beinahe verlegen, und wischte ganz grundlos erst die Finger an ihrer Schürze ab.

«Ich würde mich freuen, in einer Woche nochmals hereinzuschauen und diesen oder jenen Freund mitzubringen, damit er meine Freude und meine Überraschung über diesen Fund, diesen grandios naiven Gipserkünstler teile. – Aber ich verbitte mir jede ausgedehnte Gastfreundschaft, verehrte Frau Schnetzler. Ich würde mich nämlich nicht wundern, wenn sich in Zukunft die Besuche in diesem gastlichen Haus häufen würden, und Sie sollen ja nicht zu armen Tagen kommen.»

Wir alle hatten uns erhoben und hielten Anderegg reihum die Hand hin. Die meisten Hände waren feucht; bei der unmöglichen Monika natürlich auch die Augen.

«*We shall overcome, Messiah*», sagte er zu McNapoleon, der erwiderte: «*That's better, Massmus. You are a regular guy*», und fürchterlich zudrückte, wie ich der Leidfalte um Prof. Andereggs Mund entnahm. Bei Stefan sagte er: «Tut mir leid, Stefan. Aber Sie müssen dafür sorgen, daß die Bildnisse einen *schlichten* Hintergrund bekommen.» Und zu Mathis: «Ich gratuliere zu Ihrer Entdeckung. Möge sie Ihrem Schaffen weiterhin ein kräftiger Ansporn sein.» Zu mir sagte er: nichts. Ich war froh, daß er mich überhaupt bemerkt hatte. Ich war nur dabeigewesen, und jetzt war ich glücklich. Vielleicht, wenn es mit der Matura doch klappen sollte, studiere ich noch Kunstgeschichte.

Mein Musterlehrer

Apropos Matura. Gestern hatte mein Deutschlehrer mit mir die offenbar längst gesuchte Unterredung über diesen Gegenstand. Sie war unerquicklich; besonders stieß ich mich am Sprachgebrauch dieses Menschen. Es fielen ihm zu mir offenbar nur Anbiederungen ein. «Man weiß eben von Ihnen: Sie können, wenn Sie wollen», sagte er. Oder: «Machen Sie es mir doch ein bißchen leichter, Ihren Fall im Konvent zu vertreten.» Oder: «Wenn Sie sich überall ins Zeug legten wie bei mir...» Ich lege mich bei ihm gar nicht ins Zeug; es fällt bloß nicht auf, wenn ich nichts tue; er ist zu eitel, es sich einzugestehen. «Desavouieren Sie mich nicht bei meinen Kollegen», sagte er, «ich will Sie nicht umsonst bis hierher durchgeschleppt haben.» Oder: «Es wäre unrecht von mir, Ihnen etwas vorzumachen: bei ein paar Kollegen haben Sie den letzten Zwick an der Geißel.» Ein Helvetismus. Er möchte zu den Deutschlehrern gehören, die nicht gepflegt reden, sondern saftig. Dazu immer dieses Augenzwinkern, die Aufforderung, sein Augurenlächeln mitzulächeln, die penetrante Andeutung, daß man sich ja versteht, ich möge sein Spiel doch mitspielen, im eigenen Interesse, den paar Schafsköpfen und biederen Bünzlis zum Trotz, mit denen er sich als Kollege leider herumzuschlagen hat; ich möge ihm doch bitte Gelegenheit geben, sich von ihnen zu unterscheiden. Ich kann ihm nicht sagen, was ich meine – daß ich nicht glaube, gefährdete Schüler seien dazu da, dem Selbstbewußtsein ihrer Lehrer aufzuhelfen, derjenigen Lehrer, die heimlich etwas Feineres sind als Lehrer; daß ich nicht einmal glaube, mein Schicksal als Schüler sei bei dieser Art Lehrer besonders gut aufgehoben. Im Gegenteil; ihre Prestigeprojekte fordern vermutlich Opposition heraus, unnötige, das heißt prinzipielle Opposition; die verachteten Kleinbürger werden ja gegendemonstrieren, und ich fürchte: auf meinem Buckel. Aber ich kann mir natürlich auch nicht leisten, das Spiel zu verderben, das mein Deutschlehrer großmütig genug ist mit mir zu spielen. So lächle ich wenigstens halb zurück, vergesse nicht, diese oder jene Kummerfalte zu schlagen, lächle gewissermaßen durch Tränen, in der wahrscheinlichen Annahme, dem Deutschlehrer würden dabei meine Familienverhältnisse wieder einfallen; ich tue es nicht gern, schäme mich für beide, es schmerzt, sich zu wiederholen. Ich sehe zum Fenster hinaus. «Noch das bißchen Durststrecke», sagt mein Deutschlehrer herzlich. Bitte nicht anrühren. Frisch gestrichen.

Ich nicke. Es wäre wirklich gut, hier rasch wegzukommen.

Hier das Gespräch, das ich wirklich hätte führen mögen. Warum soll immer nur der Stefan mit seinem Professor –.

Ich schreibe, Herr Professor.

Gegen wen?

Gegen jemand namens Roland von Aesch.

Den Schriftsteller?

Ja.

Halten Sie das durch?

Eben nicht. Nur auf den ersten paar Seiten. Der Rest geht nicht mehr auf seine Rechnung, sondern auf meine eigene.

Dann streichen Sie die ersten paar Seiten weg.

Mag ich aber nicht. Ich möchte nicht irgendein Buch schreiben, sondern ein engagiertes. Eins anti. Ohne meine Wut hat das Buch keine Existenzberechtigung.

Sie müssen aber wissen, was Sie wollen.

Woher weiß man das? Das fällt mir manchmal erst von Satz zu Satz ein.

Halte ich auch für richtig. Wenn Ihre Sätze tragen.

Manchmal.

Dann weg mit Roland von Aesch. Schreiben Sie Ihr eigenes Buch.

Das verstehen Sie nicht.

Natürlich nicht. Erklären Sie es mir.

Das geht Sie nichts an.

Wie Sie meinen. Jedenfalls müssen Sie dann bedenken, daß Sie Roland von Aesch von Zeit zu Zeit aus der Versenkung hervorholen müssen. Wenn Ihnen Ihre Wut so wichtig ist, müssen Sie den Leser gelegentlich daran erinnern.

Das ist ja das Blöde. Ich schreibe mein Buch eigentlich *gegen* die Wut, wissen Sie. Aus Wut, aber gegen die Wut. Sie wird immer kleiner, je länger es wird. Ich habe Roland schon halb aus der Welt geschrieben. Er liegt mir schon fast nicht mehr auf.

Sie sind ein Literat.

Was ist ein Literat?

Einer, der lebendige Menschen als Anlaß benützt, um seine Formulierungen ins Trockene zu bringen.

So einer war Roland von Aesch.

So einer sind Sie.

Hol Sie der Teufel.

Selbst wenn er's täte, wäre das nur ein schwaches Argument für Sie.

Ich schreibe für die «Soldanella». Roland schrieb dagegen.

Er hatte seine Wut wie Sie.

Er hatte kein Recht auf seine Wut. Das ist das erste. Er durfte seinen Bankrott keinem in die Schuhe schieben als sich selbst.

Worin bestand eigentlich sein Bankrott?

Darauf werde ich schon zu sprechen kommen.

Bloß weil ihm das Mädchen gefiel, die – wie hieß sie schon –

Sie war dem Sylvester versprochen. Und jetzt halten Sie schleunigst den Mund.

Bitte. Und das Zweite?

Was heißt: das Zweite?

Das Zweite, weswegen Sie sich mit dem Roland nicht vergleichen lassen.

Das Zweite ist, daß der Roland gar nicht Mensch genug war für eine lange Wut.

Aha.

Was denken Sie?

Nichts. Es erinnert mich bloß ... wie hieß das doch soeben bei Ihnen? Die Wut werde immer kleiner und das Buch immer länger?

Werden Sie nicht gemein. Bei mir ist das doch ganz was anderes.

Natürlich.

Jetzt darf man sich nicht einmal mehr von der Sprache einstecken lassen! Jetzt wollen Sie mich auf meine Wut festnageln, wo ich gerade ein bißchen ins Strömen komme! Der Wind weht, wie er will, haben Sie nie so was gehört? Und Sie wollen Deutschlehrer sein ...

Ich habe wohl mildernde Umstände. Erstens: unsereins denkt an Dichter fast nur akademischerweise. Man ist nicht darauf gefaßt, ihnen unter seinen Schülern zu begegnen –

Keine Sprüche, Mann!

– obwohl man sie eigentlich an der herzhaften Sprache erkennen dürfte, die sie ihren alten Lehrern gegenüber anzuschlagen belieben. Zweitens lebte ich im Glauben, Sie *wünschten aus allerhand Gründen an Ihrer Wut festzuhalten.*

Sie machen alles durcheinander.

Darum gehe ich jetzt.

Ich möchte Ihnen noch rasch ins Auge sehen.

Es steht Ihnen zur Verfügung.

Sie wollen nicht sagen, daß man heute zwischen einer ehrlichen Wut und einer interessanten Sprache zu wählen hat?

Nicht, wenn Sie das beunruhigen würde.

Sonst müßte man ja überhaupt aufhören, Bücher zu schreiben.

Eben.

Und Sie denken auch nicht im Traum, daß Roland darum in meiner Geschichte zurückgetreten ist –

–weil Sie seine Rolle ebensogut selber spielen können? Nicht im Traum.

Jetzt hauen Sie aber ab.

Kommen Sie nochmals zurück. Ich kann ja mit niemandem über mein Buch reden.

Sorgen?

Es wird zu lang.

Wovon handelt es denn?

Vom Paradies.

Verloren oder gewonnen?

Haben Sie schon einmal von einem gewonnenen Paradies gehört?

Richtig. Der Verlust ist die Reifeprüfung der Paradiese.

Ich zweifle nicht: Sie haben auch da die Prüfungsordnung bei der Hand.

Nur eine Erfahrung: die meisten Paradiese fallen durch.

Warum?

Der Andrang ist zu groß. Jedem ist das Verlorene sein Paradies.

Ich habe nichts mehr zu verlieren, Herr Professor.

Sie sind ein dummer junger Hund.

Eigentlich wollte ich Sie um Ihren Rat bitten.

Ich rate Ihnen ab. Das Sujet verdirbt Ihren Charakter. Es verführt Sie zur Wichtignehmerei, zur Selbstverzärtelung. Warum sollten Sie mehr verloren haben als Hinz und Kunz? Wer hat schon kein Paradies verloren, ich bitte Sie?

Genauso müssen Hinz und Kunz sprechen.

Und was würden Sie dagegen einwenden?

Mich.

Buchstabieren, bitte.

Ich trage dem Paradies seinen Verlust nach. Da unterscheide ich mich. Ich trag ihn nach und nach und nach und gerate dabei auf Wege, die sich erst beim Gehen zeigen, Wege auf leerem Papier. Mit jedem Zeichen, das mir aus der Feder läuft, füge ich dem Paradies etwas zu, füge ich ihm wieder zu, was es zum Paradies macht, was es zu Papier macht, seinen Verlust. Mit jedem Satz verliere ich es neu, aber in der Tiefe meines Verlierens, seines Verlorenseins wird es mir heller, blickt es mich an, genau jenseits meiner Federspitze wächst es zusammen. Wo ich hinschreibe, ist es gerade gewesen, ich ritze es nicht, aber der Schatten von Blut, der mir vorauseilt, indem ich's jage, zeigt mir: es lebt; unerreichbar, aber solang ich schreibe, ist es weniger verloren, unvergleichlich verloren, niemals verloren für Hinz und Kunz, verloren einzig für mich. Ich versuche im Schatten zu schreiben, den es wirft: das ist meine ganze Bewegung. Im übrigen lasse ich mein Leben stillstehen...

Das merkt man, mein Lieber. Das geht leider aus Ihren Zensuren hervor.

Ich habe wohl literarische Vorbilder.

Verlorene Paradiese jede Menge.

Lang?

Das kürzeste 350 Zeilen. Genesis eins bis drei.

Wiedergewinnen dauert länger.

Unabsehbar. Lang und teuer. Die ganze Weltgeschichte zahlt das Zeilengeld nicht aus. Man wird uns entgegenkommen müssen.

Ist das so nötig, daß man uns entgegenkommt?

Warum nicht?

Ich habe den Verdacht: die einzige Chance, das Paradies wiederzugewinnen, ist, daß man es ehrlich verloren gibt.

So ist es. Und so ist es auch mit jeder geschriebenen Geschichte. Wozu grämen Sie sich also.

Sie vergessen: ich bin nachträgerisch. Ich will es genau wissen. Ich will alles schreiben. Alles soll zurückgenommen werden ins Paradies.

Und doch soll das Buch nicht zu lang werden.

Eben. Vielleicht fragen Sie mich einmal ab, was ich schon habe.

Die vier Elemente?

In Proben. Bedenken Sie: die Geschichte spielt fast nur in geschlossenen Räumen.

Pflanzen?

Zimmerpflanzen: Palmen, Aspidistren. Clivia, Amaryllis.

Tiere?

Leider fast nur imaginäre. Einen geträumten Stier. Eine metaphysische Giraffe.

Nehmen Sie wenigstens noch einen richtigen Hund dazu.

Zwei, wenn Sie wollen.

Menschen ... halt, das gibt es nicht. Männer und Frauen?

Natürlich. Verschiedenen Alters.

Liebespaare?

Das kommt noch.

Menschen verschiedener Klassen?

Bis auf weiteres.

Auch Neger?

Und wie! Ich weiß kaum mehr, wohin mit ihnen.

Indianer?

Das Ganze ist eine Art Indianergeschichte.

Asiaten?

Zu denen habe ich Bitz geschickt.

Da glaube ich Ihnen, daß Sie kein Ende absehen.

Aber es muß doch möglich sein, fertig zu werden. Noah hat auch nicht die ganze Welt in die Arche gepackt. Und doch ging wieder die ganze Welt aus der Arche hervor.

Da haben Sie das Geheimnis des Musters.

Sie meinen: man müßte musterhaft schreiben. Aber wo nehme ich heute Muster her?

Keine Ahnung.

Aussichtslos. Ich schreibe manchmal meinen eigenen Stil, manchmal einen zugelaufenen. Sagen Sie selbst: schreibe ich wie ein junger Mensch? Schreibt ein junger Mensch wie ich? Kann man denn überhaupt noch schreiben?

Nein. Geben Sie auf.

Warum?

Weil Sie fragen.

Aber hören Sie: wie soll man sich diese Frage nicht stellen, wo sowieso alles in Frage gestellt ist...

(Professor gibt mir eine Ohrfeige.) Arschloch!

Sehen Sie. Noch wissen Sie sich dem Anlaß entsprechend auszudrücken. Nichts anderes ist das Wesen des musterhaften Stils. Gehen Sie wieder an Ihr Paradies. Aber schwatzen Sie nicht! Machen Sie's kurz, wenn möglich! Aber auch, wenn Sie's länger machen: in drei Teufels Namen, schwatzen Sie nicht!

Nein, Herr Professor. Ich werde auch unser Gespräch wieder streichen.

VIERTES BUCH

UND SCHUFEN DEN MENSCHEN SICH ZUM BILDE

Aufgang Balthasar Demuths, eines großen Gestirns

Wie hast du es gemacht, Matthias? Nachts, ganz gewiß; in einer dieser noch nicht ganz warmen Frühsommernächte, die du vielleicht mit deinem Paraffinofen zusätzlich erwärmtest. Denn *du* hattest wohl warm genug, du Arbeiter in deinem rotkarierten Hemd, das bald der Schweiß durchschlug, dunkle Flecken bildend wie Blutlachen, unter den Schultern erst, dann über den ganzen Rücken. Aber Fee mußte sitzen, Fee hatte so gut wie nichts an, wenn du sie nicht bekleidetest, sie nicht deine fliegenden flackernden Hände überzogen mit Musselin, mit Hühnerdraht, mit bläulichem Gips, mit weißem Gips, um sie dann wieder zu entkleiden, herauszuschlagen in Brocken, in Stücken, mit den Nägeln, mit Hammer und Meißel, unter sanftem Geriesel der Dusche. Geschah es all in einer Nacht? In nicht viel mehr. Höchstens in zweien; in den ganz wenigen Nächten, die ihr zusammen verschwandet; zwischen den wenigen Tagen, da ihr so gut wie unsichtbar wart, weil ihr den Striptease verschlafen mußtet, Kraft schöpfen für neue Begräbnisse in Gips, sieben in einer Nacht, eine wahnsinnige Liebhaberei. Und doch genossest du sie, wenn nicht alles mich täuscht, verhinderter Matthias; zum ersten Male lief es dir ja, lief ja, daß du ins Keuchen kamst, daß du arbeiten mußtest mit offenem Maul, daß du nicht Zeit fandest, die Brille wieder festzumachen, die dir gegen die schmalen Backen klopfte, schwächer klopfte als das Herz im Rippenkasten, als Hammer und Amboß im Mittelohr.

War Klaus dabei? Er konnte nicht gut dabei sein. Keine Menschenseele war dabei. Die Tür der Kegelbahn blieb verschlossen von acht Uhr abends bis sechs Uhr früh, als Fee aus der Tür trat ins letzte Morgenrot und mit beiden Händen von hinten ihr Haar zurechthob. Mit ein paar Atemzügen, die ihre geordneten Röcke dehnten, ließ sie die Nacht hinter sich, hinter sich das angerostete Weinlaub, und schritt durch den grauen Garten an den Platanenstümpfen vorbei zur «Soldanella» hinüber, um Tobias und vielleicht Monika das Frühstück zu rüsten, während Matthias in einem Winkel seiner Kegelbahn liegen blieb, grau und ausgewunden wie einer seiner Lehmlappen, in den Schlaf flüchtend vor der vergangenen, vor der kommenden Nacht. Kein allfälliger Mond blickte in diese Nächte, auch den Mond hatte Mathis, über sein nicht ganz sicheres Oberlicht kriechend, aussperren müssen mit Sacktuch, «denn», sagte Fee, «der Himmel soll es nicht sehen.»

So wäre es möglich: Fee ohne Kleider, Felicitas Schnetzler mit nichts am Leibe? Nein, das war nicht möglich. Bei einem Unterrock blieb es, bei einem dünnen Hemd hatte es zu bleiben. Die Spuren davon, rührende textile Raster, sind in den Gipsen zurückgeblieben, mit denen die «Soldanella» noch ihr Glück, ihr kurzes Glück machen sollte. Alles, was recht ist, nackt war man im Tode, das wußte Fee vom Leichenwaschen in den Bergen, nackt mochte sie selber einmal vor den lieben Gott treten, den einzigen, der dem Anlaß die rechte Schicklichkeit geben würde. Nackt ihretwegen im Kirchengräblein, wo es nicht mehr darauf ankam, aber eher nicht. Gewaschen mußte sich der Mensch freilich haben, das hatte Fee auch ihren Rheintaler Bäuerinnen beigebracht. Aber Waschen und Baden sind zwei Paar Schuh. Zu einem Vollbad hätte sich Fee, sogar wenn die «Soldanella» dafür eingerichtet gewesen wäre, nie hergegeben. Es genügte, wenn man sein Fleisch in Raten schrubbte, hinter vorgehaltenem Tuch, und sich weniger Dringendes fürs nächste Mal aufhob. Einmal kam man schon ganz herum. Nun gab es freilich weibliche Gelegenheiten, wenigstens im Hemd dazustehen, aber auf Fee waren sie privat nie zugekommen. Sie wußte nur aus ihrer weiteren Praxis, auch sagte es ihr eine längst nicht mehr lockende Stimme: so mußte es sein, wenn es zum Opfer kam. Auf diese Vorstellung konnte sie zurückgreifen, als Mathis sie mit beschlagenen Gläsern beschwor, Modell zu sitzen. Ohne ein Opfer ging es nicht ab, wenn der Faden nicht reißen sollte, an dem die «Soldanella» hing, und so legte sie in Gottes Namen, aber ohne daß der liebe Gott auch noch zusehen mußte, ihren Tuchpanzer ab, um sich von Mathis mit Musselin und dann mit Gips zudecken zu lassen.

Fee verstand sich nicht leicht, aber wohl etwas leichter dazu, weil sie die Überzeugung besaß und sie gegenüber Monika einmal äußerte, «der Mathis sei ja sowieso kein Mann». Was er auch sein mochte: ein berauschter und begnadeter Künstler war er in diesen schwer getarnten Nächten jedenfalls gewesen; nach den Früchten zu schließen: wie noch niemals, und wie später nie wieder.

Freilich: gewöhnliche Arbeit am Modell war das nicht. Mathis setzte Fee nicht ins Bad (ins *Montcrieff Spray and Shower Bath*), um sie dort in Hemd und Unterrock einigen passenden Stellungen und Posen zu überlassen, während er ein paar Meter entfernt seinen Ton knetete. Mathis kam diesmal fast ohne seinen längst vertrockneten Ton aus. Matthias Kahlmann arbeitete geradewegs am lebenden Modell, ließ Urbild und Abbild zusammenfallen, behandelte Fee als bereits vorgefundenes, ohnehin nicht zu überbietendes Kunstwerk, als *sujet trouvé*, behandelte sie mit zähflüssigem Gips unmittelbar, goß sie ab in Rock und Hemd mit Haut und Haar. Wie mag das zugegangen sein? Zum dutzendsten Mal: ich war nicht dabei, aber ich habe meine Vermutungen. Es ging erst noch ganz konventionell zu. Es fing beim Gesicht an: Fee kannte das schon. Sie ist vorbereitet, sie wird präpariert: vielleicht verreibt sie sich etwas fette Crème im Gesicht, damit der Gips später leichter abgeht; vielleicht Salatöl; bei Fee weiß man nie. Über das Haar hat sie ein Tuch gebunden, fest, satt, vielleicht das blaugeblümte, das sie von Klara Hüttenrauch geerbt hat, vielleicht ist es ihr aber auch schade dafür: also ein eigenes, ein schwarzes. Nun muß sie sich in ihrem Stuhl im Bad nach hinten lehnen, damit ihr Mathis Lehmstreifen aufs Gesicht legen kann, die er zu Wällen knetet: einen großen Wall waagrecht über die ganze Stirn, hart unter dem Haar- oder Tuchansatz, dann

beidseits über die Schläfen zu den Ohren, die der Wall, na
türliche Grenzen verschmähend, halb überschreitet, link
nur das Läppchen mitnimmt, rechts fast die ganze Muschel
sich weiterlegt über die Schräge des Halses, dann aufgefan
gen wird von einem stärkeren Wall, der quer über die ober
ste Brust läuft, die Fee der Kunst zuliebe etwas erweiter
hat. Aber Fees Gesicht ist noch nicht befestigt genug. Ma
this unterteilt es nochmals, zieht einen feineren Wall senk
recht durch die Mitte, über Stirn und Nase, Fees Nasenknol
len, der sich dem Lehm nicht bequemen will, aber muß. Stei
sticht der Wall über die Nasenhöhe, darf sich auf der Ober
lippe etwas breiter machen, streicht jetzt den Mund mitte
durch («*nicht mehr reden, Fee*»), benutzt die Furche im Kinn
kriecht über die unvermittelt anschließenden Schwellunge
des Halses und mündet in der Schlüsselbeingrube ebenfall
in die Brustleiste, den abgerutschten Galgenstrick.

Was ist nun aus Fees Gesicht geworden? Ein Medusen
kopf, von eigenem Gewürm überkrochen? Ein Krieger
haupt aus ungewisser Vorzeit, im Käfig von Nasenschut
und Halsberge gefaßt? Eine Frucht von fremdem Stern
wissenschaftlich zur Teilung vorbereitet? Eine Studie au
einem Lehrbuch für Halbsehen oder Schizophrenie? Mat
thias mischte Gips unterdessen, schüttete sorgsam Gip
in ein Gefäß voll bläulichen Wassers, dem er Soda beige
mischt hatte, damit der trockene Gips sich einst wieder lö
sen lasse, nicht zuviel, damit es den Gips nicht zerfresse
ließ den Gips, indem er unter die Oberfläche stieg, das bläu
liche Wasser aufsaugen, ließ ziehen den bläulichen Gips
während Fee in ihrer Wanne schon die Augen geschlosse
hielt. Mit nacktem Arm rührend, fragte Mathis einmal: «D
bist nicht zufällig erkältet, Fee? Du hast beide Nasenlöche
frei?» Dann trug er das Gipsgefäß hinüber, pinselte Fee
linke Gesichtshälfte mit Lehmwasser ab und schöpfte dan
Hand um Hand voll bläulichen Gipses darauf, drehte mi
der freien Hand an Fees Kopf, bog ihn schief, damit de
Gips gleichmäßig von oben nach unten fließe, ließ ihn di
Augenritzen füllen, die Backenfurchen, die Nasengräben

strich sanft mit der Handkante gegen den Gipsstrom, ließ ihn die ganze Parzelle füllen, aber nur so weit, daß Fees Züge noch zu ahnen waren, blies an einigen Stellen, besonders in der Ohrgegend, dem Gips die gewünschte Hautnähe zu und erlaubte ihm nur vor den Lehmwällen, etwas dicker aufzulaufen. Mathis stand, die halbgetünchte Fee saß, der Gips setzte sich. Dann bog Mathis ein Eisenband zurecht, schlang es, rang es und legte es, im Lehmstreifen verankert, rings um das bläulich ausgegossene Stück Gesicht, über das er übrigens noch ein paarmal abwesend und barbiergewandt mit dem Lehmwasserpinsel strich.

«So», sagte er; vielleicht auch: «Kriegst du Luft?» und mischte den zweiten Gipsguß, den eigentlichen, ohne Soda, ohne Blaustich, mischte einen ganzen Kübel schneeigen Gipses und überzog Fees Gesichtsfeld zum zweiten Male, liebloser diesmal, großzügiger, ließ die halbe Fee schneeweiß verschwinden und rühmte sie dazu.

«Prächtig, Fee», sagte er, «großartig, daß du keine Reh- und Schmachtaugen hast wie deine Schwester Klara, sondern nur die hermetisch verkneifbaren Ritzen da, das nenne ich Anpassung an die Lebensbedingungen der Kunst, ich möchte dir jetzt beinahe garantieren, daß dir das Augenlicht erhalten bleibt. Sicher sein kann man natürlich nie; darum probier ich's erst an einer Seite aus. Was meinst du, einfacher wäre es natürlich gewesen, ich hätte dir gleich das ganze Vordergesicht abgenommen und dich durch ein Röhrchen im Mund atmen lassen, aber ich möchte nicht, daß deine Augen gleich mitkommen, Fee; ich möchte mich heute nacht so verhalten, daß ich dir später wieder in die Augen sehen darf. Ich rede, und du kannst keinen Mund auftun: das nennt man jetzt ein Werkstattgespräch, Fee, merk dir's und freu dich dran. Früher gab es noch Zeiten, wo ich *nach* der Natur arbeitete statt *mit* der Natur, wo ich mir ein Mädchen mit schönen kurzen Beinen und nichts am Leibe auf ein Stühlchen setzte und dann, wie das die Bildhauer auf der ganzen Welt tun, ihre Formen aus mehr oder weniger schicklicher Ferne nachknetete – halt dich ruhig, Fee. Ich fand das damals auch irgendwie ungenügend, empöre dich bloß nicht, es ist wegen dem Gips. Und wenn das Modell seine kurzen Beine wieder im Futteral untergebracht, das Haar zurückgestrichen, die Lippen nachgezogen und sich verdrückt hatte, dann blieb man mit nichts als einem klebrigen Figürchen auf dem Bock zurück. Du kannst dir nicht vorstellen, wie öde das Atelier dann aussah trotz der Sauordnung, es gähnte wahrhaftig von Leere. Und dann suchtest du unter deinem Klempnerzeug und bautest dein Gerüst zusammen in halber oder ganzer Lebensgröße, wie du die fertige Puppe halt haben wolltest. Und wenn das Skelett erst stand – dort hinten könntest du eins sehen, wenn du dich rühren dürftest, aber rühr dich auf keinen Fall –, mit dem dreifüßigen Eisen als Stütze, den gebogenen Bein- und Armröhren und dem Drahtmäschchen als Kopf – man nennt das übrigens den Reiter –, wenn das so stand und dich durchblicken ließ auf die Wand dahinter, dann faßte dich der Menschheit ganzer Jammer an. Er war nichts, aber es würde noch weniger daraus werden, wenn du das Skelett mit Lehmklumpen behängtest; warum dem lieben Gott alles nachmachen. Es gibt Leute, die in ihrem Leben nichts anderes als Drahtplastiken machen und ganz schön berühmt werden dabei, berühmter als der liebe Gott. Halt dich stille, Fee. Aber gut, das Ding wollte verkörpert sein. Und so bautest du seufzend deinen Dreck an, gingst mit deinen Hölzern und Schlingen dahinter und stecktest den neuen Leib mit verbrannten Streichhölzern ab. Verbrannte Streichhölzer liegen jetzt nur so herum, denn du bist ins Rauchen geraten aus lauter Elend über deine Menschenbildnerei, Fee. Und dann zirkelst du zwischen dem kleinen Drecksweib und dem großen hin und her, um die Verhältnisse zu wahren, wozu, Fee, wozu? Apropos Verhältnis, Fee. Weißt du, wer Geld genug hat, sich eine Freundin zu halten, die ihm tage- und nächtelang sitzt, soweit sie nicht kocht oder noch zu anderem gut ist, so einer braucht sich natürlich nicht erst mit einem Arbeitsmodell zu plagen, der bezieht seine Proportionen direkt ab Fleisch und setzt seinen Zirkel auf die kritischen

Stellen an. Rühr dich nicht, Fee, rühr dich nicht, ich erzähl dir das ja nur, daß du dich unter dem Gips nicht langweilst. Also wenn so ein ganz gewöhnlicher Lehmkneter sein Modell erst im Trockenen hat, mit oder ohne Verhältnis, dann geht die Gipsbeerdigung natürlich flott und in ganz großen Zügen vor sich. Der trockene Lehm spürt ja nichts, hat kein Augenlicht zu verlieren. Da werden dann solche Gipseierköpfe draus, an denen es eigentlich gar nichts mehr zu rükken gibt. Nimm noch den eisernen Heiligenschein hinzu, der sie umläuft, dann weißt du, wie ich mir die Engel im Himmel vorstelle. Es paßt auch, daß eine Art staubige Hitze von ihren Gesichtern dampft, Gips macht warm, wenn er sich festigt, nicht wahr, das spürst du gerade. Am liebsten möchte man jetzt wieder deine Lehmweiber unterm Gips ruhen lassen. Aber hab keine Angst: *dich* schlag ich schon heraus.»

So wird er geredet haben, oder so ähnlich; ich war nicht dabei, ich weiß es nicht. Ich weiß auch nicht genau, wie er den Gipsbrocken, zu dem Fees linke Gesichtshälfte vermauert war, wieder losgekriegt hat: indem er die Eisenreifen löste, vermute ich, und die Gipssäume wässerte, Wasser in Strömen über Fees geteiltes Gesicht fließen ließ. Nicht umsonst saß sie ja im *Montcrieff Spray and Shower Bath,* dessen Brausen, über einen Schlauch vom Bildhauertrog her gespeist, vereinigt eine leicht gekrümmte Strähne Wasser hergaben. Mathis, eine Hand an Fees Gipsstirn, eine hinter ihrem Ohr, zog vorsichtig, verstärkte die winzigen Spannungen, die sich unter dem Einfluß des Wassers zwischen Gips und Haut bildeten, rüttelte an der Halbmaske, die allmählich etwas zu saften und zu schnalzen begann; je mehr sie saftete, desto sorgfältiger rüttelte Mathis. Endlich seufzte der Gipsbrocken tief auf und blieb in seinen Händen. Fees halbes Antlitz war unvergänglich geworden.

Mit dem gewöhnlichen, das wieder zum Vorschein kam, im Fleisch zurückblieb, blinzelte sie ausgiebig. Die Haut war gerötet unter der Wirkung des Zugpflasters, auch verjüngt, runzlig auf besondere Art wie die Haut eines Neugeborenen.

Fee war braver gewesen als beim Zahnarzt. Mathis lobte sie. Das hatte er auch nötig, denn es war erst der Anfang gewesen. Fee wurde weiter in Gips gelegt und gewässert. Stück für Stück von ihr wurde eingefordert, um in staubige Unsterblichkeit hinübergeschwemmt zu werden. Folgsam saß ihre gewaltige Jungfräulichkeit im Bade, wider Willen unschamhaft geworden, denn selbst der handgehäkelte Unterrock, das steifleinene Hemd hielten dem Wasser nicht stand, wurden auf gutmütige Art durchsichtig, sanken an Fee herum wie an einer richtigen Fee ihre morgenländischen Schleier. Mit morgenländischer Geduld hielt die Sitzende, vom Paraffinofen kaum mehr Erreichte dem ewig redenden Bildhauer auch ihre andere Wange hin und erglühte unter dem Gips, um abermals mit Seufzen befreit zu werden.

Aber auch anderes muß sich ereignet haben, Furchtbareres. In den Körben voller Gipsköpfe und Körperteile, die wir später aus dem Atelier in die «Soldanella» hinübertrugen, finden sich nicht nur Gesichter Fees, Gesichtsstücke, Bruststücke, sondern auch ein *ganzes* Haupt mit halb zermeißelten, aber noch kenntlichen Zügen Fees – und es ist kahl und bucklig wie dasjenige eines späten Römerkaisers. Wie ging das zu? Nur ein einziger Schluß ist möglich: daß Fee, begeistert von dem, was ihr geschah, in dieser ersten Nacht nicht nur das schwarze Tuch entfernt, sondern sich alle Haare ausgerauft hat – aber da sie bekanntlich imstande war, dieselben unter der Ateliertür im Morgenrot wieder zurechtzurücken, muß man weiter schließen, und tut es mit unerklärlicher Scheu, daß Fee, Fee mit ihrem immer strengen, immer sauberen Knoten im Nacken, Trägerin einer Perücke ist. So ist es doch in dieser Nacht zum Opfer gekommen. Irgendwann zwischen Nacht und Morgen hat die furchtbare Jungfrau im Bad mit nacktem Schädel gesessen. Es wäre nicht vorzustellen, wenn nicht der abgetrennte Kopf vorläge, Fund aus glorreicher Schreckenszeit; erhalten, wenn auch schließlich nicht in den Nachlaß Balthasar Demuths, sondern in Matthias' eigenes Oeuvre aufgenommen; hoch bezahlt, wenn ich nicht irre, von einem leitenden Mann der Rüstungsindustrie.

Matthias aber in jener Nacht ließ es nicht bei einem Kopf bewenden. Er bat Fee, ihren Ausdruck zu verändern, und als ihr das zu abstrakt war, während jedes Aufgusses an eine bestimmte Person zu denken. Er nahm ihr die Spiegelungen dieser Personen in Gips ab: eine schnöde vom Gemeindepräsidenten Pfaff, eine bedenkliche vom verstorbenen Friedrich Hüttenrauch, eine mütterliche vom Gipser Demuth. Mathis ließ Fee auch an Eliane denken und zog ihr stückweise beinahe ein Dämonenantlitz vom Gesicht. Ich wage zu behaupten: noch nie hat in der Geschichte der Bildhauerei ein Modell so bis zur Konspiration mitgearbeitet. Obwohl Fees Hände in ihrem immer wieder überströmten Schoß lagen, folgsam, wie verordnet, war im höheren Sinne sie es, die ihrem Künstler die Hand führte, die großen und schmucklosen Inspirationen ihres Lebens unmittelbar dem Gips aufdrückte, und es ist schon deshalb ein Mißverständnis, gelinde gesagt, wenn Mathis später in Versuchung geriet, diese Werke sich selbst zuzuschreiben. Zugegeben: Fee hielt stille, und Mathis arbeitete, aber über die Rangverhältnisse dieser beiden Dinge kann man sich in der biblischen Geschichte von Maria und Martha orientieren, und wenn diese Nächte fruchtbar waren, so ist das zweifellos eher Fees besonderem Stillehalten zuzuschreiben.

Auf den unbeteiligten Beobachter – aber es war dafür gesorgt, daß es ihn nicht gab – hätte Mathis allerdings Eindruck gemacht. Er sprang wie der feurige Mann zwischen Gipsgrube und Wasserhahn hin und her, kochte grauen Brei, stäubte von altem Lehm, starrte von neuem, flackerte den Kanten des Badesargs entlang, hing für Augenblicke im Turm der Dusche, rückte an der sitzenden armen Seele und tat ihr dies und das. «Er tut's», heißt es im letzten Akt eines Dramas, das uns der Deutschprofessor gerade lesen läßt; es geht um eine Entkleidung, aber sie ist leider nicht so gemeint, wie das Mädchen zittert, daß sie sei, atemlos immer wieder «er tut's» mitten im Satz, vom Dichter dazwischengefiebert, den Hut weg, die Locken durcheinander, weg das Busentuch, «er tut's», ein fatales Stück, bei dessen Vortrag der Dichter selbst vor Gelächter nicht vom Fleck gekommen sein soll, aber der Deutschprofessor findet, das sei gerade das eminent Tragische daran und fährt uns übers Maul, wenn wir mitlachen wollen. Dabei lachen wir wegen Schinz, der den Liebhaber mit der größten Seelenruhe aufsagt und sogar das «er tut's» so zufrieden hinstellt, als wär's eine Reportage aus dem Bundeshaus.

Ich weiß nicht mehr, was ich sagen wollte, aber wahrscheinlich wollte ich sagen: da hatte der Mathis ein anderes Tempo drauf. Je älter die Nacht, desto wacher wurde er, desto mehr fiel ihm ein, was er noch mit Fees Gesicht anstellen konnte, er tat's; je mehr es hinter dem Sacktuch Tag wurde, desto rascher wurde es Tag und Nacht auf Fees Gesicht, desto rascher floß und festigte sich der Gips, desto williger fielen Mathis die Gipsgesichter in die Hände, und schließlich lagen ihrer wohl zehn an die Wand gereiht, Gesichter und Hinterköpfe, bereit, straff zusammengeschnürt, zum letzten Mal ausgegossen und dann vorsichtig abgeschlagen zu werden, niederzubröckeln erst weiß, dann bläulich vor den endgültigen Gesichtern Fees, zurückzukehren zu Staub, von dem sie genommen waren, während Balthasar Demuths vergangene und künftige Meisterwerke ebenfalls Stück für Stück aus dem Staub hervorgingen, stehen blieben, schneeweiß gerüstet, nicht nur die geröteten Blicke ihres Fabrikanten, sondern auch die erschüttert prüfenden der städtischen Kunstkommission auszuhalten.

Aber heute nicht mehr; heute nichts mehr von alledem. Zum letzten Mal brach Mathis Fees zweites Gesicht auf (diesmal hatte sie an Messiah McNapoleon gedacht – was würde daraus werden? Ein Kritiker nannte den Gesichtsausdruck, soweit er ihn erkennen konnte, «verschämt»); er leistete Demuths Unsterblichkeit für diesmal den letzten Handlangerdienst. Fee erhob sich aus dem Schauerbad, setzte sich an den Ofen, dessen bescheidene Aufwinde ihre Fahnen trockneten, wusch sich am Trog den Gips aus dem Gesicht und rüstete sich neu mit ihren Röcken aus. Dies alles, während Mathis schon auf seiner Pritsche lag. Es hatte ihn förmlich hingeweht; er schlief bereits. Fee betrachtete ihn mitleidig. Dann tat sie, leise die Tür aufriegelnd, den bekannten Schritt ins Morgenrot.

Call it a night, sagen die Engländer. Aber sie war, wie sich zeigen sollte, nur ein Vorspiel. Erst in der nächsten Nacht wurde Matthias Kahlmann so recht vom Geist angefallen. Kopfjägerei genügte ihm nicht mehr. Er fing an, Fees Körper ins Auge zu fassen, und indes er noch zögerte, wie er seiner Vision genugtun könne, ohne Fees Sittsamkeit und damit ihre Mitarbeit zu gefährden, packte es ihn, packte ihn mit dem Sturm jener Unvernunft, jener höheren Vernunft, die man in Laienkreisen als Inspiration feiert.

Mein Bericht darüber darf aus noch besseren Gründen als den schon bekannten lückenhaft sein – ebenso lückenhaft, wie Mathis' Bildhauerkunst ohnehin gewesen ist und noch in dieser Nacht der Nächte, trotz ihrer Inspiriertheit, zu sein nicht aufhörte. Ja, «inspirierte Lückenhaftigkeit» scheint mir keine schlechte Formel für Matthias Kahlmanns Verfassung als Bildhauer; wenigstens eine ebenso passende wie diejenigen, in die eine gelehrte Kunstkritik später vor seinen Werken, jetzt: den Werken Balthasar Demuths, ausgebrochen ist. Diese höhere Lückenhaftigkeit wirft ihren Schatten leider auch über die technischen Einzelheiten, die Hilfsmittel, die zu dem eigentümlichen, in Mathis' Leben einzig dastehenden, also wieder: lückenhaften Gelingen dieser zweiten Nacht führten: diese Mittel und Techniken liegen im Dunkel. Umwand er Fee ganz und gar mit einem Wabengeflecht aus Hühnerdraht? Bandagierte er sie mit Musselin? Wie trug er den Gips auf – mit der Hand, mit einem besonderen Werkzeug? Dicken oder flüssigen Gips? Wie löste er das Problem der vollplastischen Form? Gipste er erst einen Arm rundum ein und schnitt dann den Gipsmantel längs durch? Wenn ja, mit welchem Instrument? Bei welchem Härtegrad des Gipses? Mit welchem Stoff fügte er dann die Halbformen wieder zusammen? Oder nahm er die Ober- und die Unterform des Armes nacheinander ab? Wie bewog er im einen wie im andern Fall den Gips dazu, an lotrechten oder gar überhängenden Partien zu haften? Wie löste er das gipstechnisch kitzlige Problem der Ärmel- oder (entschuldige, Fee) der untern Rocköffnung? Denn das ist ja das Ungeheuerliche, das ist es, was allerdings der Inspiration bedurft hatte: Mathis goß Fee, die *ganze* Fee, keineswegs in entblößtem oder, wie in der Vornacht, dürftig bekleidetem Zustande ab; er hieß sie sogar sich bekleiden, – nicht gerade in ihr bestes Zeug –; er legte Hühnerdraht oder Musselin oder was immer, er legte dann den Gips *über* ihre immer noch alpenbäuerliche Rüstung, über Mieder, Obermieder und Strickjäckchen, über Unterrock, Faltenrock und Fürtuch, über Wollstrümpfe und Schnürstiefel. Mathis potenzierte gleichsam das Schamgefühl Fees, er bekleidete sie nochmals, er verschalte sie ganz und gar, wenn auch Stück für Stück. Und nachdem er sie irgendwie herausgeschlagen hatte, baute er ihre Figur aus den Schalenteilen ebenfalls Stück für Stück wieder auf – eine Figur vielmehr, die nur noch dem Eingeweihtesten den Körper, das Gesicht verriet, die sie geprägt hatten, denn die Züge der Figur waren verronnen, ausgeglättet, ließen nur noch Ahnungen eines Menschenantlitzes durchblicken, ergreifende Ahnungen allerdings, aus denen die Kunstkritik später mit Recht auf ein machtvolles Gesicht geschlossen hat. Die verräterischen Stellen sind verstrichen, glatt gemacht, beinahe so glatt, wie du dir die Engel deines Himmels die Nacht zuvor ausgemalt hast, Matthias Kahlmann. Versteht sich von selbst, daß diese Engelsgesichter schneeweiß waren, mit Schatten belebtes Weiß, es zeigte Poren, Klüfte, die von Unregelmäßigkeiten der Gipsmasse herrührten, künstlerische Freiheit des Auftrags bezeugten. Daß die Figur überlebensgroß war, kann man sich denken; um die Dicke des Mantels war sie höher als jede Menschengestalt und das einzelne Glied fester als natürlich. Es würde sich zeigen, daß nur der Neger McNapoleon an den kleinsten der Meerschaumriesen heranreichte und daneben allerdings besonders grazil wirkte, von der Schönheit des Weißschwarz-Kontrastes ganz abgesehen.

Die kleinste der Figuren? Also waren es mehrere? Mehrere solche Vollplastiken in einer Nacht? Mag man das Wunder der Inspiration niedrig veranschlagen – die Arbeitsleistung, die sie den magern Kräften eines Matthias Kahlmann abverlangte, bleibt wunderbar in jedem Fall. Sechsmal in einer einzigen Nacht ließ er Fee die Stellung wechseln; sechsmal nahm er sie ganz und gar in Gips ab. Es ist nicht anders: Mathis muß in seiner Geschäftigkeit dieses oder jenes Naturgesetz bestochen haben, der Gips muß unter seinem heißen Atem rascher getrocknet sein.

Eine stehende Figur, leicht gebückt, scheint mit einer Arbeit am Schüttstein beschäftigt; wenigstens läßt die Stellung ihrer unklar gestalteten Hände auf so etwas schließen. (Alle Hände der Demuthschen Figuren haben dieses Verwischte, sind eigentlich Patschen; die Technik erlaubt es nicht besser. Jener Kritiker, der darin die «Achillesferse» Demuths zu erkennen glaubte, und jener andere, der die gleichfalls «offenen» Hände Matisses zum Vergleich heranzog, gaben sich damit als blutige Laien zu erkennen und wurden von Prof. Anderegg mit Recht dem Gelächter der Fachwelt preisgegeben.) Eine gewisse Steife der Pose und Unbeholfenheit der Oberflächenbehandlung, die auch vor dem offenen Riß nicht zurückschreckt, deutet auf einen frühen Zeitpunkt dieser Schöpfung (Stefan Sommer hat überzeugend ihre archaischen Züge ins Licht gerückt): ich schätze, daß sie Mathis zwischen acht und zehn Uhr gestaltet hat. Sein zweites Werk zeigt Fee sitzend und Demuths Talent, wenn nicht alles täuscht, in einer Art Wachstumskrise. Die Lage des – übrigens tatsächlich vorhandenen, mit Gips etwas gestärkten – Strickzeugs in den Händen der Figur ist nicht völlig naturgetreu. Um so strahlender ist dann das Gelingen von Kahlmann/Demuths dritter Figur: wieder einer Stehenden. Fees unsterbliche Hülle richtet sich sieghaft auf, fast herausfordernd, die Hände beidseits auf die Hüftknochen gestützt; sie bedarf nicht mehr des Vorwands einer häuslichen Beschäftigung, sie ist leuchtend ganz sie selbst. Die Wölbung der Schürze über den leicht gegrätschten Beinen ist straff, der Auftrag makellos. Der Verdacht liegt nahe, es sei tatsächlich Fees wirkliche Schürze, die den Gips von innen beseele, aber es wäre unmöglich, den Beweis anzutreten, ohne den Gips zu beschädigen. Ich hätte Mathis fragen können, aber ich habe es nicht getan; nicht nur erinnerten wir einander während der Kampfzeit um Balthasar Demuth nicht mehr an die Herkunft der Plastiken; es gelang uns allmählich, uns selber nicht mehr daran zu erinnern. Es war dies eine Spielregel, die wir nicht eigens abzusprechen brauchten. Sie nährte sich aus dem stillen Bewußtsein, daß eine Sache sittlich erst vertretbar wird, wenn ihre Träger selbst zuinnerst daran glauben. Man hat das Gegenbeispiel in Schillers «Demetrius»: der Feldzug des Mannes beginnt bekanntlich in dem Augenblick schief zu laufen, wo er sich eingestehen muß, er habe kein inneres Recht, ihn zu führen. Das sollte uns nicht passieren. Wir sorgten dafür, daß wir glaubten, und fielen darum aus allen Wolken, als Mathis, eifersüchtig gewissermaßen auf das eigene Werk, seinen privaten Anteil daran wieder glaubte einfordern zu müssen. Aber ich greife vor.

Mitternacht war schon vorüber, als ihm jene großartige «Handaufstützerin» gelang. Fees nächste Inkarnation – eine Kniende, mit einem Scheuerlappen Beschäftigte – zeigt den Künstler, welchen auch immer, im sicheren, ja behaglichen Besitz seiner Mittel; einem so sicheren, daß man die «Bodenfegerin» *cum grano salis* ein «biedermeierliches» Werk genannt hat: sie verrate nichts vom Drückenden einer so tiefstehenden Betätigung, sondern scheine ganz konkret wieder der Menschenliebe den Boden zu bereiten.

Zwischen diesem Werk und dem nächsten, dem fünften nach der Zahl, setzt die Kritik eine tiefe Zäsur an. Ein neues, offenbar verdunkeltes Lebensgefühl Balthasar Demuths habe hier Epoche gemacht. Vielleicht; um mehr als eine halbe Stunde Pause kann es sich kaum gehandelt haben. Die «Büßende» steht geduckten Kopfes, drohend oder unter einer Bedrohung. Ihre Arme sind unauflöslich, bis zur Unkenntlichkeit, verschränkt. Da auch die Gipsschale besonders massiv, die Vernietung der Einzelteile sorglos und klar erkennbar, die Übergänge von Rock und Beinen sowie die Trennung der Beine kaum angedeutet ist, hat man von einem Zurücktreten des Natürlichen gegenüber dem Expressiven gesprochen. Eine andere Schule von Kritikern, die in der rohen Form vor allem das Künstlich-Bewußte sieht, will Ansätze zu einem persönlichen Manierismus im Sinne von Michelangelos unvollendetem Spätwerk entdeckt haben.

Wie dem auch sei: die gesamte Kritik vereinigt sich wieder im erschütterten Lob des sechsten – und, wie man sich einig ist, letzten – Stückes der Demuthschen Passion. Seitlich auf dem Boden liegt, völlig eingezogen, in Kauerstellung, ich würde sagen: wie ein gekochter Engerling, ein Wesen mit auf die Brust gedrücktem Kopf. Arme und Beine sind zusammengeknebelt, bieten dem Auge des Betrachters kaum etwas, wo es sich festsehen kann – mit Ausnahme vielleicht des Nackens, der in dieser Stellung bedrängend hervortritt. Dieser Nacken ist aber, nach dem Zeugnis eines kirchlichen Kritikers, «ausdrucksvoller als alle Gesichter, die uns die Porträtkunst seit hundert Jahren beschert hat.» Derselbe Mann fährt fort: «Was sehen wir? Einen Embryo, im Mutterleib zerstört? Ein Opfer, das sich unter offenem Himmel zum Hungertod hingelegt hat? Oder eines, das nackt und gekrümmt den Strahlen des Todes die geringste Oberfläche zu bieten versuchte? Was wir auch sehen: immer sehen wir in mitleidloser Plastik das Ecce Homo unserer Zeit. Und es ergreift uns doppelt als Zeugnis eines Künstlers, der wie Balthasar Demuth in scheinbarer Zurückgezogenheit und Buchtenruhe diese seine furchtbare Vision der Wahrheit auszutragen hatte.»

Roland von Aesch hat dieses Zitat nicht gefunden; es stand damals im «Kirchenboten». Was mich an diesem Stück besonders ergreift – man wird schon gemerkt haben, es ist nicht mein Geschmack, ich mag auch die kirchlichen Phantasien darüber nicht, betone nur, daß Roland sie nicht gefunden hat –, ist die Tatsache, die der Kirchenmann nur am Rande erwähnte: daß die Figur, verglichen mit den fünf andern, tatsächlich «nackt» wirkt. Wenn dieser Schein nicht trügt, dann kann ich mir ihre wunderlich eingezogene Stellung erklären, ohne Todesstrahlen dafür zu bemühen. Hatte Fee ihre ganze Garderobe unter dem Gips zurücklassen, ihre Röcke Balthasar Demuths Unsterblichkeit vererben müssen? Hatte ihr Gott dann nur noch Gips zur Decke gegeben? Vielleicht, nicht ganz unmöglich. Dann aber hätten wir in diesem letzten Bildnis – einem Aktbildnis – ein ungleich aufregenderes Gegenstück zum römischen Kaiser der vorigen Nacht. Wir hätten wahrhaftig nochmals das Zeugnis eines Opfers vor uns, wenn auch eines ganz andern, als es dem Kirchenmann vor seinem inneren Auge geschwebt hatte.

Fees lieber Gott hat ihr Opfer gnädig betrachtet. Ich meine: um ihretwillen, der späteren Mörderin, wurde die «Soldanella» ein paar Monate verschont. Er bediente sich der staubigen Engel dazu, denen sie die Form ihres Leibes, der nur geliehen war, freundlich weitergeliehen hatte.

Stefan hat Mühe

«Nein», sagte Stefan zum zweiten Mal. Wir standen in einem lockeren Ring um ihn herum. An der Wand, auf einem Haufen, lagen Nähmaschine und Flügel, Palme und Aspidistra, Rosenholz und Sumpfeibe: beinah wieder der Hatelma-Berg. Die Afrikaner stiegen malerisch darauf herum. Herbert hing auf einer Bockleiter unter der Decke und fingerte einen Schraubenzieher. Roland von Aesch war beschäftigt, die «Erschaffung des Grübchens» mit Schwamm und Wasser vom Fenster abzuziehen. Tobias kniete auf einem beinahe aufgerollten Plüschteppich. Matthias stand, Teile eines Betthimmels unterm Arm, im Türgericht; Fee guckte ihm aus der Küche über die Schulter. Monika hatte den Pfauenkäfig abgestellt; der Schweif schwang und knisterte auf dem nackten Linoleum. Sonst hörte man keinen Laut. Durch die Haupttür, die Stefan offengelassen hatte, glommen die Meerschaumriesen.

«Bitte, Stefan», sagte Herbert von seiner Höhe herab, «so war es doch abgemacht.»

«So war es *nicht* abgemacht», sagte Stefan mit erzwungener Ruhe. «Die Meinung war die, daß Mathis noch ein halbes Dutzend seiner Köpfe abzieht und fertig. Und nun diese Gespensterversammlung. Wollt ihr in den Kalender kommen?»

«Entschuldige, Stefan», sagte Roland ebenfalls von oben herab, «ich finde die Gespenster sensationell. Und was den Kalender betrifft: natürlich wollen wir in den Kalender kommen. Das ist doch die Idee.» «Du heilige Unschuld», sagte Stefan und versuchte, obwohl er ziemlich blaß war, eine komische Miene zu schneiden. «Da fahren wir uns eine Woche lang die Reifen wund, wohlverstanden auf Kosten des Steuerzahlers, klopfen zwischen Eisgasse und Kanonengasse das hinterste Mütterchen aus dem Busch, ziehen ihr unter Gewissensqualen ihre Möpse und Kaktusständer aus der Nase, verdunkeln die halbe Stadt für das bißchen Zeug, kriegen in letzter Minute durch nichts Geringeres als ein Wunder alles Nötige franko Haus geliefert und rüsten schließlich die ‹Soldanella› wie für eine Türkenhochzeit – wozu? Um am Ende den ganzen Krempel wieder herunterzureißen und auf die Straße zu stellen. Erlaubt mal: es ist nicht zu fassen.»

Während dieser Worte hatte Tobias den Raum geräuschlos verlassen.

«Du siehst doch, daß in dem vielen Zeug meine Bildnisse nicht zur Geltung kommen», sagte Matthias.

«Deine Bildnisse!» höhnte Stefan. «Mein lieber Mann, du hast das zu liefern, was man bei dir bestellt hat: ein paar zusätzliche Gipsköpfe. Eine *zusätzliche* Garnitur zu allem übrigen, mein Freund. Das war auch Andereggs Meinung.»

«Nein, Stefan», meldete sich wieder, sehr ruhig, Herbert Frischknecht, «das konnte nicht gut Andereggs Meinung sein, nachdem er unsern Hausrat gewogen und zu leicht befunden hatte. Seine Meinung war: daß wir uns *ausschließlich* an Balthasar Demuth halten müßten; das sei unsere einzige Chance. Es ist die einzige Bedingung, unter der er etwas für uns tun kann. Dies hier ist nur die Konsequenz. Sie ist für uns alle gleich bitter.»

«Diese Schneemänner!» schnaubte Stefan leise. «Ihr müßt besoffen sein, wenn ihr denkt, ihr würdet mit diesen Alpträumen euer Glück machen! So was gräbt man in Pompeji aus der Lava und schämt sich dazu! Geht nur hausieren damit: totlachen wird man sich über euch! Macht nur so weiter! Aber wundert euch dann nicht, wenn morgen die Abbruchhämmer kommen und dem Spuk ein Ende bereiten. Nein, es ist zu absurd.»

«Bst», sagte Fee aus ihrer Tür. «Versündige dich nicht. Balzli Demuth hat die Sachen gemacht, und er ist gestorben.»

«Pompeji ist gut», sagte Roland anerkennend.

«Was willst du damit sagen?» fuhr ihn Stefan an.

«Fast gar nichts. Ich sammle nur Stichworte für die Presse», antwortete Roland.

«Was das Absurde betrifft», sagte Herbert, «so würde ich mich deswegen nicht hintersinnen. Alles, was wir bisher unternommen haben, muß sich für normale Augen ziemlich absurd ausnehmen.»

«Es ist uns auch alles so prächtig geraten», warf Stefan bitter dazwischen.

«Mit normalen Augen ist erst recht keine Rettung abzusehen», fuhr Herbert unbeirrt fort. «Wir müssen es auf die Spitze treiben.» Stefan biß sich auf die Lippen. Dann sagte er: «Also gut. Ich wasche meine Hände. Stellt in drei Teufels Namen eure Ungeheuer herein. Aber laßt das übrige beim alten, ich sage es euch zum letzten Mal.»

«Das geht nicht!» rief Matthias und ließ dazu sogar seinen Himmel fallen. «Die Figuren brauchen einen klassischen Hintergrund! Den einfachsten, den es gibt!»

«Es geht wirklich nicht, Stefan», sekundierte Monika
eise. «Wo sollen die Figuren neben all den Möbeln hin?
Jnd wie soll daneben noch ein lebendiger Mensch durch-
kommen?»

«Meine Verehrungswürdigen», sagte Stefan und legte mit
Betonung die Hände auf den Rücken, «ich will euch in zwei
Worten sagen, warum es mit den Figuren nicht geht. Er-
nnert euch bitte: unser Problem war damals nicht so sehr,
das Mobiliar zu beschaffen, als es unlösbar mit diesen
Mauern zu verknüpfen. Es war der abenteuerliche Stil dieses
Häuschens, was die Verbindung mit dem abenteuerlichen
Mobiliar möglich und plausibel machte. Man nennt das ein
Junctim. Dieses Junctim verspielt ihr, wenn ihr eure Büsten
aufstellt. Man wird euch bestenfalls sagen: toll, was ihr da
ausgegraben habt, aber seht zu, daß ihr damit ins nächste
Museum kommt. Morgen brechen wir euer Haus ab. – Wei-
ter habe ich nichts zu sagen.»

«Großartig, daß du weiter nichts zu sagen hast, Stefan»,
kaute Roland behaglich von der Gardine herab. «Dann ist ja
alles bestens. Denn: zerstören wir mit Mathis' Ungeheuern
das Junctim zwischen der Kunst und dem Haus für die
Kunst? Weit gefehlt! Wir zementieren es, wir machen es
unauflöslich! Ab heute ist das nicht mehr die ‹Soldanella›,
Mann, sondern das Sterbehaus des unsterblichen Demuth!
Und wenn wir die Schneemänner durchziehen, wird man
uns das Haus auch müssen lassen stahn, verlaß dich drauf!»

Stefan schwieg. Aber seine Backen wurden flach. Es war
deutlich, daß er die Zähne zusammenbiß.

«Ihr müßt Stefan verstehen», sagte Monika und seufzte
einmal tief dazu. «Es ist eben nicht wahr, daß der Verlust der
Sachen für uns alle gleich bitter ist. Er hängt besonders daran. Es sind sozusagen Leihgaben... ein Pfand...»

Stefan blickte sie nicht einmal an. Er sah auch Tobias
nicht, der wieder hereingewischt war. Er sagte kalt:

«Von unserer Anstandspflicht gegen Alice Bock ganz abgesehen, die uns allen selbstverständlich ist. Balthasar Demuth war ein armer Teufel von Gipser. Es leben in Über-

seen mindestens hundert Personen, die darauf jeden Ei
leisten können.»

«Zugegeben, Stefan», meldete sich wieder Herbert. «Abe
erinnere dich, was du selber vor einigen Tagen in einem ver
gleichbaren Falle sagtest. Wir machten dich darauf aufmerk
sam, daß die ehemaligen Besitzer unserer Möbelstücke ihr
Sachen wiedererkennen und unser Spiel durchkreuzen
könnten. Du wandtest ein – und hast uns damit überzeugt –
sie würden sich hüten, es zu tun. Sie würden nicht die Dum
men sein wollen, die eine Kostbarkeit leichthin aus de
Hand gegeben haben. Das wird im Falle Demuth nicht an
ders gehen. Seine Bekannten werden eher ihre Bekannt
schaft verleugnen als zugeben, daß sie sein Genie nicht er
kannt haben. Ich vermute sogar, wir haben von dieser Seit
Zuzug zu erwarten. Jeder wird etwas gemerkt haben wol
len, wenn einmal festgestellt ist, daß es da etwas zu merken
gab.»

«Dafür laßt mich sorgen», vergnügte sich Roland vo
Aesch. «Ich schreibe euch eine Biographie Balthasar De
muths – *so!*» Und er nahm Schwamm und Lappen in ein
Hand und markierte, indem er Daumen und Zeigefinger de
andern dicht vor seinen Lippen schnellen ließ, einen Gour
met-Kuß wie vor einem gut abgehangenen Steak.

«Wir müssen weiterarbeiten», sagte Herbert.

Langsam, schonend gleichsam fing die Gruppe wieder an
sich zu beschäftigen. Gleich darauf erstarrte sie.

«Ich verbiete euch fortzufahren», sagte Stefan mit eigen
artiger Stimme und griff in die Tasche dazu. Es sah aus, al
wolle er einen Revolver ziehen. Aber er kramte nur sein
Pfeife heraus. Er sah sie an und klopfte sie mit dem Finger
knöchel ab.

Roland war der erste, der sich wieder seiner Glasmalere
zuwandte. Dann geschah es, sehr rasch hintereinander
Stefan ließ die Pfeife fallen und stürzte sich auf Roland. De
taumelte, Schwamm und Wasser fahren lassend, vom Stuhl
Aber ehe ihm Stefan an den Kragen konnte, umfaßten ihn
selber zwei breit manschettierte Arme von hinten, klemm

ten ihn wie ein Schraubstock zusammen, schoben ihn mit hartem Ruck ein paar Zoll höher und hielten ihn in der Luft fest. Barnabas Alundas herzliches Grinsen erschien, an Stefans Rockschulter gepreßt. «Diversion, du?» fragte er zu Stefans erstarrtem Gesicht hinauf. «Obstruktion? Sabotage, du?» Und indem er Stefans angepreßte Arme anders bündelte, tat er ein paar Schritte mit ihm, tänzelte einmal um seine eigene Achse, schlug dann wieder seinen Kopf gegen das knitternde Achselpolster des andern und ließ die Augen heraufrollen. «*Ain't we trying to be funny?*» fragte er. «*Ain't we very very funny?*» Es war eine Nummer von munterer Genauigkeit, wie in einem Schmierenzirkus: Stefan schien Gips geworden, ganz steif, nur seine Schuhe baumelten leise. Er hatte die Augen geschlossen, so daß seine Lider bläulich anliefen, unheimlich blau in einem Gesicht, das nicht weiß, sondern buchstäblich farblos zu werden schien, durchsichtig wie ein Präparat. Die Puppe gab kein Lebenszeichen, nur der Adamsapfel bewegte sich ruckweise, konvulsivisch wie bei einem Erstickenden. Keiner von uns rührte sich. Wenn es nach uns gegangen wäre, Stefan hätte eingeklemmt bleiben können in Ewigkeit. Aber «Schluß!» rief Fee, «Schluß jetzt», rief es übrigens nicht aufgeregt, sondern beinahe prüfend, wie ein Trainer oder Arzt. Der Minister ließ Stefan nochmals hochfahren, faßte unter seinen Schultern nach und senkte ihn mit gestreckten Armen, über die Stefans hangende schlenkerten, vor sich wieder auf die Erde nieder. Dort stand Tobias bereit und legte Stefan den Arm um die Schulter. «Komm», sagte er. «Leg dich ein wenig.» Und seltsam war es anzusehen, wie Tobias den leicht Schwankenden, aber ganz Willigen abführte ins Nebenzimmer. Bald hörte man drüben die gewaltige Bettstatt ächzen und Tobias' Stimme mit leisem Auf und Ab wie zu einem Kranken.

«Jetzt könnt ihr weitermachen», sagte Fee ruhig.

Es ging jetzt wirklich sehr leise zu. Die Neger halfen mit, besonders beim Flügel waren sie vonnöten; auch ihn verschoben sie auf Zehenspitzen, was eine Leistung bedeutet.

In diese Stille hinein hörte man einen Wagen vorfahren
Und im selben Augenblick stand Stefan unter der Tür
«Alice ist gekommen», sagte er mit einer Stimme, die wede
laut noch leise war; mir kam sie kindlich vor. Und zwe
Augenblicke später stand tatsächlich Agnes Bock in de
Tür; die Schneemänner blickten ihr mit erloschenen Auger
übers Haar. Es war immer noch abgefressen, die Augen immer noch groß, aber sie hatte einen Rock an. Sie sah ausgesprochen wie ein Mädchen aus. Stefan dort, Agnes hier
oder Stefan hier und Agnes dort: jetzt waren die andern ir
der Zange. Nichts zu machen. Barnabas Alunda verschränkte
die Arme, Herbert, der mit dem Leuchter gerade fertig geworden war, drückte ihn sorgsam gegen die Brust, daß er
nicht klingeln konnte, und setzte sich auf die oberste Stufe
der Bockleiter.

«Sie wollen deine Sachen nicht mehr, Agnes», sagte Stefan
mit der Stimme von oben, die jetzt fast etwas Singendes
hatte. «Sie wollen sie auf die Straße stellen.»

«Sie haben ganz recht», sagte Agnes mit ihrer Stimme, die
von Natur etwas Singendes hatte, jetzt aber trotzdem ganz
kühl, kühl bis zur Heiterkeit klang. «Die Statuen sind natürlich die bessere Idee. Halte dich also mit dem Zeug nicht
auf. Jetzt ist es nur noch im Weg. Ich bin gekommen, um es
abzuholen.» Sie sah sich um. «Ich sehe, ihr könnt bald fertig
sein. Ich warte so lange. Oder» – fügte sie zögernd hinzu –
«kann ich etwas tun?»

«Nein, Sie brauchen nichts zu tun, danke höflich, Fräulein Bock», sagte Fee ganz vertraut und nahm die Hände
unter der Schürze hervor. «Klaus», sagte sie, «hol dem Fräulein einen Schluck zu trinken, wenn es so gut sein will.»

Fee verließ sich auf mich. Ich suchte unter den Flaschen
des Kellers. Dann stieß ich auf die unbeschriftete und erschrak. Konnte es diese sein? Jetzt? Dann nahm ich sie und
wischte ihren Staub mit dem Ärmel ab. Es konnte gar keine
andere sein.

Fee nickte, als sie das Glas vollgoß. Es war das venezianische Stefans. Der sah mit großen Augen herüber. Agnes

schnupperte am Harz. Dann trank sie. Die andern arbeiteten. Auch Stefan trug etwas auf den Haufen, eine Vase, glaube ich, den Plumpudding zwischen Beckenknochen. Er legte sie sorgfältig, etwas abwesend, etwas beiseite dazu, wie ein Kind, das mit seinem liebsten Spielzeug kommt. Die Afrikaner aber waren schon unterwegs durch die Tür. Gehend und kommend verminderten sie den Hatelma-Berg, machten unsere Stube wieder übersichtlich, ließen die Wände leer blicken, den abgenutzten Linolbelag hervorscheinen.

Draußen vor dem offenen Giraffenwagen aber stand Herbert und beaufsichtigte den Verlad. Kurz war das Glück der Rast gewesen, wieder war die Karawane unterwegs, die Möbelfestungen wanderten über die Köpfe der Neger einer ungewissen Ferne zu. Stefan stand jetzt irgendwo am Kiesweg und blickte ihr nach. Ich glaube, ich stand hinter ihm. Diesmal war es am Tage. Seit wann hatte ich mich draußen nicht mehr umgeschaut? Die Luft roch nach spätem Nachmittag; ein noch blauer Himmel lag auf zartem Rand, aber man sah den Rand nur über der Stadt, durch eine Lücke zwischen dem Milchmann und dem umgebauten Hof Bruderers; eine verschwindende Stelle Ferne, ein stiller Schaum von Kuppeln, Zürich, Samarkand. Aber der Hauch der Kuppeln war es, was ich plötzlich wieder gern haben konnte; das Gefühl schloß ihn zum Kreis, zum Horizont eines kommenden großen Abends hinter den Häusern. Vom Giraffenwagen dröhnte es, dann wieder stießen merkwürdige Dinge scharf gegeneinander, ein Zoo bizarrer Materialien, es war wieder Gerümpel, das sich versammelte, man hörte nicht mehr, daß es mit Sorgfalt abgestellt wurde, man spürte die frische Luft. Dazwischen schepperte es ganz gewöhnlich aus der Milchmannkulisse. Es war wohl immer so gewesen; auch die Autos, die viertausendmal am Tag anrollten und ihre Blinker zucken ließen hierhin und dorthin; auch das ruhige Reden der Nachbarsfrauen – das alles war inzwischen weitergegangen, aber ich glaube nicht, daß einer von uns darauf geachtet hat. Jetzt, als die Möbel auszogen, war die Leere der Stelle, an der wir standen, wieder sichtbar, sichtbar wieder das gebrechliche Massiv von Hüttenrauchs Dächern unter der helleren Leere, in der vielleicht bald der eine oder andere Stern stand. Es war wieder Raum für Vermutungen über Sterne; das Gefühl meldete sich, daß es Herbst werden könnte, ohne daß sich sein Reif auf dieses Dach legen würde. Die Greuel hatten es verlassen, verschwindend gaben sie zu verstehen, daß sie uns Halt geboten hatten; die Götzen waren noch nicht eingezogen, noch drängten sie sich im Vorraum, es war immer noch möglich, daß sie die Schwelle nicht überschritten oder daß ihr Einzug nicht kräftig genug war. Zwischen dem verlorenen Halt und dem noch nicht zugesagten aber gab es diesen sehenden Abend, in den wieder, wie ein entbehrter Schmerz, die Ferne einströmte, gab es Platz für die Jahreszeit, für Erschrecken ohne Sorge, für Frösteln und eine untröstliche Leichtigkeit.

Wo war denn Stefan? Da stand er am Gartentor, den Arm ruhig über die eiserne Ranke gelegt, keine drei Schritt von Agnes entfernt. Sie standen fast beieinander. Ich sah ihr Gesicht nicht, aber ich glaubte, daß es sich in seinem spiegle. Stefan lächelte; er lächelte in meiner Richtung, an Agnes vorbei auf die andere Seite des Abends, lächelte, wie ich ihn kannte: ohne Bedeutung oder Zuversicht. Sie redeten vielleicht miteinander, ich war zu weit weg. Außerdem dröhnte immer noch der Verlad, wenn auch schwächer; Herbert war bald fertig, einer der Neger sprang auf die schon dunkle Straße. Als ich Monikas Stimme hörte, trat ich doch näher. Meine Augen wurden wieder fest, faßten einen bestimmten Punkt; ich ging an den beiden beim Gartentor vorbei, die in diesem Moment aufhörten zu sprechen, sah den Punkt jetzt größer und erschrak etwas, denn es war der Gemeindepräsident Pfaff. Jetzt konnte ich mir Monikas Stimme erklären. Sie hatte wieder ihren Auftritt.

«Sie ziehen also doch aus?» sagte Pfaff und stützte sich auf seinen Schirm. Mit seinem Schirm unter diesem Abend war er eine ganz besonders komische Figur. Außerdem blickte er über die Brille weg angestrengt ins Innere des

Giraffenwagens. Er sah dort vielerlei die Beine strecken, eine dicht gepackte Unzucht von Mobiliar, traute dennoch seinen Augen nicht: waren es Beine? Geweihe? Gewehre?

«Ganz im Gegenteil, Herr Präsident, wo denken Sie hin», sagte Monika und lehnte mit gespannter Brust gegen den Wagen. «Wir schaffen gerade Raum im Haus, denken Sie, in drei Tagen kommt die Städtische Kunstkommission mit den Herren von der Denkmalpflege, die müssen doch den rechten Eindruck von den Sachen bekommen.»

«Wovon denn ganz genau, wenn ich fragen darf?» fragte Pfaff. Seinem Ton war nervöse Entschlossenheit anzuhören: ‹diesmal kriegt ihr mich nicht dran›.

«Es ist noch nicht publik, Herr Präsident», sagte Monika und sah den Mann sinnend an. Sie schien mit einem Entschluß zu ringen. Dann sagte sie über die Schulter: «Aber was meinst du, Tobias. Der Herr Präsident hat sich immer so für die ‹Soldanella› interessiert. Er verdient unser Vertrauen. Er würde von seinem Wissen nicht vorzeitig Gebrauch machen.»

Tobias sagte nichts dazu.

«Herr Gemeindepräsident!» intonierte sie mit hoher Stimme und löste sich entschieden vom Wagen. «Sie hören selbst, Sie dürfen mich jetzt eigentlich noch nichts fragen. Aber weil Sie es sind...» Sie fiel wieder in ihr Sinnen zurück.

«Es war von Möbeln die Rede», sagte Pfaff bitter. Mein Gott, der Mann war schon wieder in einer schwachen Position.

«Von Möbeln...» echote Monika und zog die Lippen zwischen die Zähne. «Von Möbeln... was müssen wir für Unschuldslämmer gewesen sein.» Sie versann sich wieder. Dann riß sie, wie vor einigen Tagen beim Schweigen des Hausgespenstes, sperrangelweit die Augen auf.

«Herr Präsident!» flüsterte sie. «Wir dachten wie Sie. Wir dachten, es handle sich um Möbel. Um Möbel! Wir haben die ungeheuerlichste Überraschung unseres Lebens erlebt. Es handelt sich um nichts Geringeres als – Prof. Anderegg sagte es selbst und hatte Mühe, dabei die Fassung zu bewahren –»

Pfaff schwieg. Er meinte: ironisch. Monika sah durch ihn hindurch. Ihre Lippen bildeten ausführlich ein schmerzliches Lächeln und dann, ohne Laut, ein Wort...was für ein Wort?

«Balthasar Demuth», flüsterte sie endlich. «Kannten Sie ihn?»

«Den Gipser?» fragte Pfaff. Seine Ironie kam ein wenig aus dem Tritt.

«Sehen Sie!» triumphierte Monika. «Sie kannten ihn auch nicht! Den Gipser! Niemand sollte ihn kennen...»

«Ich glaube, Sie sind noch nicht völlig erholt, Fräulein», bemerkte der hohe Zaungast. Er gab sich Mühe, seiner Sache sicher zu sein.

«Sie haben recht», sagte Tobias endlich. «Ihre Gesundheit ist noch etwas angegriffen. Komm herein, Monika, du hast zuviel geredet und wirst dich verkühlen. Verzeihen Sie, Herr Präsident. Wir alle haben außerordentlich stürmische Tage hinter uns. Ich wünsche Ihnen einen hübschen Abend. Ich zweifle nicht, wir werden in der nächsten Zeit noch viel voneinander hören.»

Präsident Pfaff blickte von einem Neger zum andern. Dann lüftete er seinen Hut und stakte über die Straße davon. Fast hätten wir ihm nachgesehen, bis er verschwunden war. Aber dann sprang der Motor an und zog unsere Köpfe herum. Der Gefängniswagen war jetzt hermetisch verschlossen. Herbert kam nicht mehr dazu, ihm einen Klaps zu geben. Die Startbeschleunigung war wirklich enorm. Auch Pfaff betrachtete das Schauspiel von der andern Straßenseite. Dann blickte er auf seine Armbanduhr und ging.

Ich schielte nach Stefan. Kein anderer Wagen stand jetzt bereit für ihn, kein Gedanke an Verfolgung. Er machte auch keine Miene dazu. Er sah nicht einmal die Straße lang.

«Kommt», sagte er ruhig, «sonst verkühlen wir uns wirklich. Unsere Freunde haben geschwitzt.» Und als der letzte hinein war – es war Barnabas Alunda – schloß er hinter ihm mit einer gewissen Förmlichkeit Friedrich Hüttenrauchs Gartentor.

Um die nächste Szene auszubreiten, müßte ein größerer Schriftsteller her als ich. Ich habe zu viel Personal: sieben fremde Leute zu den sechsen hinzu, die wir kennen (Bitz abgerechnet, der war in Ägypten, hörte man), von den Negern ganz zu schweigen, für die sich ein warmes Plätzchen wird finden müssen. Wenn schon Schiller im «Wallenstein» Mühe gehabt haben soll mit der Organisation seiner Völker und für ihre Masse ein eigenes Stück eröffnete, mit ziemlich unwichtigem Personal, notabene, Kapuzinern, Söldnern und Marktweibern, was soll dann ich sagen: ich hatte es mit lauter Koryphäen zu tun, und sie sprachen mehr, sie sprachen in zwanzig Minuten gescheiter als Schillers Kapuziner in einem ganzen Leben.

Wenn noch die Neger da gewesen wären! Sie hätten schwarze Flecke gebildet, auf denen Herz und Auge ausruhen können, sie wären zwischen den Gipsmännern herumgestiegen und hätten starke Kontraste gebildet. Wie herrlich war es anzuschauen gewesen, als Messiah McNapoleon und George St. Pancras, Sylvester Mba und Barnabas Alunda, Jack und Jim unter mattem Sternenlicht ihre weißen Antipoden aus Mathis' Atelier an den Bohnenstecken und Platanenstümpfen vorbei in den Vorraum der «Soldanella» getragen hatten, über dem Kopf, Balthasar Demuths pompejanische Gespenster gegen den Himmel stützend, die «Liegende», die «Strickende», die «Abwaschende»: eine schwebende Prozession über einer schreitenden! Aber heute wäre das Schauspiel afrikanischer Unbefangenheit vielleicht nicht ganz willkommen gewesen. Wir glaubten uns nicht leisten zu können, daß Messiah wieder einen der Herren in seiner revolutionären Art ansprach. Auch war der verfügbare Raum durch die Ausstellungsstücke tatsächlich so knapp geworden, wie Herbert vorausgesagt hatte. Kurz: Stefan, und wer sonst zuständig war, hatte beschlossen, die Neger einzusparen, um die Gediegenheit unseres Empfangs nicht zu gefährden. Um ihnen trotzdem etwas zu bieten, hatte man Mathis, der natürlich maulte, mit ihnen auf den Zürichsee geschickt; die Dampfbootgesellschaft veranstaltete zu stark herabgesetztem Tarif Werbefahrten auf die Halbinsel Au und zurück; was Leuten wie Klopstock recht gewesen war, mochte Sylvester Mba billig sein.

Ich halte für möglich, daß bei der Entfernung des Bildhauers Besorgnisse mitgespielt haben, die sich später als nur zu begründet erwiesen; das Taktgefühl gebot jedenfalls, ihm die Verleugnung der Bildwerke nicht schon nach drei Tagen zuzumuten. Für den Nachteil, daß nun niemand die Cocktailbissen, die gefüllten Oliven und später den Whisky mit dem schon gewohnten Schick unserer Ministerfreunde servierte, hatten Fee, Monika und ich aufzukommen. Wir taten es treuherzig nach unserem Vermögen. Wenn ich mit den Oliven herum war, wenn mir der Kopf weh tat von den Diskursen, die meine Oliven nicht unterbrachen, nahm ich Aufstellung bei einem Herrn, der von allen der zufriedenste schien und mir am ehesten als Neger dienen konnte, dem alt Regierungsrat Abächerli.

Es blieb lange dunkel, wozu Anderegg diesen ruhigen Mann mit der kindlich dichten, nach einer Seite gestrählten Mähne und der solid bürgerlichen Verpackung eingeschleppt hatte, abgesehen davon, daß er sein Freund war. Unter den andern, die, wofern sie nicht wirklich jung waren wie der rührige Direktor Gabathuler vom Kunstmuseum (der den frischen Wind, den er in die städtische Kunstpolitik trug, immer ein wenig nach *Arden for Men* duften ließ), sich wenigstens jugendlich aufführten – besonders prononciert tat dies Dr. Gemperle, Kunstredaktor des Einzig Möglichen Blattes, ein schon zart grauer Mann mit aufblendbaren Augen, der in seinem kleinkarierten Anzug wie ein Eisläufer herumfuhr –, unter all diesen wirkte alt Regierungsrat Abächerli mit seiner Uhrkette am Bauch wie der Vetter vom Lande; er verschob sich nicht, nickte in großen Abständen ohne erkennbaren Anlaß, und erst wenn man ihm länger in die Augen sah, die er nicht übel unter prächtigen Brauen versteckte, konnte man drauf kommen, daß er es hinter den Ohren hatte. Ich überlese den Satz nochmals; er ist unmöglich, aber man bedenke, daß ich darin neben zwei kunstsinnigen Doktoren einen so gewichtigen Mann wie Abächerli unterzubringen hatte. Freilich bleibt immer noch offen, worin Abächerlis Gewicht bestand und was er in diesem Kreis verloren hatte, denn er war schwerlich hergekommen, damit sich ein damals noch wenig gebildeter Gymnasiast in seiner Nähe von den Sprüchen der Gebildeten erhole. Man wurde allmählich inne, daß Abächerli, seit er pensioniert war, Bergbauernromane schrieb; aber auch das konnte nicht der Grund sein. Wir erfuhren ihn erst, als er politisch zu tragen begann. Abächerli nämlich war es, der seinen Parteifreunden im Überseer Gemeinderat privat zu verstehen gab: nach seiner nicht mehr maßgeblichen Meinung müsse vom Abbruch des Künstlerhauses unbedingt abgesehen und der Verkehrsfluß durch weniger drastische Maßnahmen gewährleistet werden. Das mit der unmaßgeblichen Meinung war Koketterie des guten Abächerli, denn in wievielen Verwaltungsräten saß er noch! Es war also kein *zarter* Wink; und doch, von uns aus gesehen: wieviel Zartsinn für einen Mann, der sonst nur über die Bergbauernscholle am höheren Leben der Nation teilnahm! Gott weiß, warum ihn die Schneemänner nicht kalt gelassen hatten – ob aus Solidarität mit Anderegg, oder weil der Künstler, wie Abächerli selbst, Katholik, vielleicht auch, weil er bereits tot war; eine starke Empfehlung in unserem Land. Ich will nichts ausschließen und Abächerlis umbuschte Äuglein im Auge behalten; es ist nicht ausgeschlossen, daß hinter diesem Manne mehr stak, als er zeigte, ein beinahe dämonischer Schalk, der im höheren Zürich, zumal in katholischen Kreisen, keine Seltenheit ist. Vielleicht war Abächerli, der Seldwyler, ein Zuschauer, ja ein böser Engel von Seldwyla mit bedeutendem Spieltrieb; seine Bauerngeschichten sprechen nicht unbedingt dagegen. Ich weiß es nicht. Ich teilte nur gerne seinen Standort, sooft es sich zwischen einem vollen und einem leeren Oliventeller machen ließ.

Auch Anderegg schätzte Oliven; er bewegte sie lange in seiner Maultasche und blickte vergnügt, seit er den Dingen ihren Lauf, unsern Lauf lassen konnte. Daß sie im Lauf blieben, dafür sorgten, rasch erwärmt, Gemperle und Gabathuler; da sie einander verfeindet waren, Gemperle früher gern Gabathulers Posten bekommen hätte oder umgekehrt, erfanden sie immer feinere Nuancen zum Lobe von Demuths Riesen und steigerten einander allmählich in die Höhe «säkularer Bildhauerei» (Gemperle) und «historischer Adäquanz» (Gabathuler) empor. Sie spielten mit verteilten Rollen, sogar ich hatte den Trick bald heraus; der eine – der Journalist – glühte im Namen des Zeitlosen und Archetypischen, der andere, der Museumsdirektor, ließ nur das Ephemere und historisch Vermittelte gelten; der eine sah in Demuths Figuren die «Möglichkeit», der andere die «Unmöglichkeit» von Kunst überhaupt bekräftigt, beide freilich in einzigartiger Weise: darin kamen sie schließlich überein, denn sie mußten ja weiterleben für die nächste Vernissage. Uns war das Einzigartige die Hauptsache; wir verstanden menschlich vollkommen, daß jeder ein Profil zu wahren hatte und die Gelegenheit benützte, sich vom Widerstand des andern zu gültigen Formulierungen hinreißen zu lassen. Was konnte unserem Balthasar Demuth besser frommen als eine schallende Polemik? Daß beide Männer mehreren internationalen Organisationen angehörten, sicherte ihrem Streit gleich das wünschbare Echo. Wir hatten denn auch die Genugtuung, gleich am nächsten Tag, und noch ehe ein Wort in der Zeitung stand, den Sammler Papierbuch bei uns zu begrüßen, der für elektrische Schläge, wie sie an diesem Samstagabend in der «Soldanella» ausgeteilt wurden, Antennen zu haben schien, gleich empfindlich und wunderbar wie diejenigen der Fledermäuse. Er stand da, verzückt, glaube ich, weniger von den Statuen – Papierbuch ist nach eigenem Urteil kein musischer Mensch – als von der Fama beginnender Exklusivität, die sie umwitterte. Er hätte uns gleich dreitausend Franken pro Stück geboten, aber die Verhältnisse waren nicht so, daß wir darauf eingingen. Zu Papierbuchs Glück übrigens; denn bei aller Witterung war er außerstande, den Zusammenhang zu überblicken, in dem die Statuen freilich nicht nur kostbar, sondern unschätzbar waren; außerhalb der «Soldanella» waren sie nichts, und er würde traurig auf ihnen sitzengeblieben sein. Da Papierbuch aber seinerseits von Privatdetektiven anderer Kunsthändler überwacht wurde, die auf seiner Witterung schmarotzten, fanden sich alsbald auch diese ein. Wir verhandelten, schon in ganz andern Preisklassen übrigens, aber nur zum Schein, ohne Willen zum Verkauf, nur um die Fama sich weiter ausbreiten zu lassen. Als Papierbuch zum andern Male kam, unterhielten wir uns bereits in Ziffern, die uns astronomisch anwehten. Wenn es uns nur darauf angekommen wäre, reiche Leute zu werden, so hätten wir schon zehn Tage nach der großen Party ausgesorgt gehabt. Aber noch so viel Geld hätte die Straße nicht von der «Soldanella» abgebogen; unsere Gemeindebehörden mochten für Ewigkeitswerte anfällig sein, zeitliches Gut erschütterte sie nicht.

Wir ließen also unsere Schneemänner nicht fahren, verweigerten uns der Versuchung. Daß sie überhaupt so dringlich an uns herantreten konnte, daß der Betrug völlig zwanglos, ja stürmisch in die öffentliche Sphäre übersprang und ohne Falschtöne mit ihr zusammenstimmte, wirft für mich ein Licht beinahe der Redlichkeit auch über seine Anfänge. Was in der Sprache Dr. Gabathulers und Dr. Gemperles, in den Gutachten Professor Andereggs, in den Aufsätzen Stefans und Rolands – ja, auch Rolands! – so unmittelbar den Nerv der Zeit traf, das kann kein ganzer Betrug gewesen sein. *Mundus vult decipi,* sagt unser Lateinbuch und unterschlägt dabei, daß ein Betrug, der zur Erleuchtung der Welt gereicht, aufhört, ein Betrug zu sein. Demuths Werke waren eine solche Erleuchtung, und wenn ich von der unfreiwilligen Redlichkeit sogar ihres Ausgangspunktes sprach, so meine ich, daß ein höherer Geist als der Mathis Kahlmannsche (und wäre es nur der an Bergen geübte Opfergeist Fees), ihr in jener zweiten Nacht die Hand geführt habe, die ein Werk wie die «Gekrümmte» oder die «Scheuernde» hervorbrachte.

Den Beweis hat Mathis selber geliefert. Denn die Bildnisse, die er bald nach Demuths Aufgang in seinem eigenen Namen auszustellen sich bemüßigt fühlte – es waren meist Produkte der ersten Nacht und Ausschuß der zweiten –, haben, da aus Eitelkeit und Eifersucht nachgeschoben, nicht mehr die innere Notwendigkeit der Demuthschen und wurden zu Recht als Abklatsch derselben angesprochen. Weit entfernt, ihnen das Prädikat der «Letzten Menschen» zu lassen, mit denen Dr. Gemperle im Zusammenhang mit Demuth freigebig gewesen war, schickte er bloß einen redaktionellen Mitarbeiter an die Kahlmannsche Vernissage, der sie zwei Wochen später unter dem Strich ohne jeden Schwung besprach. Es war viel, daß er dem Künstler mit schwachem Mitgefühl das Pech bescheinigte, im Schatten Demuths arbeiten zu müssen. Daß auch Papierbuch nicht zur Stelle war, versteht sich beinahe von selbst. Seine Antennen hatten nicht gemuckt.

Es ist typisch, daß ich mich so weit von der Party entfernt habe; das hindert nicht, daß es auch feige ist. Ich habe mich damals gedrückt; ich drücke mich heute noch. Ich war einfach diese Gesellschaft nicht gewohnt. Was die wußten, und alles aus dem Ärmel geschüttelt! Die Parties, die Pa und Mum damals noch aufzogen, halten damit ganz einfach keinen Vergleich aus. Bei uns wußte man nichts zu reden; dafür war man laut. Gewöhnlich ging es so zu: Erst saßen Herren und Damen durcheinander und redeten über das Wetter. Dann setzten sich die Damen zueinander: Strickmuster, Rezepte, Kinder. Die Herren am andern Ende des Rauchtisches: Grundstückpreise, Autos, Militärdienst. Dann, lauter werdend, Witze. Um zehn Uhr war es soweit, daß ihnen diejenigen einfielen, die sie eigentlich hatten erzählen wollen. Weil die Damen nicht weiter wußten und weil Freude ansteckend ist, hörten sie mit; bald hörte man die Damen besser. Um zehn Uhr fünfzehn stellte Pa die Nachrichten ein, auch bei Gesellschaft: da kannte er keinen Spaß. Nachdem ich jedem Gast Pfötchen gegeben hatte, sah mir Mum in die Augen und fragte ernst, ob ich mein Latein gemacht habe. Das war mein Auftritt; die Miene, die Pa dazu schnitt, erzwang ein paar Schweigesekunden; daß ich Latein machte, kam seinem Kredit zugute. Ich ging; damals las ich noch abends, wenn ich nicht in der «Soldanella» war. Wie die unten mit ihrem Abend fertig wurden, war mir egal. Zwölf oder ein Uhr wurde es immer. Eine Party, die nicht bis Mitternacht dauerte, war nicht richtig lustig gewesen. Autoschlüssel tauschten sie damals noch keine aus. Das kam später, und Mum machte nur mit, weil sie keine fade Partnerin sein wollte. Zu spät erst kam sie dahinter, daß es Pa nicht unlieb war, wenn sie sich vor Zeugen kompromittierte. Aber er machte bei der Scheidung dann doch keinen Gebrauch davon. Mein Vater ist ein Gentleman.

Da waren diese Partygäste von anderem Kaliber: ihnen ging es nur um die Kunst. Auch den stilleren unter unsern Gästen, den Denkmalpflegern Bodenschatz, Hutzli und Feigenwinter, ging es nur um sie, obwohl sie gerade diese Kunst etwas fremd berühren mochte; sie kamen vielleicht gerade von der Besichtigung eines restaurierten Pfarrhauses im Grüningischen oder eines couragiert geretteten Barockkirchleins im Knonauer Amt und standen jetzt etwas verlegen vor Demuths Visionen. Sie hielten sich darum gern ein bißchen nahe zueinander, für alle Fälle; sie hatten ja schon dies und das von explodierenden Plastiken und kinetischer Kunst gehört. Aber Anderegg machte es geschickt und beruhigte sie völlig.

Es wird Zeit für mich, nachzutragen, daß es an diesem Nachmittag durchaus nicht so regellos zuging, wie meine Schilderung vermuten lassen könnte – eine Schwäche meines Organisationsvermögens, auf die ich nicht noch einmal hinzuweisen brauche. Nein, wir hatten ein richtiges Programm, wie sich das für eine Vernissage gehört. Um halb vier Uhr kam der erste Wagen, eine Giulietta Sprint mit Anderegg am Steuer und dem Kunstredaktor im Beisitz; der Museumsdirektor hatte sich auf die Hinterbank klemmen müssen, ein psychologisches Minus, das ihm schon beim Aussteigen ins Gesicht geschrieben stand; Anderegg wußte es aber durch ausgesuchte Liebenswürdigkeit schon

auf dem Weg zu unserer Haustür wettzumachen. Ich be
wunderte Professor Anderegg. Er wirkte klein, fast mickrig
zwischen den beiden Kulturtitanen, auch älter, stärker mit
genommen als beim letzten Mal; aber es gab, nach dem
Eintritt in unsern Gastraum, eigentlich nur noch ihn. Nach
einem raschen Blick auf die Köpfe, auf die Ganzfiguren
entfaltete er eine Lebhaftigkeit, die ebenso uns wie seinen
Begleitern den Atem benahm, umflügelte Gabathuler und
Gemperle wie eine wandelnde Windmühle, verstellte ihnen
fliegend den Blick auf das, was sie nur mit einem vermitteln
den Wort, einem scharfen Aperçu von ihm zusammen sehen
sollten – ich habe nie etwas Ähnliches an geistiger Präsenz
erlebt. Sie war um so erstaunlicher, als Anderegg, durch
Stefan nur andeutungsweise und aus der Ferne vorbereitet
die Dinger selbst noch nie gesehen hatte, denen er auf An
hieb den Rang von Dokumenten, Emanationen, Endspie
len und was weiß ich zu geben wußte. Und das Wunder
barste war, daß er dabei keineswegs lächerlich, weil nicht
im mindesten angestrengt wirkte, bloß rasend kompetent
ein sicher von einer Klippe zur andern ziehendes, vom
Höhenwind seiner Formulierungen erheitertes Geierbaby

Gemperles Augen blendeten auf, diejenigen Gabathulers
prüfend ab; die Titanen verhielten sich so, wie sie es sich
schuldig waren, und bei alledem war deutlich, daß sie schon
angebissen hatten, sich von dem Hochschulmann nicht
lumpen lassen wollten; Formulierer, die sie waren, griffen
sie Anderegg bald mit diesem oder jenem Stichwort unter
die Arme, und schon nach fünf Minuten war ihre Begeiste
rung selbsttragend geworden. Anderegg durfte sein Tempo
abbauen; es war sogar besser, wenn er vor den Idolen ver
stummte, die man nun eins nach dem andern abschritt, und
die beiden G.s das richtige Wort einander abjagen ließ. Und
weiß Gott, sie fanden es und wußten es spielen zu lassen. Ich
erinnere mich an Einzelheiten nicht mehr, aber sie fanden es
vor der «Strickenden», die überlebensgroß auf der Otto
mane ihr verwaschenes Gesicht über die ungewissen, mit
Stricknadeln gespickten Handpatschen neigte (die Otto

mane war das einzige Stück aus Alicens Besitz, das bei uns stehenblieb; jedes anständige Museum hat eine Polsterbank für den ruhigeren Betrachter bereit). Sie fanden das schlagende Wort vor der «Handaufstützerin», die ihnen, selbst den langen Gabathuler überragend, den Eintritt in Demuths Sterbezimmer verbaute; sie fanden es, prüfend, aber ergriffen, selbst in der Küche angesichts der «Abwaschenden», die tatsächlich am Schüttstein stand, den sie lächerlich verkleinerte; bei dieser Figur war uns wenig geheuer gewesen. Gabathuler erkundigte sich, zur «Scheuernden» in den Hauptsaal zurückkehrend, bei Stefan, der sich bescheiden an seiner Seite hielt, nach den verwendeten Techniken und konnte ihm auch in dieser Hinsicht das treffende Wort nur so vom Munde nehmen. Der Redaktor, in den materiellen Belangen der Kunst weniger beschlagen, aus höheren Gründen darum auch weniger bekümmert, schuf sich ein starkes Gegengewicht, indem er wie gebannt im Erker vor der «Gekrümmten», dem Embryo, dem kolossalen Engerling, stehenblieb und in dieser seiner Stellung den mühsam, aber hörbar unterdrückten Beifall Monikas und anderer fand. Gabathuler, wachsam hinzutretend, konnte nun die «Gekrümmte» nicht mehr über alle Maßen finden, aber er fand sie immer noch so und so und durfte auch dafür unseres Raunens sicher sein. Das Kunsterlebnis war in bestem Gange, es störte schon nicht mehr, wenn man dazu auch noch ein Glas in die Hand gedrückt bekam – nicht etwa Retsina, so weit waren wir noch nicht, bloß einen leichten Roten –, als Anderegg beiläufig um die Erlaubnis bat, sich die Hände waschen zu dürfen.

Ich erwähne dieses unerhebliche Detail nur aus einem Grund. Als ich die nächste Flasche Roten holte, war es mir nämlich beschieden, an der Toilette, die Anderegg besetzt hielt, vorbeizugehen und, erschrocken innehaltend, die wunderlichsten Laute aus ihr dringen zu hören. Erst dachte ich, unser Retter sei unpäßlich geworden und müsse sich übergeben. Allmählich hörte ich richtig: Anderegg überließ sich, prustend und schnupfend, einer unermeßlichen Heiterkeit.

Seine Augen waren noch feucht, sein Gang unsicher, als er wieder in unsere Mitte trat: eben zur rechten Zeit, um seinen Freund Abächerli um die Schulter zu fassen – beinahe umarmte er ihn, wobei ein letztes Zucken über seinen Rücken lief; dann stellte er ihn ganz gefaßt den anderen vor. Er war damit noch nicht zu Ende, als draußen schon wieder ein Motorengeräusch laut wurde und erstarb: die Denkmalpfleger waren angerückt und stiegen umständlich aus ihrem staubigen Volkswagen (Abächerli hatte seinen Bentley drüben vor dem Gemeindehaus geparkt). Sie sahen sich vorsichtig um (*mißtreu*, nannte es Fee später), traten den Gespenstern nicht näher als unbedingt nötig, zogen ihre Hände auch aus den bereits feurigen Händen der andern Herren so rasch zurück, wie es gerade noch höflich war, zischten wohl innerlich ein wenig wie kaltes Wasser, das unverhofft auf eine erhitzte Unterlage gerät, fanden sich aber alsbald verdampfend; Feigenwinter, Hutzli und Bodenschatz wurden selbst Teil des herrschenden Klimas, wurden es um so lieber, als ihnen der berühmte Anderegg mit fast drohender Liebenswürdigkeit entgegenkam, Kenntnisse voraussetzend, die sie zwar nicht besaßen, aber unter der Hand desto eifriger zu sammeln strebten. So wurden sie ein immer gelösteres, sogar zum Übermut gestimmtes Grüppchen unter den Gespenstern, unter berühmten Männern, und es war, glaube ich, Hutzli, der sich am Schluß nicht nehmen ließ, der «Strickenden» seinen molligen Arm um die Taille zu legen: er reichte nicht herum, aber der gute Wille war unverkennbar. Kurzum, die Pfleglichen bekamen es nicht zu fühlen, daß sie doch im Grunde nur Luft waren, bestenfalls geschmeichelte Mitwisser, Statisten in dem kleinen Programm, das nun Anderegg und Stefan miteinander aufführten.

Anderegg ließ den Kessel der Neugier, der beredten Mutmaßung eine Weile kochen, ließ die ersten Gläser von unserem Roten geleert sein, dann begann er von ungefähr zu sprechen und sprach bald in ein tiefes und beifälliges, seitens der Denkmalpfleger wohl immer noch etwas angestrengtes

Schweigen hinein. Er sprach unvorbereitet, aber mit einem unvergleichlichen Wechsel von wissenschaftlicher Heiterkeit und plötzlich tiefem Ernst von den Bildwerken, denen uns auszusetzen wir heute eingeladen – dann korrigierte er sich und sagte: berufen seien; er breitete mit anmutigen, gelegentlich anschaulich stockenden Handbewegungen die Naivität dieser Figuren vor uns aus, die er eine gewaltige nannte und schließlich nicht zögerte – natürlich zögerte er doch, aber wirksam –, sie unumwunden ein europäisches Ereignis zu nennen. Er fügte bei, daß er zu wissen glaube, was er sage, und sich noch vorsichtig ausdrücke. Er gestand die persönliche Betroffenheit, die ihn beim ersten Anblick dieser erst kürzlich ans Licht getretenen Statuen beschlichen habe, und log mit keinem Wort, denn er hatte sie heute zum ersten Male gesehen. Er verleugnete auch eine gewisse Ratlosigkeit nicht, die diesem ersten Schock gefolgt sei, deren Tiefe er im Grunde erst habe ermessen können, nachdem sie einem gleich starken, also *sehr* starken persönlichen Glücksgefühl gewichen sei. Wie wunderbar der Mann seinen Lachanfall auf der Toilette umschrieb! Ich bemerkte, wie ihm besonders du, Roland, mit leuchtenden Augen folgtest: in diesem Munde wurde die Kunstsprache, die du praktiziertest, freilich auf prickelnde Höhen geführt. Wir hatten leuchtende Augen wie du; wir hörten jetzt eine Meditation über moderne Kunst, wie sie auch Stefan in keinem Kolleg seines Herrn besser, durchsichtiger gehört haben will. Hier geschah es, daß selbst die Augen der Denkmalpfleger zu leuchten begannen, denn Anderegg hängte seine Revolutionsskizze paradoxerweise am Begriff der Tradition auf, für den er auch die unversöhnlichste Moderne reklamierte, und landete schließlich über die Negerplastik (gedachte er hier McNapoleons?), den Zöllner Rousseau, Grandma Moses, Adolf Dietrich, Pop und Op bei Balthasar Demuth, den er einen verwunschenen Einsamen und dessen Figuren er «unbewußt revolutionär, erschütternd traditionell» nannte. Da wußte nun jeder, woran er war, und dieser oder jener, zum Beispiel Dr. Gemperle, hatte die Demut, es sich ins Büchlein zu notieren. Er behielt das Büchlein gezückt, als, nach Andereggs letztem Wort, das dem Wunsch nach Erhaltung dieser Stätte galt, Stefan Sommer vortrat, der am Ende auch ein Doktor war; im schwarzen Anzug gab er sehr bescheiden, pointiert sachlich Auskunft über die Lebensumstände Balthasar Demuths, soweit sie sich hatten ermitteln lassen:

Er hatte äußerst zurückgezogen gelebt, so viel war gewiß. Wir erfuhren von seiner streng katholischen Geburt in Starrkirch, den bedrängten Umständen seiner Jugend, seiner starken Bindung an eine früh verstorbene Mutter, die – aber hier könne man nicht behutsam genug reden – später wohl einem entspannten Verhältnis zum andern Geschlecht im Wege stand; Demuths Aufstieg kam zur Sprache, der ihn vom Handlanger zur Stellung eines Vorgipsers emporgetragen hatte, alles in Zürich, der großen fremden Stadt. Dann gedachte Stefan des Umzuges nach Überseen, wo es Balthasar Demuth vergönnt war, eine Vertrauensstellung im hiesigen Baugeschäft Meierhans zu bekleiden; er tat dies im nun schon liebgewordenen, ja zu Balthasars zweiter Natur gewordenen Gipserkleid, und zwar zwischen 1920 und 1953, also gerüttelte drei Dezennien. Einige Jahre vor seinem Rückzug vom aktiven Handwerk bezog er das Hinterzimmer dieses Hauses, damals noch Speisewirtschaft im Besitze Friedrich Hüttenrauchs und seiner Frau Klara, geborenen Schnetzler. Er war ein stiller, gern gelittener Hausgenosse, wie ihn ja auch sonst alle, die ihn kannten – Stefan fügte mit raschem Augenaufschlag hinzu: zu kennen glaubten! –, einfach und traulich «Balzli» nannten. Balzli Demuth war den älteren Dorfbewohnern ein Begriff; seine immer etwas gebeugte Gestalt, sein verläßliches, obschon scheues Lächeln, seine guten großen Hände waren aus dem Weichbild der Gemeinde nicht wegzudenken gewesen. Jeden Tag, oft lange vor Tag, sah man ihn im einfachen Arbeitskleid zur Frühmesse gehen, und am Sonntag ging er desgleichen, mit dem einzigen Unterschied, daß er dann seine Jacke gewendet trug. Und dennoch müsse in diese äußerlich unbewegten

Jahre, die schon von den bösen Engeln des Alters überschattet gewesen seien, ein Ereignis gefallen sein, bei dessen Berührung die schon empfohlene Behutsamkeit überhaupt keine Grenzen kennen dürfe. Fest stehe nur – denn der hier gegenwärtige Tobias Hüttenrauch, jetzt Eigentümer der «Soldanella» und damals zwölf Jahre alt, könne sich daran erinnern –, daß eine stille, gleichfalls ältere Frau, über deren Bewandtnis keine Klarheit geherrscht habe, einige Wochen bei Balzli nicht gerade ein- und ausgegangen, aber doch auf dem Weg zu ihm gesehen worden sei. Wenn nicht alles trüge, führe die Spur, der man mit einigem Widerstreben und nur zur Steuer der historischen Wahrheit nachgegangen sei, ins katholische Pfarrhaus, aber die fragliche Köchin sei längst gestorben. Eigentlich fest – wenn Stefan auf dieses Wort korrigierend zurückgreifen dürfe – stehe am Ende nichts als das eine: daß in diesem Zusammenhang Balzlis Lebensstoff, der Gips, in seinen Händen nach einem einmalig stärkern Ausdruck geschrien habe und daß Balthasar Demuth diesem Schrei nachgekommen sei, und zwar vermutlich zwischen August und September 1951, zweifellos *nach* seinen wie immer treulich erfüllten Arbeitsstunden. Wir hätten für diese grundeigentümliche Heimsuchung keine Erklärung; wir hätten nur das Dasein seiner Werke. Was diese betreffe, habe er dem eben vernommenen Zeugnis Prof. Andereggs nichts beizufügen (das war geschwindelt, denn einen Hinweis auf den «pompejanischen» Charakter der Plastiken konnte er sich dann doch nicht verkneifen; Dr. Gemperle notierte). Er bemerkte nur, daß es alles in allem sechs Köpfe seien, über deren Chronologie sich die Kunstwissenschaft noch Rechenschaft zu geben haben werde, und dann – er möchte metaphorisch reden – über Nacht diese sechs Ganzfiguren, vom Fleisch unmittelbar in einen haltbareren Stoff übergeführt. Obwohl alle Zeichen eine tief verfremdete Sprache sprächen, scheue er sich nicht, für jenen Augenblick höherer Fleischwerdung ein Wort Schillers in Anspruch zu nehmen:

Jede irdische Venus entsteht, wie die erste des Himmels,
Eine dunkle Geburt aus dem unendlichen Meer.

Die Denkmalpfleger nickten still zu diesen Worten. Stefan aber fuhr fort: Ja, damals in Balthasar Demuths stillem Kämmerlein habe die Geschichte der Kunst einen Sprung getan: ihr Genius habe sich einen Armen im Geiste erwählt, ihn zu vollbringen. Danach habe dieser Genius Balthasar Demuth ebenso rasch wieder losgelassen, wie er ihn ergriffen habe: gerade als hätten sich die zwei aneinander die Hände verbrannt. Seine letzten Lebensjahre habe Balzli in womöglich noch tieferer Zurückgezogenheit zwei Schritte von der Stelle entfernt zugebracht, an der er, Redner, jetzt stehe, und hier sei er im Winter 1954, von seiner Kirche wohl versehen, gestorben. Die Entfernung der hier gesammelten Bildwerke und ihre Magazinierung auf dem Boden des Hauses dürfe schon deshalb nicht gegen die Hausgenossen Balthasar Demuths einnehmen, weil er eigenhändig daran mitgewirkt habe, was erwiesen sei und worin sich so recht die eigentümliche Größe dieses Mannes zeige; er habe seine Bildnisse eben nur für Gott geschaffen gehabt. Ja, man sei vielmehr den hier anwesenden Gliedern der Familien Hüttenrauch und Schnetzler hohen Dank schuldig, daß dieses Werk nicht nach dem Wunsch seines Schöpfers zusammengeschlagen, sondern wenn auch unter dürftigen Umständen für die Stunde seiner Entdeckung aufbewahrt worden sei. Diese Stunde sei nun gekommen, und er, Stefan, und seine Freunde, die daran vielleicht nicht ganz unschuldig seien, hätten nun keinen andern Wunsch als: die Öffentlichkeit, deren kunstsinnigste Vertreter er hier ansprechen dürfe, möchte sich auf der Höhe dieser Stunde zeigen und das Geschenk, das ihr aus unbewachter Tiefe einer im wahrsten Wortsinne einmaligen Kunst zugewachsen sei, in Ehren zu halten wissen. –

Der Rest war Gespräch in kleinen wechselnden Gruppen, Party-Getön hin und her, wie es unter höheren Menschen laut wird. Meine Oliven feilbietend, hörte ich wichtige Dinge sich entscheiden. Die Denkmalpfleger waren nicht mehr Luft, sondern gesuchte Leute; Herbert, dessen Sprache sie ausgezeichnet verstanden, geleitete sie zum

Beispiel an der «Handaufstützerin» vorbei, die sie mit zähneknirschender Sorglichkeit etwas verschieben halfen, ins Sterbezimmer Balthasar Demuths hinüber, wo sie länger vor der blau- und gußeisernen Bettstatt verharrten, während es in ihren guten Hälsen arbeitete. Dann traten sie, unter Führung der Ortskundigen Fee und Tobias, einen Rundgang durch die «Soldanella» an, treppauf treppab und auch ganz unters Dach, wo sie, zunächst auf Herberts Einladung, allmählich, aber ganz selbständig, das Mauerwerk abklopften, die Balken und Sparren auf Würmer untersuchten. Stefan trat hinzu, wies auf die Eigentümlichkeit des Grundrisses, auf verschollene Dachstuhlkünste hin, in denen sich, wie er betonte, das Wissen einer ganzen abendländischen Baumeistertradition versammelte, obschon es hier, wenn er so sagen dürfe, auf die Spitze getrieben sei. Das war den Herren Bodenschatz, Hutzli und Feigenwinter angesichts der fünf Zipfelzinnen sofort einleuchtend, so sehr, daß die Frage nach der Erhaltenswürdigkeit des Gebäudes sich gar nicht erst stellte, das Interesse vielmehr gleich den Einzelheiten seines baulichen Zustands galt und der Summe, die für eine Restauration allenfalls aufzuwenden sein würde. Mochte die rein künstlerische Würdigung der Schneemänner in jüngere Kompetenz fallen – wo es galt, das Gehäuse zu schützen und pfleglich sicherzustellen, waren die Herren auf dem Posten. Sie hatten sich, als man wieder auf dem Abstiege war, mit unserem Anwesen schon so sehr identifiziert, waren über dem Schätzen und Abklopfen so warm geworden, daß das Ansinnen der Gemeinde, das Stefan zwischendurch mit knappen Worten zur Sprache brachte, der Schlag, den bloßes Nützlichkeitsdenken gegen die «Soldanella» zu führen im Begriff war, jede nur wünschbare Entrüstung bei ihnen hervorrief. Da gerade ein Treppenabsatz erreicht war, blieb Hutzli sogar stehen. «Ausgeschlossen!» rief er ungläubig. «Ein Skandal!» sekundierte Feigenwinter. «Dagegen muß die öffentliche Meinung mobilisiert werden!» freute sich Bodenschatz. Und dann legte er Monika, die mit gesenktem Kopf dastand, die Hand auf die

Schulter und sagte herzlich: «Verzweifeln Sie nicht, Fräulein! Sie dürfen auf uns zählen!»

Unter solchen Gesprächen erreichte die Gruppe wieder ebene Erde. Gleich fand sich Stefan von Dr. Gabathuler angesprochen. Er zog ihn in den Erker vor die «Gekrümmte». «Herr Doktor!» sagte der mächtige Mann. Er hatte seine kleingestreifte Jacke – diejenige Dr. Gemperles war kleinkariert – ausgezogen und salopp über eine Schulter drapiert. «Ich fand Ihre Einführung bedeutend, keine Frage, und artig formuliert. Eine *trouvaille,* dieser Demuth. Bloß, wenn Sie mir die Bemerkung erlauben: Sie haben im Ton etwas hoch angesetzt, zu viel Luft – wir wissen, was wir meinen, nicht wahr. Man vergibt der kauzigen Würde dieses Phänomens nichts, wenn man es auch in seiner – darf ich sagen: Dürftigkeit zeigt; ich spreche ins unreine, selbstverständlich. Ich meine: was ein Mythos ist – und Balthasar Demuth *ist* ein Mythos, der Mythos artistischen Zufalls, wenn Sie wollen, einer totalen Naivität, möchte ich sagen, die an einem völ-lig unvorhersehbaren Punkt in eine Art – wollen wir es nennen: erratische Offenbarung umschlägt, umgeschlagen ist, Sie verstehen mich aufs Wort. Da darf man fast beliebig entmythologisieren, nicht wahr, wollen Sie das nicht als Spielverderberei auffassen, denn Gottverdammich, der Kerl kann's vertragen!»

Dr. Gabathuler liebte es, dem Konfekt seiner Worte etwas Urwüchsiges zuzusetzen, so daß man schließlich überhaupt nicht mehr wußte, wonach es schmeckte. Stefan allerdings schien es zu wissen; jedenfalls sah er nachdenklich fasziniert durchs Fenster. «Kauzige Würde...» murmelte er. Und nach einer Pause: «Erratische Offenbarung...» Dann wandte er sich wie impulsiv zu Dr. Gabathuler zurück. «Sie sagen es, Herr Doktor. Ich überlasse das Entmythologisieren –» hier deutete er einen Kratzfuß an – «wohl am besten Ihnen.» Dr. Gabathuler lachte angenehm. Dr. Gemperle trat eilends heran, um sich über die Aufmachung der Demuth-Rezension zu äußern. Sie sollte groß herauskommen und von einem förmlichen Aufruf zur Rettung der «Soldanella» begleitet sein. Hier fand Dr. Gemperle das elektrisierende Wort.

«Gründen wir eine Balthasar-Demuth-Stiftung!» sagte er.

An einer Hand, dann an beiden, schließlich noch an einer dritten, über die er eigentlich gar nicht verfügte, zählte er die möglichen Namen des Gründungskomitees her. Politiker, Gelehrte, Publizisten, Männer des öffentlichen Lebens, der Privatwirtschaft, von denen bekannt war, daß sie für Belange der Kunst eine offene Hand hatten. «Überparteilich!» bat Stefan. «Wenn es sein muß!» sagte Dr. Gemperle mit einem Unterton des Bedauerns. Die Anwandlung ging rasch vorüber. Seine energische Heiterkeit kehrte wieder. Er wippte zweimal; dann drehte er Stefan sein artig gestutztes Schnäuzchen ins Ohr und zischte, während seine Augen aus den Winkeln zum Gemeindehaus hinüberschossen: «Wissen Sie was, diesen Bünzlis wollen wir's eintränken. Das wäre ja gelacht.» Stefan schlug die Augen nieder und kicherte sogar ein wenig. Es war die vollkommene Pantomime ländlicher Bewunderung. Er war tüchtig, Stefan. Gemperles Geste gegen die Bünzlis beunruhigte ihn nicht. Er wußte: als Artikel im Einzig Möglichen Blatt würde die Geste schon zum Zierat zusammenschrumpfen, den sich die Bünzlis wohl gefallen ließen.

Es wurde höchste Zeit, daß sich auch Gabathuler wieder ins Zeug legte. Er plante eine Ausstellung im Kunstmuseum. «Ich fürchte, die Figuren werden den Transport nicht überleben», gab Roland zu bedenken. «Kennen Sie die Geschichte von Edgar Poe? Da wird ein Sterbender wissenschaftlich hypnotisiert... er wird am Totsein gehindert, wochenlang, und zum Reden angehalten, obwohl seine Zunge schon in Fäulnis übergegangen ist...»

«Und dann?» fragte Dr. Gabathuler interessiert.

«Im Augenblick, wo die Hypnose aufgehoben wird, fällt sein Körper, so lange hingehalten, mit rasender Eile in Staub zusammen.»

«Erregend», sagte Dr. Gabathuler. «Aber worin besteht der Zusammenhang mit Balthasar Demuth?»

«Die Räume der ‹Soldanella›», antwortete Roland, «wirken auf diese Plastiken im Sinn einer Hypnose. Im Augenblick, wo wir sie ins Freie trügen...»

«Das ist leider erprobt», fiel Monika ein.

«Inwiefern?» erkundigte sich Dr. Gabathuler.

Monika sah sich um. Dann flüsterte sie: «Sagen Sie es um Gottes willen nicht herum. Wir haben auf diese Weise eine Figur verdorben. Vielleicht die vollkommenste. Eine Teppichklopferin.»

«Erregend!» sagte Dr. Gabathuler. Er war ein Mann, der Spaß zu verstehen glaubte. Er trug übrigens einen Henri-Quatre. Ich hätte es gleich bemerken sollen. Deswegen trug er ihn schließlich.

Fee, der Diskurse müde, setzte sich auf die Ottomane neben die «Strickende» und zog ihr Strickzeug hervor. Alt Regierungsrat Abächerli betrachtete das Bild einen Augenblick mit innigem Vergnügen und wandte sich dann wieder dem Gespräch mit Hutzli zu. Ich ging zu Fee und zupfte sie an die gegenüberliegende Seite der Ottomane.

Gegen halb sechs Uhr – man trank jetzt Whisky – läutete es, und ein Mann der Kantonspolizei stand unter der Tür. Er staunte. Dann besann er sich auf seine Kompetenz. Sie gab seiner Stimme Halt.

«Wem gehört der VW Zürich dreinullnullzwoundfünfzig?» fragte er.

Wir waren unnötig erstarrt.

«Er steht drum falsch», sagte der Polizeimann. Dem «drum» war anzuhören, daß ihm bereits schwante, nicht in die erste beste Gesellschaft geraten zu sein. Auch den Statuen schenkte er unruhige Blicke. Als er Abächerlis ansichtig wurde, fuhr seine Hand unwillkürlich an den Mützenrand.

«Trinken Sie auch einen Schluck, Herr Wachtmeister Jucker», sagte Monika und trug ihm ein Glas Whisky entgegen.

«Sollte nicht», sagte der Polizist. Nach einem zweiten Blick auf den Regierungsrat hob er das Glas an die Lippen.

«Es ist mein Dienstwagen», meldete sich Hutzli.

Das Wort Dienstwagen verwirrte den Polizisten abermals. Er setzte das Glas wieder ab.

«Ich weiß, er steht auf dem Trottoir», sagte Hutzli freundlich. «Ich werde ihn umgehend verschieben.»

Er entfernte sich mit dem Wachtmeister, nachdem dieser nochmals die Mütze berührt hatte. Auf dem Gartenweg erkundigte er sich bei Hutzli, ob er auch von der Straße sei.

Wieso von der Straße?

Das Haus da werde doch nächstens abgebrochen.

Das verhüte Gott!

Aber so sei es doch von der Gemeindeversammlung beschlossen.

Die Herren da drinnen hätten gerade den Gegenbeschluß gefaßt. Das Haus bleibe. Es sei eine Wiege der Kunst.

Aha! der Kunst. Das sei natürlich etwas anderes.

Man wird wissen wollen, wie ich dazu gekommen bin, dieses Gespräch zu belauschen. Das ist ganz unwichtig. Ich war eben dabei; ich war noch bei ganz anderen Dingen dabei. Wichtig ist einzig, daß in Gestalt des Polizisten Jucker schon ein winziger Teil der Öffentlichkeit in der Richtung Balthasar Demuths umgefallen war und daß es dazu nichts weiter bedurft hatte als eines falsch geparkten staubigen Dienstwagens einer gleichfalls umgefallenen Denkmalpflegekommission.

Der Wagen blieb nicht lange an gesetzlich zulässiger Stelle. Über ein kurzes – denn Bodenschatz hatte seiner Frau versprochen, früh zu Hause zu sein – steuerte Hutzli seinen Staubigen, steuerte damit zugleich Bodenschatz und Feigenwinter in unverfängliche Ferne, auf Stadtboden, wo unsere Saat in Gottes Namen aufgehen mochte. Unmittelbar darauf entfernte sich Anderegg mit Gemperle neben sich auf zügigen Rädern, während Gabathuler, was ihm niemand verdachte, zu Abächerli in den Bentley stieg, der, schon durch den übrigen Verkehr behindert und in der Luxusklasse brummend, der Prozession einen würdigen Abschluß gab.

Ja, da fuhr sie, unsere Saat, aus vielen schwerwiegenden oder erheiternden Gründen willens, die Stadt zugunsten eines verstorbenen Gipsers zu begrünen; da fuhren sie hin, vorläufig noch unkenntlich, aber schwer bewaffnet, die zivilen Vehikel der Marne, rollten durch unsichtbare Barrikaden an die letzte Linie, auf der die «Soldanella» noch zu halten war. Sie waren eingeschworen, die Pakte gesiegelt. Wir winkten ihnen nach, gerührt, auch als wir sie schon längst nicht mehr sahen; Monika winkte sogar mit dem leeren Glas in der Hand, denn sie war schon arg heiter und die ganze letzte Stunde von Tobias schwer bedeckt worden.

Für heute abend war nichts mehr zu tun. Aufatmend, langsam, uns erst jetzt unseres Mitgenommenseins bewußt, trotteten wir zurück, nicht zusammen, sondern einer hinter dem andern. Drinnen warteten die Statuen. Sie standen, saßen oder krümmten sich weiß vor dem tiefsten Blau der Wände – erst jetzt komme ich dazu, nachzutragen, wie blau wir alle unsere Wände angestrichen hatten, nachdem wir damit bei Stefan durchgedrungen waren: Blau, das jetzt finster, nein, einfach satt geworden war hinter den Pompejanern, schwarzblauer Meereshochmittag an einem gewöhnlichen, nicht mehr ganz gewöhnlichen Soldanella-Abend.

Wir setzten uns, jeder irgendwohin; und während von der Küche die vertraute Geschäftigkeit Fees herüberklimperte, die wieder nackten Birnen Feuer fingen, lichtete sich das Blau wie in einen Märchentag und warf das weiße Gesinde wieder scharfe Schatten.

Um sieben Uhr polterte Mathis mit seinen Afrikanern herein. Erst jetzt schien uns das Gleichgewicht richtig hergestellt, die Kontraste stimmten; wir fühlten uns zum Leben entzaubert, so sehr gehörten sie schon zu uns. Während wir aßen – wir aßen jetzt immer in der Küche, denn in Pompeji löffelt man nicht, gegen die Meereshöhe ist ein Messer ein lächerliches Werkzeug –, berichteten sie von der Halbinsel Au, von besonders hellen Mädchen im Boot, von einem andern Blau. Es kam uns weit weg vor, fast naiv aber wir grinsten freundlich dazu, Blau war jetzt unsere Heimat; wir konnten es überall gelten lassen.

Selbstgespräch mit Judas

Es folgt jetzt die Berichtszeit Roland von Aeschs: die nächsten drei Wochen mag man in seinem Buche nachlesen. Es ist keine Kunst, Dokumente nachzudrucken, wenn erst Dokumente vorliegen. Ich habe die Epoche beschrieben, in der die «Soldanella» noch nicht dokumentsreif, sondern, mit uns allen, auf höchster Kippe war, die hangende und bangende Zeit, der Roland nicht viel Worte widmete, weil er das Hangen und Bangen nicht teilte. Ich werde wieder berichten von der längern Zeit, die mir jetzt so traurig kurz erscheint, wo Dokumente nicht mehr nötig waren, wo die «Soldanella» mit ihren Figuren ins Trockene gebracht schien und, vorsichtig und zart, Ansätze zum Paradies entwickelte. Es grünte eine Weile zu Füßen unserer Schneemänner, zeigte Mut zu blühen im Schutz der blauen Wände, staute die öffentlichen Gewässer zurück, bis Roland seinen verborgenen Drücker betätigte und die zweite Sintflut, wütend und geräuschlos, durch den zu spät entdeckten Riß hereinschlug, ihr Versäumnis rächte und die fast wohnlich gewordene Arche verschlang. Die Katastrophe wird bei Roland nicht mehr aktenkundig, kann es nicht sein, denn sein Buch selbst ist der letzte Akt und die Katastrophe, und sie war keine Kunst, in keinerlei Sinn, obwohl er den bekannten Kunstpreis erhielt. Das muß einmal gesagt sein. Ich habe nie im Zweifel gelassen, daß ich Roland im allgemeinen für einen ausgewachsenen Mistkerl halte, aber ich glaube mich zu erinnern, daß ich seiner Technik im besonderen das eine oder andere Positive nachgesagt habe. Ich nehme es zurück. Es ist nicht viel dabei, «die Dokumente sprechen zu lassen», wenn sie so ausgezeichnet geschrieben sind wie etwa Andereggs Aufsatz im Einzig Möglichen Blatt; man macht es sich zu einfach, wenn man die geheime Schelmerei darin nachweist, die allerdings vorhanden, aber das Geschöpf eines *liebenden* Geistes war; man hat, wenn man Roland von Aesch heißt, nicht das geringste Recht, daran anzuknüpfen. Er hatte es leicht, nicht der Dumme zu sein, denn wir glaubten, er sei einer von uns; nachdem diese Annahme hinfällig geworden war, war auch sein Wissen moralisch nichts mehr wert, und diese Minderwertigkeit verrät sich bis in die Komposition seines Buches. Jetzt, wo ich mir's selber habe sauer werden lassen und mit dem richtigen Tiger eine Weile umgegangen bin, darf ich's sagen: eine Montage ist kein Buch. Sie ist die schäbige List des Zaunkönigs, der sich aus dem Gefieder des Adlers noch ein paar naseweise Meter höher schwingt: ein beschissener Blickpunkt durch und durch. Roland hält ihn allerdings für ironisch; seine Ironie besteht darin, daß er die Eigennamen teils abkürzt, teils durchsichtig ändert; sie besteht darin, daß er gute Texte, an denen er kein Teil hat, im eigenen Zirkus präsentiert und mit einem billigen Witz an- und absagt; es ist Eunuchenkunst, wo man sie anrührt, wenn man sie überhaupt noch anrühren mag, parasitäres Kunstgewerbe, die banale Fertigkeit des Disk Jockeys. Die eigentliche Ironie hat Roland nicht einmal bemerkt, konnte sie, wie er gebaut ist, nicht bemerken, weil sie auf seinen Charakter zurückfällt: die Ironie, daß sein schäbiges Buch gegen die «Soldanella» nur dank der Herrlichkeit der «Soldanella» möglich war, der es selbst noch sein bißchen Komik verdanken muß; ohne das in der Karikatur noch fühlbare Eigengewicht unserer Geschichte wäre Rolands Geschichte genau das, was sie im Grunde ist: Nichts. So meine ich, dieses preisgekrönte Buch des Herrn Roland wird auch sein letztes sein: einen solchen Stoff findet er nicht wieder.

Ich darf mich nicht zu sehr der Verachtung überlassen denn wo man nur noch verachtet, legt man die Feder weg Ich muß mir meine Wut warmhalten, denn sie ist, den Spötteleien meines imaginären Deutschlehrers zum Trotz, ein kostbares Gut, die *raison d'être* dieses Buches und gerade dort unschätzbar, wo man in Gefahr gerät, nur noch Sätze zu schreiben. Aber Wut worüber eigentlich? Über jemand wie Roland, der bewiesen hat, daß er keine Statur hat, nicht genügend Statur, um eine rechte Wut zu verdienen? Soll ich am Ende zugeben, daß die Stiftung Balthasar Demuth doch wohl aus inneren Gründen faul gewesen sein muß, da eine so dürftige Kraft genügte, sie zu Fall zu bringen?

Das wäre die Logik, die unserm Literaten so passen könnte – die Logik der stärkeren Bataillone, auf deren Seite er sich geschlagen hat, die Logik der vollendeten Tatsachen, die immer robuster ist als diejenige der versuchten, ohne gegen diese etwas zu beweisen als ihre Gewalt. Es war uns gelungen, die kompakte Majorität der Gedankenlosen zu spalten, ihre linke Hand gegen die rechte zu bewaffnen, und es hatte unvergleichliche Mühe gekostet; es kostete vergleichsweise keine Mühe, nur ein wenig Rancune und Fleißarbeit, den alten Zustand wiederherzustellen. Nein, Roland von Aesch! Daß der Geist der Schonung bedarf, spricht nicht schon für die Natur; wenn das kurze Glück der Balthasar-Demuth-Stiftung unnatürlich gewesen sein sollte, so war es unnatürlich in dem Sinn, wie es das Einhorn vor dem Forum der Maultiere immer gewesen ist. Da herrscht aber niedere Gerichtsbarkeit, Roland von Aesch, und die Liebe und die Erinnerung zerreißen ihr Urteil, auch nachdem es längst vollstreckt ist.

Es sei übrigens ferne von mir, daß ich die Demuth-Stiftung schöner färbe, als sie gewesen ist! Nein, sie war in ihrer besten Zeit alles andere als ein positiver Kraftakt; sie war ein entspannter Zauber, eine geglückte List, ein Triumph der ungewöhnlichsten Faulheit über den Betrieb, eine schelmisch verlängerte Kindheit, ein Paradies, das sich selber schützte durch die umsichtige Unverantwortlichkeit seiner Bewohner; eine Rebellion nicht um ihrer selbst willen, sondern um Raum auszusparen für viele Geschichten. Aber wer Überseen kennt; wer in den fünfziger und sechziger Jahren unseres Jahrhunderts gelebt hat, der dürfte uns zugeben, daß angesichts der Heimatstilvillen der Gustav-Adolf-Schenkel-Straße, des weißlichen Hausersatzes an der

Kreuzung, ja auch des väterlichen Bungalows, angesichts all dieser gespreizten Einfallslosigkeit unseren Spielen, unserer Faulheit mit Retsina, unsern Festen zu Füßen der unschmelzbaren Schneemänner beinahe die Würde einer Idee zukam. Unser Beschiß war humaner als die breitbeinige Redlichkeit, die um unsere Fenster stand; er enthielt weniger Selbstbetrug, er erlaubte uns, die Zeit, eine sonst eilig und unbesehen umgeschlagene Ware, eine Weile festzuhalten, zu prüfen und als Geschenk zu behandeln. Ja, die Demuth-Stiftung war am Ende doch eine Idee, wenn schon nicht eine, in deren Namen sich groß auftreten ließ; wir hatten unsere Taktik nicht nach dem Gegner (denn Ideen finden heute keine ehrlichen Gegner mehr), aber nach dem Milieu zu richten: ein anderes Pathos als das des Unterwanderers und verschmitzten Hehlers verbot sich von vornherein. Es ist nicht unsere Schuld, daß sich Ideen nur noch als Privatsachen vertreten lassen. Aber wir konnten den Versuch unternehmen, unsere besondere Sache bei der öffentlichen unter falschem Namen einzuschwärzen, das junge Lamm der Wölfin zum Säugen unterzuschieben.

Es wäre fast gelungen. Und soweit es gelang – ich glaube mich nicht zu täuschen, wenn ich an Prof. Anderegg denke und an die umbuschten Äuglein des Herrn Abächerli, ja sogar an das «Erregend!» des bärtigen Dr. Gabathuler –, so gelang es mit dem mehr oder weniger unbewußten Einverständnis einer bestimmten Gruppe jener Öffentlichkeit, die mitmachte, solang wir ihr das Alibi lieferten, auf dessen Schutz sie aus Gründen des Selbstschutzes angewiesen war. Auch unter ihnen gab es *falsche* Wölfe, heimliche Spielkameraden im Wolfspelz, die wunderbarerweise zugunsten des Lammes heulten und dank ihrer guten Stimme die übrige Meute dazu brachten, mitzuheulen. Es war eine Musik wider die Natur! eine Musik aus dem Jenseits der Wölfe, aus dem Diesseits des Paradieses. Mußtest du wieder Eintracht säen unter der Meute, Roland, war es nötig, die Wölfe an ihre Wolfheit zu erinnern, ihnen das Alibi zu rauben, mit dessen Hilfe sie uns vor ihrer Natur hatten

schützen dürfen? Das Lamm hat keine Waffen, wenn sich
die Wölfe entschließen müssen, nichts weiter als Wölfe zu
sein. Sie wurden einig auf unsere Kosten – ich kann es ihnen
nicht verdenken, denn unter Wölfen hat der Wolf am Ende
nichts als seine Wolfheit.

Ich gehe noch weiter, Roland von Aesch. Ich würde auch
dir deinen Verrat nicht verdenken, wenn du beweisen
könntest, daß du eben selbst ein Wolf warst, nichts als ein
echter Wolf, der auf Ordnung hält in der Meute und dem
es plötzlich gegen die Natur geht, einem Lamm, der wolli-
gen, absurden Ausnahme, Zärtlichkeit zu zeigen statt wie
iblich seine Zähne. Aber davon kann bei dir keine Rede
sein. Mag sich dein Buch noch so dokumentarisch geben:
es verschweigt die Hauptsache, dein Motiv, den Grund,
warum es geschrieben werden mußte – ein unqualifizier-
barer, nur mit Mitleid oder Verachtung zu nennender
Grund, eine moralische Untiefe, die deiner würdig, der
«Soldanella» aber gänzlich unwürdig und dennoch auser-
ehen war, sie stranden und scheitern zu lassen. Ein innerer
Grund also doch – gewiß, soweit du selber zur inneren
Mannschaft gezählt hattest, soweit wir mit dir zusammen-
hingen, und weil bekanntlich keine Kette stärker sein kann
als ihr schwächstes Glied.

Aber wenn du allerdings Grund gehabt hast, den eigentlichen Grund deines Buches zu verschweigen – *mich* bindet
diese Rücksicht nicht, *ich* werde sprechen und deinen Namen dabei ausschreiben. Was schließlich meine Wut betrifft, so bin ich bereit, dir etwas nachzulassen: teile sie mit
jener siegreichen Majorität, deren preisgekrönte Kreatur du
warst, obwohl dein Buch sie einen Augenblick zu Tode
ngstigte. Teile sie meinetwegen sogar mit uns selbst, uns
ndern: wir hätten merken dürfen, du Plastic-Künstler, daß
ich dein Material auch als Sprengstoff eignet. Das soll das
etzte Gebet sein, in das du mit uns andern eingeschlossen
ist: Lieber Gott, wenn du uns wieder einmal einen Judas
ibst, laß ihn auch ein bißchen Niveau haben. Amen.

Roland von Aesch hat die Sonderbeilage Demuth, mit der sich das Einzig Mögliche Blatt schon zum nächsten Wochenende schmückte, praktisch unverändert abgedruckt; wir rissen sie einander nur so aus den Händen. Dr. Gemperle hatte ganze Arbeit geleistet. Wir fanden die kursiv gedruckte Einleitung mit der biographischen Notiz, in der nicht nur Balthasar Demuths Vita, sondern auch Dr. Gemperles Takt bei deren Behandlung aufs feinsinnigste vorgestellt waren. Wir fanden den Leit-Aufsatz von Erasmus Anderegg, betitelt: «Balthasar Demuths kunsthistorischer Ort» – nicht nur eine Ausführung und geistige Sicherstellung jener Improvisation, die der Professor angesichts der Bildwerke aus dem Ärmel geschüttelt hatte, sondern auch ein Denkmal klassischer kunsthistorischer Prosa; sie markierte jenes Niveau, unter das man das Gespräch über Demuth nicht mehr sinken lassen durfte. Stefan Sommers nachfolgender Aufsatz über «Demuths Plastiken im Lichte des Totenkults» sank vielleicht durch eine gewisse kombinatorische Leichtfüßigkeit dennoch etwas darunter, aber aus freien Stücken und wohl nur für das fachwissenschaftliche Auge; ein anderes mochte sich an den Perspektiven sättigen, die Stefan eröffnete, Osirisfutteral und Hünengrab, Veji und Balthasar Demuth zusammenheftend mit einem einzigen Pfeil des Gedankens. Dann folgte, zu unserer anfänglichen Bestürzung, ein Passus Aphorismen von Matthias Kahlmann, mit denen er sich für seine Verschickung zur Halbinsel Au schadlos gehalten hatte. Unter dem Titel «Testament eines Bildhauers» fanden sich glücklicherweise etwas unscharfe und orakelnde, zu mehrfacher Deutung einladende Sätze über den «Letzten Menschen», ein Thema dessen private Durchsichtigkeit nur uns Allernächsten in die Augen sprang und das auch aus der Schule Balthasar Demuths geplaudert sein konnte. Trotzdem rüffelten wir Mathis kräftig deswegen, was seinen Trotz nur verstärkte. Als nächster kam Roland von Aesch zu Wort – notabene zum ersten Male im Einzig Möglichen Blatt, das sich seinen Allotria über Film und Musik bisher immer verschlossen hatte. Er debütierte unter dem modischen Doppeltitel: «Demuth, oder Das Happening.» Den Abschluß machte Hanns Fritz Gabathuler, bescheiden, wenn auch wohl nicht ganz unbeabsichtigt in die äußerste rechte Spalte gezwängt: «Technisches Apropos zu den Ganzfiguren Balthasar Demuths». Mathis nickte mehrfach, als er den Artikel las. Er verriet Sachkenntnis. Meine Vermutungen, Auf- und Abbau von Fees gipserner Person betreffend, stützen sich hauptsächlich auf dieses Nicken.

Mit diesem Extrablatt ließ sich schon Wind machen. Über den Eindruck, den es bei unserer Behörde hinterließ, blieben wir zunächst im ungewissen. Unser stolzestes Nachbarhaus mit dem Familienfries an der Stirn schwieg sich aus. Aber unmöglich konnte man drüben hinter dem Portiko den Zulauf übersehen, dessen sich die «Soldanella» buchstäblich über Nacht erfreute, um so weniger, als die meisten Vehikel – auch der Reportagewagen der Television, um nur das Augenfälligste zu nennen – die Parkfläche vor eben diesem Portiko benützten, den ordentlichen Gemeindeverkehr eindrucksvoll behindernd. Es hatte schon nach der Party angefangen, ein dünnes, aber exklusives Gerinnsel von Besuchern, zum Beispiel der Sammler Papierbuch und die Seinigen; es schwoll am folgenden Sonntag weiter in Gestalt der spazierengehenden Elite Überseens, sämtlich Haltern des Einzig Möglichen Blattes, die teils über den Thuja-Hag der «Soldanella» spitzten, manchmal mit dem Stock auf dieses oder jenes Fenster weisend, ohne sich geradezu hereinzugetrauen, teils die Fahrt ihres Wagens bis zum Schrittempo drosselten und eine Traube von Gesichtern an die bergseitigen Scheiben drückten. Die «Soldanella» wurde, zum ersten Mal seit Friedrich Hüttenrauchs Tagen, *bemerkt;* der Verkehrsstrom, der bisher mit einem ärgerlichen Dreh am Steuerrad um das vielzipflige Hindernis herumgezischt war, staute sich jetzt und schäumte zu seinen Füßen. Man beobachtete außerkantonale Nummern,

auch einige deutsche. Man beobachtete ohne Erregung un
Ostentation; es sollte ja nicht so aussehen, als hätten wir au
diese Leute gewartet. Zwei, drei bärtige Kunstjünglinge
welche nicht die Lebensart besaßen, unsern Sonntag zu hei
ligen, und sich mit gezücktem Stift unter der Tür meldeten
schickten wir weg, nachdem wir uns versichert hatten, da
sie für keine nennenswerte Zeitung schrieben. Demuth wa
schließlich kein provinzielles Ereignis. Der Lohn für un
sere Zurückhaltung blieb nicht aus. Am Montag lief mar
uns buchstäblich das Haus ein. BLICK war der erste – wi
ließen ihn gewähren, da wir dicht dahinter die Vertrete
zweier internationaler Bildagenturen, des amerikanische
Magazins «Look» und, schon etwas eingeklemmt und ver-
stört über den herrschenden Betrieb – wir richteten ihn sofort mit einem Tomatensaft auf –, den Kulturredaktor de
«Basler Nachrichten» bemerkten. Bis elf Uhr hatten sich –
mit Ausnahme des «Bund» – die Korrespondenten aller größeren Schweizer Blätter, auch der französischsprachigen,
in unser Gästebuch eingetragen. Wir klagten längst übe
Platzschwierigkeiten – die Ottomane stöhnte unter um-
schichtig wechselnder Bewunderung – und wären, trotz
der Assistenz unserer Afrikaner, auch in Personalschwie-
rigkeiten geraten, wenn nicht um neun Uhr der vortreffliche
Dr. Gemperle wieder eingetroffen wäre und Gastgeberpflichten übernommen hätte. Er achtete es nicht für Raub,
seine Kollegen mit Cocktailbissen zu versorgen, die Damen
unter ihnen sogar eigenhändig zu füttern, worüber sie in
ihren Kolumnen begeistert berichteten. Auch die Neger
wurden natürlich, außer den Statuen, stark beachtet. Ihnen
war das Glück darüber anzumerken, daß die Revolution
derart in Schwung geriet. Sie bedienten noch fliegender als
sonst, und häufig sah man das Weiße in ihren Augen.

Zwischen elf und zwölf bat sich die «Schweizer Illustrierte» bei uns zu Gast, oder uns bei sich, ich weiß nicht mehr;
die Kameras, die sie abwechselnd auf Messiah, Fee, Tobias,
die «Gekrümmte» und Dr. Gemperle gerichtet hielten,
wurden aber alsbald von denjenigen des «Paris Match» ver-

dunkelt, die den Film elektronisch transportierten und ihre Linsenvorbauten beinahe ebenso geschwind wechselten.

Unsere Mittagszeit, eine schmale Flaute, machten sich die Berichterstatter des «Überseer Boten» zunutze, wohl etwas über Gebühr, denn die unprofessionelle und strapaziöse Ausführlichkeit ihres Herumfragens, unsere Zeit, die sie als ihr Recht beanspruchten, standen natürlich in keinem Verhältnis zu der Publizität, die sie uns zu bieten hatten. Aber wir trugen dem Gram Rechnung, der sich hinter den schnelleren Rücken der Weltblätter in den Leutchen angesammelt hatte, berücksichtigten auch, daß Balthasar Demuth sein Lebtag nichts anderes gelesen hatte als eben den «Überseer Boten», opferten also den Ortsgöttern, Roland war es, der opferte, mit ortsverbundenen Gebärden, zwischen denen er vom Schinkenbrot abbiß; kunstvoll dosierte er seinen Schinkenbrotatem, während die Männer atemlos mitstenographierten. Roland hat nicht ganz unrecht, sein Interview herauszustreichen, denn es war zweifellos das folgenreichste, besser angewendet als diejenigen, die wir gleichentags «Dagens Nyheter» oder dem «Corriere della Sera» gewährten, denn Pfaff, Krebs, Öchslin, Schwengeler, Klopfenstein, Möckli und Abplanalp, das Kollegium, von dem wir am Ende abhingen, obwohl wir's ihm beileibe nicht zeigten, hielt keins dieser Blätter, hielt dagegen frei Haus den «Überseer Boten», der zugleich Amtsblatt war. Was die Leutchen über Balthasar schrieben, hatte Gewicht in den richtigen Stuben, auf den richtigen Nachttischen, würde Herrn Pfaff gleich im Munde seiner Frau, seiner Tochter (sie war bei seinem Selbstmord noch schulpflichtig) entgegenkommen, besaß wo nicht schon den vollen Ernst des Amtlichen, so doch die liebliche Würde des Halbamtlichen. In Stockholm und Mailand, New York und sogar Zürich mochte es reichen, wenn Balthasar Demuth zum steilen Gerücht wurde, zum Kennwort der Auguren; in Überseen reichte das nicht. Nur der Vollständigkeit halber merke ich an, daß auch jene drei bärtigen Jünglinge wieder erschienen; für ihre Leser in Sellenbüren oder Fischenthal, was weiß ich, vielleicht auch

St. Gallen, zogen sie das Linsengericht ihrer Erstgeburt ein, aber manierlich, weiß Gott, sie wogen jedes Wort hinter ihren Bärten. In ihrem Rücken stieg wieder die Flut, schwammen uns die großen Agenturen ins Netz, rieten uns, eine förmliche Pressekonferenz anzuberaumen, um den Andrang zu befriedigen. Gegen drei Uhr fand sie statt; Stefan und Roland reichten einander im harten Licht der Jupiterlampen die Stichworte hin und her, die Kameras schnurrten dazu, die Ottomane war in eine Ecke geräumt worden und seufzte unter dem journalistischen Nachwuchs, der sie wie eine Affenkolonie bevölkerte, Rauch wolkte durch die Lichtbahnen, die Luft wurde blau wie Blei, das Publikum stand ohne Lücke sieben Glieder tief. Ein paar Dutzend Männer mit zugekniffenen Augen klemmten Schreibblock und Zigarette gegen den Rücken des Vordermannes, Pech, wer eine Dame vor sich hatte; die vordersten schrieben auf den Knien. Balthasars blicklosen Schneemännern bot sich ein Gruppenbild dar, von dem sie auch mit offenen Augen nie geträumt hätten, aber sie photographierten nicht, sie krümmten sich oder scheuerten wie gewohnt, stützten die Hände ein, strickten oder wuschen ab, schwammen in ihrem Abstand, wolkigem Aquarium, Ultramarin, das sich im Schatten der Korrespondenten mit Abnahme des Sonnenlichts zum Ultraviolett verfärbte, konnten aber nicht weißer werden, als sie waren. Ich stand beim Fenster eingeklemmt, sah Anderegg einmal seinen Kopf, der plötzlich faunisch wirkte, durch die Tür recken und ihnen zunicken; vielleicht nickte er auch zu Stefan, der darauf nicht einging, sondern beschäftigt war mit dem Finden von Worten, dem Aufsagen der Demuthschen Litanei, deren Text ihm irgendwo links aus der Höhe zuzuströmen schien; sie hielt die Federn wie Rosenkränze in Bewegung. Manchmal drehte ich mich halb um und wischte die Scheibe; ehe sie sich wieder beschlug, konnte ich draußen zwischen den Autos, die in großem Maßstabe falsch parkten (vor dem Gemeindehaus war der Raum ausgegangen) zwei Polizisten wandeln sehen. Auch sie schrieben eifrig, aber Strafmandate, die sie mit liebevollen Bewegungen unter die Scheibenwischer verteilten. Der Unfug wurde erst abgestellt, als Herbert Frischknecht zwischen zwei Pressekonferenzen (denn es wurde eine zweite nötig, die Spätaufgestandenen, unter ihnen endlich der Mann vom «Bund», taten es nicht anders) die beiden Herren ins Haus bat und unter die Blitze führte, die von allen Seiten auf die Statuen niederzuckten; er erzählte den beiden Beamten, die sich nicht bewußt waren, kraft ihrer Uniformen dem Anlaß ein offizielles Gepräge zu geben, es aber dennoch taten, was in den Presseberichten deutlich zum Ausdruck kam – erzählte ihnen also von der Visite ihres Kollegen Jucker, des vorzüglichen, übrigens auch kunstsinnigen Mannes, die am Samstag schon stattgefunden und zur vollsten Befriedigung der Polizeimacht geführt habe. Ich will nicht behaupten, daß ihnen dadurch die Augen für Demuths Kunst geöffnet worden, geschweige denn übergegangen seien, aber die Folge war jedenfalls die, daß sie draußen ihre Zettel wieder einsammelten und den Verkehr, statt ihn zu verbieten, zu organisieren anfingen, unbeteiligte Wagen vorbeiwinkten und interessierte auf eine in der Nähe gelegene Parkfläche aufmerksam machten. Der eine von ihnen, Wachtmeister auch er, hielt bis lange über seine Dienstzeit hinaus durch, schonte auch eine Stablampe nicht, als Vorschrift und Dämmerung geboten, dieselbe zu entzünden, und dirigierte, solange es eben nötig war. Es war bis gegen halb acht Uhr nötig. Dann erst zog sich die Offensive in immer dünneren Wellen zurück, verschleppte unsern guten Krieg in die fernere Nacht, mischte den Funken Demuth ins Elmsfeuer der Städte, übertrug ihn durch Drähte und freien Äther in Städte, die es nur auf Postkarten gibt; und während uns die Augen zufielen, fühlten wir das Auge der Welt aufgehen über uns.

Es war eine unbeschreiblich aufregende Zeit. Ich beispielsweise bekam Grippe, um der Schule fernbleiben und in der «Soldanella» servieren zu können. Jeden Tag einmal brachte der Wagen des Traiteurs Weideli frischen Hummer, Kaviar, Austern, farbige Salate; Punt e Mes floß dicht neben Whisky wie Euphrat und Tigris. Zitronenschale stob zu Konfetti auf und wiegte sich in den Gläsern; es waren neue Gläser, die schwedischen aus Pas Hausbar. Mein Taschengeld der nächsten fünf Jahre flog in gebackenen Enten und Poularden auf, dann half eine Anleihe bei Bitzens Vater ein Stück weiter. Wir brauchten sie aber nicht auf, denn alsbald zeigte sich, daß Balzli Demuth kreditwürdig wurde. Einige Firmen hefteten ihre Fähnchen an sein flatterndes Panier: das berühmte Hotel St. Albis lieferte uns seine Rehrücken umsonst, wenn es auch den Wein in Albis-Flaschen dazu liefern durfte; selbst der Traiteur kam uns entgegen, nachdem er ein Modell der «Gekrümmten» in sein Schaufenster stellen durfte, zwischen Ochsenmaulsalat und Miesmuscheln. Bald konnte ich auch die Schwedengläser aus dem Verkehr ziehen, den schmollenden Pa seinen Barbetrieb wiederaufnehmen lassen, da Monique Pollack, Boutique 67, uns ihr Glaslager zur Verfügung stellte mit der Bitte, dem Namen Monique Pollack auf den Gläsern Sorge zu tragen. Selten, denn sie hatte selten freie Hände, aber doch hin und wieder stützte Fee ihre Hände in die Hüfte, paßte jetzt immerhin auf, daß es nicht in einer Linie mit der «Handaufstützerin» geschah, um nicht den Blitz der Photographen auf diese Linie zu lenken, schüttelte den Kopf und sagte:

«Wenn Friedrich das noch hätte erleben können!»

Ja, spät, unter merkwürdigem Zeichen, ohne Schild, ohne Tisch noch Stühle und ohne Gelegenheit zum Kegeln war aus der «Soldanella» doch noch ein exklusives Lokal geworden. Und doch fragten wir uns im stillen, ob Friedrich diese neue Kundschaft begrüßt hätte oder sie ihn; ob sich der alte Radikaldemokrat in der Nähe Alberto Giacomettis (ja, der kam, sagte aber nichts, nickte nur) wohlgefühlt – ob er sich auch nur mit Dr. Gabathuler zu benehmen gewußt hätte. Auch für uns war ja der soziale Stil unserer Anlässe ein Problem, mit dem wir uns nicht auseinandergesetzt hatten, das wir glaubten auf uns zukommen lassen zu dürfen; aber nun war es da, riesengroß, und wir fragten uns, ob wir Fee nicht wenigstens eine schwarze Spitzenbluse überziehen sollten. Aber sehr bald entnahmen wir den Reaktionen unserer Besucher, daß wir Fee in ihrem Röckepanzer genauso lassen konnten, wie sie war, ja daß wir der Anziehungskraft, die ihre bergwüchsige Naivität ausübte, fast ebensoviel verdankten wie den Schneemännern. Nie vergesse ich das Knurren der Betroffenheit, mit dem Frisch und Dürrenmatt vor der gewaltigen Köchin innehielten, einer hinter dem andern; ich weiß nicht mehr, welcher zuerst. Der eine nahm die Pfeife schlechterdings aus dem Mund, der andere mümmelte wenigstens lebhaft an der seinen. Ja, die künstlerische, besonders die schreibende Prominenz gab uns die Ehre und schrieb wohl gar über uns. Viel Beachtung fand etwa in einem Damenmagazin der Artikel Hugo Loetschers über «Demuth und Die Mütter», dem Roland von Aesch übrigens stark verpflichtet ist, ohne natürlich die Verpflichtung anzuerkennen. Der Verleger Peter Schifferli musterte die «Abwaschende» mit teuflischen Augen, meinte es aber gar nicht so, und in seinem Gefolge zeigte man sich einen jungen Schweizer Autor mit grauen Haaren, der ein treuherziges Buch über Japan verfaßt hatte; dem fiel zu den Statuen nichts weiter ein.

Daß wir in solchen Kreisen ebenso wie in gänzlich andern, etwa großindustriellen und sonst gepflegten, bestehen konnten, hatten wir zweifellos dem vielseitigen, bunt gemischten Angebot an Lebensarten zuzuschreiben, die wir in den Augen unserer Gäste verkörperten. Dei Skala reichte vom gepanzerten Altmüttertum Fees über Tobias, der in der ganzen Zeit nicht den Pullover wechselte, über Monika, die das wenigstens zweimal in der Woche tat, über Herbert Frischknecht, der sich bei dieser Gelegenheit erstmals einen Anzug gekauft hatte, sich aber dadurch schadlos hielt, daß er ihn miserabel trug – reichte schließlich hinüber zu den afrikanischen Staatsmännern, an deren seidigem Krawattensitz auch nach dem längsten Servieren nichts zu rücken war und die sich allmählich zur elegantesten Stütze unserer Gesellschaft entwickelten. Nicht daß sie uns nicht auch diesen oder jenen Kummer bereitet hätten. McNapoleon war schwer davon abzubringen, unsere Pressekonferenzen mit Unabhängigkeitserklärungen seines Sambesistaates zu kompromittieren, aber wenn Monika ihm den Gürtel enger zog, ging diese Anwandlung vorüber.

Voreiliges Schlußbukett

Was die Pressekampagne betrifft, so lief sie zwei Wochen auf hohen Touren. Viele Zeichen deuteten darauf, daß die international erzeugte Hitze im Beratungszimmer des Gemeinderates zu spüren war. Herbert hatte darin, Gott wußte wann und wie, Mikrophone eingebaut; so folgten wir jeweils mittwochs nach acht Uhr in Fees Dachkämmerlein den Verhandlungen gespannter als einer Eishockeyreportage. Der Aufruf zur Rettung der «Soldanella», in großer Aufmachung, vom Einzig Möglichen Blatt inauguriert, aber auch von den andern halbwegs möglichen mitgetragen, hatte drüben einen starken Schock ausgelöst. Die Publikation der Liste mit den Namen, dem des a. Regierungsrates Abächerli voran, die sich als Balthasar-Demuth-Stiftungs-Komitee konstituiert hatten und zur Äufnung eines hohen Betrags aufforderten, mit dessen Hilfe nicht bloß die Statuen in öffentliches Eigentum übergeführt, sondern auch ihr Heim gerettet, saniert und zur Gedenkstätte ausgebaut werden sollte – diese Publikation steigerte die Erschütterung unserer Räte zur Konfusion. «Und die Gelder fließen schon!» hörten wir den Präsidenten Pfaff mit schwankender Stimme sagen und hielten sie natürlich auf Tonband fest, «wir müssen uns bewußt sein, meine Herren, daß wir hier unter stärkstem Druck beraten; daß sich ein *fait accompli* über uns zusammenballt; daß die Öffentlichkeit ein Beharren auf unserem Bauvorhaben bereits nicht mehr verstehen würde!» Hier war es, daß mich Monika mörderlich kniff, weil sie sonst keinen zu kneifen wagte, und ich schrie, weil's wirklich weh tat, und Herbert sofort noch lauter schrie, ich solle still sein. Denn jetzt kam drüben ein großer Moment:

«Und das Beste ist», sagte Pfaff mit leiser Stimme, die ihm trotzdem einen Augenblick versagte, «das Beste ist...». Er kam lange nicht dazu, das Beste zu sagen. Das Beste war natürlich, daß die Gemeinde in der Proklamation des Demuth-Komitees aufgefordert wurde, ihr Teil zur Erhaltung der «Soldanella» beizutragen, ein nicht zu knappes Teil, in Anbetracht von Überseens günstiger Finanzlage. Die Billigkeit dieses Ansinnens liege auf der Hand, wenn man bedenke, daß Demuth langjähriger Überseer gewesen sei und die Gemeinde aus seinem höheren Nachleben ja zweifellos diesen oder jenen Nutzen ziehen werde. Ein Ehrenpunkt verbinde sich hier glücklich, wie man finde, mit wohlverstandenem Eigeninteresse. Hier hielt Pfaff inne und schluckte. «Nicht nur», sagte er, «nicht nur sollen wir unser Straßenprojekt begraben, das ohne Abbruch der Liegenschaft Hüttenrauch nicht zu realisieren ist und in das wir schon einige tausend Franken Planung investiert haben, zu schweigen von dem unsäglichen Umtrieb, den uns die Entschädigungsansprüche und Prozeßdrohungen der Anstößer schon gekostet haben... sie wären heute bereinigt. Nicht nur das! Wir sollen den Störenfried auch noch honorieren! Man mutet uns zu – die «Soldanella» stehen zu lassen? ihren natürlichen Zusammenbruch abzuwarten? Weit gefehlt, Kollegen: man mutet uns zu, sie zu sanieren! Wir sollen den modernen Furz mittragen helfen, den sich die paar abgebrannten Schlawiner dort drüben aus den Fingern gesogen haben. Kollegen, in England nennt man so etwas to add insult to injury!»

Diese Rede zeigte uns mancherlei. Sie zeigte zunächst, wie wenig uns Pfaff die ganze Zeit grün gewesen war. Sie zeigte ferner, daß er, trotz seinem begreiflichen Groll und trotz einigen kühnen Blüten, ein nicht unerheblicher Redner geblieben war, und machte seine Berufung ins höchste Gemeindeamt verständlich. Und sie zeigte drittens, daß er in der Nähe der Wahrheit fündig zu werden drohte, mehr nolens als volens, hofften wir; auf der dürftigsten Seite unserer Wahrheit, wohlgemerkt, aber lieb war es uns doch nicht; die «Soldanella» hat von Plumpheiten immer mehr zu fürchten gehabt als von Delikatessen. Zum Glück – wir vernahmen es mit angehaltenem Atem – hatten wir auch in Überseen Bundesgenossen, Geister also, die mit feinerem Wasser gewaschen waren als unser Pfaff. Krebs zwar, als Bau- und Straßenvorstand, schlug sich begreiflich auf seine Seite. Aber Möckli beispielsweise hatte die Demuth-Artikel gelesen, und überzeugt, sie verstanden zu haben, vertrat er sie jetzt auch im Rat, so gut es ging, und lieh der modernen Kunst seine etwas schwere Zunge. Er tat's auch als Sozialdemokrat, der ab und zu das fast körperliche Bedürfnis empfand, die Harmonie des herrschenden Allparteienregimes mit einem Pfiff aus klassenkämpferischer Urzeit zu durchbrechen. Der unabhängige Klopfenstein sekundierte ihm aus vergleichbaren Gründen; aus ungleich besseren Abplanalp, denn er war Katholik und hatte Demuth schon als Kirchgänger hochgeschätzt, lange bevor er wußte, daß er auch ein Künstler war; geschwant hatte ihm freilich schon dies und das. So stand es im Kollegium; es stand immer noch vier gegen drei zu Ungunsten Demuths, denn ebenfalls aus Profilgründen ließ sich jetzt der freisinnig-bäuerliche Block ebensowenig in seinem Mißtrauen gegen das «Kuckucksei», wie Öchslin es nannte, erschüttern. Nochmals hatte die Straße den Sieg über das Haus davongetragen.

Aber die Fortsetzung des Hörspiels am nächsten Mittwoch zeigte die Front der Straßenfreunde schon in halber Auflösung. Man hörte dem Architekten Schwengeler, der kein Banause sein wollte, geradezu an, wie er wankte, und das Bauamt wurde beauftragt, Eventualvorlagen auszuarbeiten und mit dem Milchmann ins Gespräch zu kommen, nach dessen Seite die Straße würde ausweichen müssen, um die «Soldanella» zu schonen. Jener Handel mit Gautschi begann sich abzuzeichnen, den ich schon ganz zu Anfang meines Buches gestreift habe, jener Grundstückabtausch, der unter herrschendem Zeitdruck für den Milchmann so vorteilhaft ausfiel, daß er praktisch ein Geschenk zu nennen war; und damit zeichnete sich auch der Bogen ab, in dessen weiche Rundung diese Geschichte bald zu liegen kommt, der ehrfürchtige Bogen der Technik um ein Denkmal der Kunst. Wir beschlossen, ihm nachzuhelfen; wir luden mit den verbindlichsten Worten den Gemeinderat in corpore zu einer Besichtigung ein, um dem bürgerlichen Block seine Erschütterung noch leichter zu machen; wir luden auch den Denkmalpfleger Hutzli dazu, der unsere Sache so beredt führte, daß wir nur noch mit andächtigen Gesichtern danebenzustehen brauchten. Wir ließen die Körperschaft sich ins Gästebuch eintragen, unmittelbar unter dem Namen des für kulturelle Belange aufgeschlossenen Stadtpräsidenten; der hatte uns einmal gegen Mitternacht gänzlich unangemeldet die Ehre gegeben, die, wie bei ihm üblich, bald zum allgemeinsten Vergnügen wurde, und sein trinkspruchartiger Gruß wurde von der Körperschaft stark beachtet. Auch sie setzte ihre Klaue hin, und wie ich Pfaff so schräg ansah, wußte ich wohl, was er dachte: das ist der Teufelspakt, davon kann ich nicht mehr zurück. Armer, würdiger Mann! Es war nicht vorauszusehen, daß du den Pakt ernst genug nehmen würdest, um ihn am Ende wirklich mit deiner lebendigen Seele zu quittieren. (Aber auch wir haben Verluste erlitten.) Damals gaben sich die Herren vergnügt, schluckten ihr Befremden angesichts der nun schon weltberühmten Plastiken tapfer herunter, was wir ihnen durch einen stubenwarmen Pommard etwas erleichterten, und ließen sich willig durch Sterbe- und Dachzimmer und schließlich auch außen um das Anwesen herumführen, auf dessen Baufälligkeit Hutzli mit starken Worten hinwies. Bei dieser Gelegenheit kam es zu dem von mir gleichfalls schon festgehaltenen Gruppenbild: sieben Köpfe, und alle nikkend.

Wer A nickte, mußte auch B nicken. Drüben im Gemeindehaus waren die drei Konferenzzimmerfenster hell; hier im Dach kauerten wir im Dunkel um Herberts Empfänger. Es war Montagabend, eine außerplanmäßige Sitzung, was sie nicht hinderte, nach Plan zu verlaufen. Wir hörten den «modernen Furz» hoffähig werden, hörten von Gautschis Verhandlungsbereitschaft – er hätte ein Tor sein müssen, das Angebot auszuschlagen, war froh, von der Expreßstraße wegzurücken, bedang sich nur aus, den Neubau ohne Rücksicht auf unsere Zonenplanung fördern zu dürfen. Wir hörten, daß am fernern Ende, von der Stadtgrenze her, mit dem Straßenbau ungesäumt begonnen werden könne; daß man ihn voranzutreiben gedenke, um mit übernächstem Frühjahr an der Stelle anzukommen, wo Gautschi dannzumal zu verschwinden sich gerüstet halte. Wir hörten zum ersten Mal, mit bedauernder Betonung, von dem Bogen, der lokalen Schleife, die man der neuen Straße vor der «Soldanella» zu beschreiben zumuten müsse, weil man den mühsam befriedigten Anliegern («Anrainern») nicht zumuten könne, die ganze Frage der Trasseeführung abermals aufzurollen; wir hörten aber mit Erleichterung, und zwar aus dem Munde des hinzugezogenen Gemeindeingenieurs, daß der geplante Bogen die Sichtverhältnisse an der Kreuzung so gut wie überhaupt nicht beeinträchtige und daß man daher von einer «vertretbaren Lösung» sprechen könne. Wir hörten noch mehr. Wir hörten von der außerordentlichen Gemeindeversammlung, in welcher diese Lösung vor dem Stimmvolk zu vertreten sein würde, um dessen Zustimmung zu den notwendigen Krediten zu erlangen. Der Gautschische Landabtausch inklusive Gebäudeentschädigung wurde auf rund sechshunderttausend veranschlagt, einige kleinere Geländeaquisitionen auf hunderttausend, für Umdispositionen bezüglich des Straßenbaus mußten einige zehntausend eingesetzt werden, mit einigen weiteren – und hier wurde uns das Herz warm, das über diesen Zahlen etwas ins Stocken geraten war – würde man dem Denkmalschutz bei der Sanierung der «Soldanella» unter die Arme greifen müssen, und eine ähnliche Summe war für das Personal des Museums zurückzulegen. Tobias' Lippen bewegten sich, als spräche er ein Gebet.

Das war zuviel. Nicht nur sollte er zu Füßen der Schneemänner, den Stöpsel im Ohr, müßig bleiben dürfen – er sollte auch noch eine Rente dafür ausgesetzt bekommen.

Wir waren zunächst nicht sicher, ob das Angebot für uns annehmbar war. Aber dann überlegten wir, daß es feige wäre, den eingeschlagenen Weg nicht zu Ende zu gehen, dachten auch an die Repräsentationskosten, die uns als Museumshütern erwuchsen und die aus den regulären Eintrittspreisen, wie wir uns kannten, schwerlich zu decken sein würden, dachten an Fee, die einen gesicherten Lebensabend mehr als verdient hatte, dachten uns dies und das und beschlossen am Ende, der Großherzigkeit der Gemeinde ihren Lauf zu lassen. Warum sollten wir schlechter wegkommen als der Milchmann, der als im Grunde völlig unbeteiligter Mensch gelegentlich unserer Einfälle den Schnitt seines Lebens machte?

Wir hatten ganz recht: unsere Skrupel wären taktlos gewesen. Die uns zugemessene Summe war der einzige Posten, der an der außerordentlichen Gemeindeversammlung beanstandet wurde, und zwar wegen seiner Geringfügigkeit. Weite Bevölkerungskreise fanden es schäbig, die Gedenkstätte mit weniger als zehntausend jährlich abzufinden, und drangen mit einer bedeutend höheren Summe durch, die fest im jährlichen Etat zu verankern und als Beitrag der Gemeinde an die Demuth-Stiftung anzusehen war, womit sie sich das Recht auf einen permanenten Sitz im Stiftungsrat erwarb. Diese Stiftung war zustande gekommen. Für die mäßige Summe von dreihunderttausend, an der Stadt und Kanton zu je einem Fünftel, private Mäzene zu drei Fünfteln beteiligt waren, ging die «Soldanella» aus Hüttenrauchschem in halböffentlichen Besitz über. Wir waren kulante Verkäufer, wenn man die Offerten betrachtete, die uns von amerikanischen Kunsthändlern bereits zugegangen waren und in der Presse die Runde gemacht hatten. Diese Presse war, glücklicherweise mit Ausschluß der linksextremen, einhellig auf Seiten Balthasar Demuths. Sie setzte Kantons- und städtischen Gemeinderat unter stärksten Druck und

beschwor diese Volksvertreter, sich nicht abermals ein international angesehenes Zeugnis einheimischen Kunstschaffens
entgehen zu lassen, nachdem man sich jüngst durch den
Nicht-Ankauf einer Giacometti-Kollektion eine weithin
sichtbare Blöße gegeben hatte. Der Rat bestand seine zweite
Prüfung mit beruhigendem Mehr; die Kredite gingen durch.
Aber das steht bei Roland von Aesch – verschlüsselt, natürlich, als «Probe auf die Provinz». Schafskopf.

Das «Modell einer Landsgemeinde» – ich sage ehrlicher
die Außerordentliche Gemeindeversammlung vom 14. Oktober 1960 – war nach dem *fait accompli* der Stiftung fast
nur noch ein Nachspiel, aber ein feierliches. Sie fand, wie
bei uns üblich, in der Kirche statt. Die Kerzen standen schon
auf dem Tisch, alles war für die Predigt gedeckt; die Frauen
füllten die Empore und warteten stolz auf die Darbietung
direkter Demokratie. Die Stimmfähigen, die die Darbietung
trugen, saßen im Schiff – mehr Männer, als am Sonntag in
die Kirche hineingehen, und andere. Die Doktoren Stefan
Sommer und Herbert Frischknecht, zum Beispiel; auch was
sonst in Überseen Titel trug und sich Ideale leisten konnte
ohne geradezu an Gott zu glauben, im Gotteshaus trotzdem
den Hut abgenommen hatte, diese höheren Menschen fast
vollzählig; aber auch ein paar Namenlose wie Tobias Hüttenrauch und Matthias Kahlmann oder du, Roland von Aesch.
Gleichfalls sonntäglich, obwohl Freitagabend war, hatten im
Chor Männer von auswärts Platz genommen, Ehrengäste,
Spitzen des öffentlichen und des künstlerischen Lebens,
deren Wagen die neugotischen Portale unserer Kirche, das
östliche und das nördliche, fast unzugänglich machten,
Wagenburgen aufrichtend gegen allfällige Spielverderber,
Leute, die vielleicht hergekommen waren, um traurigen Mut
zu zeigen, an Balthasar Demuth öffentlich zu rütteln. Da
saßen sie matt erleuchtet im Chor wie eine kompakte Ahnen-
galerie, die über den Kunstsinn Überseens wachte, klein-
lichen Bedenken zurückzutreten gebot. Man bemerkte a.
Regierungsrat Abächerli, Prof. Anderegg und die anderen
Herren des Stiftungsrates, etwa die Dres. Gabathuler und

Gemperle, den Mäzen Gutjahr, den Großindustriellen Mutz, den Bankier Hirt, und es war gut, wenn man sie bemerkte.

Unser Gemeindepräsident trat vor den Taufstein: es war ein großer Moment in seinem Leben. Die Scheinwerfer nahmen ihn ins Kreuz, fingen ihn ein wie die Fliegerabwehr einen verirrten Bomber, aber er verirrte sich nicht, zappelte nicht wie die Fliege im Netz, sondern setzte, nur selten blinzelnd, die Vertretbarkeit der Vorlage auseinander, stellte die erforderlichen Zusatzkredite als mäßig hin, sprach auch von der kulturellen Aufgeschlossenheit Überseens, nannte sie verpflichtend, oder nannte die Kunst Balthasar Demuths verpflichtend; jedenfalls spiegelte seine Glatze die hintersten Bänke ab, und das Surren der TV-Kameras schwebte wie ein immerwährendes Kochen über der Gemeinde. Die Gemeinde wurde gar. Wer will schon aufstehen und sich vor der ganzen Schweiz – es waren auch deutsche Netze angeschlossen – als Banause zeigen! Bauvorstand Krebs sprach im Namen der schwachen Kurve vor dem geretteten Künstlerhaus. Er verantwortete sie nicht nur, sondern wies nach, daß sie von gutem sei, indem sie das Tempo der anfahrenden Vehikel drosseln helfe und dadurch die Unfallgefahr an der Kreuzung noch weiter herabsetze, sofern dies, bei funktionierenden Verkehrsampeln, noch menschenmöglich sei. Fehlten nur noch die Herren Gabathuler und Hutzli, die als Gäste auf den kulturellen und kulturpolitischen Aspekt (Hutzli sagte: Aschpeckt) der Sache eintraten und die Darbietung erfolgreich abrundeten. Sie faßten sich kurz, denn die Sendezeit – *live* – sollte insgesamt, die Schlußabstimmung eingeschlossen, eine Stunde nicht überschreiten, und man wollte doch auch der Diskussion noch einigen Raum geben, wenn auch nicht allzuviel Raum. Glücklicherweise standen die Wortmeldungen – mit einer Ausnahme – durchwegs auf hohem Niveau. Jemand, es war von ihm schon die Rede, beantragte, den Unterhaltsbeitrag der Gemeinde zu erhöhen; ein anderer bat um die Versicherung, daß die lebenslängliche Nutznießung der gegenwärtigen Eigentümer an der «Sollanella» gewährleistet sei, und konnte von einem Vertreter

des Stiftungsrates beruhigt werden. Die Ausnahme war de
alt Lederhändler Schuld, eine armselige Figur, die durc
ihre hüstelnde Querulanz im Geruch eines besseren Dorf
trottels stand und wissen wollte, warum Demuths Plastike
Kunst seien, ja, sich selbst anheischig machte, dergleiche
zu bilden. Pfaff fertigte die Figur mit einem Humor ab, de
allgemein als souverän empfunden wurde und die übrigen
würdige Darbietung gefällig auflockerte. Die Aufnahme
leiter mußten Schuld dankbar sein und übertrugen den
auch das Schmunzeln, das er hervorrief, mit einigen rasche
Schwenkern des Teleobjektivs in alle Welt.

Ich selbst saß vor Pas Bildschirm, mußte die Lektion direk
ter Demokratie wegen Unmündigkeit aus der Ferne verfol
gen, hatte nicht einmal Zutritt zu den Frauen auf der Empore
Aber unvergeßlich bleiben mir die Bildsequenzen, auf dene
das Schmunzeln herrschte. Der Gemeinderat schmunzelt
in corpore; Dr. Gabathuler, der sich zu einer Antwort berei
gemacht hatte, dem das Schmunzeln die Antwort abnahm
schmunzelte mit halber Lippe mit. Die Frauen schmunzelte
in dunkler Reihe, die Jungbürger schmunzelten und bewie
sen schmunzelnd ihre staatsbürgerliche Reife; ja, sogar de
Organist, ein ernster Mann, der sich aus lieber Gewohnhei
auf die Orgelbank gesetzt hatte, wo ihn die Kamera dennoc
aufzustöbern wußte, schmunzelte herzlich.

Und an dieser Stelle möchte ich mein Gerät ausblenden
Die Vorstellung hatte ihren Höhepunkt erreicht, es konnt
jetzt nur noch zur Abstimmung über die Vorlage kommen
die selbstverständlich mit allen Stimmen gegen diejenig
Schulds angenommen wurde. Es fehlt nichts als das letzt
Stimmungsbild der sich rasch leerenden Kirche.

Armes Überseen: es zeigte sich auf der Höhe seiner Ver
antwortung, es bewies, daß es sich an Rampenlicht gewöhn
hatte und darin zu benehmen wußte. Es ahnte nicht, wie kur
sein Glück bemessen war, daß es schmunzelnd den Mecha
nismus der Zeitbombe ausgelöst hatte, die es in wenige
Jahren sprengen und begraben sollte.

Aber Glück ist Glück, gleich unter welchen Umständen

gleich mit welchen Folgen; man soll die Kürze, seine üble Gewohnheit, nicht gegen die Glücklichen sprechen lassen. Auch wir wußten, mit Ausnahme des Einen, der nach Hause ging, sich Notizen zu machen, statt Musikkritiken zu schreiben – auch wir wußten nichts anderes als unverschämtes Glück, das wir gehabt hatten, Glück, das wir empfanden. Wir feierten es, *enfin seuls,* von Wäldern des Zweifels entlaubt, von der Woge gewaltiger Publizität an einen vollkommen stillen Strand gespült (das bißchen Verkehr artikulierte die Stille); wir feierten es beim Retsina, Schwarz und Weiß, verbrüdert bis in alle Nacht, tranken auf die Gesundheit derer, die nicht unter uns sein konnten, auf die Gesundheit Friedrich Hütenrauchs, die Gesundheit Bitzens noch in Ägypten oder schon in Indien, die Gesundheit des Sambesibogens, die Gesundheit des Giraffenwagens, hauptsächlich aber auf die metaphysische Gesundheit Balthasar Demuths, durch den wir wurden, was wir waren, und dessen Grab wir uns in der Frühe zu besuchen schworen, Retsina spendend zwischen Himmel und Erde, seinen beiden Aufenthalten, die unsere «Soldanella» zusammenheftete. Und je mehr wir tranken, siehe, desto stärker leuchteten die Schneemänner über uns, desto blauere Schatten warfen sie an die Wand.

Negervorstellung im Amphitheater, oder: Von der Kraft des Gebets

An einem der nächsten Morgen, es war Ende Oktober und nebelte stark, stand Eliane vor der Tür der «Soldanella». Neben ihr stand, wie immer mit grundlos zitternden Hinterbeinen, ihre Airdale-Hündin Ragusa, die nur Schokolade fraß und davon hypertrophe Zitzen bekam, obwohl sie nie gedeckt worden war: einen solchen Vorgang hätte sie nicht verstanden und wußte sich ihm zu entziehen. Fee öffnete den beiden. Beinahe wäre ihr das Gesicht ausgerutscht.

«Ich möchte euch wieder einmal sehen, dich und Tobias», sagte Eliane, herzlich den Kopf schüttelnd, «und doch sehen,

was aus meinem Vaterhaus geworden ist. Man hört ja jetz
so viel von ihm.» Und dazu stand sie schon im Vestibül
schüttelte sich kräftiger, so daß ihr die Nebeltropfen von de
Plastic-Haut sprühten, und ihr Hund tat es ihr gleich. Dan
warf sie einen sentimentalen und doch lauernden Blick di
Treppe hinauf, zur Kellertür hinüber. Ragusa lief wollig
und von Biereifer getrieben ins Ausstellungszimmer wei
ter, dessen Tür Fee leider offengelassen hatte. «Ragusa!
rief Eliane. «Aber Gusi, Gusi, Guseli, brav, hörst du!» un
stand schon inmitten der Schneemänner. Ihre schmalen grü
nen Augen erkalteten funkelnd. Im Erker lagen der Trans
portminister Barnabas, Jack, Jim und ich auf dem Bode
und spielten «Eile mit Weile». Ich kannte die Dame nicht
nun, wir waren Besuch gewohnt, wenn auch sonst nicht un
diese Tageszeit. Aber als ich den Namen Frl. Hüttenrauch
hörte, begann ich schlecht zu spielen, verpaßte jede Ruhe
bank und wurde haufenweise heimgeschickt. Schließlich
gab ich auf und beobachtete nur noch.

Elianes Familienähnlichkeit mit Tobias war gering. Höch
stens: beide hatten Friedrich Hüttenrauchs ausgesprochen
Nase, schmal, mit beweglichen Flügeln. Aber Eliane wa
üppigen Leibes und hatte um und um gelöckeltes Haar. E
mußte falsch sein. Es war die absolute Katastrophe, daß si
in diesem Raum stand. Von unsern Leuten war keiner da
Sie waren zu Knoll International gegangen, um die «Solda
nella» gedenkstättenfähig auszurüsten. Das war alles um
sonst, wenn die Person hier stand. Mein Hirn schaltete
furios. Ich hatte keine Idee.

Fee führte Eliane ins Sterbezimmer und dann im Haus
umher treppauf treppab. Der Hund, rötlich gelöckelt auch
er, machte jeden Weg dreimal und strapazierte seine Nase.
Auch als sich Frauchen auf die Ottomane zum Tee gesetzt
hatte, gab er keine Ruhe und störte die Neger durch Neugier. Zum Tee. Letzte Gelegenheit, Eliane zu vergiften.
Aber Fee machte keine Miene und schenkte sich aus dem
selben Krug ein. Fee, Fee!

«Weißt du, Felicitas, ich gehöre eben auch noch ganz fest

hierher!» sagte Eliane. Oder: «Ich habe damals nicht freiwillig auf mein Erbe verzichtet, sondern weil mich Vater auf den Knien bat: er dürfe sonst gar nicht mehr heimkommen. Eure Leute haben ihn eben schön in die Zange genommen, weißt du Fee, darüber komme ich nicht so leicht hinweg, in all den Jahren nicht, das mußt du schon begreifen.» Was Fee im einzelnen Fall geantwortet hat, weiß ich nicht mehr; ich erinnere mich bloß, daß sie häufig nickte. Dann wanderten Elianes Augen über den Tassenrand zu den Bildwerken hinüber, und dann sagte sie, ohne das Täßchen abzusetzen, zwischen einzelnen kleinen Schlucken: «Bst, Guseli!» und dann sagte sie weiter:

«Weißt du, Felicitas, ich staune, ich staune einfach, wie ihr es fertiggebracht habt, den Leuten eure Bären aufzubinden. Da gehört schon allerhand Toupé dazu. Wenn ich denke, was der Balzli Demuth für eine gute simple Seele gewesen ist! Kein Gedanke, daß er diese Dinger hätte machen wollen, geschweige denn können. Wo auch! In seinem Hinterzimmer, wo er nicht einmal fließendes Wasser hatte?»

Hier erinnere ich mich genau, was Fee sagte. Sie sagte mit langsamer Zunge: «Nimm *noch* einen Tee, Eliane, sei so gut.» Aha, dachte ich. Aber Eliane süffelte den Tee seelenruhig und fiel nicht vom Stuhl, griff sich nicht einmal ans Herz. Sie sagte:

«Und übrigens sieht doch jedes Kind, daß du zu den Dingen Modell gestanden hast, Felicitas. Schon bei Vaters Begräbnis, bei dem du *gestrickt* hast – bst, Guseli, was ist das! – ist mir aufgefallen, wie du das Strickzeug hältst. So ein wenig rheintalerisch überquer, genau wie euer Monstrum dort. Trotz der Patschen kann man das noch sehen.»

Fee trank andächtig ihren Tee zu Ende. Dann nahm sie das Strickzeug her, das sie beiseitegelegt hatte, aber ohne zu stricken, nur probeweise, und verglich ihre Handstellung mit derjenigen der Figur.

«Du hast recht, Eliane», sagte sie. Und dann über die Schulter zum Transportminister hinüber: «Barnabas, macht euch bald fertig. Ihr müßt mir noch etwas besorgen.» De Transportminister nickte, horchte dann auf, wandte sic aber sofort mit leicht zitternden Fingern wieder dem Spiel zu

Er war am Gewinnen.

«Und was hast du dazu zu sagen?» fragte Eliane.

«Weißt du, Eliane», antwortete Fee, «die Figuren da habe nämlich den Wert der Liegenschaft stark verbessert.»

«So etwas habe ich mir gedacht», sagte Eliane, und jede ihrer Löckchen strahlte. «Darum habe ich auch die ganz Zeit zu eurem Treiben geschwiegen. Aber ich finde, ih hättet vierhunderttausend verlangen können.»

«Hast du zu jedermann geschwiegen?» fragte Fee, imme ruhiger werdend.

«Sicher», sagte die Sozialfürsorgerin. «Aber es hängt jetz von den Umständen ab, ob ich weiter dazu schweige. Du mußt bedenken, es ist auch mein Vaterhaus.»

«Wir können darüber reden», sagte Fee.

«Aber nicht hier», sagte Eliane. «Auch Vater hat in dieser vier Wänden niemals vom Geld gesprochen, außer sein zweite Frau hätte ihn dahin gebracht, das weiß ich nicht Auch Neger hat es zu seinen Lebzeiten hier nicht gegeben.»

«Tun wir doch einen Gang miteinander», sagte Fee un erhob sich.

Die Damen zogen sich draußen an, Eliane ihre Regenhaut, Fee warf eine Art Mantilla über. Ragusa schoß hinaus Schon unter der Tür zitterten ihre Schenkel wieder gan übertrieben. Es war noch über null, aber stark neblig.

Kaum knirschte draußen der Kies, bekam ich Grund über meine Spielgefährten zu staunen. Der Transportminister sprang auf seine Füße und zischte afrikanisch. Jack schoß in den Keller und kam mit einem Bündel tannene Scheiter zurück, die er in seine Aktenmappe stopfte. Jim trat aus der Küche, die Hände voll Tranchiermesser und Geflügelscheren; sorgfältig ordnete er sie links und rechts in seine Busentaschen. Barnabas klopfte seine Hosentascher nach Streichhölzern ab.

«*Ready*», sagte er. Offenbar gab es kein gleich kurzes

sambesisches Wort. Alle drei streiften sich ihre weißen Glacéhandschuhe über. Dann los, hinaus, weg. Der Kies knirschte bedeutend rascher.

Ich ließ mir mehr Zeit mit dem Anziehen. Ich erkälte mich ungern. Dann schloß ich die «Soldanella» ab und legte den Schlüssel in die Granitlücke unter den abgebräunten Hortensien. Auf dem Wegweiserplatz drehte ich mich einmal ganz um. Es war stark neblig. Aber ein entgegenkommendes Auto ließ im Abblendlicht die drei Figuren erscheinen. Sie gingen auf der Bergstraße aufwärts, dicht nebeneinander und offenbar ganz gemächlich. Ich folgte ihnen. Als sich meine Augen gewöhnt hatten, sah ich, noch hundert Meter weiter vorn, die schwachen Nebelschatten Elianes und Fees. Sie wirkten wie einer, hielten einander nach Frauensitte untergefaßt. Der Hundeschatten oszillierte zwischen beiden Gruppen, zwischen Straße und Trottoir hin und her und wurde alle zehn Schritte laut, aber zärtlich zur Vorsicht gemahnt. Offenbar seinetwegen machte man die schöne weiche Linkskurve der Bergstraße, die kein Trottoir mehr vorsah, nicht mit, sondern stach auf einem bei gutem Wetter gern begangenen Reit- und Aussichtsweg in die kreidig belichtete Allmend hinaus. In auf Nebelsichtweite gelockerter Formation stieg man allmählich höher. Rechts schwitzten fette Schollen in ihren Furchen, links verzitterte trockenes Gras ins Graue; die Andeutungen von Himmelblau in der Luft wurden merklicher. Ehe es durchbrach, Nähe und nähere Ferne sich rührend herbstlich klärten, war der Wald gewonnen. Eliane bückte sich, korrekterweise, um Ragusa an die Leine zu nehmen. Selbst wenn sie sich umgeblickt hätte – sie unterließ es –, hätte sie in diesem Augenblick den schönen Waldweg leer gefunden. Dem Beispiel meiner afrikanischen Freunde folgend, war ich seitlich unter die Stämme getreten und hielt, geräuschlos wie sie, im vorjährigen Laub inne. Eliane aber nahm wieder Fees Arm und ließ sich von Ragusa weiterziehen. Die beiden waren jetzt sehr vertieft. Sie bemerkten kaum, daß sie, bald nach dem hölzernen Aegerten-Brücklein, linkerhand vom breiten Weg abbogen und auf einer immer noch schwach grünen Spur, in die Baumschlipfe tief eingegraben waren, Hufpfützen dunkelten, die schönste, viel zu wenig bekannte Gegend unseres Waldes gewannen: eine Stifter-Landschaft, anfangs aus schwarzem Unterholz, dann immer lockerer aus farbigem Jungwuchs, einzelnen gelben Lärchen und schließlich atemreichen Lichtungen komponiert, über die sich wie Fahnen rötlich und schwarz einige machtvoll gezauste Föhren ins noch gedämpfte, rauchige, aber schon komplette Blau erhoben. Einmal sah Fee kurz zurück; auf dieses Zeichen traten die Afrikaner aus den Kulissen und streiften sich Rockärmel und Manschetten zurück; die Arme, heller als der Ärmelstoff, strahlend dunkler als die Glacéhandschuhe, arbeiteten wie Maschinen, trieben die Gruppe auf dem Weg scharf voran. Fee hatte mit ihrer Begleiterin eine Stelle erreicht, die den Überseer Pfadfindern unter dem Namen «Amphitheater» bekannt ist: eine zwanzig Schritt breite Mulde mit ungleich geneigten Hängen, auf denen, in weiten Abständen, Baumschößlinge gepflanzt waren; sonst bewölkte pampa-artiges Gras die Senke, jetzt war es zu Streu verfallen. In der Mitte hatten gelegentliche Feuerchen den bloßen Boden freigelegt und mit Holzasche geschwärzt. Daß dieser Ort sich für Bedürfnisse verschiedener Art empfahl, übersah Eliane mit einem Blick, und indem sie ihrem Hund genügend Leine ließ, damit er das seine mit stark zitternden Schenkeln im Pampaschatten befriedigte, folgte ihr Auge dem erhobenen Finger Fees, der ihr einen Weih anzukündigen schien. In diesem Augenblick fühlte sie sich in der Taille umgriffen und sank mit einem Aufschrei in die Arme dessen, der sein Gesicht aus blauem Himmel heran führte, ihr schwarz vor den Augen machte, ein keineswegs zärtliches Grinsen sehen ließ, das sie mit einem zweiten Schrei nicht sehen wollte, aber fortfuhr zu sehen, ob sie die Augen schloß oder nicht. Sie sank klassisch langsam, wie man es in älteren Romanen liest, sank einfach weg, als wäre ihr der Blitz in die Knie gefahren. Aber die Gnade der Ohnmacht blieb ihr versagt, bloß den Hund

ieß sie fahren, der angesichts des Überfalls sein Geschäft
chneller beendigte, stürmisch mit seinem Airdale-Stummel
vedelte, die neuen Gäste begrüßte, darüber aber das Schlot-
ern mit den Schenkeln nicht vergaß. Deine Leine ist los,
lummer Hund, der Wald ist weit, die Rehe haben Brunst und
ind unvorsichtig! Hopp, rette dein Leben und friß ein
nderes, nütz die Gelegenheit, solange deine Herrin in den
Armen eines zukünftigen Transportministers aus dem Sam-
esibogen liegt!

Alles vergebens: Ragusa war Teeparties gewöhnt und
keine Gewaltsamkeiten, sie war auf Schokolade dressiert
und nicht auf den Mann; sie hatte keine Ahnung, schleifte
ihre hübsch bestickte Leine fünf Meter weiter zu einem
Baumstrunk, ließ sich auf ihre Keulen nieder, hängte die
Zunge heraus und zitterte sogar im Sitzen.

Und Fee? Fee war schon fast außer Sichtweite. Mit ruhigem Schritt, die Mantilla vielleicht etwas enger um die
Schultern gezogen, wandelte sie durch die schmale Allee
junger Buchen weiter und entschwand meinem Blick hinter
einem zündenden Ahorngebüsch. Was mich betrifft: ich
war im Gehölz diesseits der Mulde, aber mit gutem Blick
darauf, stehengeblieben, etwas versteckt durch ein Klematis-
geschlinge vielleicht. Das Herz klopfte mir wie im Theater.
Was würden die drei Staatsmänner über Eliane Hüttenrauch beschließen?

Sie wußten es selbst nicht genau. Vorläufig hielt Barnabas sie wie einen Sack in den Armen. Er hatte noch ein paar
Sekunden Frist, die Wirkung des Schocks hielt noch an,
noch war Eliane der Atem nicht zurückgekehrt. Aus der
Ferne des Waldes warnte ein Eichelhäher. Nun weiß man
aus der Märchenliteratur, daß sich gedungene Jäger, mit
ihrem Opfer alleingelassen, um ihre Pflicht zu drücken
pflegen, und wenn Eliane ein Schneewittchen gewesen wäre,
hätte sich wohl so etwas ergeben, denn Barnabas in seinen
hellen Handschuhen wußte nicht weiter, und Jack und Jim
standen nicht viel anders daneben als Ragusa auf ihrem
Strunk. Ferner weiß man aus der Fachliteratur über Ent-

wicklungsländer, daß Afrikaner, einzeln genommen, verantwortungsscheu sind; es wird gewöhnlich taktvoller formuliert, läuft aber darauf hinaus. Nochmals schwebte, um Höhenkurve 480, an einem der schönsten Plätzchen im herbstlichen Überseener Wald, die schon gerettete «Soldanella» in akuter Lebensgefahr. Aber glücklicherweise – ich meine: glücklicherweise für die «Soldanella» – war Eliane kein Schneewittchen, sondern eine zählederne Fünfzigerin, und glücklicherweise war Barnabas nicht allein, sondern zu dritt, und als Gruppe sind die Afrikaner äußerst handlungsfähig; glücklicherweise verhinderten beide Umstände die Chance der Gesittung, die überhand zu nehmen drohte, als Barnabas mit seiner Sozialfürsorgerin im Arm nicht weiter wußte. Er fand, während der Häher keckerte, der Wald seine bunten Blätter reglos hielt, einen Kompromiß zwischen Verantwortungsscheu und Aktion; statt in Jims Brusttasche zu greifen und das Tranchiermesser zu behändigen, warf er Jim gleich die ganze Eliane zu, ein Akt, der eine Vorstellung von den Kräften gibt, die er sich auftragsgemäß einzusetzen scheute. Er warf gerade in dem Augenblick, als Eliane soweit gefaßt war, um sich im nächsten aufzurichten und zu sagen: «Mein Herr!» oder dergleichen, was den Guten gewiß eingeschüchtert hätte. Jim, Minister ohne Portefeuille, der er war, sah nicht ein, weshalb er sich an Eliane die Finger verbrennen sollte; er warf die Fürsorgerin, der es pünktlich wieder den Atem verschlagen hatte, zu Jack hinüber. Der hatte die Regel des Spiels schon aufgefaßt, seine Aktentasche abgelegt, fing die Japsende munter auf, ging kurz ins Knie und erleichterte sich ihrer sofort wieder zuhanden Barnabassens. Bald war das Karussell in vollem Betrieb: die Schönheit des Schauspiels ließ seinen Ernst völlig vergessen, und wenn ich Ragusas Gesichtsausdruck richtig verstand, so war das auch ihre Meinung. Der gute Hund ließ sich keinen Flug seiner Herrin entgehen und drehte den Kopf aufgeweckt hin und her wie beim Tischtennis.

Eliane flog. Sie erinnerte an eine Putte reiferen Jahrgangs, deren Flügelchen im barocken Sturm stoben; neben dem Künstlerischen kam das Gymnastische nicht zu kurz. Sie warf Arme und Beine wie seit vielen Jahrzehnten nicht mehr, fiel von einem Spagat in den andern und leistete sich Pirouetten, Doppelsprünge, in denen sie ihres Gewichts einfach spottete. Manchmal stieß sie ein Piepen aus, das sich im ganzen doch eher vergnüglich anhörte und von den Vögeln im Busch mit einem kurzen Triller beantwortet wurde. Überhaupt nahm jetzt der Wald seine normale Tätigkeit wieder auf, tuschelte, raschelte, knackte mit Zweigen, jubilierte sporadisch. Die Natur hatte gegen Elianes Sprünge nichts mehr einzuwenden. Sie zeigte aber auch was. Bald kehrte sie Jim ein fliegend errötetes, bald Jack ein tief erblaßtes Gesicht zu und warf sich gegen Barnabassens Brust, daß es eine Art hatte; je länger, je weniger blieben ihr die Neger etwas schuldig. *They were warming up to it,* heißt es im Slang ihrer jam-sitzenden Brüder vom Mississippidelta. Der Rhythmus ist ein Urerlebnis, sagt mein Deutschlehrer. Jack, Jim und Barnabas pirouettierten selber, so daß Eliane mit ihren übertrieben aufgerissenen Augen nie wußte, wem sie zuflog und ob sie landen konnte, und doch war immer einer da, sie aufzufangen, unfehlbar; es geschah ihr, sie wußte nicht, wie. Bald trudelte sie im Kreis auf einsamer Höhe wie eine Hummel im Kelch, von drei weißen Handschuhen erhoben, während die drei andern herausfordernd in die Hüften gestützt blieben; schwungvoll stürzte sie, wurde schwungvoll hart über dem Boden vom kauernden Barnabas gestoppt, unter Ausnützung der Fliehkraft an Jim weitergegeben, der sich mit ihr tief hintenüber ins Kreuz beugte, aber den Rahmen der Schicklichkeit wahrte; was dabei knackte, kann unmöglich ein Wirbel gewesen sein. Allmählich verlor Eliane, was nicht zum natürlichen Menschen gehört, Stück um Stück. Zuerst schälte sich die Regenhaut, die eine gewisse Griffigkeit erlaubt hatte, in Fetzen ab, dann flog ein Schuh in den Wald (den andern behielt sie bis zum Ende); bei einer heftigen Linksdrehung gab sie die Tasche her, ließ in Jacks Armen das Tailleurjäckchen zurück, der es sich blitzschnell in den Gürtel knotete – damit hatte es sein Bewenden, was Kleidungsstücke im engeren Sinn betrifft, ich habe schon angedeutet, daß die männlichen Partner nicht daran dachten, Elianes Ausgelassenheit zu mißbrauchen. Die rötliche Perücke, die bei einem Entrechat verloren ging, war nur ein Stück abgelegte Unnatur, die Ragusa übrigens apportierte und in den Zähnen behielt, bis die Reihe an sie kam. Eliane tanzte nun barhäuptig, ließ die paar grauen Fäden flattern, die wirklich die ihren waren, spie gelegentlich Barnabas die Gebißplatte ins Gesicht, erst die obere, dann die untere, der ihr so viel Mutwillen mit einem energischen Pas de deux vergalt. Stehend, kniend, ja liegend reichten die Neger Eliane herum, flogen dann wieder mit ihr im Kreis, daß die Wälder mitflogen, die Wipfel konvergierten, hielten sie fröhlich an den Händen wie Kinder, erst langsam, dann immer schneller, wie Kinder es lieben, so daß sie den Kopf bald ins Genick warf, bald auf die Brust baumeln ließ. Zwischendurch brach einer aus, klatschte mit zurückgeworfenem Körper in die Hände, trommelte auf die Schenkel einen immer rasenderen Takt, bekam Eliane zugeworfen, damit er seinen Takt selbst mit ihr ausprobiere, arbeitete in der Tat vorzüglich mit ihr und schlang ihren massigen Körper mit einer Arabeske wieder in den größeren Verband zurück.

Eliane tanzte! Ihr Leben lang hatte sich kein Tänzer für sie gefunden, und jetzt gleich dreie! Wie nahm sie ihn, ihren ersten Ball in freier Natur? Was machte sie für Miene dazu? Sie hielt die Augen aufgerissen, war erstaunlich gefügig, ja fast gelenkig geworden, wenn sie auch nicht mehr auf der Erde stehen mochte, nur noch geworfen sein wollte, aber Miene machte sie eigentlich keine mehr dazu; genau besehen war sie tot. Das erklärte auch ihr Gewicht, das allmählich eine Zumutung wurde. Ihre Partner ahnten etwas dergleichen, ließen Eliane oben noch ein paar weitere Runden drehen, teils sicherheitshalber, teils weil's keiner gewesen sein wollte, wie bei den Morphiumärzten. Schließlich aber senkte sich der Schwarze Peter, die weiße Eliane, genau durch ihre Mitte, sorglich von drei Handschuhpaaren gehalten, in die zerrüttete Streu, sank etwas ein und war vollkommen satt. Barnabas kauerte an ihrer Seite und hielt ihr eins ihrer roten Löckchen unter die Nase. Das Löckchen rührte sich nicht.

«*Over*», sagte Barnabas.

Die drei standen und blickten sich an. Sie atmeten heftig, aber nicht wegen der Anstrengung. Sie kämpften innerlich. Die zweite Prüfung ihrer Gesittung kam auf sie zu. Was sie redeten, verstand ich nicht; es war wieder Sambesisch und sehr rasch, beinahe ein Palaver. Dreimal griff sich Jim ans Herz. Aber das schien nur so. Tatsächlich griff er nach den Geräten in seiner Brusttasche, nach Tranchiermesser und Geflügelschere. Dreimal ließ er die Hand wieder sinken. Er sah aus wie ein gequälter Hund. Jack kniete sich bei Eliane nieder und betastete ihre Daumenwurzel. Er tat es umständlich und rieb sogar das Fleisch zwischen den Fingern. Mit dem selben Hundeblick suchte er den Blick des Transportministers. Der schluckte unaufhörlich. Die drei waren nicht wiederzuerkennen. Noch eben so ausgelassen, und plötzlich so gedrückt! Zögernd erhob sich Jack. Seine Augen blieben niedergeschlagen: sie trennten sich nicht von der Daumenwurzel.

«*Let us pray!*» sagte Barnabas.

Zögernd legten sie alle drei die Hände zusammen und senkten die Köpfe. Barnabas redete jetzt allein, unverständlich, aber inbrünstig. Mitten im Gebet irrten seine Augen zu Ragusa hinüber, die immer noch auf ihrem Strunk saß, die Perücke im Maul. Ihr Zittern hatte sich fast verloren. Jäh unterbrach Barnabas sein Gebet. «*Him!*» schrie er und deutete auf den Hund, strahlend.

Was folgte, kann unmöglich so rasch erzählt werden, wie es geschah. Ragusa hatte nicht einmal Zeit zu jaulen, da baumelte ihr schon der Kopf im Genick, hatten ihr Jack den Bauch von hinten bis vorn geöffnet, Jim die Eingeweide ausgeräumt, wieder Jack das gelöckelte Fell über die Ohren gezogen. In keinen fünf Minuten lag die Schokoladefresserin in drei oder vier reinlichen Häufchen teils auf Elianes Tailleurjäckchen, das sich Jack wieder vom Gürtel knotete, teils auf dem dampfenden Fell, das weniger Genießbare dagegen einfach im braunen Gras. Mittlerweile war Barnabas nicht nur mit seiner Feuerstelle zurechtgekommen, sondern ließ bereits ein Feuer züngeln, das erst kleine Anheizbündel von dürrem Reisig, dann die tannenen und buchenen Scheite Jacks ergriff, die der Transportminister aus der Aktentasche nachschob. Bald war die Flamme kräftig genug, die zarten Leber- und Nierenstücke zu bräunen, den Schenkelstücken herzhaften Duft zu entlocken, die Barnabas, Jack und Jim im Kreis hockend auf zugespitzten, langsam drehenden Ästen den Flammenspitzen entgegenhielten; zuvor hatten sie die Knie ihrer immer noch passabel aussehenden Anzüge hoch- und die Handschuhe ausgezogen. An einem Airdale, selbst an einem mit Schokolade gemästeten, ist weniger dran, als man glauben möchte. Man muß den Verzicht unserer Freunde zu schätzen wissen, auch wenn der Hund wohl noch einer der jüngeren gewesen ist. Sie bewiesen ihre Gesittung noch einmal, indem sie sich die Mühe nahmen, Ragusa anzubraten statt als Rohkost zu verzehren, wenn sie es auch in diesem Punkt nicht zu weit trieben; auch ein hündisches Entre-côte bewahrt nur *saignant* seinen Reiz.

Vielleicht war es nicht ganz schicklich, daß ich aus meiner Waldrebendeckung die Freunde beim Essen belauschte; dafür bezeuge ich: ihre Tischsitten waren unter diesen pastoralen Umständen die besten möglichen. Leber, Herz, Milz, und was es sonst in Ragusa nur einmal gab, wurden redlich herumgereicht. Jeder biß eher etwas zu wenig ab als zuviel und achtete sorgsam darauf, daß das leckere Organ nicht ins Feuer fiel. Zierlich anzusehen war es, wie etwa Jim, der besonders vernascht schien, Ragusas Sohlen anbriet und dann die Ballen einzeln herausklaubte, mit zwei Stäbchen, wie ein Japaner. Die drei Esser boten überhaupt ein sonniges Bild. Die Lichtung schien wie gemacht, ihrem maßvollen Vergnügen als Hintergrund zu dienen; die Feuchtigkeit über den Gräsern leuchtete, die Bäume hatten ihre herbstlichen Farben verstärkt; ab und zu schaukelte ein altgoldenes Blatt heran, senkte sich über die kauernden drei und erheiterte teils ihr Mahl, erinnerte sie aber auch an die Vergänglichkeit.

Ragusa hatte endlich gegeben, was sie zu geben hatte. Jack sammelte ihre Reste in eine große Papiertüte, die ein kulturloser Mensch im Amphitheater hatte liegen lassen, und vergrub sie unter einem morschen Baumstrunk: demselben, auf dem sie zu Lebzeiten so treu gewartet hatte. Jim löschte das Feuer nach altem männlichem Brauch. Barnabas aber, der sich schon beim Gebet als der Gefühlvollste gezeigt hatte, trat noch einmal vor Eliane hin, um die sich das Gras inzwischen noch stärker aufgerichtet hatte, und betrachtete sie eine Weile, während seine Zunge im Mund nach weiteren Resten Ragusas suchte.

Was wohl in ihm vorgehen mochte? Hatte er vorausgesehen, daß Eliane ihren ersten großen Tanz, zu dem es aus den achtbarsten Gründen gekommen war, nicht überleben würde? Er hatte es wohl vorausgesehen, und darum bat sein Blick um Entschuldigung. Die Tote hatte keine Schläge bekommen, keine Wunden zu verschmerzen, nichts, *a woman killed with kindness;* Tranchiermesser und Geflügelschere hatten keinen Anteil an dieser Tat. Die schwarzen Männer waren am Tod dieser weißen Frau zwar schuldig, aber so wenig schuldig wie möglich. Eigentlich war sie an ihrer Unfähigkeit zum Tanzen gestorben.

Aber anständig, wie Barnabas war, suchte er jetzt Elianes Siebensachen aus der Streu zusammen, Perücke, Bolero, Schuh und Gebiß, und ordnete alles zu einem Häufchen neben ihrem linken Arm. Richtig, die Tasche auch. Die Regenhaut lohnte nicht mehr. Dann prüfte er den Eindruck. Noch störte der eine Schuh. Aber ihr den andern anzuziehen, wagte er nicht; also zog er den einen aus. Im Himmel der weißen Rasse gibt es ohnehin Schuhe für jedermann. Schließlich trug er noch Ragusas Fell heran und legte es Eliane unter den Kopf. Nun sah es fast wieder aus, als habe sie Löckchen.

In diesem Augenblick strich der Weih herbei, strich mit verhängten Flügeln und hatte die Klauen gerafft. Barnabas verscheuchte ihn mit einer gewissen Entrüstung.

Sie klopften einander noch allerhand Unrat von den Kleidern und machten sich dann auf den Weg. Sie hatten nicht mehr als tausend Schritte zur «Soldanella», jene tausend Schritte, die nach dem Essen gesund sind. Ich folgte ihnen rasch, fühlte es etwas graulig im Rücken; dabei hatten Herrin und Hund Ruhe auf ihrer Streu und sonnige Baumgesellschaft. Überseen, von der Allmend aus gesehen, war zum Lachen schön; ich hatte einen durchdringenden Augenblick die Empfindung, daß es nicht dauern konnte, wußte aber nicht, was.

In der «Soldanella» hatte man auf uns gewartet. Fee nahm erst Barnabas, Jack und Jim die Schuhe ab und ein wenig später mir. Dazu sah sie mich forschend und liebevoll an. Da kein Wort gewechselt wurde, war alles gut. Monika nahm die verschiedenen Gläser vom Gestell, Herbert schöpfte die Suppe, Tobias rieb sich den Magen. Ältere Zeiten waren zurückgekehrt. Die drei schwarzen Staatsmänner, die sich bei einem Waldspaziergang verspätet hatten, brachten einen gewaltigen Appetit nach Hause, der uns andere ansteckte. Die «Soldanella» schaukelte sich in der vermutlich letzten Mittagssonne dieses Jahres, aber kein Teller auf der Konsole kam ins Rollen, alle Tassen blieben ruhig im Schrank.

FÜNFTES BUCH

ES IST NICHT GUT, DASS DER MENSCH ALLEIN SEI

Wachstumsstellen in mittlerer Höhe

Winter 1960, und ich bekam den Stimmbruch: da wurde ch meinen Eltern zu bunt. Ich störte sie bei ihren Problemen, bwohl ich dazu keinerlei Stellung nahm. Ich kam in ein eformiertes Internat im Bündnerland. Ich werde wohl älter verden müssen, um mich an mehr als Einzelheiten zu er-nnern. Ein gedrängtes Tal mit einer schwarzwaldigen Wand uf der einen Seite, rundlichen, gerupften Hügeln auf der ndern, auf denen Kuhtreppen liefen und hie und da ein Chalet grüßte, das man in der Saison mieten konnte. Mor-genandachten eines jungen Mannes, der immer Fett in den Augenwinkeln hatte. Schnee und Schneeschmelze, letztere in geräuschvolles Naturereignis, das die Dächer wochen-ang beschäftigte; tote Mäuse mit nackten Schwänzen, die us dem schmutzigen Schnee hervortauten. Hobeldüfte aus lem Handarbeitsraum, Semmeldüfte, die sich mit Seifen-lüften aus der anstoßenden Dusche mischten, ewige Sams-agsgerüche um die Mittagszeit aus Kochbehältern, von Treppenhäusern gerne festgehalten; Kreidestaub- und Prü-ungsgerüche aus offenen Schulräumen, in deren Fenstern nweigerlich ein Berg namens Vilan stand; Gähnen der lee-en Aula, Spuren von Wackerheit in der dunklen Luft des Souterrains im Altbau, ein besonders strenger Geruch; Fleischbrühegeruch, der ihn versetzte. Trödelgeruch in den Buden, die voll papierener Totenköpfe hingen, Autopro-pekten, okkulten Schemata, Mobiles; Sitzgrüppchen aus Deux-chevaux-Gestühl. Wasserflecken vor abtropfenden Skis, besonders auffällig, wenn man selber nicht skifahren gewesen war. Nachträglich kommt mir das Internatsdorf nerkwürdig entvölkert, menschenleer vor, durchwandert von nichts als der dünnen und kurzen Sonne gewisser Nach-nittage. Aber meine Erinnerung hat auch Beweise vom Gegenteil, bewahrt eine Gruppe von Figuren auf, sogar

eine Volksmenge, anläßlich einer Aufführung von «Wel
dem der lügt» in der Turnhalle; der Darsteller des Leon, ei
jüdischer Junge aus reichem Haus, war sehr gut: wir sahe
ihn in seiner Verkleidung als einen Erwachsenen an. Tags
über turnten wir zwischen Haufen von Klappstühlen, bein
Fußball stürzte gelegentlich eine Reihe zusammen, und ei
Lehrer namens Schläpfer, von dem es hieß, er schwitze im
mer zwischen den Beinen, übte mit uns den Saltomortal
von der Bühne herab. Ein älteres Fräulein, in dessen Obhu
wir Jüngeren standen, bezeichnete Kitzeln als lebensgefähr
lich und schlug uns ins Gesicht, wenn es einen entnervt au
dem Bett liegen sah und vermutete, er sei gekitzelt worden
noch stundenlang zitterte sie dann, aber wenn wir uns grup
penweise entschuldigten, durften wir sonntags bei ihr di
Fußballreportage hören. Denn an Sonntagen stieg das Fräu
lein hoch in die Berge hinauf, und niemand konnte ihre
Schritt halten; abends stellte sie sich einen Strauß wilde
Narzissen ins Zimmer. Unter den fünf Mädchen, die mit un
das Internat besuchten, aber im Dorf bei verläßlichen Fami
lien wohnten, gab es immer ein hübsches, aber dieses hängt
sich an ein Gerippe namens Eggenschweiler und ließ sic
mit keinem anderen sehen; in den Pausen standen wir um di
beiden herum, lutschten unsere Schokoladestengel zum Bro
und versuchten ein Wort aufzufangen. Unter den Scheuer
frauen gab es eine ältliche, die lallte; wir unterhielten un
ausführlich mit ihr und empfanden unser Wohlwollen; dre
Schritt weiter ahmten wir sie nach, denn sie hörte nicht gut
Ihretwegen mußte kein Schüler das Internat verlassen. Abe
es gab noch Italienerinnen, die in der Wäscherei beschäftig
waren; sie wechselten rasch und zerstörten doch regelmäßi
die Laufbahnen einiger älterer Schüler. Diese Entlassunge
waren immer ein großes, schauerliches Fest, zu dem der In
ternatsleiter die ganze Schulgemeinde zusammenberief. Wi
gingen dann auf Zehenspitzen in die Aula, und die Luft de
nüchternen Raumes verfinsterte sich prickelnd unter de
Drohungen dieses Erziehers. Handelte es sich um ein sitt
liches Vergehen, dann weilte der Schuldige nicht mehr unte

uns, sondern wurde nur noch als warnendes Beispiel hingestellt; im Fall unentdeckter Diebstähle saß er in unserer Mitte, konnte der Nachbar sein oder man selber, denn plötzlich errötete man grundlos und bekam Gelegenheit, sich sofort zu melden, und dann letzte Gelegenheit, es bis zum Abend beim Direktor zu tun. War man identifiziert, und jeder kam sich plötzlich identifiziert vor, so konnte einem nur ein umständlicher Gnadenakt den Hals retten; hatte einem Gott die schauspielerische Ader versagt, so wurde man ausgestoßen. Aber es gab Vergehen, die zu unbegreiflich waren, als daß man hätte wagen können, ihretwegen eine Vergatterung einzuberufen und sie der allgemeinen Fürbitte anzuempfehlen. Übergriffe zwischen Burschen zählten dazu. So verließ eines frühen Morgens der Schüler Degen sang- und klanglos und mit einem Köfferchen die Anstalt, und die kleinen Privatschüler, denen er in Mathematik nachgeholfen hatte, liefen wochenlang mit angstvoll versiegelten Lippen herum. Auch die junge Französischlehrerin Adelaide, die bis auf einen kleinen Fußschaden von angenehmer Gestalt war, bekam keinen großen Bahnhof, nachdem sie die kurzen Pfingstferien mit einem vorgerückten Seminaristen in einem der vermietbaren Chalets zugebracht hatte. An ihrer Stelle, die noch durch einen Hauch Parfum bezeichnet war, stand eines Morgens der Lehrer Schläpfer am Katheder, und obwohl er kein Französisch konnte und zwischen den Beinen schwitzte, war seine sittliche Führung über jeden Zweifel erhaben. Ja, das Unwesen breitete sich auch auf die Berge aus, allenthalben begegnete man seinen Spuren, etwa am halben Hang in einer Galerie ewig heiterer Lärchen und Eschen; in ihrer Mitte, im besonders üppigen Gras, bezeichnete ein Kreuz die Stelle, wo ein Schüler zusammen mit einem Dienstmädchen Chemikalien genossen und der sittlichen Führung für immer abgesagt hatte.

Es war auch die Stelle, wo ich im Sommer, Bücher anschleppend, meine Rückkehr zu der anspruchsvolleren Zürcher Schule vorbereitete; ein verwunschener Ort der Konzentration und einer gewissen Naturschönheit, in die mir keine Seele hineinschaute als der unvermeidliche Vilan. Ich will nicht klagen; die Anstalt besaß den starken Reiz, daß man ihr entkommen konnte, sie gab mir die Sprache, meine Revolte in Feld, Wald und Wiese zu übersetzen, aber Feld, Wald und Wiese sah ich dort oben zum ersten Mal, schämte mich ihrer Bekanntschaft nicht; es waren neue Dinge. Ich lernte auch hinuntersehen, auf das Karree der Anstaltsgebäude, das Dächergeschiebe des Dorfes, das gegen den Fluß hin dürftig wurde, mit der Schlächterei Schießer weit außen noch einen kräftigen Block setzte, weit weg, damit das Sterben der unvernünftigen Tiere nicht störe; ich hörte es hier oben noch viel weniger, konnte mir auch die Gespenster im Gespensterhaus, jetzt eine Bäuerinnenschule, nur winzig denken, unbeträchtlich die Orgien, die unter dem Dach des Dorfhaarschneiders vor sich gehen sollten; es war mir gleichgültig, ob die Bäuerinnen sich dazu verführen ließen, gleichgültig, ob Pa mit Mum oder mit Sabine handelseins geworden war. Ich las über Heinrich in Canossa und Karl im goldenen Prag, füllte die mittelalterliche Lücke, die der zürcherische Lehrplan zu stopfen gebot, eigenhändig mit wirklichen Damen, mit Falkenjagden, Schlachtgetümmel und goldenen Bullen; das Heimweh brannte mir die salischen und die staufischen Kaiser ins Herz, hundertmal am Tag ließ ich sie die unglückliche Lehranstalt überreiten. Und doch war mir dann wieder jeder Baum zu schön dazu, den Direktor oder den Lehrer Schläpfer daran aufzuhängen; immer wieder rauschten mir auch die kaiserlichen Heere durch die Finger; zurück blieb nichts als ein Rumoren und Rücken im stillen Werk der Bäume, ein Gerücht von Hirschen aus den Wäldern in meinem Rücken, ein Ziehen des Flusses über ferne Steine. Ein paar Augenblicke der Bewußtlosigkeit atmete ich mit den Eschen, war der Vilan, der im Gegenlicht erblaute; waren sie vorüber, so wunderte ich mich, daß ich noch da saß. Manchmal strich ich dann über das dürre Holz des Kreuzes oder trieb ähnliche Scherze; tanzte oder schrie, redete mir ein, ich habe das Land da unten zu bannen oder zu segnen. Ich will nur sagen: hier erst fand ich auch die

Pflanze, die Scheuchzer erst eintausend Meter höher gedeihen läßt, der sonst mit halber Hanghöhe und einer Gruppe Lärchen und Eschen nicht gedient ist; hier ging mir wie niemals zuvor von Herz zu Gesicht die «Soldanella» auf, von der ich erst jetzt wußte, jetzt erst glaubte, daß sie in sagenhafter Tiefe, in der Tiefe unglaublicher Wirklichkeit, dort, wohin die Landquart ihre musikalischen Wässer führte, weit hinter dem Vilan zu blühen begonnen hatte, im Garten des Tobias. Tiefer noch als die Bewußtlosigkeit des Eschengrüns überraschte mich ihre Blüte, überfiel mich mit einem Glück, das kein Blatt Papier annehmen, keine Beschreibung mir abnehmen kann. Gewiß, die «Soldanella» hatte ohne mich angefangen, und jetzt blühte sie ohne mich; ich fehlte ihr nicht. Aber ich brauchte sie, ich mußte wissen, daß es sie gab, und jetzt durfte ich es, hinter Zweigen sitzend, längst nicht mehr sitzend, erhoben, auf und ab gehend, Landschaften segnend, erfahren. Wenn ich jung war, so war sie, hundert Kilometer entfernt, durch die Ferne zum Greifen nahe, meine Jugend; sie war es, was mir zu mir selber gefehlt hatte; jetzt war ich ganz. Hätte ich mich hierher verschicken lassen, ohne gewiß zu sein, daß sie mir blühte? Hätte ich ihr Blühen so gespürt, wenn ich mich nicht hätte verschicken lassen?

So gelang es mir auch, die Anstalt mit anderen Augen anzusehen: sie war der alte Schnee, den auch Herrn Scheuchzers Soldanella durchstoßen muß, um auf ihm zur Geltung zu kommen; auf ein Zauberwort schmolz er, wich zurück vor dem zerbrechlichen Wachstum, dessen Bläue mich erfüllte, blau wie neuerdings die Wände in jenem abenteuerlich geretteten Haus. Ein Jahr, höchstens zwei Jahre war es hier auszuhalten. Länger auf keinen Fall: ich war nicht gesonnen, auf Pas Liebschaften unbeschränkt Rücksicht zu nehmen; ich hatte meine eigene zu versorgen. In den Ferien kam ich immer zurück: mit Skilager und Italienreisen sollte mich keiner fangen. Wenigstens ein paar Wochen im Jahr gehörte ich an meinen Ort.

Gewiß, ich fuhr immer wieder, fünf- oder sechsmal in
Jahr, die Umsteigestrecke ins Unterland, zum ersten Ma
aufatmend, wenn wieder Weingärten die Berghalden mu
sterten, den Atem anhaltend, wenn ich in das erste, manch
mal auch erst in das zweite blaue Zürcher Tram stieg. Den
es war mir lieb, wenn niemand mich abholte, ich stand ger
eine Weile in dem neuen und altvertrauten Wirbel, sah da
Tram kommen, das ich mein Tram nannte, auch wenn e
nicht meine Strecke fuhr, sah es kommen bald mit schnee
blinder Nummer, einen blauen Funkenschweif vom Drah
auf sein verschneites Dach streuend; bald kam es auch au
dem apfelgrünen Frühlingsabend oder nüchternen Somme
einen Hauch mit sich führend, den ich als zürcherisch emp
fand, seine Türen mit komprimierter Zürcher Luft öffnend
da geschah es leicht, daß ich die Türen wieder sich schließe
ließ, obwohl es diesmal durchaus mein Tram gewesen wäre
Erst der Gedanke, daß Pa, keinen Parkplatz findend, au
irgendeinem Grund dennoch entschlossen, mich abzuholen
in seinem Sunbeam um den Hauptbahnhof kreiste, abwech
selnd nach Polizisten ausspähend und nach mir, trieb mic
ins nächste Tram. Dann fuhr ich den Limmatquai aus, tastet
mich in meinem großen blau-weißen Behälter ans Bellevu
heran, stellte mit einem Blick fest, daß noch alles, diese ode
jene Baugrube abgerechnet, in Ordnung sei, das «Odeon
noch an seinem Platz stand, vom «Terrasse» Musik zirpte
das Cinéma Bellevue einen anständigen Streifen anbot
MEMPHIS CIGARETTES MEMPHIS wie Rubin und Smarag
von der Stirn des babylonischen Palastes zündeten, ruhi
wie Sterne bei leichtem Nebel. Ich sah den Mond, all
Bogenlampen hinter sich lassend, über die Zinnen fliegen
die sich senkten, während er stieg, immer bescheidener wur
den, je mehr sich das Tram über Kreuzstraße, Feldegg
Höschgasse der Endstation Tiefenbrunnen näherte; wen
es zu seiner letzten Schleife ansetzte, hatte es einen Augen
blick See vor sich, den ich grau sich drehen ließ, uferlose

empfand, als er war, denn die Lichtpunkte drüben zitterten in Milchstraßenweite fort; erst die Alpen erhoben sich, wenigstens bei Föhn, wieder kräftig schwarzblau in die helle Nacht, täuschten geisterhafte Nähe vor und gaben dem Auge Halt. Bis der Bus kam, tat ich gewöhnlich noch ein paar Schritte über die Straße zum Landungssteg, der im Schatten der Natriumdampflichter lag. Ich hielt mich an einem der Windlichter und hörte das geringfügige Seufzen des Wassers unter dem Holzrost, hob kein Auge, brauchte nicht festzuhalten, was so undeutlich war: rötliche Reflexe, vermutete Wellen; schwang mich leicht am Ländepfahl hin und her, bis mich der ruhige Motor des Busses weckte. Ich ging über die Rennbahn zurück, ließ mir, wenn es Herbst war oder vor Weihnachten, einen Hauch gebratener Kastanien zutragen; dann kramte ich auf dem Trittbrett mein Geld aus – alle Bewegungen bekamen jetzt etwas besonders Langsames. Die Fenster spiegelten stark, während ich wußte, der Drehzahl der Reifen abhörte, daß der Bus die Seestraße hinter sich legte, das Bahnniveau überfuhr und stärkere Töne finden mußte, um die halbe Höhe Überseens zu schaffen. Giebel und Bäume stellten sich augenblicksweise zu vertrauten Silhouetten zusammen; schließlich keimte grünlich der Betonpilz aus der Ferne, setzte sich gegen das Gespiegel durch, überwuchs alle Fenster, und wir hielten an seinem Fuß. Hier stieg ich aus; hier war vor Wochen, Monaten, vor unbestimmter Zeit der Physikalische Wagen weitergefahren, dicht hinter ihm der Giraffenwagen. Ich ging ihren Weg, nur langsamer, dafür loschen bei mir die Lichter nicht aus. Gerade in meiner Sichtlinie, zweihundert Meter weiter, einige Meter höher, waren die Fenster des Bungalows hell; jemand war dort zu Hause. Aber die Lichter, die mich etwas angingen, zeigten sich erst, als ich, mit beschleunigtem Schritt, den Wegweiserplatz fast erreicht hatte.

Ja, da lag es noch, und keine seiner Spitzen fehlte. Die Gardinen, die schweren, die wir gelassen hatten, waren zugezogen, aber an drei oder vier Stellen zerschnitt sie eine Ritze Licht, blau getöntes Licht, oh, ich wußte, woher blau.

Aber ich ging nicht hinüber. Jetzt, da alles noch da war, konnte ich auch ruhig zum Bungalow gehen; zum ersten Vollbad in vielen Wochen war er gut genug, und ein bißchen Wiedersehensfreude gab ich dazu.

Wie soll ich erklären, daß ich mich tatsächlich, auch wenn ich in Überseen war, nicht mehr oft in der «Soldanella» blicken ließ? Hing es mit meinem Stimmwechsel zusammen? Mir schien, wenn ich mich verglich, ich habe ihn gar nicht recht; ich war bloß ein paar Monate lang heiser. Oder damit, daß ich, Stimmwechsel oder nicht, in ein paar Monaten gleich groß geworden war wie die meisten dort drüben? Gleich groß wie zum Beispiel Matthias Kahlmann oder Stefan Sommer, denen ich vor ganz kurzer Zeit noch Flaschen aus dem Keller gereicht hatte, während ich jetzt fürchten mußte, keinen Auftrag mehr dazu zu erhalten? Ich schämte mich wohl im voraus ihrer Verlegenheit, mit der sie mich geschickt oder auch nicht mehr geschickt hätten – ich wollte es nicht mehr darauf ankommen lassen. Ich hätte auch meine Glieder nicht mehr in den Vorhängen verstecken können – ich hatte es nie gekonnt, aber es hatte mir so geschienen, und den andern auch; ich hatte alles tun können, ohne aufzufallen. Jetzt nicht mehr. Ich hätte mich den blauen Wänden darstellen müssen, wie ich war; wie war ich denn? Um jetzt drüben zu sein, hätte ich einer von ihnen sein müssen; aber gerade jetzt, wo die ihre zweite Jugend anfingen, war meine erst vorbei. Eine Phasenverschiebung. Ich hätte vielleicht wieder kommen können, wenn irgendeine Not am Mann gewesen wäre. Aber die waren ja endlich im reinen; es war gelungen, sie genügten sich selbst. Also blieb ich, wo ich war, nicht zu Hause, aber wo ich war, auf Zusehen, in der nicht recht glaubhaften, schwach bitteren Erwartung eigener Umstände.

Begleitungen des Tobias: die erste

Tobias nahm mich auf Spaziergänge mit, vielmehr: er und ich gingen wiederholt einige Stunden nebeneinander her. Tatsächlich: Tobias, den ich mir in freier Luft nicht hatte vorstellen können, obwohl ich wußte, daß er ab und zu, um sich – wovon? – zu zerstreuen, eine Vorlesung besuchte und seinen Anschluß im Hörsaal erprobte – Tobias stand kurz vor Weihnachten einmal in unserer Haustür, wuchtig verkleidet in seiner alten striemigen Canadienne, trug ein halbes Lächeln im Gesicht und sagte: er gehe ein wenig, ob ich Lust habe, auch zu gehen. Er sagte nicht: mitgehen, ich weiß es noch ganz genau. Ich dachte alle ersten hundert Meter: was will er mir sagen; erst allmählich hatte ich Muße, zu spüren, daß er mir nichts sagen wollte, sondern einfach vergnügt war, vielleicht etwas abwesend.

Wir gingen auf der Gustav-Adolf-Schenkel-Straße auswärts, Richtung Stadt. Eine Strecke weit war die Asphaltdecke unter den Schmutzflecken noch zu erkennen, zeigte aber Schorf, Spuren von Vernachlässigung, auch kiesige Schlaglöcher. Allmählich nahmen Schmutz und Kies überhand, erweichte sich die Unterlage; dann gebot eine Absperrung der Straße Halt, und wir wechselten auf das komisch überhöhte Trottoir hinüber. In einem Ödland von Kies und Pfützen, jenseits der Baumwollschnur, standen die Baumaschinen kreuz und quer, strapaziertes Gelb vor dem leeren Weiß der Heimatstilvillen, die unter dem Eindruck der verlassenen Baugrube unansehnlich wirkten, besonders unwohnlich, zufällig, ein entlarvtes Definitivum; man schauderte über die Weihnachtsbäume, die mit glasigem Glanz aus den Erkerfenstern blickten.

Tobias hatte die Hände in den Taschen und sah aus wie einer, der sich warm hält für alle Fälle. Unter offenem Himmel war sein Haar noch grauer, als ich angenommen hätte, christbaumgrau. Er wollte wissen, warum ich so lange nicht herübergekommen sei.

«Um mit euch Tee zu trinken?» fragte ich.

Tobias nickte, nicht zu mir, zu den Maschinen hinüber. Dann sah er mich doch noch schräg an, der Kakadu.

«Aber gehen können wir noch», sagte er.

Als wir weitergingen, schon auf städtischem Terrain, zum Efeutor des Luxusfriedhofs Enzenbühl hinein, an den Phantasiegräbern vorbei und fast schon beim obern Tor hinaus, fragte ich:

«Kannst du denn euer Museum allein lassen?»

«Jeden zweiten Tag ist Monika dran», sagte er und hatte eine Welle Hauch vor dem Mund: vor den Taxuswänden sah man sie. Am Gittertor der «Soldanella» hing neuerdings eine Aluminiumtafel: Balthasar-Demuth-Haus. Geöffnet Montag bis Freitag 14–17 Uhr, Samstag und Sonntag 15–18.30. Donnerstag geschlossen.

«Donnerstag spielten wir nämlich Revolutionssitzung für die Neger», sagte Tobias.

«Was treibt ihr denn da?»

«Oh, wir ließen uns Staatsgeheimnisse einfallen. Herbert war ganz groß darin. Wir kamen gerade so recht in Form, als sie gehen mußten.»

«Als wer gehen mußte?» fragte ich ahnungsvoll. «Die Neger?»

«Liest du nie Zeitung?»

Ich schüttelte den Kopf. Damals las ich keine Zeitung, gerade damals nicht. Ich wollte nicht wissen, was die Zeitungen über Eliane und Ragusa berichteten. Zugleich schüttelte ich den Kopf über mich. Es war die falsche Methode.

«Man hat sie ausgewiesen», sagte Tobias.

«So ist man draufgekommen», sagte ich erschüttert.

«Ja. Aber wie kommst du darauf?»

«Ich war dabei.»

Tobias sah mich wieder an, diesmal mit seinem halben Lächeln über die Schulter. Er sagte:

«Ja, man ist sofort draufgekommen. Es scheint, unsere Stadtpolizei beschäftigt Spezialisten in Völkerkunde. Die Art, wie Ragusa von ihrem Pelz getrennt wurde, wies auf unverkennbar afrikanische Täterschaft hin. Damit zog sich die Schlinge um unsere Freunde zusammen.»

«Und sie wurden nicht bestraft?»

«Eine Buße wegen Tierquälerei.»

«Die hatten sie nicht verdient!» rief ich, «Ragusa war eine saubere Sache!»

«Du mußt den Staatsanwalt verstehen», sagte Tobias. «Er war so verbittert wegen Eliane, die für die Anklage einfach nichts hergab. Ihr Tod ist durch Herzschlag eingetreten, ‹einwandfrei›, wie der Gerichtsmediziner sagte. Sie wies nicht die geringsten Verletzungen auf. Auch die Neger nicht. Es fehlten alle Anzeichen eines Kampfes.»

«Sie haben sie so geschickt behandelt, daß sie nicht einmal zum Kratzen kam.»

«Es blieb nichts, als einen natürlichen Tod anzunehmen», nickte er. «Barnabas versicherte, die Dame habe sich beim Tanzen übernommen. Man konnte ihn nicht widerlegen. Elianes Nachruf hat es sehr geschadet. Die Waisenhausleitung hat den Kinderchor vom Begräbnis zurückgezogen. Elianes Hinschied galt als zügellos.» Tobias kicherte. «Wenn ich da Hausgenosse geworden wäre nach dem Willen meiner Schwester, hätte ich zu ihrem Tod nicht einmal singen dürfen.»

Wir traten beiseite, denn wie auf ein Stichwort fuhren eben sechs oder sieben schwarze Limousinen hintereinander durchs obere Friedhoftor ein. Vor der Kapelle kamen sie raunend zum Stehen. Die Leute, die ihnen entstiegen, sahen gespannt, aber nicht unfröhlich aus. Es bildeten sich Formationen verschiedenen sozialen Ranges wie bei einer Party; vor dem wässerigen leeren Himmel wirkten die Garderoben wie Scherenschnitte.

«Hat man denn alle Neger ausgewiesen?» fragte ich. «Es waren doch nur ihrer drei im Wald.»

«So feine Unterscheidungen macht unsere Polizei nicht», spottete er, «Neger ist Neger, wenn's ihr drauf ankommt. Schwarze Haut haben und kein Tourist sein, das heißt doch die Überfremdung zu weit treiben.»

«Ich verstehe nicht», sagte ich, «ich verstehe einfach nicht, wie man es dann fertiggebracht hat, Barnabas, Jack und Jim nichts nachzuweisen.»

Wir gingen ein paar Schritte; Tobias pfiff. «Es war tatsächlich ein Kunststück», sagte Tobias, «aber es wurde unserer Fremdenpolizei durch die Entdeckung erleichtert, daß unsere Freunde Diplomatenpässe trugen. Sie genossen Immunität und waren dem gemeinen Recht entzogen. Darauf traute sich die Justiz nicht mehr so recht mit ihnen. Sie empfahl dem politischen Departement, die Leute für *personae non gratae* zu erklären. Sie waren eines Tages einfach verschwunden, warte: drei Wochen ist das jetzt her. Die Armen, mitten im Winter.»

«Aber von welchem Staat waren sie denn Diplomaten, um Himmels willen?»

«Von ihrer Sambesirepublik.»

«Gegen die sie ihre Revolution anzettelten?»

«Ja. Das scheint sich dort unten nicht auszuschließen. George St. Pancras entpuppte sich sogar als ein hoher Mann des Geheimdienstes.»

«Auch einen Geheimdienst haben die.»

«Was meinst du. Was ein richtiger Staat ist, kann sich doch heute nicht mehr ohne zeigen.»

Ich ließ sie alle noch einmal an mir vorbeiziehen. Wie sie bei Gözübyüklü im Gebälk genistet hatten. Die Karawane im erloschenen Überseen. Die Vorstellung bei Kerzenlicht unter Palmen am Hatelma-Berg. McNapoleons großes Plädoyer zur Kuchengabel, das den Kuchen wieder genießbar machte. Schwarz vor buntem Laub das Geflecht von Bewegungen, in dem sich der Kokon Eliane zu Tode spann.

«Schade», sagte ich. «Einen hättet ihr behalten müssen. Zum Andenken.»

«Haben wir auch», sagte er mit stark singendem Tonfall.

«Wie?» fragte ich.

«Frag lieber, welchen», sang er.

Ich schwieg und sah ihn einige Schritte lang an.

«Sylvester Mba», sagte er mit normaler Stimme. «Die

andern standen plötzlich mit Diplomatentaschen da: er hat keine. Das machte die Polizei mutig. Nun hält sie sich an ihn. Er mußte untertauchen.»

«Ausgerechnet Sylvester?» sagte ich erschrocken. Sylvester war der sprachloseste unter ihnen und einzig dadurch aufgefallen; außerdem durch seine Augen, die vielleicht nur deshalb so leuchteten, weil er bei weitem der schwärzeste war, ein Bilderbuch-Neger, der aber auch mit all seiner Schwärze kein Wasser trüben konnte. «Tobias, das ist doch großer Unsinn.»

«Ist es auch. Wir decken ihn, wie wir können. Aber alle zwei Tage einmal schaut Wachtmeister Jucker bei uns herein, respektvoll übrigens, und sagt: ‹Es ist nicht wegen der Figuren, es ist nur wegen dem Neger.›» Er schnaubte kurz durch die Nase. Ich meinte:

«Ein Neger ist schwer zu verstecken.»

«Weißen läßt er sich nicht. Aber Fee hat ihm einen Turban gehäkelt. Ein Turban: das ist ein Inder, nicht wahr. Keiner schaut ihm zweimal ins Gesicht. Er darf ruhig ein bißchen dunkler sein.»

«Und Inder fallen jetzt bei euch nicht so auf.»

«Er kommt nur ein bißchen oft. Wir haben uns schon gezwungen gesehen, rührende Geschichten über seinen Demuth-Enthusiasmus herumzubieten. Inder gelten glücklicherweise als ein andächtiges Völklein.»

«Wie ist er eigentlich hergekommen? Er ist doch Student?»

«Nein», sagte Tobias. Und dann erzählte er Sylvesters Geschichte.

Selbsthilfe eines Unterentwickelten.
Eine Episode

Er hatte ursprünglich so ähnlich wie Mba geheißen; Mba, nichts weiter. In der Missionsschule hatte er, noch sehr jung, einen neuen Menschen anziehen müssen und war des zum

Zeichen nach dem Missionsleiter, seinem Paten, Sylvester getauft worden. Der Missionsleiter war ein herrschaftlicher Mann. Sylvester hatte ihm alles abgeguckt, sogar sein leicht pikiertes, aber vorzügliches Englisch. Als er groß genug war, um in seines Paten besten Anzug zu passen, hatte er ihm diesen eines Tages nicht, wie verlangt, zur Reinigung gebracht. Es lief sich besser darin, als Sylvester gedacht hatte. Die Entdeckung, daß auch noch des Paten Paß in der Brusttasche stak, beflügelte freilich seine Schuhe: ja, er trug zum ersten Mal Schuhe; Strümpfe hatten sich leider keine gefunden. Es ist leicht, das Photo eines weißen Mannes so zu verändern, daß es für einen schwarzen Mann paßt. Sylvester ging in Beira oder Quelimane ohne Strümpfe an Bord. Er hätte welche kaufen können, aber er zog es vor, die zwei Zehnpfund-Noten, die sich außerdem in Thompsons Tasche gefunden hatten, anders zu verwenden. Er streckte eine davon dem Steward hin, der an der Brücke lehnte. Es war ein portugiesischer Frachter mit Orangen für Marseille. Da der Steward zu verblüfft war, den Schein zu nehmen, ließ Sylvester ihn fallen: er flatterte zwischen Schiff und Mole ins Wasser. Freundlich zückte Sylvester die andere Note, ließ sie einladend über seinem Kopf wehen und schob sie in die Tasche zurück. Die Geste war deutlich: zehn Pfund Trinkgeld waren für Wohlverhalten ausgesetzt. Sie gab dem pikierten Englisch, mit dem sich Sylvester nach seiner Kabine erkundigte, einen ganz neuen Hintergrund und erleichterte die Visitation seines Passes. Diesem zufolge hieß er Sylvester Thompson und hatte ein paar Stempel neben seinem Namen vorzuweisen, die allerhand bedeuten konnten. Aber: Pst! bedeutete Sylvester dem portugiesischen Kapitän, als dieser sich, anläßlich eines Höflichkeitsbesuches, nach der Bewandtnis der Stempel und unter der Hand nach der Herkunft seines Gastes erkundigte. Es gibt ein Pst des schlechten Gewissens und eins, das an die Klassensolidarität appelliert: der Kapitän war nur ein Seebär, aber er konnte unterscheiden. Noch in Sichtweite des Landes ließ er seinem Passagier eine bessere Kabine anweisen. Daß Sylvesters Konversation sich aufs Wetter beschränkte, sprach für ihre Distinktion; was konnte er dafür, daß von Lourenço Marques bis hinter Casablanca gleichmäßig klares Wetter und heitere See herrschte? Nur bei Capetown ereilte sie ein kurzer, aber heftiger Sturm, während dessen Sylvester an Bord auf und ab ging und die Zigarre rauchte, die ihn der Erste Maat anzunehmen gebeten hatte, um besser im Rennen um die zehn Pfund Trinkgeld zu liegen. In den Häfen respektierte man Sylvesters Wunsch, von Passagierkontrollen unbelästigt zu bleiben. Sein Vater besaß ein paar Antilleninseln, wie viele, war ihm im Moment entfallen. Seine Schwärze ging auf Rechnung dieser Antillen; dort war man ohne weiteres schwarz und dennoch ein Herr. Ja, er hatte in Oxford studiert, war schon damals für seinen Spleen notorisch gewesen, ohne Socken herumzulaufen. Man hatte ihn nur «The Sockless One» genannt. Unter diesem Namen war er merkwürdigerweise auch bei den roten Agenten bekannt geworden, gegen die er im Dienste Ihrer Majestät, und zwar, dank dem Gag mit der Hautfarbe, hauptsächlich in Entwicklungsländern...Pst! Sylvester hätte beinahe zu viel gesagt. Kurz, in gewissen wohlbekannten, wenn auch im Dunkel operierenden Kreisen hatte er sich anfangs durch seinen Tic sehr geschadet und dazu übergehen müssen, Socken zu tragen. Jetzt aber sei er im Urlaub, nicht wahr. Man verstand, man fand es apart. Sylvester war keineswegs ein leichter Passagier. Er ließ die Trinkgeld-Aspiranten zappeln. Bei jeder Mahlzeit pflegte er eine Schüssel zu refüsieren. Der Koch zog sie mit eingeklemmter Zunge zurück. Die Krankenschwester, obwohl katholisch, blieb am Rand seiner Koje sitzen. Aber Sylvester wollte zuvor alle andern weißen Frauen besichtigt haben. Er kannte erst Mrs. Thompson und jetzt diese, die hübscher war, aber das besagte wenig, wenn man Mrs. Thompson kannte. Orangen aß er nicht; er hätte sich geschämt, an Bord eines Schiffes, das Orangen fuhr, Orangen zu essen, er machte sich nicht mit der Fracht gemein, und außerdem hatte er im Busch zwanzig Jahre von Orangen (Ausschuß) gelebt. (Erst in

Kopenhagen war er wieder bereit, Orangen zu essen: dort waren sie teuer.) Cadiz ließ er vorübergehen, Malaga auch. Erst in Barcelona betrat er zum ersten Mal den Boden der Herren. Er brannte ihn viel weniger, als er gedacht hatte; er fand ihn auch weniger fest. Das Schiff ließ er im Hafen liegen. Es hatte seine Wette verloren; er gab jetzt keinen Penny mehr für die Überfahrt. Mochten sie weiterfahren und sich in Marseille aus dem Erlös ihrer Orangen einen guten Tag machen. Sylvester schenkte die zehn Pfund einem gut angezogenen Herrn, der so aussah, als sammle er Geldscheine und als liege ihm an ihnen. In Barcelona war Sommer, und es stank nach Eselsharn. Sylvester fand das Klima gemäßigt. Er verdingte sich in einem kleinen Lokal im Hafen als Negergarderobier. Im Sommer döste er; im Winter bekam er Arbeit. Immer wieder blieben Mäntel hängen, die er behändigte. Manchmal bekam er auch ganze Anzüge; ihre Eigentümer hatte man in der Kanalisation verschwinden lassen. Wenn man die Blutflecken herauswusch – tagsüber hatte man Zeit –, waren die Anzüge wieder ganz tragbar. In vielen fand sich Geld eingenäht: Bündel türkischer Piaster, italienischer Lire, nigerianischer Dollars. Was sich davon wechseln ließ, legte Sylvester in Socken, Parfum und einem Koffer an. Ungekündigt reiste er mit seinem Koffer voll Mäntel und Anzüge nach San Sebastian. Dort stieß er zum Gefolge eines Exil-Maharadschas, dem er sich durch sein Parfum empfahl und der nicht merkte, wenn ihm dies und das fehlte. Sylvester eignete sich auch höhere Werte an, etwa eine flüchtige Kenntnis des Urdu, wenigstens in der Befehlsform; wer weiß, wozu das einmal gut war. Aus dem Erlös eines silbernen Tafelservices kaufte sich Sylvester einen neuen Paß. Das war kein Akt der Notwendigkeit (er hatte ja den Thompsonschen noch, warf ihn jetzt aber ins nächste Gully), sondern der Freiheit und Selbstachtung. Sylvester ließ sich nämlich von einem weithin berühmten Drucker in Fuenterrabia einen möglichst regulären Paß seines Vaterlandes, seiner afrikanischen Republik, ausstellen, und zwar auf seinen eigenen, wirklichen Namen: Sylvester Mba. Nichts wurde darin verbogen, weder der unaussprechliche Ort seiner Geburt, drei Hütten und eine halbe – das Datum freilich mußte er erfinden, denn die Zeit war zu seiner Zeit noch nicht in den Busch gekommen, Sylvester schätzte sich auf achtzehn Jahre – noch der Name des ausstellenden Beamten, eines Mr. Selukwe-Kasanga, dem Sylvester nach der Missionsschule oft beim Stempeln zugeguckt hatte; dessen Signatur hatte er nachzeichnen gelernt, ehe er schreiben konnte, und das kam ihm jetzt zustatten. Als Beruf wollte er «discoverer» einsetzen, ließ sich dann aber durch die Gegengründe des alten Paßmachers bestimmen, «businessman» zu schreiben. Der erfahrene Tiefdrucker und Kupferstecher lieferte sonst französische, spanische und – vorsichtiger – amerikanische Pässe; es war ihm noch nie vorgekommen, daß sich jemand um Papiere einer jungen und kaum kreditfähigen Republik bewarb. Das war etwas Exquisites, und der gute alte Mann stichelte sogar in seiner Freizeit daran. Der Sambesi-Paß wurde sein Schwanengesang: als er Sylvester das Dokument überreichte, traf ihn der Schlag, und Sylvester sah keine Möglichkeit mehr, seinen Wohltäter zu entlöhnen. Es wäre ihm aber unklug vorgekommen, für die erste Urkunde, die seine Existenz als legale bescheinigte, kein Opfer zu bringen. Lange betrachtete er sein Paßbild, auf dem er sich gut geraten schien. Dann nickte er sich zu und trug den verabredeten Preis zum Büro des lokalen Tierschutzvereins. Sorgfältig schrieb er sich mit seiner besten Missionsschrift in die Wohltäterliste ein, Namen und Betrag. Er hatte sich im Land der Herren umgesehen; er wollte für ihre Esel etwas tun; er fand, er könne es sich leisten, mit seinem Sklavennamen zu zeichnen.

Anstandslos passierte er die Grenze nach Frankreich. Nachdem der Beamte sein Land auf der Karte herausgesucht hatte, beglückwünschte ihn der sogar. Er war der erste Bürger seines Landes, der von San Sebastian nach Biarritz fuhr. Es war nicht seine Schuld, daß er sich seine Papiere selber hatte verschaffen müssen; es war die Schuld seines Landes, daß es Papiere nur für Kunden, nicht für Bürger vorsah, keine Papiere in den Busch weiterreichte, keine Straße baute aus dem Busch in die Welt.

Wir waren bei der Tramstation Rehalp angelangt und warteten. Tobias schlug sich ab und zu die Arme um die Brust. Ich fragte:

«Wo hat Sylvester eigentlich die andern kennengelernt?»

In Kopenhagen, glaubte Tobias. Da traf Sylvester, vielleicht, als er am Wasser gegen Nyhaven spazierte, einen ganzen Haufen Landsleute und alle in guten Mänteln: für Repräsentation hatte die Republik Geld. Sylvester kamen die Tränen, als er aus diesen Mänteln seine Sprache reden hörte. Aber was sprachen sie denn? Allmählich dämmerte Sylvester – man half seiner Dämmerung nach – daß die Herren trotz ihren Mänteln, oder aus schwierigen Gründen *wegen* ihrer Mäntel, gegen ihre Republik dies und das einzuwenden hatten. Kaum war Sylvester ein paar Wochen paßfähiger Bürger, als ihm schon demonstriert, beim Bommerlunder eingetränkt wurde, daß es sich nicht lohne, dazuzugehören. Die Revolution, erklärte der dickste Mantel, sei auf halbem Wege stehengeblieben. Man sei immer noch, obwohl einheimische Ausbeuter die weißen abgelöst hätten, ein abhängiges Land – abhängig nämlich von den Willkürlichkeiten kolonialer Terrainbildung, deren Umriß man zum Staat sich habe festigen lassen, obwohl er die natürlichen Stammesgrenzen mißachte. Drei Stämme waren es, die um ihre Autonomie kämpften, und zwar führten sie diesen Kampf von allen Punkten der Erde aus. Sylvester erfuhr zu seinem Erstaunen, daß die Auslandsbotschaften der jungen Republik praktisch von eben dieser Republik unterhaltene Exilorganisationen waren, die, nach einem sorgsam ausgeklügelten Schlüssel auf die drei Stämme verteilt, Gelegenheit bekamen, gegen den Staat, den sie vertraten, zu agitieren. Das System funktionierte deshalb, weil die Erbitterung der einzelnen Gruppen über die Zentralgewalt milde zu nennen war im Vergleich mit derjenigen, die sie gegeneinander an den Tag legten. Man konnte sich beispielsweise nichts Kühleres vorstellen als die Beziehungen zwischen den Botschaften, sagen wir: in Dänemark und in Schweden, deren Angehörige verschiedenen Stämmen angehörten und erbittert um die Anerkennung ihrer Faktion und deren Suprematie in Skandinavien kämpften. Ja doch: noch um einige Grade kühler vielleicht, kühl bis zur Weißglut waren die Beziehungen der Sambesidiplomaten, gleich welcher Stammeszugehörigkeit, zu den im gleichen Ausland akkreditierten Vertretern ihrer afrikanischen Nachbarländer, mit denen sie, der falsch gezogenen Grenzen wegen, riesenhafte Hühnchen zu rupfen hatten. Die respektiven Regierungen in Afrika wiederum, so tief sie einander übrigens verfeindet waren, stimmten in einem Punkte überein: sie sorgten stillschweigend dafür, daß niemals in einer ausländischen Hauptstadt Botschafterpersonal des nämlichen Stammes (aber verschiedener Nationalität) zusammenkam und Gelegenheit erhielt, die offiziell verhaßten Landesgrenzen tatsächlich in Frage zu stellen und das Gleichgewicht der Herrschenden zu stören, die sich in ihren Provisorien zu Hause mittlerweile ganz komfortabel eingerichtet hatten.

Dieses Arrangement genoß überhaupt die stillschweigende (nur von Landesverrätern laut ausgesprochene) Zustimmung aller Beteiligten. Die Regierung des Sambesistaates war ihre unruhigen Köpfe los, ohne daß ihr deren Kontrolle aus der Hand glitt – schließlich hingen sie von den Provisionen ab, die man ihnen nicht zu knapp aus dem Busche zukommen ließ und ohne die sie die Lebenshaltung, auf die sie als avancierte Elite Anspruch besaßen, nicht hätten aufrechterhalten können. Die Rebellen wiederum liebten die Gesellschaft der großen Städte der Welt und rissen sich keineswegs darum, in den Busch zurückzukehren, um ihre revolutionären Programme zu verwirklichen, die in der raunenden Akustik diplomatischer Empfänge so viel besser ankamen. Außerdem schätzten sie besonders das häufige Reisen, jene Rotation von Land zu Land, die durch die besondere innenpolitische Situation ihrer Vaterländer bewirkt wurde. Tobias vermutete stark, diese natürliche Reiselust habe das Fortbestehen der Spannungen erleichtert. Sylvester war gleich zu Beginn auf Nyhaven gefragt worden, zu welchem Stamm er gehöre; er hatte das Glück, daß es der richtige war, das heißt auch derjenige der Mäntel, das Herz- und Kernvolk eines alten Reiches, Afrikakennern als «Mquali» bekannt, dem die übrigen Stämme hatten dienen müssen, der sich für die Zukunft aber (von selbstverständlichen territorialen Forderungen abgesehen) ein höheres Ziel gesteckt hatte: nichts Geringeres als die Rückgliederung der nordamerikanischen Neger in das Gelobte Land ihrer Herkunft, nicht aller Neger freilich, nur der qualifizierten. Unter dem Namen «Older Alabama» war dieser Zukunftsstaat gesonnen in die Geschichte einzugehen und mit Hilfe des nordamerikanischen *know-how* ganz nebenbei auch ein wenig hegemoniale Politik zu treiben, in Afrika und, wenn es sich so fügte, auch darüber hinaus. Rassendiskrimination war nicht vorgesehen, aber wenn die Weißen Miene machen sollten, Older Alabama zu infiltrieren, würde man natürlich zu Schutzmaßnahmen gezwungen sein.

McNapoleon erklärte Sylvester, er sei ihr Mann. Als solcher bekam er ein Schreiberpöstchen in der Botschaft, denn er konnte schreiben, was zum Beispiel der Botschafter nur mit Mühe von sich sagen konnte. Auch sein pikiertes Englisch war ihm treu geblieben, man schätzte seine Kenntnisse in Spanisch und Urdu, gab ihm aber keinen Diplomatenpaß und nahm ihn auch nicht mehr so oft zum Trinken mit: schließlich gehörte er jetzt an sein Pult. Immerhin, es war nett, daß man ihn in die Schweiz mitnahm, als die Zentralregierung eine Verschiebung dieser Rebellengruppe für angezeigt hielt; und Schweiz, das bedeutete Zürich, denn in der Hauptstadt Bern war dem Lebensstil der Botschaftsspitzen zu wenig vorgesorgt. In Zürich war es, daß Sylvester und seine höheren Freunde den auch finanziell unerschöpflichen Bitz kennengelernt hatten. «Den Rest weißt du», sagte Tobias. Er ließ trotzdem das Tram durchfahren – es war schon das zweite. Wohin fuhr Tobias, und warum so ungern – ungern war vielleicht nicht das Wort, aber nervös und aufgekratzt wirkte er, eine Stimmung, die auf den letzten Teil seines Berichts abgefärbt hatte. Hie und da hatte sich Tobias mit einem kurzen Auflachen selbst unterbrochen, und seine Augen glitten häufig zur Seite: ich konnte nichts sehen, wenn ich ihnen folgte.

«Wo sind sie jetzt?» wollte ich wissen.

«Nach Kabul versetzt», sagte er. «Ein harter Schlag für sie. In ihrem Außenministerium muß ein schadenfroher Mann vom andern Stamm sitzen.»

«Sylvester ist nicht mit? Er hätte doch die Grenze illegal überschreiten können.»

«Er wollte nicht mit», sagte Tobias. «Er hat seinen Paß wieder in ein Gully geworfen. Er traut keinem Papier mehr. Er sucht jetzt ein Land ohne Papier, ein Land nur noch für ihn.»

«Und ihr wollt es ihm bieten», sagte ich.

«Natürlich», sagte er abwesend und schlug sich fürchterlich mit den Armen.

«Du bist so nervös, Tobias», sagte ich. «Man könnte meinen, du gehst zu einem Rendezvous.»

«Geh ich ja auch», sagte Tobias und klapperte jetzt ganz einfach mit den Zähnen. «Ich muß mir heute Sylvesters Mädchen betrachten. Sie ist natürlich der Hauptgrund, warum er seinen Paß wegwarf. Er will niemandem mehr gehören als ihr. Denk dir so etwas. Was das für Arbeit gibt.»

Als das nächste Tram kam, sprang Tobias aufs Trittbrett. Mühsam und fast gehässig behauptete er gegen die Nachdrängenden seinen Standort; dann schob ihn ein Kinderwagen ins Innere.

«Mag sie ihn denn?» fragte ich mit erhobener Stimme.

«Nein», schrie er. «Sie ist noch ganz dumm. Meine Engel und ich, wir müssen wieder ein Wunder tun!»

Die Türen klappten zu; das wegfahrende Tram drehte Tobias ins Profil. Er sah sich nicht mehr um. Wahrscheinlich stimmte die ganze Geschichte nicht. Das war meine erste Begleitung des Tobias.

Meine zweite Begleitung des Tobias war unvorhergesehen, ein Geschenk der Umstände im Februar 62.

Pa holte mich an einem Samstagmorgen, mitten im Quartal, in der Anstalt ab. Er wirkte fahrig. Zwei- oder dreimal griff er sich ans Herz. Vom Mittagessen weg – es gab Brotschnitten, ich hatte ihren Kesselgeschmack bis gegen Walenstadt im Mund – holte ich meine Tasche auf der Bude, stopfte einen Pyjama und, für alle Fälle, einen angelesenen Kriminalroman hinein und ging, nicht zu schnell, die Treppen wieder hinunter. Draußen fror es, die Krähen flogen schreiend über den Sunbeam im Hof. Das hielt meine Mitschüler nicht ab, mit ihren dampfenden Mäulern den Sunbeam zu verhandeln. Der Motor munkelte im Leerlauf und sonderte ebenfalls Dampf ab. Pa stand daneben und hielt Shells Straßenatlas in den Handschuhen. Weiß Gott, wohin er mich fahren wollte.

Er fuhr mich aber bloß nach Hause und verband mit seiner Fahrt die Mitteilung, für die ich, so bat er wiederholt, nun reif genug sei: daß nämlich der Haushalt auf den ersten März aufgelöst werden sollte. In der Gegend von Flums war so viel heraus, in schonenden Worten, die ihn aber offenbar trotzdem hernahmen, denn immer wieder räkelte er seine linke Schulter dazu; ein sicheres Zeichen, daß ihn sein Herz belästigte. Um Weesen milderte er, da ich fortwährend schwieg, seine Eröffnung dahin, daß sich für mich nichts ändern würde, im Gegenteil. Erst hier war es auch, wo ich fragte: «Was heißt nun im Gegenteil?» Im Gegenteil, sagte er irritiert und schien zugleich erleichtert über meine ruhige Wortklauberei, im Gegenteil heiße hier, daß ich mit Mum im Bungalow wohnen bleiben werde und in naher Zukunft ans Zürcher Gymnasium zurückkehren könne, daß für meine Ausbildung gesorgt sei und daß wir – damit meinte er sich und mich – uns sicher nicht seltener würden sehen können als bisher, eher im Gegenteil, etwa so wie heute, auf einem gemeinsamen Fährtchen. Er sagte ‹Fährtchen›; ich sagte:

‹Aha›. Meine Reaktion schien ihn nicht ganz zu befriedigen, sie widersprach vielem, was er über die jugendliche Psyche gehört hatte, außerdem war es ihm offenbar unheimlich, so leicht davonzukommen, und überhaupt bot sich gar keine Gelegenheit, Zartsinn loszuwerden. Zwischen Bilten und Schübelbach gerieten wir in eine Föhnwelle aus dem Glarnerland, plötzlicher Regen peitschte die Scheiben, punktierte den Windschutz, wo die Wischer nicht hinreichten, mit kleinen Kratern, Tropfenagglomerationen, die sich vereinigten, aber nicht abfließen konnten, eher nach oben schütterten, denn Pa drückte jetzt auf sein Gas. Erst am mittleren Zürichsee, der wie Blei gegen den frühen Abend blakte, kühlte die Gegend wieder ab, leckte der Zugwind die letzten Tropfen weg. Es verstehe sich, daß ich alles erst überdenken, ruhig werden müsse, sagte Pa, und zu diesem Zweck überlasse er mich heute abend Mum, die sich ohne Zweifel freuen werde, mich zu sehen, vielleicht auch etwas verwirrt sei und meine Stütze brauche; er bitte mich nur, was sie mir immer sagen möge, an seine gleichbleibend kameradschaftlichen Gefühle für mich und im Grunde auch für Mum zu glauben, im Grunde, wie gesagt, ändere sich zwischen uns nichts. Da ich immer noch schwieg, an die «Soldanella» dachte wie sonst beim Zahnarzt, wenn der Bohrer wehtat, an Scipio Africanus oder sonst einen Verstorbenen, der für seine Härte bekannt gewesen war, hielt es Pa für geraten, die Spur zu wechseln und statt an mein gegenwärtiges an mein zukünftiges Interesse für seinen Fall zu appellieren. Er fuhr mich bis ans Gartentor, verweilte sich mit einer Zigarette im Wagen, bis er sicher war, daß ich oben die Klingel gedrückt hatte, warf dann aber schleunigst seinen Gang hinein und verduftete hinter der «Soldanella».

Mum empfing mich staunend, konnte dann aber, nachdem sie die näheren Umstände meiner Fahrt aus mir herausgeholt hatte, ihr Vergnügen darüber nicht ganz verhehlen, daß ihr bißchen Suizidgeplauder Pa nach Graubünden und zurückgehetzt hatte, wußte aber nichts von einer Scheidung zum ersten März, wollte kein Wort davon wissen, solange der

Gute – sie nannte Pa häufig: den Guten – sich einbilde, mit einem lächerlichen Tausender monatlich wegzukommen. Sie erklärte mir, während sie mir das Abendbrot bereitete, sie sei lange genug die Blöde gewesen, ab sofort sei sie es nicht mehr, sehe jetzt nicht den mindesten Anlaß mehr dafür: es sei ihr zu sehr mitgespielt worden, man dürfe es einem Kind nur nicht sagen. Ich schloß daraus, daß mich Pa voreilig zum Wochenende abgeholt, meinen Wert als löwenmütterliches Rühr- und Erinnerungsstück überschätzt hatte, machte mich also darauf gefaßt, noch längere Zeit in den Bergen zu bleiben, bis meine Eltern sich wenigstens auf fünfzehnhundert geeinigt hatten – darunter, sagte Mum, denke sie überhaupt nicht an Scheidung, das müsse ich verstehen, es sei ja alles um meinetwillen. Mein Verständnis wurde abermals beansprucht, aber nicht so ausführlich, hoffte ich, daß ich deswegen meinen ganzen Abend herzugeben brauchte, diesen unerwarteten, wieder kalt gewordenen Februarabend in Überseen.

Begleitungen des Tobias: die zweite

Nach acht Uhr klingelte ich in der «Soldanella». Sie war stärker als der Kriminalroman.

«Kommst du herein?» fragte Tobias.

«Kommst du heraus?» fragte ich dagegen.

Und er kam. Ich sah im schäbigen Licht des Entrees: seine Canadienne hatte noch genau dieselben Striemen über die schmale Achsel, und die Ärmelenden waren bis nahe ans Reißen abgestoßen; der linke hatte tatsächlich einen Riß, von Fees Nadel deutlich geflickt. Das war das einzig Neue an Tobias.

Wir besichtigten zuerst die Baugrube. Sie war bis dreihundert Meter an die «Soldanella» herangerückt; ein paar weitere Vorgärten fransten in Schotter aus, die Reste der Vorgärten, ohnehin winterlich, kamen hinter dem Schutt nicht mehr zur Geltung. Aber dann drehten wir der Bescherung den Rücken und überschritten den Wegweiserplatz Richtung Apotheke und Gemeindehaus. Auf der Stummelstraße grüßten wir Placida, die uns mit Verlobtem und Pudel durch die Nacht entgegenkam, und erreichten bald eine neue Baugrube, einen neuen Friedhof, diesmal den dorfeigenen: Tobias' Spaziergänge führten immer an Friedhöfen vorbei, und er pflegte dabei weiß Gott welchen Klassiker zu zitieren:

Immer jenen Zypressen zu
Mein einz'ger Weg ist's.

Dreck- und Tümpellandschaften dehnten sich bis an die geweihte Pforte, vor der das Projekt dann doch gerade noch rechts abbog, um weiter unten die Häuser von ein paar Lebenden zu fressen. Sie standen schon mit erbrochenen Treppenhäusern, Toiletten wie Kanzeln im Frost, von denen die Leere zerrissener Tapeten predigte – unbekannte Häuser; daß sie sterben konnten, kein Zauberwort gefunden hatten, machte mich gleichgültig gegen sie. Wir aber schwenkten nicht mit dem großspurigen Schmutzbett ab, sondern hielten uns fein nahe ans Friedhofgitter, begleiteten eine Strecke den staubigen Taxus und das Knistern der Februarleichen und sahen bald von vorne den richtigen Wald näherkommen. Er schwieg wie im Lied und stand teilweise tatsächlich schwarz, teilweise skelettartig durchscheinend, denn es war Mischwald, unter einem unglaublich großen Mond.

Der Waldboden war krumig spröd, seine Moose kühlgestellt. Tobias kohlte im Gehen. Er erzählte von einem Mann, der den Mond hatte jagen wollen und Anastas Meier geheißen hatte. Wie war der Mann gegangen: Tobias machte es vor. Er hüpfte wie ein Raubvogel zwischen den Stämmen und ruderte schwerfällig mit den Armen, die der Mondschatten bald verlängerte, bald vergitterte; den Kopf hielt er schräg in den Nacken gedrückt. Der Mann war vollkommen lächerlich, sagte er. Auf einmal hatte sich der Wald wieder geöffnet. Ein Gewässer von geisterhafter Lieblichkeit breitete sich vor uns aus, der Romenweiher: finster auf

zwei Seiten, wo sich der Tannenschatten mit kaum beweg-
tem Umriß darüber legte, stumpf silbern der Mitte und den freien Rändern zu, gegen die sich, wie eine gefrorene Welle, gepflügtes Ackerland herübersenkte. Mitten im Wasser, zwischen den Röhrichtständerchen, rührte sich Ungewisses; gläsern brannte der Mond aus ungeheurem Himmel; fast ebenso blendend, kaum verrutscht, wanderte er uns auf dem Wasser entgegen. Tobias kauerte am Ufer dicht neben dem Ausfluß, der sich mit schwacher Unruhe des Spiegels ankündigte. «Hier glaubte er ihn endlich zu haben», sagte er laut, wie für mehrere Leute. Er tippte mit dem Zeigefinger an die Oberfläche; die klare Scheibe zersprang, verschüttete ihr vibrierendes Licht; langsam sammelte es sich wieder, zog über schaukelnde Wasserrippen die alte Kreisform zusammen. Noch in der Luft legte der Mann des Tobias seine Arme um den gespiegelten Mond. Dann neigte er sich vornüber, weit, immer weiter, und legte sein Gesicht wie lauschend zur Seite. Gleich würde er mit dem Mond zusammentreffen, mit seinem Taler im Arm zur Tiefe rollen, im züngelnden Dickicht verschwinden...

«Paß auf, Tobias!» rief ich erschrocken.

Tobias stützte im letzten Augenblick die Arme auf den Uferrand. Hergewandt wie ein Frosch sagte er mit hohler Stimme und verschlafenen Augen:

«Es kam nicht dazu. Der Mann fiel zwar, aber Schulter und Wange trafen auf festes Eis. Der See war plötzlich gefroren.»

«Und dann?» fragte ich.

«Dann erhob sich der Mann», sagte Tobias, duckte aber sich selbst noch tiefer. «Er erhob sich beinahe befriedigt. ‹Nun soll mir keiner mehr kommen›, sagte er.»

«Was treibt ihr immer», fragte ich und trat neben ihn. Jetzt konnte er nicht gut weiterkauern. Er erhob sich und schlug die Handflächen an der Hose ab.

«Was werden wir schon treiben», sagte er. «Tagsüber sind wir für die Leute da und bereichern Demuths Legende um sorgfältig abgesprochene Züge. Es macht Spaß, an ihm weiterzudichten. Die Nachfrage reißt nicht ab, aber sie hat sich stabilisiert. Wir sind ein Museum wie ein anderes.»

«Und abends?»

«Die Abende sind wie früher», sagte Tobias, «ereignislos. Wenn man kein Ereignis nennen will, daß Herbert mit seinen Liegruppen ins reine gekommen ist. Für die Fachwelt scheint es eines zu sein.»

«Mit seinem Sack.»

«Immer mit seinem Sack.»

Wir betrachteten keinen der beiden Monde direkt, aber waren ihrer Gegenwart sehr bewußt. Eine Ente schwamm erwartungsvoll herbei und äugte herauf, während sie den Kopf in den Rücken gedrückt hielt. Tobias kramte in seinen Taschen, dann brachte er einen Fruchtbonbon zutage. Sorgfältig wickelte er ihn aus seinem Papier und warf ihn der Ente zu. Sie tauchte kurz und gondelte dann ab, übertrieben schluckend.

«Roland läßt sich selten blicken», sagte Tobias. «Er schreibt ein Buch, offenbar, und braucht die ‹Soldanella› nicht dazu.»

«Und ihr laßt ihn?»

«Wir lassen doch jeden», sagte Tobias. «Welchen Sinn hätte es sonst, daß das Häuschen stehenblieb. – Stefan wird bald Professor. Man merkt's am Rotkohl. Er ist nicht mehr so fein geschnitten wie sonst. Woraus folgt, daß es nicht immer gut tut, wenn man arriviert.»

«Habt ihr Alice wiedergesehen?»

Tobias schüttelte den Kopf.

«Ihr müßtet sie eigentlich auch umbringen», sagte ich. «Sie weiß alles.»

«Ja, aber sie hat keinen Airdale. Wir dürfen nur nehmen, wer einen Airdale hat.»

«Zum Glück habe ich keinen Airdale», sagte ich. Wir hatten wieder zu gehen begonnen. Ein schmaler Weg führte um den Weiher herum. Er knirschte von gelegentlichem Frost.

«Du bist auch nicht fett genug», sagte Tobias. Und nach

einer Weile: «Mathis macht uns Sorgen. Er will jetzt unbedingt eine Ausstellung. Denk dir! Der Snob ist mit dem Erfolg Balthasar Demuths nicht zufrieden.»

«Verstehe ich.»

«Wir ja auch. Stefan hat deswegen die Kunstkommission angebohrt. Kahlmann bekommt seine Vernissage Ende Sommer im Strau'hoff. Wehe, wenn er bis dahin nicht abstrakt genug ist.»

«Und Fee?»

«Fee?» fragte Tobias erstaunt. «Fee ist doch einfach da.»

Von Monika wollte ich nicht anfangen. Da tat er's. «Monika strickt Babyzeug», sagte er. «Vermutlich für Sylvesters Erstgeburt.»

«Ist das schon so weit?»

«Aber kein Gedanke», sagte er verbissen. «Die Paarung macht Schwierigkeiten. Es ist schon viel, daß wir einen Spaziergang zu zweit erreicht haben.»

«Wer ist sie denn?»

«Sylvester ist auch wer», gab er grimmig zurück. «Gut, er ist ein Mquali, ein Mann aus dem Busch, ein Mann ohne Papiere. Deswegen braucht einer nicht so zu zittern. Ich sage dir, er kann seine Kiefer nicht ruhig halten, wenn er mit ihr redet. Er schnattert geradezu bei ihr.»

Aus Tobias' Rauhbeinigkeit ging hervor, daß er Sylvester besser mochte, als ich gewußt hatte, besser, als er in zehn Worten sagen konnte. «Rassenvorurteile?» fragte ich, denn ich war neugierig geworden – nicht so sehr auf Liebesgeschichten, aber auf Tobias. Seine Teilnahme erfüllte mich mit Eifersucht.

Er scharrte im Gehen vor sich auf dem Boden.

«Eben nicht», sagte er langsam, «im Gegenteil. Sylvester hat noch Glück, daß er schwarz ist. Unsereins kommt bei Nell Rüfenacht überhaupt nicht in Betracht. Daß es bei mir nichts wurde, kann ich ja verstehen», sagte er, und die Scheu, mit der er mir über die Schulter zugrinste, leuchtete im Dunkel, «ich nahm sie zum Fischen mit, da war nicht viel daran. Aber Roland führte sie zu Whisky aus, Stefan zu

Hummersalat, Monika fing sogar einen Pullover mit ihr an. Alles Fehlanzeige. Stricken hatte sie nicht gelernt, den einzigen kleinen Fisch, den ich fing, konnte sie nicht sterben sehen, und Hummer war ihr zu protzig.»

«Was wollt ihr denn von ihr?»

«Nichts als eine Liebeserklärung für Sylvester. Man wird doch noch den Werber machen dürfen. Sie ein wenig warmlaufen für den Mann ohne Papiere, das ist alles. Aber alles ist ihr schon zuviel.»

Wir stiegen jetzt neben dem Acker hinauf. Die feinen Zacken der Schollen, die der unaufhörliche Mond beflimmerte, bildeten eine Weile unsern Horizont, eine demütige Mondwildnis, über deren flacher Wölbung ein fernerer Waldrand erschien, zart an den Himmel gekerbte Schwärzen, wippend, allmählich wachsend mit jedem unserer Schritte. Einzeln stand da und dort ein nackter Obstbaum in den Wiesen; jedem strahlte, etwas verzogen und blasser gezeichnet, sein Mondschatten vom Fuß; mollig verschwammen die Knoten der Krähennesterschatten im körperlosen Geäst. Die Verglasung des Bodengrüns war weit fortgeschritten.

Dann erzählte Tobias doch noch von Nell Rüfenacht, und wie mir schien, erschreckend wortreich, hie und da von seinem eigenen Atem unterbrochen: er war das Steigen nicht gewohnt.

Sie sei so eine Figurine, die habe dickes Zeug am Leib, am liebsten einen groben dunkelgrünen Rock mit Noppen, der sich von der Bewegung ihrer Beine, die ohnehin kurz angebunden und zart seien, kaum aus der Ruhe bringen lasse – Strumpfhosenbeine übrigens. Ich solle mir einen schwarzen Pullover über allem denken, der um den Hals einen breiten weichen Rand habe und gern vom Nacken zurückfalle wie ein bißchen Mönchskutte. Was unter dem Schwarzen stecke, könne man sich wiederum schlecht denken, wenig vermutlich, sie fülle ihn nur ganz sachte, aber das Wenige sei fein gearbeitet. Wo man hinblicke, weiche sie zurück; erst wenn man wegblicke, nehme sie, sehr vorsichtig, wieder Form an, aber so rechte Formen kriege sie wohl erst, wenn man sie vermisse, was man am besten Sylvester überlasse. Sie sei Silberschmiedin, mache Ringe aber nur für andere Leute, darum wahrscheinlich gerieten sie ihr so gut: um überhaupt etwas von Nell Rüfenacht zu denken, schreibe er ihr einen schadenfreudigen Charakter zu. Arglos natürlich, die kapriziöse glattfellige Unschuld des Einhorns; die wirke auf Unbeteiligte leicht schadenfroh. Richtig, ihr Gesicht. Ich könne ihr nicht gerade hineinsehen, denn sie trage es immer etwas schräg. Wenn ich beharrte, was unfein wäre, sähe ich am Ende doch nur Tupfen drauf. Zwei reichliche Tupfen die Augen, zwei längliche die Brauen, zwei lächerliche die Nase, zwei entzündete der Mund. Gott müsse sie in einer Konfettilaune geschaffen haben, zu einer späten und wählerischen Stunde. Weiß sei die Puppe übrigens gedacht, Farbe nehme sie nicht an, rote nur ganz vorübergehend, braune überhaupt nicht – vielleicht habe Schwarz eine schwache Chance. Wieviel Haar sie auf dem Kopf trage, das sei schon beinahe unmoralisch. Das Haar sei braun: braun als die Summe vieler Rosttöne, und hinten trage sie es zu einem Roßschwanz zusammengenommen, was bekanntlich kein Mensch mehr tue, aber warum Nell ausgerechnet ein Mensch sein solle? Da sie niemanden an ihr Haar lasse, bleibe unentschieden, ob sie Ohren habe. Aufrichtig: er glaube nicht. Sie höre mit dem langen, zart pulsenden Hals, den sie einem zudrehe, weil sie ihr Gesicht vor fremdem Atem abwende. Vielleicht höre sie aber auch überhaupt nicht, diesen Schluß legten ihre Antworten nahe, sanfte zögernde Sprüche, die auch an einen Baum gerichtet sein könnten. Warum ihresgleichen ganz komplett sein sollte? Das wäre ja pedantisch gewesen von dem, der sie auf diese karge Erde geträumt habe, die sie übrigens immer noch zu bunt finde. Sie habe eben ihr Silber. Stoffwechsel sei bei ihr undenkbar...

Ich dachte: wie müßt ihr alle in diese Puppe verliebt sein. Laut sagte ich:

«Aber jetzt möchte ich die Nummer mit dem Spaziergang haben, Tobias.»

«Auf einem Spaziergang einen Spaziergang bringen, das geht zu weit», sagte Tobias. Dann fing er an:

Auftauung einer Puppe

Sie fuhren im Bus nach Regensberg. Wer kennt es nicht: das mittelalterliche Städtchen auf der letzten Jurakanzel, zwei Zeilen Häuser, ein paar Türme. Der Blick ist berühmt. Es ging schon gegen Abend, brauchte nicht kühl zu werden, war im Januar ohnehin den ganzen Tag kalt; da sie auf der Fahrt nichts geredet hatten, wollten sie wenigstens zusammen den Blick genießen. Ein besonders malerischer Rundturm, von frühen Herren erbaut, stark renoviert, ein Werk Feigenwinters, Hutzlis und Bodenschatzens, bot sich zu diesem Zwecke an, stand zum Bestiegenwerden bereit.

Da hinauf also wollten sie. Wollten sie? Wollte Nell Rüfenacht auf den Turm? Es zog schon am Boden stark, auf dem unruhig gepflasterten Boden zwischen den zwei Häuserzeilen, in denen es da und dort bereits lampenhell war; wie stark würde es oben auf der Zinne ziehen? Der Entschluß, hinaufzusteigen, setzte sich aus verschiedenen Elementen zusammen: Sylvester, neben Nell unter der kalten Platane stehend, versuchte sie zu sortieren. Sich selbst brauchte er dabei nicht zu veranschlagen; sie war die Herrin, auch wenn er sie nicht verstand, wenn ihre Art Herrschaft schwer zu entziffern war, aus ihren Augen nicht hervorging, in die er trotzdem forschend blickte, wenn auch nur durch die Wimpern, zwinkernd, fluchtbereit mit seinem frierenden Negerblick. Hatte Nell Lust? Vielleicht; es war delikat, schwierig, unmöglich, Lust auf irgend etwas, geschweige denn auf diesen Turm, Nell Rüfenachts Gesicht zu entnehmen, das sie, eine blasse Scheibe, der Tafel zugedreht hielt, auf der stand: erbaut auf römischen Fundamenten anno 1225, renoviert 1938. Das half nicht weiter; vielleicht schaute Nell auch nur hin, um Zeit zu gewinnen, aber: Zeit wofür; und indem sie ihm ihrerseits Zeit gab, ihr Gesicht zu betrachten, wuchs sein Wille, etwas für dieses Gesicht zu unternehmen, sank sein Glaube, das Richtige zu treffen, ins Beängstigende. Sylvester sortierte weiter. War Nell warm genug angezogen? Würde sie nicht frieren auf jener Zinne? Er fühlte dunkel, mit einer Spur von Stolz, daß das einmal eine zivilisierte Überlegung war, ohne Zweifel, und also außerordentlich am Platze hier zu Regensberg am Fuße des Turms; aber er kam an kein Ende damit. Die hell gelockte Pelzjacke, die sie trug, sah warm aus, zum in den Arm nehmen warm, aber ob sie warm genug war, zusammen mit dem grünen Noppenjupe, warm genug um das weiße Fleisch, von dem er träumte, dort oben am Leben zu erhalten, das zu entscheiden, fehlte ihm jeder Anhaltspunkt. Nell gab ihm nichts an die Hand, und was ihn selbst betraf, er fror immer, fror gewohnheitsmäßig in jeder der Verpackungen, mit denen sich die Herren hierzulande gegen ihren Himmel schützten, gegen ihre Durchzüge, gegen den großen strengen Wind, den sie über die Welt verbreiteten. Vielleicht hätten sie noch lang unter der kahlen Platane im Turmhof gestanden, vielleicht wären die Schatten, die eine blasse Abendröte ihnen warf, angefroren, da öffnete Nell endlich den Mund. Sie sagte mit schwebender Betonung, etwas maulend vielleicht: geh, oder geh schon, oder geh doch, oder go please, oder you go, was weiß ich über die Umgangsformen der beiden. Jedenfalls hörte sich Sylvester zum ersten Mal angesprochen, wurde eine Person Du oder you, hätte sich am liebsten in seine Leine verwickelt vor Entzücken, blieb dabei schrecklich unsicher, ob er abgewehrt oder ermutigt werden sollte und wozu, vielleicht auch nur geprüft, übersetzte seine Unsicherheit in Tempo, wollte Nell gleich, wo nicht den Turm, so doch die Aussicht vom Turm apportieren, stürzte sich in den Turmeingang, hätte sich fast im Gitter verwickelt, das den Einstieg sperrte, nur gegen Einwurf einer Münze freigab, schüttelte den Zwanziger aus seinem Mantelsack hervor, blockierte einen Augenblick das Gitterkarussell, weil er sich zu heftig hineinwarf, mußte erst den Zwanziger durchfallen lassen, drückte sich dann mit dem Karussell ins Innere, kein Mensch ıonst besuchte den Turm, ungehindert schnurrte er den Turmschacht hoch, ließ sich von den fast dunklen Wänden ühren, die seiner Fliehkraft keinen Ausweg ließen als im Kreise aufwärts, immer aufwärts wendelten seine Füße Blech- und Holztreppen hinter sich, trugen ihn schließlich lurch die Luke auf die oberste Plattform, wollten ihn weiter-:ragen in den weißlich herbeistürzenden Biswind, gerade ıoch hielt er sich an einer Mauerzinne, hängte sich darüber und spähte nach unten. Es gab plötzlich mehrere Platanen m Hof, was einem unten nicht aufgefallen war; seine Augen :rennten ungeduldig da und dort das verzwickte Geäst, ohne Nell darunter zu finden, keine Seele stand auf dem Platz, keine ging durch die Gasse, Nell war nirgends. Zögernd winkte er, einmal aus der, einmal aus jener Scharte des Zinnenkranzes, pflichtschuldig suchte er die Weite nach Nell ab, lenn Nell konnte überall sein, pflückte für Nell die Lichtsammlungen einiger Dörfer, die in der Nähe noch rauchig warm in blauer Nässe lagerten, sich mit sichtbaren Kirchtürmen besteckten, ferner gegen den Rhein hin zu flimmern begannen, ganz ferne, vielleicht im nächsten Land, nur noch dünnes Geschmeide waren, in Dämmerung verdampfende Glut. Zur Sicherheit nahm er auch noch die breite Schwärze der Lägern mit, hinter der sich einige scharfe Röten hielten, sammelte die Leitfeuer ab, deren rote Pulse, den Horizonten zu schwächer werdend, dem Land seinen Schlummertakt gaben, weidete über den Flughafen hin, der Licht wie Blut verlor, eine kornblumenblaue Fährte zog und in Abständen sein zuckendes Auge herüberwarf, vergaß am Ende die Stadt nicht, über der ein poröser, gelb angeleuchteter Schwamm von Wolken hing, und stürzte dann die Treppe wieder hinunter.

Unten fand er das Karussell verschlossen, wie er auch rüttelte, es wollte in keiner Richtung rücken, der Turm hielt ihn fest. Kein Affe seiner Heimat wäre durch den metallenen Christbaum gedrungen, Sylvester ließ ihn los, versuchte nicht zu rütteln, nicht zu schreien, sondern zu denken. Hatte es nicht weiter oben, zwei Stock über der Erde, eine andere

Tür gegeben? Sylvester rasselte hinauf, fand die Holztür, aber fand sie verschlossen. Im Lichte eines Streichholzes las er «Historischer Ausgang» in alter Herrenschrift, führte das Streichholz ans Schloß, musterte es, bis die Flamme seine klammen Finger erreichte, ließ fallen und rüttelte mit Überlegung an dem historischen Holz, brachte ihm das Seufzen bei, dann das Nachgeben, und sah sich alsbald wieder an der Luft. Eine Drahtbrücke führte aus halber Höhe des Turmes hinüber in den Oberstock eines Städtchenhauses; er rannte wie ein Seiltänzer auf das unerwartete Fachwerk zu, versuchte die Gegentür, sie war verschlossen, fand ein Fenster zwei Meter neben der Tür im leeren Raum zwar erleuchtet, aber nur angelehnt, turnte in erheblicher Höhe an dem herrlichen Fachwerk hinüber, hing ganz von seinen starren Fingerspitzen ab, von der Qualitätsarbeit der Restaurateure, verdunkelte endlich das erwünschte Fenster, schob es mit der Fußspitze auf, splitterte über ein paar unruhige Hyazinthenstöcke ins Innere und fand sich plötzlich in einem Regensberger Familienkreis. Der zuständige Vater erhob sich, ließ die Serviette dabei von den Knien rutschen, dachte nicht daran, sie aufzuheben, sondern verlangte eine Erklärung für den Neger. Sylvester dachte an seine Erfahrung auf dem Orangenfrachter, gab sich als Herr, der in ungewöhnliche Umstände geraten ist, teilte aufs höflichste das Erstaunen der Familie über seine Anwesenheit und schlug vor, fürs erste Verständnis dafür aufzubringen, nicht länger, als bis er sich wieder empfohlen habe, was er im Begriff sei zu tun. Daran sei kein Gedanke, sagte der Hausvater (der niemals portugiesischer Kapitän geworden wäre); nun er einmal da sei, möge er noch ein Weilchen dableiben, bis man sein Dasein einer zuständigen Seite unterbreitet habe. Bedenkt man, daß dieser Schweizerfamilie nicht jeden Abend ein Neger durchs Fenster zuflog, so verdient ihre Fassung vielen Respekt; zwar suchte der Vater, indem er sich die Brille aufsetzte, die Nummer des Landjägers aus dem Telephonbuch, alles, was Recht ist; aber unterdessen schob die mittlere Tochter dem Gast eine Kachel voll Milchkaffee über den Tisch zu, und Sylvester, von einer jähen, nicht ganz unwohligen Schwäche befallen, nahm sie in seine vor Kälte grau verfärbten Hände und trank den bäuerlichen Saft mit heftigen Schnaufpausen. Der Gedanke an Nell, Nell irgendwo wartend, Nell an die unabsehbare Regensberger Nacht verloren, gab seinen Beinen Gefühl zurück; zwei Schritte taumelte er, dann wischte er die Familie mitsamt einigen nettgemusterten Vorhängen beiseite, schüttelte den Vater, der plötzlich selber Landjäger spielte, vom Hals, rannte an dem mit sinnreichen Sprüchen verzierten Kachelofen vorbei zur Tür, fiel in ein schwach erleuchtetes antikes Treppenhaus, jagte zwei Katzen vor sich die Stiege hinunter, fand eine Tür, die im gleichen Augenblick jemand von außen öffnete, wahrscheinlich der richtige Landjäger, Sylvesters Luftzug drehte ihn förmlich um, Sylvester sah nichts davon, galoppierte durch ein Gärtchen voll vertrockneter Dahlien geradewegs ins Abendrot hinein, suchte sich im Laufen zu orientieren, hatte nicht die geringste Aussicht auf Nell, dafür Aussicht aufs schweizerische Mittelland, hatte im Rücken die reizende Silhouette Regensbergs, das war nicht das Rechte, Sylvester hatte die Ringmauer durchstoßen, Sylvester schwamm in den Vorgärten, wo der Goldlack mittelalterlicher Sommer dorrte, Sylvester mußte auf den Markt zurück, das verdunkelte Regensberg wieder erobern, Landjäger hin oder her.

Wie eine verirrte arme Seele, ein schwarzes Irrlicht fakkelte er der Silhouette entlang, fand zwischen einem Friedhof und einem Weinberg den hintern Eingang des Städtchens, durchflog es gegen Südwesten, wo sich der halbrömische Turm abzeichnete, der also war nicht geträumt, schoß auf die Platane los, es war wiederum nur diese eine Platane, fand sie gänzlich unbesetzt, die Figurine war verschoben, entrückt, Sylvester beschnüffelte die penetrante Leere des Plätzchens, wandte sich hier- und dorthin, spähte in die Zweige und unter die Wurzeln, ließ seine Blicke schießen wie verirrte Schwalben, scheuchte sie an den Hauswänden empor, der Komturei, dem Waisenhaus, dem

Notariat, blickte sogar von ungefähr dem Himmel ins öde Auge, ob der Nell nicht an sich genommen habe, traute ein gleiches dem Sodbrunnen zu, obwohl der durch das dicke Gitter, das seine Tiefe schützte, unverdächtig schien; er klammerte sich auch an dieses Gitter, betätigte sogar den Knopf, der die berühmte Tiefe elektrisch erhellte, sah es funkeln golden und schwarz, aber funkeln nicht von Nell. Immer noch kein Mensch besuchte die Gasse, den er hätte fragen können, niemand war seinetwegen unterwegs als der Landjäger, nach dessen beschnauzter Nähe, fremd wie er in Regensberg war, er jetzt beinahe etwas wie Heimweh empfand, ebenso nach der antiken Dachfamilie, deren Kaffeeruhe er kurz gestört hatte, viel zu kurz, die vielleicht seiner noch gedachte, wenn auch im Groll, bei der er wenigstens Spuren hinterlassen hatte, ein gesprungenes Fenster, eine gestürzte Hyazinthe, während er hier unten in der Kälte völlig spurlos über das nasse Pflaster hechelte. Jäh faßte ihn, wie eine Seuche, der Hunger nach warmen Wänden, fragenden Blicken; er polterte Wirtshausstiegen hinauf, sah in der «Krone», im «Lamm», im «Bellevue» einzelne Bauern sich mit Karten über eichene Tische ausbreiten, beschürzte Töchter an summenden Kaffeemaschinen lehnen, sah sie im Fenster gespiegelt, das seine Aussicht zurückgenommen hatte, gespiegelt in Vitrinen, die voller Kränze hingen, bemerkte den ruhigen, etwas traurigen Blick, mit dem man seinem Ungestüm den Weg freigab; er stürmte durch Bier-, Wein- und sogar Hinterstuben, in denen die Wirtin vorwurfsvoll von der Nähmaschine aufblickte; sein Gesicht glänzte tiefschwarz von glühend geronnener Kälte, auf Wimpern und Brauen trug er Frost wie Aussatz, rannte wie ein Ausbrecher aus den Spitälern Dr. Schweitzers durch die stilvollen Eingeweide Regensbergs, schonte auch Boutiquen, Altersheime, ja Privathäuser nicht, hatte, obwohl er schneller lief, gelernt, den Hyazinthen und Amaryllen Sorge zu tragen, hielt seine Spur, wenn er Treppenvorsprünge umfegte, auf denen Gewächse standen, kehrte sogar die Dachböden nach Nell um, trank einmal einen zweiten Kaffee, einen irischen, bei einem Maler in seiner zum Atelier umgebauten Scheune: der freute sich offenbar, einen Neger zum Kaffee zu genießen, aber den Neger hielt es nicht lange in der fremden Sitzgrube, seine Angst, sein Verdacht trieben ihn wieder ins Freie, auf die Straße, die einzige, fleckig beleuchtete Straße Regensbergs, die ihn mit Kälte begrüßte, von einem Ende zum andern zog, Nells Figur mit dem Nachtwind einmal da-, einmal dorthin verschob, ihn auf glitschigem Pflaster herumschleuderte wie der Wollknäuel die Katze.

Allmählich verschob sich die Kulisse Regensberg in ein gespenstisches Tierreich. Die Türme wurden zu Igeln, die immer schon da waren, wo er erst ankam, aber Nell war nirgends da; unsichtbare Hunde trieben ihn einander zu, er lief wie ein elektrischer Hase, dessen Kontakte stocken, dessen Leitschiene sich verliert, und indem er jagte, fühlte er sich selber eingeholt, immer dichter in das Netz eingesponnen, das die Giebel des Städtchens zwischen sich zogen; wenn er einen Augenblick um sich lauschte, ins Geläute seines Gehörs, zauste ihn die Kälte mit stechenden Nägeln. Schließlich brach er aus, durchs hintere Tor, griff Regensberg wieder von außen an, umkreiste die Silhouette, die ihr malerisches Gift gegen ihn sammelte, mit lauernden Blicken, uralten Blicken aus dem Busch, und hätte den Klumpen beinahe übersehen, bei dem er schließlich doch noch stehen blieb, gerade noch, auf seiner Schiene knirschend, während ihm der Schreck die Augen öffnete. Plötzlich stand die Nacht still, eisig still, mit Sternen; die Aussicht, stark entfärbt, strömte vorsichtig wieder herbei, bis gegen den Zürichsee und ins Deutsche hinüber.

Aber Sylvester sah nur den Klumpen. Hier war ein Turnplatz. Die Reckträger standen ohne Stangen, aber die Barren überwinterten komplett, mit verstellten Holmen. Beim Klettergerüst, der plumpen Harfe, stand er, oder war er, denn ein Klumpen steht eigentlich nicht. Nell in den Armen des Landjägers stand eigentlich nicht, nur soweit die Arme sie hielten, und der Landjäger wiederum stand nur, soweit ihn Nell, die er gegen seinen Leib drückte, am Umfallen hinderte. Er stand tief vorgebeugt, hatte ihren Rock, der steif war wie ein Segel, schräg über seinen kahlen Schädel gezerrt; auch der Schnauz war, als Sylvester an seine Spitze tupfte, starr wie ein vertrockneter Pinsel. Nell stand auf den Zehenspitzen; ihr Gesicht lag flach unter der tief fliegenden Wolkendecke, der sie mühsam zuzwinkerte. Sylvester umschritt die Gruppe einige Male auf federndem Knöchel, betrachtete Nells Mund, der gefroren glänzte, und legte prüfend seine Hand darauf: er war es. Sylvester verlor keine Zeit mehr. Mit zwei Bewegungen schob er die Arme des Landjägers auseinander, die sich schwer und weich bogen wie Plastillin, ließ, während er Nell auffing, den Mann gegen die Kletterstangen sinken, wo dieser mit deutlicher Anstrengung ein Auge öffnete – das andere blieb verklebt, zitterte nur – und ein betäubtes Lächeln unter seinem Schnauz versuchte, sogar die Andeutung eines Zunickens. Dann schwang Sylvester sein Mädchen über die Schulter, wo es hörbar zusammenknickte, sprang in furchtbarem Schrecken, sie beschädigt zu haben, durch die Weinberge in die Tiefe, glitt über den fliehenden Regensberger Hügel seinen Füßen nach, bis sie ihn wieder geradeaus trugen, durch schwer träumende Bauerndörfer, der Feuerwolke entgegen, die über der Stadt hing. Im Laufen legte er immer wieder, so gut es ging, eine rosige Negerhand auf Nells Mund, fühlte mit unbeschreiblicher Freude, wie er zu keimen begann, zuckend ausschlug, Versuche machte, sich zu spitzen. Nells Mund erwachte gegen Sylvesters Hand, das war vor Adlikon, hinter Affoltern erwachte die ganze Nell, war völlig aufgetaut, vom Tragen geschmeidig geworden, konnte den Rest des Weges neben Sylvester hergehen, ihre Hand in der seinen, aber ohne ein Wort, ging prächtig, gut aufgezogen, und beiden leuchteten die Lichter der sich erkennbar nähernden Stadt aus den Augen.

Wir sahen die Lichter selbst. Tobias' Geschichte hatte uns durch den Wald zurückgeführt. Jetzt standen wir auf der Höhe der Überseer Allmend, den Mond im Rücken, in dessen Licht der Zürichsee, der einheimische Sambesi, in unserer Abwesenheit nicht aufgehört hatte zu glänzen. Heiter wirkte an seinen Ufern das andere Leuchten der Dörfer, das sich rechterhand, dem Ausfluß zu, zum babylonischen Geschmeide zusammenzog, einer tief vertrauten, zwanglosen, jährlich vermehrten Funkenprozession.

«Und wie war es nun wirklich?» fragte ich.

Tobias legte die Hände auf den Rücken. Vor starken Eindrücken, gut gemachten Landschaften, schönen Bildern pflegte er in diese Geste zu fliehen.

«Du willst gleich alles wirklich haben», sagte er. «Was kann wirklicher sein als Sylvesters Angst vor der Polizei? Glaubst du, die habe ihn losgelassen, als er Nell endlich einmal beim Händchen nahm?»

«Das stimmt also», sagte ich.

«Das scheint zu stimmen», sagte er freundlich. «Hummersalat und Whisky dürfen wir demnach abservieren.»

«Und sie kam natürlich auch mit ihm auf den Turm.»

«Ja, sie kam. Aber sie hat sich oben tatsächlich verkühlt. Ich hoffe: da wir ihn jetzt nur noch selten sehen, pflegt er sie.»

«Und nach Hause sind sie auch nicht zu Fuß gegangen.»

«O doch. Sie haben den letzten Bus verpaßt, Sylvester weiß nicht, wie.»

«Du bist ein großer Spinner, Tobias.»

«Dabei habe ich noch zu wenig gesagt. Der Heimweg war nämlich kein Schleck. Nell trug, wie alle hübschen Frauen, die falschen Schuhe. Sie versuchten Autostop: nichts zu machen. Manche fuhren langsam, bis sie die Farbe von Sylvesters Gesicht im Lichtkegel hatten; dann gaben sie wieder Gas. Er bekam zu fühlen, daß er fünfzehn gute Schweizer Kilometer lang nichts in der Hand hatte als Nells Hand, und wenn sie schwieg, hatte er Angst.»

Wir hatten unterdessen die Bergstraße erreicht. Unsere Schritte waren wieder hörbar, eingefangen vom Echo der Häuser.

«Ohne Papiere kann er sich nicht trauen lassen», sagte ich.

«Wir werden ihn trauen müssen», sagte er.

Weiter wurde auf dem Weg zur «Soldanella» nichts gesprochen. Doch: unter dem Bungalow fragte Tobias:

«Warum schaust du nicht herein?»

«Ich würde stören.»

«Das macht nichts, ich störe auch», sagte Tobias. «Abächerli hat mir nämlich eine Drehorgel geschenkt, der Schuft. Damit störe ich kräftig.»

«Gebrauchst du dein Radio nicht mehr?»

«Nur noch in der Universität und andern öffentlichen Häusern», sagte er. «Balthasar Demuth verpflichtet.»

Das war meine zweite Begleitung des Tobias.

Sie hatte ein Nachspiel. Mum empfing mich in leidendem Zustand. «Wie konntest du mir das antun!» schluchzte sie. «Einmal bist du da, und dann den ganzen Abend fort!»

«Beruhige dich, Mum», sagte ich. «Wir haben nämlich auch Sorgen.» Essen mochte ich nichts mehr. Manchmal darf man, selbst wenn man hungrig sein sollte, auf die Anbiederungen des Natürlichen nicht eingehen. Ich wollte heute keine guten Worte mehr mit dem Teller reichen, keine verständnisheischenden mit der Suppe gereicht bekommen. Die Ehe eines Sambesinegers namens Sylvester Mba ging mir im Augenblick näher als die Ehe meiner Eltern, der Rock näher als das Hemd, das ich mir rasch vom Rücken zog, um Tobias nochmals, hinter geschlossenen Augen, zwischen den Stämmen flattern und den Mond zum andern Mal in einer Nacht aufgehen zu sehen.

Engel haben starke Schnupftücher

Um und um drehe ich den gelben Backstein auf meinem Pult. Er ist das letzte Stück der «Soldanella» und dient mir als Briefbeschwerer, deutet auf ein Ende hin, das ich ungern berichte. Aber auch mein Buch muß enden; noch ein paar Tage bleiben mir im Juli und der ganze Monat August, dann ist September, und ich werde auf meine Reife geprüft;

danach will ich die Arme frei haben, diese Papiere hinter mich legen, zu den andern unter den Backstein, der Mühe haben wird, Bausch und Bogen zusammenzupressen.

Nein, ich will mir nicht Unrecht tun. Bausch und Bogen ist es nicht, was ich gemacht habe. Was immer es sei, ich habe mir Mühe gegeben. Der Tiger und ich, wir haben uns aneinander gewöhnt. Ja, manchmal scheint mir, wir sehen uns schon ähnlich: er grinst mit meinem Gesicht, ich fühle seine Streifen unter der Haut. Eine gewisse Dressur ist nicht zu leugnen.

Ich habe, Worte machend, wenigstens ein Stück weit auch Wort gehalten: meine Schulbücher blieben unberührt. Ich hatte, jede freie Stunde an meinem Buch sitzend, keine Zeit für sie, hatte auch nichts übrig für die Manöver der Sippe, den Wechsel der Jahreszeiten, suchte keine Zerstreuung im «Odeon» und ließ mein Pferd ungetätschelt. Ich vergaß sogar den Vorgänger, wurde beim Schreiben mein eigener Vorgänger, trommelte meine private Sippe aus der Maschine zusammen, Wörter, die mich manchmal wie frisch ertappte Engel umstanden. So saß ich ein halbes Jahr, von leicht wiegenden Schulbesuchen abgesehen, unaufhörlich bei meinem Backstein, redete mit dem Tiger und blickte ihm scharf ins Auge.

Man macht mich gelegentlich darauf aufmerksam, daß meine Leistungen gesunken seien. Ich führe nicht einmal mehr mildernde Familienumstände an. Ich habe nichts dagegen zu sagen, als was auf diesen Papieren steht. Solang ich nicht fertig bin mit mir selber, wird's nichts Fertiges sein, und doch muß ich's fertig machen. Das ist ein Widerstreit von Bewegungen, den ich meinen Backstein fühlen lasse.

Wo nehme ich noch rasch eine Retardierung her? fragt die eine Stimme. Gib dir keine Mühe, mach dir nichts vor, sagt die andere. Du merkst genau, daß das Band rascher läuft. Du hast nicht mehr viel auf der Spule, du mußt dem Ding seinen Lauf lassen. Was in Wirklichkeit vorbei ist, will auch bei dir an ein Ende kommen, auf daß deine Geschichte die Tatsachen wieder einhole und mit ihnen zusammenfalle, wie sich das für eine Geschichte schickt. Muß das sein? fragt die andere Stimme. Könntest du nicht der Phantasie das letzte Wort über die «Soldanella» lassen und dich einfach weigern, sie zurückzunehmen? Als ob du es bisher mit Tatsachen immer genau genommen hättest... Laß sie beim Retsina sitzen, den Tobias und seine Engel, korrigier ihre Fortüne, das ist altes Schreiberrecht. Tu ihnen den Gefallen, es steht alles bei dir in deiner Maschine.

Das wäre wenig gewissenhaft, krittelt die andere Stimme, der Backstein hier spricht massiv dagegen. Und was mein Verhältnis zu Tatsachen betrifft: da laß ich nichts über mich kommen. Sind Tatsachen darum weniger solche, weil es meine Tatsachen sind?

Ernst ist das Leben, heiter ist die Kunst, singt die andere Stimme. Kein Mensch verlangt von dir, daß du dein Pfefferkuchenhaus wieder über den Haufen wirfst, nachdem du alles so prächtig eingefädelt hast. Der Spaß mit Balthasar Demuth will Ewigkeit, will tiefe, tiefe Ewigkeit, zier dich nicht und schüttle sie aus dem Sack.

Gaukler, sagt die andere Stimme, da kriegst du mich nicht dran. Was ist, ist; was gewesen ist, darf die Schrift nicht ewig haben wollen, sonst verstößt sie gegen ihre höhere Lebensart, die da gebietet, das Vergängliche als Vergängliches zu loben. Das nenne ich menschlich gelobt, Treue zum Bitterlichen, das ja nicht von ungefähr kommt, sondern das Salz unserer Seele ist. Es schärft auch unser Auge vermittelst der Tränen, die es ihm auspreßt, schärft nicht sofort, aber zusehends und auf die Dauer. Augenauswischerei gilt nicht, denn die Dauer der Vergänglichkeit ist die Liebe, diese aber will geprüft sein. Hüte dich also, unsern Spaß durch Ewigkeit zu verderben, dessen blühender Witz die Kürze, dessen unverwelkbare Tiefe die Vergänglichkeit ist; der nur bleiben kann, weil er gewesen ist, auch wenn das Salz in den Augen den Blick dafür vorübergehend trübt.

Ergreifend klug gesprochen und dennoch spielverderberisch, sagt die andere Stimme, denn hinter deiner Dialektik wittere ich Askese und Repression, ein Klein-Beigeben vor dem Faktum, einen moralischen Positivismus, über dessen Armseligkeit du dich durch den Geist, mit dem du ihn präsentierst, zu täuschen suchst. Und die Stimme plapperte fort: nie dürfe der Geist die Zwangsläufigkeit rechtfertigen, nicht einmal das Feld der Vergangenheit dürfe er ihr überlassen. Sie danke ihm diesen Dienst nicht; Scheuerweib, das sie sei, verknurre sie ihn zum Spülen ihres alten Geschirrs, zum Flicken ihrer Lumpen, zu nächtlicher Abstinenz. Erst wenn er ihr keinen Blick gönne, sondern aufgehe im Spiel seiner Hände, kriege sie Respekt vor ihm, zeige Reizwäsche unter den Lumpen, erscheine in höherer Gestalt, nämlich als höflich internes Prinziplein mit Augenaufschlag, als *Notwendigkeit der Komposition*. Deine Domäne als Schreiber, fuhr sie in direkter Rede fort, ist die Freiheit. Lege dich quer zur Kausalität, das mag sie, die Hundsgöttin der herrschenden Verhältnisse, das ist sie von ihren Kunden nicht gewohnt.

Unverantwortlich? Um so besser! Was glaubst du denn, was der Sinn und Witz der Demuthei gewesen ist? Verantwortung vielleicht? Was glaubst du denn, was du zu Buch schlagen sollst? Trage es weiter, das Vermächtnis des Tobias, das griechische Feuer der Unverantwortlichkeit, schreibe bei seinem Lichte und mach dir keine Sorge, als das Papier davon nicht anbrennen zu lassen! Gönne dem Geist sein geisterhaftes Glück und hüte dich, ihm ein Ende zu setzen: setze also ein gutes Ende! Denn dein ist die Kraft, der «Soldanella» die Herrlichkeit, und ein guter Streich in Ewigkeit, Amen.

Zum Glück hielt sich das Gespräch meiner beiden Stimmen nicht immer auf diesem Niveau, sonst hätte ich nicht schlichten können. Schon nach zehn Minuten waren sie bei Kraftwörtern angelangt, gewählten erst, dann unmittelbar eingängigen. Hier hieß es: Spielverderber, Schmierentragöde, Dunkelmann, Sauregurkenesser, Verhängnishuber, Richard Wagner, Hans Georg Nägeli, Kleinbürger, Miefmacher, Mystiker, Rollmops, Knallfrosch, verstopfter Tanzbär, Kleinbürger. Die andere Stimme antwortete mit: Amüsierneger, Händchenvergolder, Scherzartikel, Sektflasche, Süßteig, Tischleindeckdich, Wunderkerzchen, Gartenzwerg, Franz Lehar, Zeisighahn, Pepsi-Tiger, Schmalzdackel, Eskapist.

Ich schweige dazu und schiebe meinen Backstein auf der Waage hin und her. Enden, darauf haben sich die beiden geeinigt, muß sein. Aber enden ausgebrannt oder mit Rücklage, mit Schrecken oder in Minne, enden über kurz oder lang, Kopf oder Hals? Das Enden bekommt ein lächerliches Gewicht in meinem Schädel, zieht ihn vornüber auf den Maschinenwagen, räumt mir den Horizont ab, ich schwimme wie ein Embryo in allen Wassern meiner Zweifel, sie wollen mir die Geburt sauer machen. Das darf nicht sein, Tobias, da ist etwas auf falschen Wegen, ihr Engel. Mischt euch unter meine Stimmen und singet, daß sie verstummen, jauchzet im Chor:

Mach's nicht spannend, Klaus Marbach, sondern setz dich zu deinem Tiger und höre. Mach dich nicht fertig, wenn du mit uns fertig werden willst. Laß dein Herz, den altmodischen Muskel, kein Gewicht ansetzen unsertwegen, friß lieber selber wieder etwas mehr, schlaf regelmäßig und trink viel Milch gegen die Pfeife. Du hast die Demuth-Stiftung bisher verdaulich gemacht. Mach auch ihr Ende weder ganz bitter noch ganz süß, sondern, aber das ist nur ein Vorschlag, bittersüß, dunkelsüß, edelbitter wie jene Schokoladensorten, die ihren Produzenten des hohen Kakaogehaltes wegen am teuersten zu stehen kommen, aber die Verpackung redet nicht davon, trägt schlichte Lettern zur Schau, Surfin, Cremant, Soldanella, viel Weiß und Grau, sparsam in den Farben. Das Marktgeschrei überläßt sie den gefüllten Sorten, Marzipan, Rosinen, Pistache, gestopftem Volk, das die großen Gewinne einspielt. Unsre Sorte trägt den ihren wie einen Goldrand, vornehm, im Vorübergehen, Jammer genug. Wähle ihn hoch, den Schmelzpunkt der «Soldanella» auf deiner Zunge. Laß uns nicht zu Brei werden in deinem Mund. Lutsch uns langsam und genußreich zu Ende, die schokoladenen Engel und Tobias, das Stehaufmännchen. Nun heul bloß nicht, denk nur, wie gescheit deine Stimmen noch eben geredet haben, desavouier sie nicht durch Wäßrigkeit. Tobias dreht auch schon seine Orgel für dich, die spielt dir aus Kalifornien herüber. Du hörst es am Ton, das klingt nach blühenden Spargelwäldern. Faß deinen Tiger fester beim Fell, der ist nicht von Pappe, sei du's auch nicht. Jetzt bist du deinen Ballast schon los geworden. Weißt du was? Wir erklären diese Szene zum Abschied: das sei unter uns, das Ende der Geschichte gewesen, wir haben es vorverlegt, unser Augenwasser präventiv abgeschlagen. Nun zählen wir drauf, daß du den Rest als Nachspiel und also mit dem nötigen Anstand behandelst. Wenn du dich vertippst und ‹Abstand› schreibst, so wollen wir das auch gelten lassen.

Keine Sorge, ihr Herren. Die Anwandlung ist vorüber.

Dann fahren wir jetzt auf. Auf Wiedersehen beim Fest.

Bei welchem Fest?

Das wirst du sehen. Du wirst es schon machen.

Womit sie ausgesungen haben und abschwirren. Mit ihren Schwänzen – warum sollen Engel bloß Fittiche haben und keine Schwänze wie andere Vögel? – fegen sie mir je eine Startmarke in den Staub auf meinem Pult, an den ich Diana, die alles besaugende, nicht mehr heranlasse. Senkrechtstart, ein paar Flecke wie Wasserspuren. Ich bleibe allein bei meinem Backstein zurück.

Begleitungen des Tobias: die dritte

Meine dritte Begleitung des Tobias fiel in den Sommer, den frühen August. Wir brauchten diesmal die Baustelle nicht besonders zu inspizieren. Sie lag vor unserem Fenster. Die Zeit der Geometer, der Staubstürme, der großen Kiesaufschüttungen war schon vorbei. Jetzt kochte Asphalt in fahrbaren Öfen, die wie Karikaturen alter Lokomotiven aussahen, und die Dampfwalze besorgte zwischen Schnurbahnen ihr dröhnendes und doch beschauliches Werk: Teppiche körniger Glätte ließ, das Auge tief befriedigend, ihre langsame Wucht hinter sich. Von der Höhe des Bungalows andeutungsweise, von Tobias' Dachluke in der «Soldanella» wunderbar komplett, zeichnete sich der Bogen ab, den die «Soldanella» erzwungen hatte; jetzt dominierte sie ihn wie das Schloß Laufen den Rheinfall. Er war großzügig geworden, für Überseer Verhältnisse; das Milchmannhaus war ihm schon zum Opfer gefallen, unter Mitwirkung des früher genannten Luftschutz-Bataillons.

Tobias und ich stiegen – seltsam, ich erinnere mich nicht, daß wir je zusammen abwärts gegangen sind –; wir bezwangen den Keßler, pirschten uns gemächlich gegen den Strom längst verklungener Holzfuhren in die Höhe. Der Himmel hing wieder abendlich voll Amselgeläut. Keine Wolke zog vorbei, wie sehr wir auch den Horizont musterten. Aus gemähten Gärten strich ein Hauch von Heu herüber, versetzt mit der trockenen Süße gesprengter Erde. Tobias trat Sandalen lose mit den nackten Füßen, ließ sie schlurfen, einen Stein quer über die Straße verfolgen. Er trug ein grob gewebtes Hemd über der Hose, dessen blauer Kragen den Schultern auflag, breiter als die Schultern. Sein graues Haar war erheitert, ließ in der Wärme viele Farben spielen, Altmetalle, Kupfer, Gerstenstroh. Die Daumen hängte er in die Achselhöhlen. Auf halber Höhe drehte er sich um. Die «Soldanella»-Giebel stachen aus sommerlich dunklen Laubfrachten hervor; der See ließ Reflexe quirlen, stufte Helligkeiten ab, stumpfe gegen satinierte, bildete Felder mit Windriffelung, zog seine Segel zu einer dichtgesäten Flotte gegen die Stadt zusammen. Die Stadt, von Albis und Käferberg im Gegenlicht belagert, sott ihren Häuserbrei gar, trieb gerade noch erkennbare Spitzen in den Duft, der ihr gelblichen Schlummer gab.

«Glanzenberg», sagte Tobias vergnügt. Ich verstand ihn nicht. Wollte er poetisch sein?

«Du hast schlecht aufgepaßt», sagte er. «Glanzenberg ist primitive Heimatkunde. Eine regensbergische Gründung vor den Pforten Zürichs, in voreidgenössischer Zeit, Bestandteil eines Blockaderings, den die Luitholde oder Lütholde von Regensberg um die junge Reichsstadt zogen. Sie saßen auch auf der Ütliburg linkerhand und der Wulp rechterhand des Sees und hielten sich bereit, den Bürgern die Zufahrten zu sperren.»

«Was taten die Zürcher?» fragte ich.

«Sie brachen die Umklammerung», sagte Tobias. «Rudolf von Habsburg war ihr *idea man*. Er brachte, so berichtet die Sage, weiße Pferde ins Spiel, zog falsche Hochzeiten auf, lockte die regensbergischen Besatzungen mit allerlei mittelalterlichen Gags aus ihren Nestern; wenn sie sich umdrehten, war Feuer im Dach. Glanzenberg wurde dem Erdboden gleichgemacht. Der Habsburger arbeitete nicht aus Liebe zu den Zürchern. Er hoffte sich an die Stelle der Regensberger zu setzen.»

«Und die Regensberger?» fragte ich.

«Die Lütholde», sagte er, «was weiß ich. Sie hatten natürlich nicht mit dem Dolchstoß eines Artgenossen gerechnet. Von allein wären die Zürcher nicht auf den Schimmelzauber gekommen. Aber die Regensberger hatten ja noch Regensberg: das wurde nicht geschleift. Da schmollten sie ihr Mittelalter hin, hielten das Städtchen sauber, pflegten seine Silhouette und übergaben es in neuerer Zeit mit zittrigen Händen dem Heimatschutz, lieferten es aus an Hutzli, Bodenschatz und Feigenwinter. Das ist der letzte Triumph der Bürger: sie sind ihrer Sache so sicher, daß sie glauben, Regensberg schonen zu dürfen. Zürich hat gesiegt. Es kann sich eine restaurative Gesinnung leisten. Regensberg droht nicht mehr, es ist eingemeindet worden, ein herziges Städtchen am Lägernfuß. Für billige Betriebsausflüge zu empfehlen.»

Beim Weitersteigen fragte ich: «Wo willst du eigentlich mit deiner Heimatkunde hinaus?»

Tobias hielt die Daumen jetzt in die Taschen, die weit vorne und schräg angesetzt waren. Mit den Fingern klopfte er sich irgendeinen Takt auf den Bauch.

«Ganz einfach», sagte er. «*Wir haben die Belagerung Zürichs wieder aufgenommen.*»

Wir schwiegen eine ganze Weile. Tobias' Takt auf dem gespannten Hosenfell wurde leiser und komplizierter.

«Wir heben den Spieß wieder auf, wo ihn die Regensberger haben liegen lassen», sagte er. «Freilich: die feudale Strategie zieht nicht mehr. Die Bürger sind zu viele und zu stark. Im offenen Krieg sind sie nicht zu schlagen. Der ganze Apparat steht ihnen zur Verfügung. Aber siehst du: gerade wo sie am stärksten sind, sind sie am leichtesten zu treffen. Wir nützen ihre Kraft gegen sie selbst aus. Ein einziges gezinktes Rädchen gibt dem Ganzen einen andern Dreh. Nimm die «Soldanella». Hutzli, Bodenschatz und Feigenwinter haben ihre Fahne darauf aufgezogen. Mögen sie! Sie brauchen nicht zu merken, daß die Fahne in unserem Wind weht. Sie haben Regensberg restauriert, seine Simse festgemacht. Wozu? Damit die Simse halten, wenn Sylvester daran zu seinem Mädchen hangelt.»

«Das nennst du: Regensberg erobern», sagte ich.

«Wie anders willst du Regensberg denn erobern?» fragte er. «Willst du es kaufen? Sogar wenn du es könntest: die Mühe, es zu besitzen, würde dir jeden Spaß daran verderben. Was man hat, das ist einem schon entgangen. Außerdem: wer Besitzer wird, hat sich damit auf die Seite der Bürger geschlagen, auf die falsche Seite. Der verschmähte Besitz ist der einzige Anschlag auf den Besitz, den der Besitz heimlich spürt. Du hast ja keine Ahnung, wie schlecht sein Gewissen ist! wie sentimental sein Heimweh, wieder vogelfrei zu sein! Verkörpern wir ihm dieses Heimweh: das schmerzt ihn, er kann ja nicht verzichten und mithalten. Sein Blut fließt: Geld, mit dem er sich von uns loskaufen, mit dem er uns zugleich verwickeln will. Oh, das gelingt ihm nicht. Wir nehmen das Geld nur, um es gut sichtbar zum Fenster hinauszuwerfen: die ‹Soldanella› hat so viele Fenster! Oh, wie schmerzt das wieder, wie lockert das wieder Loskauf- und Heimwehreflexe, wie kitzeln wir das Gewissen unserer Mitbürger blutig, und das beste ist: sie dürfen nicht mucken, ihre heimliche Seligkeit, daß es uns gibt, hindert sie daran! Gewiß, wir leben von dieser Demuth-

stiftung, aber wie legen wir sie an? In Taxifahrten nach
Regensberg, um die Spur von Sylvesters Schuhen an der
Hauswand nachzuzeichnen. Wo wir Reliquien hinterlassen,
ichtbare und unsichtbare, ist das Land wieder unser. Un-
ern Unterwanderungen hält es nicht stand...sie bestehen
uch darin, daß wir das meiste bleiben lassen; das gibt oft
lie köstlichsten Reliquien. O Klaus, wenn du wüßtest, wieviel Spaß es macht, mit System und Methode nichts zu tun!
Unsere Verzichte verkaufen die Welt aus, und sie spürt es
nicht einmal.»

«Wie raffiniert du geworden bist, Tobias», sagte ich.

«Ich muß ja auch meine Engel unterweisen», antwortete
er.

Wir waren auf der Höhe angelangt, beim Reservoir, wo
Keßler und Bergstraße zusammenkommen. Die Reservoir-
bäume, um die künstliche Krete zu einem üppigen Sommer-
strauß zusammengestellt, tuschelten wie ein heiliger Hain.
Ein paar Mütter in farbigen Röcken, die im Schatten leuchteten, hielten ihre Brut um die roh geschnitzten Ruhebänke
zusammen. Über eine kleine Terrasse steuerte die Bergstraße den Wald an, der im milden Abendlicht Kronen
bildete und besonders spaziergängerhaft wirkte. Wir gingen
auch nicht allein: fremde Pudel schnoberten vorbei, ließen
ihren Hundeweg ein paar Schritte neben unserem laufen,
holten ihre Herren ein oder wurden von denselben eingeholt. Manchmal waren die Herren Damen, zogen ihre
fleischfarbenen Beine mit abwechslungsvoll gespannten
Hintern vor uns her oder kamen uns einzeln, auch paar-
weise, verschieden gepaart entgegen, leineschwingend, mit
sonnenleeren Gesichtern, in denen, beim Kreuzen, einzelne
Schläfenhaare aufglommen. Dann kamen uns früher oder
später auch ihre Hunde entgegen, aber darauf verlassen
konnte man sich nicht, viele Hunde liefen hin und her;
erst am Ende der Allmend sortierte man sich wieder mit
Hilfe von Pfiffen, die richtigen Hunde an die richtigen
Leinen.

«Du bist ein faustdicker Schwindler, Tobias», sagte ich.

«Ich bitte darum», antwortete er. «Aber weshalb?»

«Sylvester ist überhaupt nicht gehangelt. Es gibt gar keine Simse an jenem Haus in Regensberg.»

«Nicht?» fragte er höhnisch erstaunt. «Sieh an, sieh an wer hätte das gedacht. Du hast es also nachgeprüft.»

Ich schwieg.

«Das ist lieb von dir», sagte er wieder begütigend, «obwohl du damit eigentlich die bürgerliche Front gestärkt hast. Als du die Geschichte hörtest, waren die Simse da, so wahr ich sie dir erzählte – Sylvester hatte sie nötig. Wie anders als mit Geschichten willst du die Geschichte wiederholen? Denk, welchen Rückstand die Regensberger auf Zürich haben: man muß ihn mit Phantasie ausgleichen. Künstliche Simse sind noch ein bescheidenes Requisit. Siehst du, gegen Phantasie hilft nichts als wieder Phantasie; der Bürger müßte sich auf den Kopf stellen, um sie aufzubringen. Dann wäre er aber kein Bürger mehr: die Füße in der Luft, stände er in unserem Lager.»

«In der Luft», sagte ich.

«Luft ist heute das einzige Gift gegen den Besitz.»

«Ihr seid mir zarte Mörder.»

«Du hast recht», sagte er. «Die es getroffen hat, die spüren tatsächlich nichts von ihrem Tod. Ich sage nicht: sie werden den Tod nicht schmecken. Sie werden es die ganze Zeit tun aber er wird ihnen schmecken – wie das Leben. Die Symptome zeigen sich so, daß sie eines Morgens mit Vergnügen erwachen. Übrigens», sagte er ohne Übergang, «bei der Eroberung von Regensberg war durchaus ohne Phantasie auszukommen.»

Da ich schwieg, fuhr er leiser fort, fast wegwerfend:

«Sylvester stand mit Nell auf dem Turm und zeigte ihr das Land. Er kannte es nicht, und doch erklärte er es ihr: sie sahen es erstmals zusammen. Zum ersten Mal hatte er ein Land. Es war nicht mehr das Land der Herren, es war nicht Alabama und nicht Older Alabama, es hatte auch mit der ‹Soldanella› nichts zu tun. Es war ein vollkommen neues Land, denn es verband ihre Augen mit seiner Ferne. Sie brauchten sich nicht selber anzusehen; sie hätten es auch nicht gewagt. Es war nicht der hellste Tag, aber zwanzig Kilometer sah man in die Runde: ein schöner Umschwung. Ich weiß nicht, ob die Regensberger Grafen so viel besessen haben. Und auf dem Rückweg in die Dämmerung hielten sie sich bei der Hand; die weite Distanz entschuldigte es. Die schwarze Hand hielt die weiße Hand warm; sie wurden miteinander grau, und die Lichter der Stadt verfärbten sie nicht mehr.»

Wir hatten den sogenannten «Kugelwall» durchstiegen. Hinter den Hügeln des Schießplatzes öffnete sich, weiter als zuvor, wieder das Seebecken. Zürich brannte heimatlich wie ein Zunderschwamm.

«Die Stadt wurde wieder Glanzenberg», sagte er. «Heute liegt's am Tag, da kann es jeder Laffe sehen. Bei trüben Verhältnissen braucht es schon Nells und Sylvesters Augen dazu. Der Neger und die Silberschmiedin. Sie wissen nichts von dem verschollenen Städtchen. Nicht nötig. Sie haben es wieder aufgebaut.»

Dies war sie, die Stadt, unendlich mehr sichtbar als sehenswürdig, die sichtbarste Stadt auf Erden. Das Heimweh, hier zu sein, verschlug mir lautlos den Atem. In zehn Tagen mußte ich wieder im Internat sein, im gedrängten Tal mit einer schwarzwaldigen Wand auf der einen Seite, rundlich gerupften Hügeln auf der andern, wo Kuhtreppen liefen. Die Abendstadt kochte mir das Herz gar, schien so betäubend wirklich, als erinnerte ich mich schon an sie, mit rasch vom Buch weg geschlossenen Augen, droben überm Zwiebelturm, im Eschen- und Lärchenbestand.

Tobias erzählte: Nell hatte kaum ihre Erkältung ausgeheilt, da stiegen sie schon wieder auf einen Turm, dort drüben auf dem Ütliberg. Es soll eine ganz unwinterliche Nacht gewesen sein, Föhn. Bei dieser Gelegenheit arrondierten sie ihren Besitz. Der See kam dazu, die näheren Voralpen; einige höhere Gipfel waren zu erraten. Danach sahen sie sich lange nicht. Nell wollte allein sein, tagsüber nichts als Geschmeide entwerfen, Steine fassen, abends mit Joghurt und einer Vollkornschnitte für ihr Glück büßen, das ihr offenbar zu streng vorkam, wollte lange auf dem Rücken liegen vor dem Einschlafen. Sylvester verkroch sich bei uns, lief unter den Gipsfiguren und Museumsgästen herum wie ein unglücklicher Hund, magerte und vergaß beim Ausgehen seinen Turban. Im März, als die Wiesen safteten, trafen sie sich wieder und wanderten hinüber auf die Wulp: eine Ruine, alter regensbergischer Besitz. Dort, scheint es, verglichen sich ihre Lippen zum ersten Mal und fanden sich innen rosa, beide. Dabei ist es geblieben.

«Den ganzen Sommer?»

«Den ganzen Sommer», sagte er, «es war ein Sommer voll Bedenkzeit. Nell ist schwierig. Sie verträgt ihren Neger nur Stück um Stück. Aber», fuhr er mit einer gewissen Förmlichkeit fort, «am nächsten Samstag ist Verlobung. Es wäre schön, Klaus, wenn du dich da zeigen könntest.»

«O.K.», sagte ich, «und wo verlobt ihr?»

«In Grüningen», sagte er. «In Grüningen ist Kirchweih. Kirchweihen machen Gelegenheit zur Unterwanderung.»

«Und verheiraten wollt ihr sie dann bei euch.»

«In der ‹Soldanella›, wo Sylvester seinen Turban abnehmen kann.»

«Euer Trauschein wird nicht anerkannt werden.»

«Abwarten, bis alles Land wieder regensbergisch geworden ist. Dann wird es die erste gültige Ehe der Neuzeit.»

Auch die Bergstraße, vom Katasterplan sehr gerühmt, nimmt einmal ein Ende. Wo sie mit getrennten Bahnen der Forchstraße zuläuft, der dritten dicken Ader, die Überseen, diesmal Richtung Zürcher Oberland, durchschneidet, hat der Verschönerungsverein eine kleine Grünanlage angebracht. Sie wäre mit ihren drei Aussichtsbänken, fünf Birken und zwei Alu-Abfalleimern ganz unerheblich, wenn sie ein Überseer Mäzen, Direktor Gutjahr (auch Gründungsmitglied der Balthasar-Demuth-Stiftung) nicht mit einem Kunstwerk geschmückt hätte. Es handelt sich, dreimal mannshoch, um eine Arbeit Pierre Töbelis, «Bewegung IV», das ausgereifteste Modell einer Versuchsreihe motorischer Plastiken.

Es läuft. Über einer massiven Eisenbahnfederung aus dem letzten Jahrhundert bewegen sich, wenn man ein kleines Aggregat anschließt, sinnreich montierte Zahnräder, Kolben, Pleuel und Transmissionen ohne sichtbaren Plan und eigentliche Nutzleistung, aber mit einer gewissen ehernen Andacht und einem totschlägerischen Charme, der viele anzieht. «Bewegung IV» vermag, trotz tiefer Betonfundierung, den aussichtsreichen Boden kräftig zu erschüttern. An Sonntagen bei trockenem Wetter wird sie laufen gelassen, und das kleine Aggregat, blauen Rauch hustend, klopft seinen stotternden Takt dazu. Nach vollbrachter Vorführung wird es abmontiert und im Spritzenhaus «Berg» eingeschlossen. «Bewegung IV» ist also gegen Unfug geschützt. Kein Nachtbub könnte ihrem massiven Gestänge viel anhaben; es wurde, unter Aufsicht Töbelis, bei der Hispano-Suiza in Genf montiert und mit einem Spezialwagen der SBB nach Überseen geschafft. Die Nachtbuben halten sich schadlos, indem sie die Plastik mit allerlei Farbe und einfältigen Sprüchen bedecken und manchmal einen Büstenhalter hineinhängen.

«Es hilft ihnen nichts», sagte Tobias. «Diese Änderungen finden regelmäßig die Billigung des Künstlers. Es wäre noch schöner, sagt er, wenn meine Plastik nicht zu Widerspruch herausforderte. Sie ist in dem Maße Kunstwerk, als sie provoziert.»

Ein Aluminiumrad, in unzugänglicher Höhe und außerdem durch Stacheldraht geschützt, drehte sich geläufig im Himmel, im goldenen Westwind. Irgend etwas muß auch werktags laufen, hatte der Künstler bestimmt.

«Töbeli ist trotzdem ein Defaitist», sagte Tobias. «Er knüpfte keinerlei Bedingungen an den Verkauf seines Werks. Es ist eine Freilichtplastik, sagte er, laßt die Elemente damit spielen. Mein Werk darf rosten.

Das war zum Glück nicht Direktor Gutjahrs Meinung. Er schenkte ‹Bewegung IV› dem Gemeinderat mit der Auflage, daß die Plastik fachmännisch gewartet würde. Ein Kunstwerk muß Dauer haben! pflegte er zu sagen.»

Die Forchstraße lockte uns nicht. Wir schlugen uns rechter Hand, ohne einen Weg abzuwarten, in den Wald, von dem sie gesäumt ist, empfanden den mürben, geräuschlosen Boden unter unsern Füßen und ließen die Stämme das tiefer hängende Licht artikulieren.

«Direktor Gutjahr ist ein Regensberger, ohne es zu wissen», sagte Tobias. «Er weiß, daß Töbelis Kunst bei den Leuten nur Fuß fassen kann, wenn sie dafür Opfer bringen müssen. ‹Bewegung IV› mögen sie nicht verstehen, aber daß Eisen gepflegt werden muß, verstehen sie aufs Wort. Machen wir eine Rechnung. Gutjahr hat hunderttausend für die Plastik bezahlt – kein Verlust für ihn, denn er müßte sie sonst an die Steuer abführen. Die Gemeinde ihrerseits muß einen Mann beschäftigen, der das Ding unterhält, überholt, entrostet, ölt und die Sonntagsaufführung bestreitet. Veranschlagen wir fünf Arbeitsstunden wöchentlich, was konservativ geschätzt ist, setzen wir pro Arbeitsstunde sechs Franken ein, wobei die Sonntagsarbeit doppelt bezahlt werden muß, so kommen wir auf rund vierzig Franken die Woche, macht grob zweitausend im Jahr. Benzin für zwanzig Franken am Sonntag, macht, wenn wir Schlechtwettersonntage abziehen, immer noch sechshundert Franken im Jahr, die allgemeinen Feiertage haben wir dann nicht mal gerechnet. Öl und Rostschutzmittel vielleicht für fünfzig Franken im Jahr, Putzfäden, na, das lassen wir, dann haben wir schon ein Jahrestotal von – wart mal – zweitausendsechshundertundfünfzig. Jetzt natürlich die Ersatzteile, die Überholung des Aggregats, da kommen wir schon in die Nähe der dreitausend. Eine Ewigkeit wird ‹Bewegung IV› trotz Direktor Gutjahr ihr Spiel wohl kaum durchhalten, aber geben wir ihr, der Geschmack ändert sich ja, wenigstens ein halbes Jahrhundert, dann kommen wir – kopfrechnen müßte man können! – auf haarscharf hundertzweiunddreißigtausendfünfhundert.

Rechnen wir gnädigerweise bloß mit einer Teilinvalidität ihres Bedieners – du weißt, es ist Töbelis Stolz, daß sich die Reaktionen von ‹Bewegung IV› nicht ganz voraussehen lassen, daß irgend einmal mit einem Anfall von Aggressivität gerechnet werden muß; hoffen wir also, daß es bei einer zerschmetterten Hand bleibt, dann kommen, ich kenne die Tarife der Versicherungen nicht, aber wenigstens nochmals hunderttausend hinzu. Dabei haben wir die Teuerung noch nicht einmal einberechnet, sagen wir zweihundertzweiunddreißigtausendfünfhundert plus achtzigtausend macht roh geschätzt dreihundertzwölftausendundfünfhundert. Wenn du bedenkst, daß dies die vierte Töbelische Plastik ist, die Direktor Gutjahr verschiedenen Gemeinden im Land und natürlich auch der Stadt verschrieben hat, setzen wir also viermal den gleichen Betrag ein wie für ‹Bewegung IV›, so kommen wir bereits – es geht wieder in die runden Zahlen – so kommen wir also genau auf eine Million zweihundertfünfzigtausend zu Lasten der öffentlichen Hand, wobei wir noch nicht einmal in Anschlag gebracht haben, daß die anderen Modelle weniger ausgereift und also noch unberechenbarer sind, zwei oder drei Vollinvaliditäten dürfen wir getrost einsetzen, macht nochmals eine Million, vielleicht sogar einmal ein Todesfall, aber halt, der käme billiger, also lieber nicht, aber Reparaturen, macht zusammen längst über zwei Millionen. Ich würde aber zur Sicherheit drei einsetzen mit der Überlegung, daß die Bösartigkeit von Töbelis Plastiken sich herumsprechen und die Suche nach Wärtern schwierig gestalten wird: man wird ihren Stundenlohn wenigstens verdoppeln müssen. Also bleiben wir bei drei Millionen. Denken wir daran, daß der Künstler noch in bester Schaffenskraft steht und auch Direktor Gutjahr seine Karriere als Mäzen erst begonnen hat, wagen wir die Prognose, daß die beiden zusammen der Öffentlichkeit noch vierzig Bewegungsplastiken schenken werden, so beläuft sich der Unterhalt zu Lasten der öffentlichen Hand bereits auf vierzig mal drei macht hundertundzwanzig Millionen. Das ist aber noch längst nicht alles. Überleg dir, wieviel öffentlicher Boden durch Gutjahrs Schenkungen dem Verkehr entzogen, wieviel Arbeitskraft durch ihren Unterhalt gebunden wird, überlegst du ferner, daß sich Lokomotivfabrikschweißer, Gemeinderäte, Versicherungsfachmänner, Hunde, Hundebesitzerinnen, selbst die Wärter der Plastiken, ihrer Invalidität zum Trotz, ja vielleicht sogar wegen derselben, mit dem Kunstwerk nicht bloß abfinden, sondern sich damit identifizieren werden, so erhältst du ein Wirkungsquantum, das mit Zahlen gar nicht mehr zu erfassen, weil es bereits ein kollektives Faktum, eine Sache des nationalen Selbstbewußtseins geworden ist. Je größer der finanzielle und moralische Wert, der für Töbelis Werke ins Budget eingesetzt werden muß, desto stärker der Zwang, sie zu rechtfertigen; sie werden tabuiert und der Diskussion entzogen werden. Keine Schweizer Gemeinde, die nicht ihr Töbeli-Original an aussichtsreicher Stelle spielen lassen wird, und wenn Töbeli allein die Nachfrage nicht mehr wird bestreiten können, so werden ihm Schüler erstehen, die den Überhang auffangen, und Nachwuchsmäzene werden in Direktor Gutjahrs Spuren treten. Was ist dann passiert? Die Volkswirtschaft wird in letzter Instanz von Töbelis Kunstwerken gesteuert, der Apparat ist durch den Apparat blokkiert, Regensberg hat im Lande die Macht ergriffen. Nur in diesem Lande? Wir werden ja sehen!»

Ein Mensch kam uns entgegen, ein queres Büschel Haar auf dem Kopf, die Augen in den Bäumen, von nichts weiter beschwert als einem Spazierstock, den er mit einem kleinen Schwung aufsetzte, ein offenbar altmodischer Mensch, nicht weiter jung noch alt, der pfiff. Er war mir den Bruchteil eines Augenblicks näher als Tobias neben mir, ja näher als ich mir selbst. Ich unterlag in jenen Jahren solchen Schwankungen, halluzinatorischen Sprüngen des Selbstgefühls, das sich bei einem nicht notwendig überraschenden Anblick von mir löste und aus einem andern Gesicht, oft auch aus einer bestimmten Verflechtung von Zweigen, einem Stück Rinde gebrannt deutlich auf mich zurückstarrte: dann ergriff mich zugleich mit dem Gefühl, nicht real zu sein, ein Anhauch von ganz Fremdem wie Heimweh oder Liebe. Tobias' Rechnung, die er mit immer weniger lächelnder Miene ausführte, hatte mich mitgenommen, aber nur ein Stück weit, zu kurz; ich fiel heraus, auf die Seite dieses Spaziergängers aus dem bürgerlichen Abendland, fiel, mir selber unerwartet, auf die Seite Hutzlis, Feigenwinters und Bodenschatzens, auf die Seite des Gemeindepräsidenten Pfaff, dessen Kopf – ich schwöre es – ich in diesem Augenblick kahl und gelb und mit stark blauen Lidern im Unterholz liegen sah.

«Armes Überseen!» hörte ich mich sagen.

«Armes Überseen!» spottete er mit schärferer Stimme als sonst. «Da bekommt ein Dorf irgendwo am Zürichsee, ein Dorf, das seinen Charakter längst gegen einen niedrigen Steuerfuß eingetauscht hat, ein Dorf voll falscher Töne, andere Saiten aufgezogen und spielt der Menschheit ein neues Lied! Da schmuggeln wir unsere Gipskristalle in die trübe Vorortsuppe, und siehe, da wird sie klar, erheitert sich und macht Gott endlich wieder Appetit, seine dumm gewordene Welt zu schlucken! Und was sagst du? Armes Überseen!»

Wir gingen schweigend einige hundert Meter. Ich kannte jene Mulde. Jetzt fiel das Licht von der andern Seite auf sie. Die Schulbäumchen waren etwas größer geworden und standen in saftigem Grün. Die Streu hatte sich längst wieder erhoben; sie hatte auch Farbe. Unabänderlich, in ihren vom Westwind fixierten Posen, pflanzten die Föhren ihre zerrütteten Fahnen auf. Tobias blieb mit zusammengekniffenen Augen am Rande der Lichtung stehen.

«Schön», murmelte er.

«Hier wurde deine Schwester zu Tode getanzt», erwiderte ich.

«Schön», wiederholte er nachdrücklich. Und nach einer Weile, indem er seine Augen fest auf das Amphitheater richtete:

«Ich weiß, worüber du jetzt schweigst.» Und nach einer weitern Weile: «Du hast recht. Das Fleisch verwandeln war kein sauberes Geschäft, hier so wenig wie anderswo. Wir sind Lügenkinder, unser Paradies ist auf faulen Zauber gebaut, die Figuren, die es tragen, sind aus Gips und tragen falsche Namen. Eine Täuschung ist der archimedische Punkt, durch den wir die Welt (sie darf es nicht merken) aus den Angeln heben wollen, ein Schwindel soll das Wunder bringen, und wir haben ihn aufgelegt und ausgepicht wie die ägyptische

Prinzessin das Körbchen, in dem ihr unerlaubtes Kind überleben und Moses werden sollte. Aber war es darum weniger ein Kind der Liebe, und ist nicht aus dem Betrug das Heil hervorgegangen? Kannst du mir sagen, wo es *nicht* aus dem Betrug hervorgegangen ist? Die griechische Leier war das Produkt einer Viehtäuscherei, eines schlimmen Kuhhandels. Der falsche Säugling zog sie aus dem Mist der Rinder hervor, die er dem Apollon gestohlen hatte, und reichte sie ihm als Schadenersatz. Glaubst du, sie habe deswegen weniger göttlich geklungen? Am Anfang des Christentums stand die Furcht eines ehrlichen Handwerkers, seine Liebste habe ihn betrogen. Ich weiß nicht, ob die Christen den Ernst des Evangeliums recht einschätzten, als sie den harmlosen Lilienengel unterschoben. Und nimm die letzte ernsthafte Kirche auf Erden, die chinesische: Millionen müssen sich um ihr bißchen Gegenwart prellen lassen, damit die nächste Generation, wie Ameisen über die Brücke ihrer ertrunkenen Artgenossen, das Ufer des Heils erreichen: es zieht sich immer weiter fort. Wir freilich, wir haben beim Betrug unsern Spaß gehabt. Sollte er dadurch schimpflicher werden?»

«Ihr habt für euren Betrug kein Opfer gescheut», sagte ich, «aber es waren andere Opfer. Euch selbst habt ihr ausgenommen. Ihr seid auf der ‹Soldanella› sitzen geblieben. Ihr wollt die gestohlene Frucht für euch genießen.»

«Hier hast du nicht ganz recht», sagte Tobias freundlich. «Wir wissen zu gut, wer wir sind. Ein paar abgebrannte Studenten, dem Teufel vom Karren gefallen, Hochstapler nicht erst von Balthasar Demuths Gnaden. Was kann aus Nazareth Gutes kommen? Schau, Klaus: dir kommt es so vor, als ob wir im Lande lebten, wo uns die gebratenen Hähnchen in den Mund fliegen. Nein. Wir fressen uns erst durch den Musberg: ein Vergnügen, das, täglich geübt, am Ende ein Arbeitspensum wird wie ein anderes. Unser Gewissen sagt uns, daß wir das Schlaraffenland, das jenseits liegt, nicht mehr betreten werden. Wir sind nicht geschaffen, die ersten Menschen zu sein. Wozu also das Ganze? Muß ich dir's noch sagen?»

Nein, er brauchte es nicht zu sagen. Die Augen waren mir aufgegangen. Das Waldstück vor uns lag bequem in seinem Rauch von Licht, dem Andeutungen des Herbstes beigemischt waren. Ich schüttelte den Kopf.

«Siehst du», nickte er. «*Ihn* haben wir mit verbundenen Augen durch unsern Vexiergarten geführt. Er ist die Saat, die im regensbergischen Lichte aufgehen wird, das wir nicht mehr sehen dürfen. Wir haben ihn herausgehalten; er weiß von nichts als seiner Liebe. Für ihn ist die ‹Soldanella› ein Haus, das nie bedroht war, die Gipsfiguren Balthasar Demuths ein komisches, aber nicht erhebliches Stück Mobiliar, der Himmel blau oder grau, je nachdem, der Baum ein Baum und der Stern ein Stern. Alles ist für ihn im Augenblick so, wie es wohl im Anfang gemeint gewesen war, bevor etwas dazwischen kam. Wozu der ganze Schwindel von rechtem und von falschem Demuth, von Chippendale und Chandigarh, von Wolken, Luft und Winden, von Himmel und Erde, von Milchstraßensystemen und schweren Wasserstoffkernen, wenn da nicht am Anfang *und am Ende* ein Mensch ist, der sich unbewußt seines Daseins erfreut?»

Wir verließen die Lichtung. Der Weg fiel steil ab in die schon blauenden Stammfluchten.

«Ihr wollt aber zwei Menschen machen», sagte ich. «Vielleicht geht ihr da zu forsch ins Zeug. Da ist ein Unsicherheitsfaktor.»

«Es ist dem Menschen nicht gut, daß er allein sei»,sagte Tobias, «das Libretto steht fest. Sylvester läßt uns auch gar keine Wahl. Was können wir tun? Wir haben versucht, den beiden alle Äpfel der Erkenntnis vorsorglich wegzufressen.»

Am Waldrand sagte er:

«Jeder Bauer möchte in seinen Söhnen weiterleben. Wem sollen wir die ‹Soldanella› vererben? Meine Engel sind alle nicht so recht zur Fortpflanzung geeignet. Herbert vielleicht – aber gerade der ist mit Mädchen besonders bequem. Die Zukunft ist gegen uns – ich nehm's ihr nicht übel. Aber wir wollen die Welt nicht umsonst geprellt haben. Wir wollen unsern Gewinn mündelsicher anlegen: in Nell und Sylvester soll die ‹Soldanella› weiterleben. Und wenn der Gott, den man ängstlich den lieben nennt, wieder Sintflutdruck hat, werden wir ihm sagen: halt, die dort kommen zuvor in die Arche, der Neger und die Silberschmiedin, eine gute Rasse, ein menschenmöglicher Start. Er soll sein Wasser überhaupt bleiben lassen. Sieht er nicht, wie die beiden spazieren und ihm sein Land erfrischen? Wo sie hinkommen, leuchtet es regensbergisch, bleibt eine von Liebe imprägnierte Spur zurück. ‹Hier sind sie gewesen›, reden die Steine. Und wo die Steine reden, kann nicht alles verloren sein, und Gott hat vielleicht die Güte, sich auf einem andern Stern zu erleichtern.»

Wir kamen wieder unter die Häuser. Es lag nahe, weniger biblisch zu reden. Tobias fragte, wie die Dinge bei uns ständen.

«Mittelmäßig», sagte ich. «Im Oktober wird geschieden.»

Tobias ging ein paar Schritte neben mir her. Seine Bestürzung schien tiefer zu gehen, als es dem Anlaß entsprach.

«Entschuldige», sagte er dann mit leiser Stimme. Er entschuldigte sich für die Wirklichkeit. Ich konnte nichts dafür, daß sie, soweit ich in Frage kam, kein glanzenbergisches Niveau hatte. Ich war der Sohn eines Autohändlers. Meine Eltern hatten keinerlei Aussicht, auf die Arche zu kommen. Dennoch fühlte ich mich schuldig, weil ich die regensbergische Silhouette noch rasch verschandelt hatte, schämte mich über den Schein von Teilnahme, den ich herausforderte. Tobias selbstverständlich entging nichts von alledem.

«Entschuldige», sagte er nochmals, mit einem Ungeschick, das man künstlich nicht machen kann. Ich war mir plötzlich bewußt, ihm den ganzen Nachmittag von weitem zugehört zu haben, denn erst jetzt hörte ich seine Stimme wieder wie früher, wie auch früher selten: näher als meine eigene. Er entschuldigte sich dafür, daß wir so deutlich zwei Leute gewesen waren; dadurch waren wir es nicht mehr.

«Natürlich komm ich gern zu eurer Verlobung», sagte ich, als wir uns *nicht* die Hand gaben.

«Komm doch vorher noch einmal», sagte er.

Das war meine letzte Begleitung des Tobias.

SECHSTES BUCH

WARUM HAST DU DAS GETAN?

Steckbriefe, im Fahren angeheftet. Eine Länge

Der physikalische Bus schien in Herberts Besitz übergegangen zu sein. Vielleicht hatte er ihn zur Belohnung für die gefundenen Liegruppen erhalten.

Ich hatte Muße, das Gefährt von innen zu betrachten, als es mit uns über zischende singende Straßen rüttelte. Es war wohnlich. Die Spanten oder Wanten, das Gerippe, das uns wiegte, wuchs über uns zum verläßlichen Gewölbe zusammen. Das Blachenfell, an kurzem Spann gehalten, schmetterte seine knappen Schläge dagegen, vibrierte in einem Wind, der uns nicht treffen konnte, seine Tropfen nicht hereinbrachte. Manchmal prasselte aufbegehrend eine Breitseite gegen unser Ohr; dann schien es auch dem Motor einen Augenblick den Atem zu verschlagen, der plötzliche Stau bremste die Fahrt; so wenigstens lautete die Täuschung, der das Bewegungsgefühl unterlag, bis das sichere Brummen es wieder einwiegte.

Ich hatte sie nötig, die Magie des Motors, die Geräuschkulisse unter den Füßen. Sie deckte die Stimmen etwas ab, die ich hören mußte, ohne geradezu hinzusehen; Stimmen, die unter dem Tosen kenntlich wurden, silbenweise in die Tiefe eines Vertrauens zurückfielen, das doch gefährdet blieb. Selbst mit dem besten Freund ist es schwierig, Lift zu fahren, auch mitten aus dem Gespräch heraus. Die Akustik ist plötzlich ins Hohle verschoben, aufsässig, fährt dir über Maul und Gefühl, lauert höhnisch: heraus mit dem Wort! und man hat sich plötzlich nichts mehr zu sagen; man ist gegeneinander gefangen. Lift, Lastwagen – so viel anders ist das nicht. Das Lauern lag um so drückender auf mir, als das Gespräch, auf das gelauert wurde, keinen natürlichen Anknüpfungspunkt mehr besaß, zwischen mir und denen, die da mit mir auf dem Boden hockten, schon längere Zeit abgerissen war; die komprimierte Leere dieses Wageninnern machte mir meine Verlegenheit überbewußt.

Empfanden sie auch die andern? Zur Verlegenheit gehört, daß man keine Muße hat, sie beim andern festzustellen. Ich sah also ins Tonnengewölbe hinauf, sah allmählich vorsichtig zum Kabinenfenster hinüber, in dem Herberts freundlicher, rosige Falten werfender Nacken arbeitete, hielt mich bei der unverfänglichen Mimik dieses Nackens auf, während der Wagen uns rüttelte, herzlich zusammenrüttelte wie Müllersäcke, durch sein Dauergedröhn ein eigenes, schwach humoristisches und also verbindendes Klima verbreitete. Darauf wagte ich's schließlich und blickte sie wieder an, der Reihe nach.

Ja, da saßen sie, die Gesichter verwackelt bis zur Kenntlichkeit. Sie schienen größer, gewichtiger geworden – oder schien es mir so, weil ich, selbst einigermaßen zur Höhe gediehen, meinen Eindruck überkorrigierte? Nein, ich täuschte mich wohl nicht. So behäbig wie jetzt, mir gerade gegenüber beim Ausgang, hatte Stefan Sommer vor zwei Jahren nicht beim Rotkohl gesessen. Die Eleganz freilich war geblieben, ja durch die Gewichtigkeit seiner Erscheinung noch gehoben. Ein sehr gesetzter Jüngling, ein Lebemann aus Geschmack saß, aus Vergeßlichkeit, aus Laune, was weiß ich, auf dem Boden eines Lieferwagens. Über seinen Händen, brünett und manikürt, mit denen er seine gestreiften Knie zusammenhielt, lag ein Schimmer jener Herablassung, die ihn diesen Ort genießen ließ. Noch markierte sein schöner Kopf, den er, soweit es möglich war, sehr ruhig hielt, Selbstverständlichkeit; er tat es ehrlich, aber der leise Tic um den Mund, ein kurzes nervöses Grimassieren, strafte ihn Lügen. Ich sah Stefan jetzt voll an. Es bestand keine Gefahr, daß er meinen Blick kontrollierte; er hielt den seinen unverwandt niedergeschlagen. Das bißchen Raum, das man unter seinen breiten Lidern sehen konnte, schien der Verachtung zu gehören, was wohl auf Täuschung, auf den Zuschnitt des Auges, auf meinen besonderen Winkel zurückzuführen war, denn Stefan betrachtete seine Hände, hatte keinen Anlaß, sie mit Verachtung zu betrachten. Immer noch schlank paßten sie ineinander wie in keine fremde Hand, verflochten ihre Finger so natürlich, daß es wie Kunst aussah, zu welchem Eindruck auch die paar Ringe beitrugen, die kühl, wie aus der Luft gefischt, das fein behaarte Fleisch kleideten: Ringe der Dogaressen, der Barettlitöchter, des falschen Abbés. Die Knie waren zusammengepreßt, aber die Schienbeine gingen auseinander, erst die Füße, die geschliffenen Schuhe drehten einander ihre Spitzen wieder zu. Dazwischen in gestreifter Tiefe herrschte die zarte Unordnung der Diskretion. Über allem war sein Mund zu einem schon beständigen Lächeln gespitzt, das der Tic nur gelegentlich auseinanderriß, vibrierte sein Kopf mehr, als daß er wackelte in der Melodie des Motors. Lange besehen, mochte ich ihn wieder gern, dachte an seine Auflösung damals im Türrahmen, die zitternde Peitsche, mit der er vor aller Augen auf seine Schwäche hinwies, erblickte das Fehlen des einen Ringes unter allen seinen Ringen, auf den es ihm – vielleicht – ankam, sehe heute auch noch die Stuhlbeine seines Traumes in seinen Nacken gedrückt wie eine mehrläufige Flinte. Damals schon, Karrenhimmel und schwankende Köpfe, sah ich Stefan zu einer imaginären Exekution fahren, sah den heimlichen Fürsten Danton, den es erwischt hatte. Stefan spürte nichts davon, spitzte seinen zuckenden Mund an meinem Erbarmen vorbei, ließ die Hinrichtung über sich ergehen, die meine Phantasie verhängte: *voilà* seine letzte Vornehmheit.

Neben Stefan: du, Matthias Kahlmann. Weiß Gott, du rütteltest, du schütteltest dich, ließest deinen eingeschlafenen Kopf im Gelenk rollen und strecktest alle zweie flach auf dem Boden, beanspruchtest Platz für viere. Der Sonntag hatte dich nicht gehindert, deinen weitmaschigen lindengrünen Pullover überzuziehen, das Kettenhemd, das, wie ein altes Badetrikot, die Oberschenkel im Takte der Fahrt bescheuerte. Die weißen Waschhosen, lächerlich eng, mürbe, fast wattig vor Verwaschenheit, gaben sich Mühe,

über deinem Fleisch ein wenig zu spannen, gaben es längs
vor den Knöcheln wieder auf, die sich rot und zerstoche
zeigten. An den Knöcheln wieder schlingerten die Turn
schuhfüße, lang und vollkommen entspannt wie diejenige
eines frisch Gehängten. Was kann Matthias dafür, daß sic
beim Schlafen sein Mund öffnet; dennoch war mir der Ein
druck fast anorganischer Dummheit, der so entstand, un
angenehm. Der Schöpfer Balthasar Demuths pendelte, da
vollkommene Gegenbild seines konzentrierten Nachbarn
hingegeben wie eine Vogelscheuche, wie der Tod im Apfel
baum, im Fahrtwind, der ihn nicht erreichte, nur manchma
zum Beweis seiner Existenz einen Pfiff Frische hereinstieß
Aus Gerechtigkeit gegen Mathis muß ich sagen, daß de
Ausdruck von Schlafdummheit nur sein Untergesicht be
herrschte. Oben behielt es eine gewisse Bauern- un
Brechtschläue, ließ die grauen spärlichen Fransen, Kind-
lichkeit vortäuschend, die bucklige Stirn streicheln, die zum
Streicheln wenig gemacht schien; wenn eine unvorher
gesehene Wendung des Schlafkopfs die Träger der Drahtbrille starr werden ließ, lüfteten sich vorn die Gläser, ließen
besser daruntersehen, auf lückenhafte Mauswimpern, geschlossene Mauslider, die die Fältelung der Augenwinke
kaum vermindert übernahmen. Es war ein zugleich seh
junges und sehr altes Gesicht, das aber mit sich keinen
Kompromiß einging, auf unversöhnliche Art infantil und
steinalt nebeneinander war: ein ewiger Neugeborener. Grau
hing ihm ein gleichfalls verwaschener Mantel, nur am Halse
einmal geknöpft, von den hageren Schultern, erschöpftes
Tuch, in dem er wie in einer Lache saß; das einzige Stück,
mit dem Mathis dem Sonntag Rechnung trug, denn es war
ein Regensonntag.

Hinten im Winkel, nicht ganz in der Reihe, sondern schräg
gegen die Kabinenwand gelehnt: Roland von Aesch. Der
Kopf mit der blonden Welle trug er stark erhoben, pompös
angelehnt; das Adamsapfelprofil war auch in der Lastwagen-
dämmerung unübersehbar und ließ seine Effekte spielen.
Roland schluckte häufig; vielleicht war ihm schlecht, ich

wünsche es ihm nachträglich. Einer seiner Schneidezähne, bei vollem Licht ansehnlich – Roland wird noch im Grab schöne Zähne haben –, schimmerte grün, von einem einzelnen Strahl aus undichter Stelle getroffen. So hielt er das Maul zwischen verwöhnt gebogenen Lefzen offen, der zarte Wolf, riß auch die Augen auf, an deren Farbe man sich nicht einmal erinnern konnte, wenn man sie anschaute: vermutlich waren sie rosa; ohnehin zwinkerte er häufig mit ihnen. Was seine Stellung betraf, so pflegte er einen Kompromiß zwischen Stefan und Mathis, hielt das eine Bein angewinkelt und ließ das andere liegen, tat beides eher achtlos, gab zu bedeuten, daß es bei ihm ohnehin auf den Kopf ankam, den er, als müßte er sich seiner vergewissern, von Zeit zu Zeit sorgsam und absichtsvoll im Nacken drehte.

Meine Seite war, wie man sich ausrechnen kann, stärker besetzt; nur ich und Tobias, der neben mir saß, waren schmale Leute. Tobias war, wenn ich ihn aus dem Augenwinkel anpeilte, der einzige, der mir unverändert vorkam. Völlig bequem wiegte er sich auf seinem gebogenen Pulloverrücken, hielt die Beine hoch in die Luft übereinandergeschlagen und faltete die Hände auf dem immer noch hohlen Bauch.

Monika dahinter kopierte ihn vielleicht, aber ach, es geriet ihr schlecht, sie hatte nicht die Figur dazu, die arme Flunder. Wo er ruhte, da klebte sie, eingesunken, während das schlecht erzogene Fleisch sich auf ihr staute bis zum Hals; sie konnte sogar ihr Kinn darein vergraben und tat es auch, hatte ihr Gesicht mit der Sonnenbrille versiegelt bis auf den breiten, durch unsichtbare Tränen lächelnden Mund, der etwas behäbiger, sogar ein wenig hochmütig geworden war. Prahlend schön, nicht zu versiegeln war ihr Haar auch bei Regenwetter im Innern eines physikalischen Lieferwagens. Um seine Stöße aufzufangen, hatte Monika links und rechts ihre Jäckchenarme aufgestützt und ließ ihr Lebendgewicht darin hängen. Sie bekam hohe runde Schultern von den Stößen, ließ sich den Kopf in die Schulter treiben; das feinere Gerüttel fing sie mit den Beinen auf, die sie klugerweise flach liegen ließ, liegen, liegen, liegen wie hingeschmettert unter schartigem Rock.

Ganz in der Ecke, Roland gegenüber, saß Fee. Sie saß hoch erhoben in guter Haltung auf dem Stühlchen und zeigte dem jungen Volk, was ein Sonntag ist. Himmel, war sie feierlich. Jede Falte ihres bäuerlichen Faltenmeeres zurechtgezupft, Kopf frei, kein Gedanke daran, daß man den gestärkten Rücken auch anlehnen könnte. Fee hatte keine Kinder zum Ausstatten. Sie hatte wohl den Tobias, aber der wollte sich offenbar nicht ausstatten lassen, ihr nicht den heiligen Schmerz, die ordnungsgemäße Erschütterung der Trennung gewähren, machte keine Miene, einem lieben Weib anzuhangen, der ließ die gute Monika neben ihm zur Flunder werden. Auch unter seinen Freunden, die sie adoptierte, wollte sich lange nichts zeigen, was sie schwiegermütterlich gestimmt hätte – die Sache mit Stefan und der Brockenhausphilosophin zählte da nicht. Die Neger hatten sie bloß zur Schmerzensmutter gemacht, hatten ihr erst den Kummer bereitet zu existieren, und dann den doppelten Kummer zu verschwinden. Aber o Wunder! Gerade aus Hams Samen sollte nun ihrer Hoffnung ein Reis aufgehen. Die fünf andern Negerlein waren nur gegangen, um ihr diesen einen dazulassen zur Genugtuung ihres Herzens, den Verlassensten, der auch am schlechtesten träumte. Aber seinem Negerschlaf hatte sie ihre Gott sei Dank immer noch ruhige Hand auflegen dürfen, bis sie spürte, Wehmutter, die sie war, daß sich unter dieser nicht mehr fremden Stirn ein anderer Traum rührte, wuchs, im Wasser von Hoffnung und Seligkeit schwamm. Sie erkannte die Zeichen, deutete sie in ihrem Herzen, nähte den Turban, der dem Negerkind draußen erlaubte, seine Umstände zu verbergen, bat ihn, sich Sorge zu tragen, wenn er ausging, blieb auf, bis er heimkam, es mochte auch spät werden. Oh, sie begegnete ihm dann nicht, löschte zuvor ihre Lampe; sie wußte, daß in seinem Zustand jeder Anblick außer dem einen verkühlend wirkt, und er sollte sich nicht verkühlen. Es war ihr genug zu wissen, daß er da war; die Zeichen ihrer Liebe mochte er an der

Art ablesen, wie sie ihm das Bett aufgeschlagen hatte, und wenn er sie nicht las, dann um so besser. So legte sie ihm etwas Warmes über den Rücken, während er seine Liebe in der Kälte großzog, versuchte manchmal im Spiegel seiner Augen das Mädchenbild zu erkennen, von dem sie beschlagen waren, denn diese Nell schien ja eigentümlich scheu, war nicht nach Hause zu bringen, wollte sich nicht mustern lassen. Und Fee billigte es, wenn auch mühsam, in ihrem tapferen Herzen: erst, so sprach sie ihm zu, soll das Mädchen bei Sylvester so fest anwachsen, daß es nicht mehr erschrickt, wenn es sieht, wo er daheim ist. Die Gipsweiber sind ja zum Fürchten, die Ordnung ist auch nicht so, wie ich sie persönlich gern haben möchte, Tobias und seine Freunde muß man schon genau kennen, bis man merkt: sie haben ein gutes Herz, und ich, ich bin eine altmodische Frau, an mich muß man sich auch stark gewöhnen. Aber heute, Regen hin oder her, war der Tag gekommen, den Gott gemacht hatte. Er hatte sich dazu herbeigelassen, weil sie ihn so wenig gedrängt, nur am Rande ein bißchen dafür gebetet hatte. Sie durfte den Schmerz erleben, ihre Schwiegertochter zu sehen, irgendwo draußen im Land – nach dem Willen ihrer weißen Kinder, die ein wenig übergeschnappt waren, aber gute Menschen im Grunde. Die Freude über die nahe Verlobung stand ihnen ja ins Gesicht geschrieben; und dann wird Fee schon dafür sorgen, daß die liebe Tochter schleunigst an die Wärme kommt, heimgeführt wird, alles, was recht ist. Fee hat im Ofen nachgelegt; es wird Glut geben bis zum andern Morgen. Fee hat schon früh am Herd gestanden, hat gebacken, ihr Demuthsches Ebenbild, die «Abwaschende», ohne übertriebene Sorgfalt in die Ecke geschoben. Alles, was recht ist, zum Abwaschen ist noch lange Zeit, heute hat die Kunst nichts zu sagen, heute ist, wenn man Fee fragt, das Museum zu; die Kunstfritzen mögen sich am Kuchenduft weiden, wenn sie denn weiden müssen, heute ist ein anderer Tag, heute will sich erfüllen, was in ihrem Herzen geschrieben steht.

So saß sie hoch auf, herzhaft gewillt, auf der Höhe dieses

Schmerzenstages zu sein, dem Rütteln des Lastwagens nichts nachzugeben, lieferte den lieben Flegeln zu ihren Füßen ein Beispiel, ohne zu verlangen, daß sie es nachahmten: sie war ja stolz für viele. Wißt ihr noch, wie sie gesessen hat im dünnen Tuch nächtelang, unter Matthias Kahlmanns Gipshänden immer wieder hervorgehend wie ein Schwan, zäh im Fleisch, ergeben im Geist, in Gottes Namen wieder und wieder auf ihre Jungfräulichkeit getauft – niemals ihren Leib dahingebend, aber spät, gerade nicht zu spät, ihr Bild, Prof. Andereggs Ergötzen, die Rettung der «Soldanella»? Habt ihr so viel Anstand, zu vergessen, daß sie dabei Haare ließ, da ihr jetzt wieder Haar auf ihrem Kopf seht, knapp gescheitelt, streng zum Knoten gezwirnt, eine komplette Bäuerinnenfrisur – seid ihr bereit, an ein Wunder zu glauben, ihr, die ihr Zeugen so vieler und größerer Wunder gewesen seid?

Ich bitte darum. Denn es könnte sein, daß ihr sie nicht mehr allzu oft seht. Auch das Undenkbare könnte sein. Seht sie nochmals an. Sie ist ein wenig blaß. Hoffentlich kommt es von der Fahrt. Vielleicht ist auch die Aufregung schuld, die Zuversicht, den Sohn irgendwo draußen im Land an der Hand eines fremden Mädchens zu treffen, ihn wiedersehend gleich an dies andere Gesicht zu verlieren, dem sie trotzdem zulächeln will, Mut zulächeln, mein Gott, was braucht dieses junge Mädchen Mut. Seht Fee an, wie sie dieses Lächeln schon versucht, kein Fältchen spart, um es recht wohnlich zu machen. Bedenkt, wie selten sie lächelt. Die Stirne ist schon stärker verwittert, als wir sie kannten, hängt schwerer über den Augen, Fees getarnten Schießschartenaugen, die den Druck heute nicht erwidern, spurhaft Rührung und Scheu austreten und in die stille Erwartung fließen lassen, die sie verdunkelt. Seht sie nochmals an, in der schaukelnden Dämmerung dieses Lieferwagens: Fee, die eherne Jungfrau, taut; ihr strenger Geist erzählt sich das Märchen vom letzten Negerlein und seinem Mädchen; Fee glaubt, daß es wieder zehne werden, zehn kleine Halbnegerlein, für die sie nacheinander das Strickzeug rühren wird. Ihre Hände freuen sich schon, feiern im Schoß einem letzten Werktag entgegen…

Es kam nicht mehr dazu. Sie saß dir gegenüber, Roland von Aesch. Du hättest sie am besten sehen können.

Verlobung auf vielen Tieren

Eine halbe Stunde fährt ein Lieferwagen zwischen Überseen und Grüningen, selbst wenn er von Herbert Frischknecht gesteuert wird; seine Kurventechnik ist gut, aber sie kann nicht besser sein als die Straße. Wer sich etwas auskannte, konnte der Straße zuhören, Ortungen vornehmen nach der Melodie, welche die Räder den Asphalt singen hießen. Hell und streng sang er durch den Kugelwall bis zu Töbelis Plastik; danach begann die Unterlage dörflich zu schüttern, wurde hinter den letzten «Berg»-Häusern wieder zügigweich und weltläufig, kam auf glatte hohe Touren, zeigte Ausfallverkehr an, der vorbeischnaubte: alles mit dem Unterton von Feuchtigkeit, dem starken Hall von Regen. Als Herbert die Motorenbremse einlegte, konnte man sich ausrechnen, daß die Forch überschritten sei, verhängtes Land sich öffne, Kirchen erschienen im gipsigen Regenweiß, eine Weite glasgrünen Landes gegen den niederen Himmel sich hob, bescheidene Bergzüge schmelzwasserfarbig in die Dämmerung abliefen. Wer sie kannte, entbehrt hatte wie ich, konnte diese Fabel von Land der Straße abhören, in die schalltote Weite, die hinter die geschlossene Blache drang, das vertraute Bild zeichnen: Bauernmalerei eines Heimwehs, das ich mir, da meines Vaters Sippe da oben gesiedelt hat, wohl nur einbilde; die waren nicht treu; was fällt mir ein, hier den Gefühlvollen zu spielen? Herbert, der Nacken, verlängert seine Regenspur, die wieder gemütlicher, umständlicher unter uns zurückrollt, in die Dörfer hinunter, die das kleine Hochland bestücken; man erkennt die Häuser am wohnlichen Echo, das sie uns geben, am Kinderjuhee, das, aus Pelerinen vermutlich, hereintröpfelt und rasch zurückbleibt. Wir sind wieder im Feld, die Straße singt mit mehr Atem, dem Atem nasser Obstgärten; in Abständen läßt sie sich herunterstimmen, nimmt den Dorfton an, jedes Dorf hat seinen eigenen, schaukelt uns an verborgenen Dorflinden vorbei, imaginären Kramläden, erschreckt uns mit einem heftigen Schlag Pfützenwassers gegen die Ladefläche. Plötzlich falle ich gegen Tobias, schiebt uns ein Ruck nach vorn, läßt Herberts Bremse Druckluft zischen, und wir hören seine Stimme hell über den weiterschütternden Motor steigen wie diejenige eines himmlischen Chauffeurs. Mit wem spricht er so? Stefan, kniend, nicht ohne zuvor die Hosenknie hochgezogen zu haben, schlägt den hintern Umhang auf. Im Spalt zeigt sich folgendes Bild: ein Neger in festlichem Schwarz, in der Hand einen Schirm mit hoher, altmodischer Wölbung, am Arm ein junges Mädchen, dessen Gesicht unter einer blauen Regenhaube verschwindet; hinter dem Paar eine steinerne Brüstung. Mittelgrund fehlt, aber den Hintergrund bildet, weit unten, ein Tobel mit regengrünem Boden, Andeutungen eines Gewässerchens, eine Gruppe von Gebäuden, vielleicht eine kleine Fabrik; rechts in der Höhe, fast schon benebelt, der Anfang einer Städtchensilhouette mit viel Riegelwerk. Stefan winkt mit zwei freien Fingern, dann läßt er den Vorhang fallen, der Lastwagen zieht wieder an. Es hört sich an, als rasselten wir unter einem Torbogen durch – ein Irrtum, denn an dieser Stelle hat nie ein Tor gestanden, wie man einer Hausinschrift entnehmen kann:

Es war kein Eingang hier zuvor
Man mußte oben durch das Tor.

Dann schwankte der Wagen, vom Häuserecho eingefangen, vorsichtig links, rollte ein Stück weit, geriet auf Kies, nochmals konnte man Herberts Nacken die Arbeit mit dem Steuer ansehen, wir wurden, fast im Schrittempo, nochmals mächtig nach rechts gedreht, und: Halt. Wir hatten Ohrensausen, vorn schmetterte der Schlag zu. Gleich darauf wurde das hintere Brett heruntergeschnallt und der Segeltuchvorhang zurückgeworfen: dahinter wurde ein Vorhang von

Regen sichtbar. Herbert, die Locken bereits triefend gedunkelt und glattgestrichen, blinzelte mit geröteten Augen herein, wandte sich dann um, stemmte die Arme ein und spreizte die Beine. Einer hinter dem andern sprang an Herberts Schulter vorbei, sprang, sich heftig anlehnend oder kurz antippend, geduckt oder lässig, in das graue Strömen hinaus, den senkrechten Fluß, der nicht abreißen wollte, den Schloßplatz verwischte, auf dem wir gelandet waren, die Aussicht, die wir wahrscheinlich gegenüber hatten, nicht aufkommen ließ. Keineswegs gewitterhaft, sondern auf die Dauer eingerichtet, mit majestätischer Stetigkeit, rauschte es auf den Schloßkies nieder, Äderchen bildend; in der Tiefe sickerten sie zusammen, bekamen, wo der Kies dünn wurde, Oberwasser, traten als flacher Strom aus und über die Schwelle zum Schloßhof, um dann Herden von sanften Wellen den städtischen Abläufen zuzutreiben. Grüningens Dolen klagten, verdauten mühsam und gut hörbar den unaufhörlichen Himmelssaft; von oben antworteten weniger vulgär die Dächer, eine behäbige Wassermusik, ein kompaktes sanftes Schmettern, das sich im Laub der Bäume etwas artikulierte, Synkopen sprach, stark betonte Silben fallen ließ. Das Ohr täuschte sich wohl, wenn es in seine Betäubung noch eine andere Musik hineinhörte, etwas wie abgerissenes Leierkastengetön.

Tobias, Herbert und ich waren freilich die einzigen, die sich dem Weit- und Breiten des Regengeschwätzes aussetzten, denn wir blieben im Offenen stehen, von der Kastanie nur vom feineren Anfall geschützt, während sie den groben mit Millionen Händchen durchließ. Tobias hatte wenigstens eine Regenhaut übergezogen, ließ sich nur das dünne Haar schwarz regnen, während Herbert jetzt einen Dreispitz aus dick gefaltetem Zeitungspapier aufgesetzt hatte, im übrigen seine schwere, ungelenke Gestalt in den Regen stellte, vor dem nebelnden Schloß aufpflanzte wie die Bildsäule eines schiffbrüchigen Admirals. Wie Herbert strömen konnte! Der Erlöser der Lie-Gruppen hatte seinen irdischen Leib in einen zu knappen mausgrauen Anzug geschnürt, ein Konfirmandenkleid, das heute weiter eingehen würde; der Rock, altmodisch tailliert, wölbte sich über Hüften und Gesäß, ließ sie gerade so fett erscheinen, wie sie waren; er schloß, drei gequälte Knöpfe dehnend, so hoch über der Brust, daß in der Nabelgegend ein Hemdspickel hervorsah: bald hatten die Wässer die geriffelte Baumwolle durchscheinend gemacht, bauchrosa verfärbt. Rasch hatte das Wasser die Hosenbeine getränkt, fand, daß es ihre Schrunden und Beulen auch im getränkten Zustande nicht glätten, hinter dem saftigen Filz kein Fleisch offenbaren konnte, mußte gewundene Abwege über Schenkel und Waden suchen, sammelte sich in den hoch angesetzten Aufschlägen und überlief langsam auf die Handballschuhe, deren Schwarzweiß-Kontrast es hob. Ich betrachtete aus frisch imprägniertem Regenmantel den triefenden Papierhutträger, Wagenlenker, Abhörspezialisten, Formulierer, Nobelpreisanwärter und Zivilstandsbeamten, betrachtete den Techniker unserer Macht, Herbert Frischknecht, der mich mit seinem Lächeln in den Sack steckte, den er gar nicht bei sich hatte, seinem guten halben Lächeln, das er aus lauter triefenden Wülsten bildete und das vollkommen trocken geblieben war – ich betrachte dich jetzt wieder, du heiliger Nikolaus von Grüningen, in der Mattscheibe meines Fensters, das noch nicht spiegeln will, und sage: ich habe dich sehr gern gehabt, ich habe mich viel zu wenig an dich erinnert, das kommt davon, weil du der ruhigste der Engel warst. Nein, er schämte sich des Elementes nicht, das denn auch an ihm ablaufen mußte, ihn nicht verkühlen konnte; er schämte sich nicht einmal mehr seiner Hände, die er knotig und verwachsen vor seinem eingezwängten Leib hängen ließ. Auch von ihnen lief's ab, kugelig fast wie vom Gefieder eines Erpels, so warm in jedem Regen blieben deine Hände. Und wenn auch diese Geschichte fast ganz von dir abgelaufen ist, Spuren deines ruhigen Fleisches, den Duft deiner kindlichen Verläßlichkeit nimmt sie mit, noch heute, in deiner Ferne, wird es mir schwer zu frieren. Denn wohin du auch verzogen sein magst, zu welchen astrophysikalischen Höhen in La Jolla oder Massachusetts, wie ich dich kenne: das Frieren haben sie dir nicht beigebracht. Sie nehmen auch deine Konfirmandenkluft in Kauf, nicht wahr, obwohl du dir jetzt ganz andere Anzüge leisten könntest. Wirst du auch auf den Mond, den sie ohne dich nicht erreichen, deinen Nikolaussack mitnehmen? Dann weiß ich, daß neben dem winzigen Sternenbanner, das du wohl oder übel aufpflanzen mußt, eine andere Flagge wehen wird: die grüningische, die regensbergische – durch kein Teleskop auszumachen, von den Russen, wenn sie nachkommen, nicht zu entfernen, aber von bloßem Auge leicht sichtbar: über einem geeigneten irdischen Waldrand zum Beispiel. Und du wirst schuld sein, du kluges fettes Kind, wenn es den Kindern nicht verboten werden kann, auch weiterhin vom Mann im Mond zu reden.

Damals in Grüningen sahen wir nicht so weit; sogar der Goßauer Kirchturm lag hinter dem Regen. Auch wollten nicht alle naß werden wie Herbert, Tobias und ich. Stefan, beispielsweise, hatte seinen Knirps schon halb aufgerüttelt, als er, Herbert schwach berührend, vom Wagen sprang; ich bin sicher, daß ihn kein Tropfen getroffen hat. Monika, von Tobias um Schirmbegleitung geprellt, ließ Roland von Aesch bei sich unterstehen und nahm gegen das Wetter seinen Arm, der zu verstehen gab, es könne sich nur um eine Leihgabe handeln. Mathis Kahlmann stand, vom Regen gebeugt, neben Fee, die ihn, aufmerksamer als sich selbst, mit ihrem Schirm bedeckte – es war derjenige mit der Hornkrücke, der einmal drei Negern Raum geboten hatte. Dennoch geizte Mathis mit diesem Raum wie eine wasserscheue Krähe, wendete seinen hohlen Rücken hierhin und dorthin, hatte sich sein Gossenmäntelchen fester geknüpft und den Kopf, soweit er ihn nicht in sein bißchen Schulter zog, unter einem Stück Filz versteckt. So zerfielen wir in eine Gruppe, auf die es geräuschvoll trommelte, und eine, die in aller Stille naß wurde, wußten anfangs nicht weiter, besichtigten mit den Augenwinkeln das baulich stark verkümmerte Schloß; dann setzten wir uns doch in Bewegung, folgten den Wasserläufen ins Städtchen, das in zwei ordentlichen Reihen viel Fachwerk zur Schau stellte, aber alle Grüninger verschluckt hatte; einzig rechts bei der Ecke, wo die Straße einmündete, auf der wir gekommen waren, wartete ein einzelner Regenschirm auf doppeltem Ständer, einem schwarzen und einem blauen. Wenn uns ein Helikopter beobachtet hätte, aber der würde bei diesem Wetter kaum Flugerlaubnis bekommen haben, so hätte er drei Schirme und drei Krümel die kurze Schloßrampe hinabschwimmen sehen (denn der Asphalt mußte aus der Sicht eines Helikopters flüssig scheinen). Langsam, dann schneller treiben Schirme und Krümel einem einzelnen vierten Schirm zu, die Krümel haben bessere Strömung, umringen den einzelnen Schirm, wobei alle Schirme in ein selbst aus großer Höhe erkennbares Schwanken geraten, schwanken eine Weile gegeneinander, verschieben sich an Ort, lockern allmählich die Umringung, scheinen nicht weiter zu wissen, Flaute zu haben, auf einen günstigen Schirmwind zu warten. Plötzlich gerät ein Krümel in Bewegung, er scheint durchsichtig, ein Pantoffeltierchen, wandert ab in die lichte Weite des Städtchengemäuers, wo es am dicksten gemauert ist, wandert östlich, wenn die Bordinstrumente stimmen, bewegt erst einen andern Krümel, dann einen Schirm, sich aus dem Klumpen zu lösen, lockert und öffnet die Schirmversammlung vollends und zieht sie geöffnet hinter sich her. Sie treibt, ein kleiner Umzug mit wechselnder Ordnung, gegen die Mitte des Städtchens und beinahe zum Städtchen hinaus – aber hier lassen wir den Helikopter abdrehen, Richtung Goßau oder sogar Rapperswil, denn man muß den Anblick, der sich den Schirmen und Krümeln bot, vom Boden aus erlebt haben.

Tobias, der uns zehn Schritte vorausging, eben das Grüninger Gemeindehaus, einen Bau aus unserem Jahrhundert, aber mit altertümlichem Walmdach, passiert hatte, blieb stehen, pfiff leise auf und wollte die Hände in die Tasche stecken, brachte sie nicht unter seine Regenhaut und legte sie daher auf dem Rücken zusammen.

Jetzt sahen wir es auch. Auf einem offenen Platz, der die Tiefe der nordwärts gelegenen Städtchenhäuser hatte, eine kleine Terrasse ins Offene der verhüllten Regenlandschaft bildete, stand ein Karussell. Ja, es stand; seine milchweißen Gäule taten keinen Wank, die Rappen waren im Fluge erstarrt, das Feuerwehrauto brannte sein zündendes Rot an Ort ab, die Kutsche, die sich bei Fahrt wiegen konnte, wiegte sich nicht. Der Karussellzwerg auf dem Dachknauf wandte uns unerschütterlich seinen Rücken zu, obwohl wir ihm nichts getan hatten und er von Goßau auch nichts sehen konnte. Die dunklen Flecken auf dem Segeltuchdach wuchsen fast im Zusehen. Die ganze Buntheit schwamm halb verwunschen, vollkommen einsam auf weiten Pfützenfeldern, auf denen die Regengeister hüpften, plusterte sich reglos, eine geile, unerschwingliche Blüte; sie schien Tobias tief zu rühren. Wir hatten uns also nicht getäuscht: von hier hatte es geklungen, hier, hinter Pferd und Kutsche, schimmerte die Orgel; sie hatte eine Weile gegen den Regen angesungen und war dann, als der Regen das Wort nicht abgab, Grüningen sich nicht rührte, verstummt. Vorn an der Straße war eine Bude aufgeschlagen; darin saß eine ältere Frau hinter einem kaum abgewetzten Felsen türkischen Honigs und hütete Magenbrot teils offen, teils in rosa Tüten, und ächte St. Galler Biberli. Sonst schien keine Menschenseele über den Platz zu wachen; erst wenn man genau hinsah, unterschied man im Schatten des Karussell-Elefanten eine Figur, die weniger bunt gestrichen und also vielleicht menschlich war. Sie bewegte sich nicht, hob kaum den Kopf, als Tobias, von uns andern zögernd gefolgt, über den Sumpf auf sie zuwatete; es war ein älterer Mann mit zerknittertem Gesicht; er ließ seine Beine vom Rand hängen und gab durch die Art, wie er Tabaksaft aus dem Mundwinkel vor sich hin spritzte, zu verstehen, daß ihm das Leben heute kein Vergnügen machte.

«Schlechte Geschäfte», sagte Tobias. Der Mann brummte nicht einmal. Er sah Tobias bloß kurz an. Die verregnete Gruppe dahinter wie in einem italienischen Film.

Herbert brachte ihn dazu, daß er nochmals aufsah. Er drehte nämlich das Karussell ein ganzes Stück weiter, holte den Mann heran. Er kam nun unmittelbar vor Herbert zu sitzen. Es gehörte viel Geschicklichkeit dazu, nochmals zu spucken. Aber er tat es. Dafür sprach er dann.

«Was wollen Sie eigentlich?»

«Fahren, bitte», sagte Herbert Frischknecht. Der Mann sah ihn an. Dann zog er sich an der Stange hoch.

«Einen Moment», sagte Herbert. «Was verdienen Sie in der Stunde, an einem guten Sonntag?»

Der Mann blickte kurz zurück. Dann drehte er sich wieder um. Herbert zog eine Hunderternote aus der Tasche.

«Ich gebe Ihnen das», sagte er, «wenn Sie uns allein fahren lassen. Gehen Sie so lange an die Wärme. Ich bin Physiker an der ETH. Ich kann das Karussell bedienen. Zeigen Sie mir die Handgriffe. Ich garantiere, daß nichts kaputt geht.»

«In die Hand?» fragte der Mann und kam näher.

Herbert reichte den Schein hinüber. Der Mann nahm ihn vorsichtig und betrachtete ihn beidseitig.

«Und wenn Kundschaft kommt?» fragte er mißtrauisch.

«Dann ziehen wir das Geld ein», sagte Herbert. «Es gehört Ihnen auf Franken und Rappen.»

Der Zerknitterte musterte uns nochmals, Gesicht um Gesicht. Dann ging er durchs Karussell zu den Schaltern. Herbert folgte ihm.

«Da ist die Musik», sagte der Mann. Und da war sie auch. Mitten im Takt blökte sie los, klagte mit hölzernen Zungen, tangelte, tingelte, brach in eine purpurne Fanfare aus, Hohngelächter über das Stücklein Melodie, das da falsch-zartsinnig kommen sollte, schmetterte alles zu einem hastigen Tutti zusammen. Monika trat es mit dem Fuß mit, identifizierte es liebevoll.

«Los», sagte Tobias. Da klappte der Neger Sylvester seinen Schirm zusammen, nahm seine blaue Begleiterin auf den Arm, trug sie ins Karussell und bettete sie in die Schaukel, die gleich zu wiegen begann. Das erste war, daß Sylvester seiner Figur das Band unter dem Kinn aufnestelte, das Regenhäubchen abhob und ihr viel braunes Haar aus der Stirne zurückstrich. Die Figur: so hatte sie Tobias genannt. Mit dem Haar hatte es seine Richtigkeit. Es knisterte, vom Drucke befreit, hoch auf wie Hahnengefieder; aber vielfarbig war es nicht, auch nicht die Summe vieler Farben; anders als braun konnte ich es nicht finden: brauner, gesponnener Zucker; vielleicht lag es am Regenlicht. Von Roßschwanz keine Rede. Ohren dagegen hatte sie, und nicht zu kleine; daß sie anlagen, konnte man gelten lassen. Das Gesicht mußte, seit Tobias es geschildert hatte, aufgegangen sein; ein bißchen zu voll, vor allem beim Kinn, in dem ein plastischer, stark roter Mund zitterte, lag es auf dem blauen Regenmantel. Ich hätte «Schweinchen» zu dem Gesicht gesagt, wenn nicht die Augen gewesen wären, raffiniert zurückgebliebene Augen, etwas starr und schmollend im Blick, der sich unglaublich langsam in die Runde drehte, ein blau verglastes Suchlicht. Sehr hübsch und lebendig fand ich dagegen Sylvester. Ich sehe noch die weinrote Socke im Schuh, den er erwartungsvoll, im Sitzen sprungbereit, bis zum Huf des nächsten Pferdchens vorgeschoben hatte; von den Knien an war sein ganzer handlicher Körper zu Nell hinübergelehnt, sprach nervös und behutsam mit dem ganzen Rücken, lächelte mit den Schultern, drehte den Kopf wie ein Wiedehopf, doch nur, um ihn aufs entschiedenste wieder über Nells Gesicht zurückzudrehen; jetzt legte er den Arm auf ihre Rückenleiste. Sie lag von seiner Aufmerksamkeit umringt wie eine flache blaue Schale, aber ich hatte das dumme Gefühl, daß sie leck war, sich nicht füllen lassen wollte, heimlich einen Buckel schmiegte und seine Wärme abfließen ließ; die weiße Hand, die in seiner schwarzen lag, wirkte tot auf mich, schwamm wie ein billiges Thermometer, dessen Skala zu Ende ist, ganz oberflächlich auf seiner Negerliebe, fand sie übertrieben, ungesund für ein Puppenbad.

«Träumst du, Klaus?» fragte Tobias von seinem Elefanten herab. Er hatte das durchsichtige Hemd nicht ausgezogen. «Komm herauf, wir machen Musik.» Die «Blaue Donau» spritzte auf, betäubend und grell verfärbt; das Karussell zitterte, dann löste es sich aus seiner Feststellung, begann sachte zu drehen, das Wasser auf dem Dach geriet in Bewegung und strähnte, wie von der Kuh gepißt, dicht neben meiner Schulter auf die Erde. Ich rettete mich mit einem Sprung auf die Karussellplattform, hielt mich, um der allmählich anziehenden Fliehkraft Herr zu werden, an der Feuerwehrleiter, drehte schon an Fee vorbei, die gerührt lächelnd im Regen stehengeblieben war, es war nur noch die halbe Rührung, den besseren Teil hatte sie an die Kutschenwiege verausgabt, die zwei Gespanne vor mir sich drehte, drehte schon an der Gemeindehausfront vorüber aufs Leere zu. Das Karussell war so aufgestellt, daß es mit einem Segment in der Luft schwebte. Ich drehte der Kutsche nach in die Regenfreiheit hinaus, die sich unten in nebligen Baumgärten tummelte, drehte wieder landeinwärts, spürte wieder, trotz Donauwalzer, das verläßliche Bodenecho unter dem Fußbrett, drehte jetzt vor der Orgel durch, die mir mächtig blechernen Atem zublies, sah innen Herbert, unbewegt, neben dem Orgelmann stehen, der unsere Volte prüfte wie ein Reitlehrer, sah die beiden sich ins Profil drehen und hinter einer Orgellamelle verschwinden, sah dafür, mich rasch wendend, den letzten Augenblick von Fees Rührung wieder; auch Fee mit ihrem Platz drehte ab, wir bogen in weicher Kurve wieder der Weite zu, hörten die Orgel von fern her, ein Donaugeschrei aus dem Landinnern, ließen uns gehorsam wieder heranziehen, kräftig anorgeln, die Grüninger Kulisse wieder weggerissen werden im Fahrtwind, in den sich von den Feldern herauf ein Pfiff Regenwind mischte. Schon hatte Tobias' Umhang Segel gesetzt, blähte ihn hoch auf, größer als seinen Kinderelefanten, überm Hinsehen schrie mir wieder die Orgel ins Ohr, und da war Fee schon zum dritten Mal vorbei. Man weiß, wie die Sensationen umschlagen: jetzt war das Karussell mit seinen Pferde- und Tobiasköpfen ein ruhender Pol, eine feste Konstellation, ein Heerzug von unerschütterlich Berittenen, an dem Grüningen vorbeistürzte; gleich darauf, ins Leere gekippt, hielt die Landschaft an, gab uns fast mit einem Ruck zu spüren, daß *wir* uns drehten; doch das hielt nicht lange vor; wieder auf Grüningen zuschießend, fuhr uns der Gegenruck in die Knochen, wir standen im Orgelgetöse und katapultierten Grüningen zurück, Fee unterm Schirm vorbei, auch die Orgelachse spulte mit ihren Glühlampenzeilen in unserer Mitte, kurbelte sich eilig gegen unser Gedärm ab. Um nicht an Gedärm zu denken, zwang ich meine Augen, von der Drehung des Karussells zu abstrahieren, es als festen Raum zu betrachten, prägte mir die Gruppen ein, die hier, alle in Fahrtrichtung wie auf einem klassischen Fries, hintereinander standen und den Wind auf ihre Gesichter zogen. Stefan, an der Spitze des kleinen Zugs und mir gerade noch sichtbar, war ordnungsgemäß beritten, hatte sich einen Rappen in Ponygröße angeschafft, der aber weiß Gott wie ein richtiger proportioniert war, den flachen polierten Hals warf und tiefrot nachgezogene Augen rückwärts rollen ließ. Der Steigbügel, leider, konnte Stefan sich nicht bedienen, sie baumelten kindlich hoch; es bereitete überhaupt Schwierigkeit, mit Anstand auf dem Rennerchen zu sitzen, das zwischen Stefans Schenkeln verschwand, aber er schaffte es, markierte den Feldherrn mitten im Zuruf, indem er, hoch aufgerichtet, die rechte Hand auf den Haltegriff neben des Hengstleins linkes Ohr stützte und, kühnlich nach außen gewandt, die linke Hand mit heiklem Griff den hölzernen Hinterschinken fassen ließ: eine sichere Pose, die das Format des Tierchens vergessen machte und Eberhard den Greiner oder Henriette von Mömpelgard aus dem Geschichtsbuch hervorrief. Dahinter, viel niedriger und gebuckelt wie der Affe im Rennauto, Matthias Kahlmann auf seinem Krokodil; das Staubmäntelchen riß wehend an seinem gestreckten Hals, sah schon ganz trocken aus, und mit den Händen, den kostbaren Bildhauerhänden, faßte er dem Tierchen ins Maul, hielt sich an zwei Zähnen fest, die es sich zu diesem Behuf hatte stehen lassen, und hatte offenbar keine Sorge, daß es zubeißen würde, obwohl er, wie immer bei starken Erlebnissen, dem Zugwind seine sorgenvollste Miene entgegenhielt. Hinter diesem Vortrab zog die Kutschenwiege heran, das zärtliche

Hauptstück mit seinen zwei verschieden dunklen Köpfen, die, wenn Roland sie schaukelte, nach vorn kippten oder rückwärts gehoben Nells und Sylvesters Figuren stark verkürzt nach sich zogen, eine Lache Regenmantelblau und ein Paar rührend gestreifter Hochzeiterbeine, die sich, ich sah es selbst aus diesem Winkel, nicht ganz ruhig halten konnten.

Ja – Roland machte, hinter der Kutsche stehend, den Pagen. Seine Haltung war nicht *comme il faut;* er stand auch etwas schräg, bewegte die Kutsche beileibe nicht mit den Händen, die hielt er in den Hosentaschen, sondern mit einem Fuß, den er irgendwo, an verrenktem Bein, im Untergestänge fummeln ließ; es war eine indiskrete, ja unverschämte Artigkeit, sie stimmte zu dem wölfischen Lächeln, das an Rolands Lefzen hing, und es gefiel mir nicht. Ich schreibe keinen Kriminalroman, ich brauche meine Winke nicht zu verschlüsseln. Tiger, mein Tigerlein, das Wolfslächeln reizt dich, ja duck dich nur, sei nicht von Plüsch. Bald laß ich dich springen.

Hinter der Hochzeitsgruppe, mit gutem Blick auf dieselbe, ritt Tobias seinen Elefanten, ritt der liebe Satan mit gestreckten Füßen, die nur gerade mit den Spitzen den Boden berührten, und sein Plasticbuckel blähte sich zum Bersten. Dann zwei ledige Schimmel, barock und wie mit Speck abgerieben; dann ich, immer noch an meine Leiter gelehnt. Während Herbert vor seinen Schaltern an mir vorbeibrauste, Birnengirlanden, der zweite Satz des Donauwalzers, schon wieder Herbert in leicht veränderter Stellung, überlegte ich mir, ob ich meine Glieder in das Feuerwehrauto brächte, das zu der Leiter gehörte, entschied mich, es zu versuchen, fädelte meine Füße ein, die kleine Pedale fanden, verstaute mit fürchterlicher Anstrengung meine Knie neben dem Steuerrad, machte endlich als Feuerwehrmann die Jagd mit, sah auf und gerade in Fees herzliches Winken hinein, das sofort vorüberflog. Ein paar Schritte weiter stand der Karussellmann, prüfte unsere Karussellbräuche von außen, wurde stehend abgeschoben; wieder, an zwei lackierten

Schimmelschweifen vorbei, der Blick ins Nirwana, aber auch das Nirwana drehte ab wie beim Tiefflug, die Tropfen, die vom Dach sprühten, fanden schon wieder Boden, der sie schnalzend entgegennahm, Fee schien schon ein Stück weiter weg, der Karussellmann hatte sich abgewandt, der nächste Umgang, o knallblau prickelnde Donau, hatte ihn schon ein paar Schritte weitergescheucht; daß er überhaupt gehen konnte, sein Gleichgewicht behielt auf der Drehscheibe dieses Platzes, aber seine Vorsicht schien nur den Pfützen zu gelten. Wie sicher saßen wir dagegen in unserem Zoo, wie schön, daß das Feuerwehrauto zwischen Pferden seinen Platz hatte, Schritt halten durfte, kein Blaulicht blitzen zu lassen, nicht zu überholen brauchte, selbst die Hupe, die ich dicht an der Donauquelle erschallen ließ, hatte keinen Wunsch, diente nur der Selbstverständigung, dem Kontakt mit dem Elefantenteufel Tobias, der seinen Kopf, soweit die Blase ihn ließ, mit einem kurzen Lächeln zurückdrehte. Es schloß mir die Augen, drei Runden behielt ich sie geschlossen, ließ dreimal die Donauwelle anbranden und sich brechen, beim drittenmal war der Karussellmann schon an den Rand des Platzes gerückt, ließ nichts hinter sich als eine wandernde Breite von braunem Lehm, ließ ein schwarzes Kabel liegen, das sich in Bögen zum Gemeindehaus hinüberwand, da und dort in hüpfenden Lachen unterging, Wasserschlange spielte, am Gemeindehaus emporkroch und in einer Fensterecke des Parterres verschwand. Vielleicht reichte dort ein vergessener Schreiber der Schlange Milch, von keiner amtlichen Stelle geprüften Zaubersaft, der sie ermächtigte, das Karussell weiter zu nähren: nochmals tausend Jahre; tausend flogen wir schon. Beim nächsten Mal war der Karussellbesitzer richtig um die Grüninger Ecke verschwunden, der Film weitergerückt, auch Fee winkte schon im Kleinformat; noch zwei Drehungen, und wir hatten sie über den Horizont gewischt, ließen sie schiffbrüchig noch etwas winken, gewannen die offene Regensee mit ihrem unaufhörlichen Donaugeläut.

Die Spuren von Übelkeit begannen ruhig zu schwimmen,

hatten die Bezugspunkte verloren, um die sie sich sammeln konnten; das bißchen Grüningen zählte nicht, war federleicht geworden, schwamm wolkenhaft mit; wir drehten so spielend, als ständen wir still. Die Donau war abgeebbt, schlagartig, Gott wußte wohin, keine neue Melodie erreichte uns mehr, selbst Herbert war an Bord gesprungen, kam, den halb zerflossenen Admiralshut am Ohr, mit zwei Apfelschimmeln auf mich zu, würde mich niemals erreichen. Nur das leise verläßliche Knarren des Takelwerks ging noch mit uns, das gleichmäßige Lied des Holzbodens; der schüttere Vorhang des Regens glitt von allen Seiten wispernd zusammen. Die Pferde, die schwarzen, weißen und roten, rollten ihre komplementärfarbigen Augen bewegungslos; mitten im Aufbäumen hatte ihre Körper der Stillstand gepackt; ihre Flattermähnen starrten im Sturm völliger Ruhe. Die Reiter, die Begleiter, die Fahrer schienen zu schlummern, sie waren nie wacher gewesen: Stefan von Mömpelgard, Tobias in seiner Fruchtblase, ich im Feuerwehrauto und Herbert der Admiral. Einzig von der Schaukel her schlich sich eine leise, stechende Störung ein: Roland konnte seinen Fuß nicht ruhig halten, ich fühlte, wie er nach der Schaukel trat, die undichte Stelle unseres Glücks abtastete: vielleicht fühle ich es auch erst jetzt.

Das Schweigen der Orgel konnte nicht ewig dauern. Ich flog gerade wieder gegen Goßau, als sie hinterrücks neue Töne zu bilden anfing; beim ersten Paukenschlag war ich auf ihrer Höhe. Es war eine stolze Grellheit, die ich als «iii» hörte und davon die Worte zurückbuchstabierte: Allons, enfants de la... Es war die Marseillaise, das heilige Schreckgeläut unserer Vorväter, der neue Herzschlag im frühen Rot. Ich buchstabierte schnell, um für das große schreitende fahnenüberflatterte Pam – pa – bamm wieder vorn zu sein, da war es schon, scharf am Ohr vorbei, riß mich aus dem Feuerwehrauto: das Löschen war mir vergangen, ich wollte brennen und brandstiften! Das Karussell lief mir plötzlich zu ruhig, ich wollte ihm ein paar Meter abkaufen, lief in Fahrtrichtung Stange um Stange ergreifend und hinter mir lassend an Tobias' Elefanten vorbei, vorbei an der Kutsche der Verlobten, nahm ungern zur Kenntnis, daß Nell Rüfenacht, während Sylvester ihre Hand studierte, emporlächelte ins Wolfslächeln ihres Bewegers, der die Kutsche antrieb wie ein zweifelhafter Zahnarzt seinen Bohrer, hangelte weiter zu Stefan Sommer, den ich mit einem neuen Paukenschlag zusammen einholte; Stefan, der Reaktionär, markierte ihn ironisch mit einem Schlag auf den Pferdehintern. Schon hatte ich eine halbe Runde auf mein Feuerauto gutgemacht, sah sein Heck andersherum züngeln, da gelang mir eine traurige Entdeckung: Monika. Natürlich, Monika; wo war sie die ganze Zeit geblieben? Auf der abgewandten Seite hatte sie, in ihren Schwan gebeugt, unsern Zug angeführt, und beinahe in Tränen? Die Verbrüderungsgeräusche flüsterten mir zu, mit einem Finger über Monikas kompaktes Haar zu fahren, sie sah etwas blind auf und sehr dankbar, ich begriff, daß ihre Bodenlage von Seelengröße eingegeben war: sie hatte sich in den Schwan verkrochen, um Nell die Bühne zu überlassen, eine andere Rolle als die der Unglücklichen war nicht mehr frei. Ich hätte mich gern ein wenig verweilt, mich vielleicht sogar in den Nebenschwan gesetzt, aber solange die Marseillaise in der Luft lag, galten Gefühle nicht, hatten Tränen nichts zu besagen: le jour de gloire est – ar – rivé! Ich war nur noch zwei Gespanne von der Feuerwehr entfernt, da sprang der Admiral in seinem Konfirmandenanzug quer durchs Karussell und trug einen Galgen auf dem Rücken. Schon im Absprung schlug ihm der Wind den Hut vom Kopf, pappte ihm der Regen die Locken wieder fest und begann sichtbar aus seiner Hose zu laufen: er achtete es nicht. Wie jene amerikanische Gruppe auf Iwo Jima das Sternenbanner, rammte er seinen Galgen in den Lehm; ich sah ihm nach, wie er sein Gewicht an den Pfahl warf, der darunter nochmals, nochmals ein bißchen nachgeben mußte, dann nahm mir der Karussellschaft die Sicht weg; als ich sie wieder hatte, stand der Galgen schon und zielte mit seinem Arm nach den Pferdehäuptern. Achtung, die Aristokraten! Noch war die Marseillaise nicht zu Ende, noch saß Stefan allzu vornehm auf seinem Schwarzen; ich hatte mein Feuerwehrauto im Sprung erreicht, drückte meine Hupe schräg in das jakobinische Freudengeschmetter hinein, rief Feuer aus, mehr Feuer, Feuer in fürchterlichem Stakkato. Aber Herbert, die gute Seele, hatte alles gar nicht so gemeint. Triefend war er wieder aufs Karussell gesprungen, ließ den Hut grau werden in der Pfütze, streckte dafür seine Hand nach dem Galgen aus und schwupp! hatte einen Ring daran. Es war ein blecherner. Im Karussell fing es an, sich zu regen. Die Marseillaise verstummte: hiermit hatte sie nichts zu schaffen. Ringe! Man sollte also wieder die Hände gebunden bekommen. Ich nahm in meinem Feuerwehrauto Platz und hupte Protest, kam aber nicht gegen die «Wiege im Böhmerwald» an, die sich die Orgel, das melodramatische Ungeheuer, in diesem Augenblick einfallen ließ und heulend vor Herzweh, mit viel unnötiger Luft, durch ihre versilberten Röhren blies. Monika, natürlich, hatte sich jetzt erhoben, aber ihr Finger war weniger geschickt, fuhr durch den Regen am Ring vorbei: mit Ringen wollte es Monika nicht geraten. Um so sicherer zupfte Stefan, sich kaum über den Rappen lehnend, den spröden Ring heraus und schüttelte ihn über den Finger zu den andern, Blech zu Platin. Matthias' Bildhauerfinger hatten keine Mühe mit dem nächsten, hätte auch keiner Mühe verlohnt: wieder Blech. Bei der nächsten Runde, die Monika endlich Blech eintrug, hob sich auch Tobias aus den Bügeln seines Elefanten, kam Matthias übereifrig von seinem Krokodil herab: Blech und wieder Blech; ich konnte mich nicht entschließen, mein Auto zu verlassen. Wieder stach Monika, stach ihren zweiten Ring, machte sich zur Witwe, immer in Blech; Herbert, der Galgenbegründer, hätte beinahe den Galgen mitgenommen, behielt aber auch nur Blech in der Hand. Der Galgen zitterte; eine Andeutung Gold zitterte mit. Tobias hatte seinen Griff versäumt: da schnellte Roland von Aesch hinter seiner Kutsche hervor und hielt Gold in den Händen, Karussellgold, aber immerhin. Mit irgendwelchen lächelnden Worten – der Böhmerwald verschluckte sie – beugte er sich vorwärts über die Kutsche, neigte die Kutsche gleichzeitig zu sich rücküber, klaubte den Ring über den Finger der Goldschmiedin, den sie ihm gestreckt und mit verdrücktem Mündchen hinhielt, und Sylvester strahlte dazu, sandte, etwas seitwärts rückend, dem Ringspender eine ganze Breitseite seines Glücks hinauf. Herbert stieg durch den Zoo, sammelte die Ringe wieder ein, aber nur die blechernen, und füllte sie unter neuerlichen Regenduschen wieder in den Galgen. Er hätte sich die Arbeit sparen können, niemand stach mehr danach, hatte Lust auf weißes Blech, wo man das gelbe an Nells Finger wußte; der Galgen zog unberührt vorbei, verlor nichts als von Zeit zu Zeit einen dicken Regentropfen.

Eigentlich war es noch zu früh, eigentlich war es nicht grauer geworden, als es ohnehin gewesen war; aber Herbert, der ohne Spielsachen nicht lange sein konnte, schaltete jetzt die Beleuchtung ein, forderte dem Kabel stärkere Nahrung ab; milchig und ohne viel Wirkung zogen die Birnenkolonnen vorbei, brannten die Girlanden unter dem Samt und nötigten den Glasperlen, den Metallteilchen, die in den Samt gewirkt waren, schwache Reflexe ab. Immerhin: ein beleuchtetes Karussell macht Abend um sich her. Die Pferde, Krokodile, Elefanten und Schwäne zogen eine Spur festlicher, erzeugten die Illusion absurder Wohnlichkeit, rückten die Grüninger Kulissen ferner, ließen den Regen unglaubwürdiger werden. Man hatte unterdessen den Drehsinn im Blut, war des Karussells so sicher geworden, daß man anfing, von den Tieren zu steigen und sich die Beine zu vertreten. Stefan und Roland trafen sich beim Schlendern, lehnten an die Apfelschimmel «schweigend ins Gespräch vertieft», wie es im Lied heißt und worin ich nie etwas Unsinniges habe finden können; Herbert hatte den Rest seiner Zeitung, den Inseratenteil, aus der Brust gezogen und las sie, immer wieder das Blatt glatt schlagend, auf dem Krokodil, das Matthias verlassen hatte, um sich im Takelwerk des Karussells zu tummeln: vermutlich fror es ihn. Tobias aber machte sich am meisten Bewegung. Zwischen dem Dschungel von Stangen und Tieren durchschlüpfend, versuchte er

Platz zu halten, der Drehung Paroli zu bieten; eine Weile gelang es ihm, dank guter Beinarbeit, guter Ausnützung des Geländes, auf der Höhe der Orgel zu bleiben, die ihn mit «Heinzelmännchens Wachtparade» ermunterte; dann, sei's weil Herbert hinterrücks das Karussell schneller laufen ließ, sei's aus natürlicher Erschöpfung, fiel er zurück, mußte die Strömung stärker werden lassen und fiel endlich, in der Nähe von Monikas Schwan, wieder in den Zug zurück, der ihn rasch forttrieb. Für Monika war er trotzdem ein Held; sie sah zu ihm auf, wie er schwer atmete, aber es war ihm nicht nach Lohengrin zumute, er wünschte sich nicht an die Stelle des Schwans, stützte sich nur kurz auf und schlenderte mit dem Fluß weiter.

Über allem gab die Orgel her, was sie hatte: O sole mio, Tea for Two, ein Potpourri aus Rigoletto und mit zarterem Ton einen Gospel Song. Diapason und Vox celestis waren gerüstet, eine ganze Kirchweih zu überstimmen, begegneten heute keiner Einrede als dem rieselnden Schweigen eines Grüninger Regennachmittags, mußten sich in der Leere austoben, ein Platzkonzert, dem der Platz sich entzog. Es half unserem Karussell nicht viel, daß es Farbe wechselte, seine Melodien in Gelb oder Rosa spielen ließ, den Gospel Song zum Beispiel in starkem Lila absolvierte: wir zählten die Farben, nannten die Töne nicht mehr, der Rausch der Fahrt war erblindet, das Läuten in unseren Ohren drohte in Überdruß umzuschlagen, wir hatten die Tiere überanstrengt, das Karussell erschöpft, Grüningen dem Boden gleichgemacht. Es wurde Zeit. Gut also, den Donauwalzer noch einmal: Mathis kam herunter, Monika hervor, Herbert herbei, wir scharten uns alle zusammen um die Wiege, die viele Runden lang pagen- und herrenlos, nur vom Glück gewiegt, herumgegangen war, und gaben ihr das Abschiedsgeleit. Nur nichts auspendeln lassen! Mit dem letzten Ton zog Herbert die Karussellbremse, daß wir uns festhalten mußten, die Wiege das Pärchen, immerhin nicht ohne Zögern, ausschüttete; die Illumination ging aus, und wir taumelten, entzaubert, vom plötzlichen Stillstand erschüttert, von den Brettern, die uns zwei Fuß vom Boden entfernt und den Tieren verschwistert hatten. Die zwei Fuß waren kein Kinderspiel. Plötzlich prallten wir gegen die ungewohnte Ruhe der Erde, reagierten wie aufgezogene Kreisel darauf, hatten Abdrift, verliefen uns, beherrschten die Schirme so wenig wie die Füße und fanden uns endlich in der Weite des Platzes zu einer zerrütteten Gruppe zusammen. Hinter uns glomm, stärker grau als das übrige Grau, das ausgebrannte Karussell. Fest wurden wir erst wieder vor dem türkischen Honigstand; sein nacktes Licht versammelte uns, weckte uns, erinnerte an die goldgelbe Zeit, als die «Soldanella» noch ein Drittklaßwaggon gewesen war. Hinter dem Magenbrotberg kaute Fee mit der Besitzerin und dem Karussellmann selbdritt Magenbrot, war über und über von Magenbrot beschienen, und die tapfere Rührung, mit der sie uns in die Gesichter blickte, einem nach dem andern und dem blau- und schwarzen Pärchen am längsten, erlaubte uns, anzuknüpfen, das Grüninger Pflaster wieder herzhaft zu betreten, Lust zu einer Heimkehr zu haben. Wo Fee saß, da zogen Küchendüfte von Heimat auf, roch die «Soldanella» nach Immergrün und Bohnenkraut: in Fees Nähe hatte es Aussicht, wenn man sich verlobte. So gruben wir sie sehr sorgfältig aus dem Magenbrotberg aus und führten sie langsamer, als es ihren siebzig tüchtigen Jahren entsprach, langsam vor Freude zum Wagen im Schloßhof zurück.

Herbert fuhr wie ein Gentleman. Nell an Sylvesters Schulter blieb praktisch unerschüttert.

Angebohrt!

Ich war zwei Monate wieder im Internat zurück, bei meinem alten Fräulein, dem Lehrer Schläpfer und dem früh eingerückten Herbst; ich hatte kaum meine Bücher wieder aus der Reihe genommen und noch nicht einmal das Lärchen-Eschenwäldchen besucht, da machte mir die gute Luft Kopfweh. Kopfweh, das ist sonst keine nennenswerte Sache, auch keine langwierige; meins hielt sein Spiel durch, war gekommen, um zu bleiben, setzte die Beschwichtigungsversuche erst des Fräuleins, dann der Frau Direktor, die auch als Krankenschwester dilettierte, schachmatt; selbst der Dorfarzt, dem man mich vorstellte, wußte nicht weiter: mein Kopfweh ging auf die Mittel, die er zu verschreiben hatte, nicht ein. Ich wußte damit so wenig anzufangen wie meine Hüter, war sogar merkwürdig außerstande, vernünftig und zusammenhängend davon zu reden. Und doch, in lichten wie auch in schmerzhaften Momenten wußte ich, daß es zu mir gehörte, daß ein vertrauter Finger an meinen Hinterkopf – meist an den Hinterkopf, seltener an die Schädelhöhe – klopfte; ich war ein heimlicher Anhänger meines Kopfwehs, wußte mich mit ihm im Bunde, hatte aber keinen Schimmer, wogegen oder gegen wen. Ich hoffte nicht, daß geradezu mein Absterben auf dem Spielplan stehe, stellte immerhin fest, daß der Arzt der Kantonshauptstadt, zu dem man mich weiterschickte, meine Reflexe zwar obenhin leger, aber doch mit einer gewissen Dringlichkeit prüfte, deren Symptome mir nicht entgingen. Etwa schluckte er leer, nachdem er mich mit geschlossenen Augen und gestreckten Armen an Ort hatte treten lassen und zusehen mußte, wie ich mich fast im Halbkreis von ihm abdrehte: dieses Schlafwandlerstück schien er mir medizinisch so übelzunehmen, daß er persönlich ganz besonders herzlich zu mir wurde. Besonders intensiv erkundigte er sich nach meinen Augen. Ob ich beim Lesen leicht müde würde? Ich antwortete, augenblicklich schenke ich mir das Lesen überhaupt. – Aber *wenn* ich läse? – Dann würde ich wohl tatsächlich rasch müde: deshalb sehe ich ja vom Lesen ab. – Ob ich Mühe habe, mich zu konzentrieren? – Freilich. – Ob es mir auch nicht immer ganz leicht werde, den geraden Weg zu finden? – Hier wurde ich wahrscheinlich rot und empfand die besondere Neugier dieses Menschen allmählich als unverschämt. Aber er meinte es durchaus nicht christlich, sondern konkret: ob ich manchmal links oder rechts in einen Gartenzaun laufe, ich wisse nicht, wie? ob ich Gleichgewichtsstörungen habe? Ich suchte mich zu erinnern. Dann sagte ich: Ja; als ich damals vom Karussell stieg, da habe ich allerdings Gleichgewichtsstörungen gehabt. – Ich sagte es so vor mich hin – und am Echo, das mein Unterbewußtes einschaltete, merkte ich plötzlich: ich hatte getroffen, ich war meinem Kopfweh auf die Spur gekommen. Genau seit der Karussellfahrt verfolgte es mich; ich hatte mich seither nicht an den Boden zurückgewöhnt, genauer: das Karussell drehte in meinem Hintersinn weiter, und da der Hintersinn ein Organ haben muß, nahm er meinen Hinterkopf dazu. Es war eine Erleuchtung, und ihr Blitzlicht holte noch andere Halbbilder oder verschüttete Reflexe aus dem Dunkel. Ich spürte die gezielten Stöße im Nacken, mit denen Rolands Fußspitze den Unterbau der Brautwiege bewegt hatte, oder: mein Gehirn diente einem Funken zur Zündschnur, der damals, von keinem beobachtet, gelegt worden war – von frühmorgens bis abends wühlte er sich durch die Windungen einer beunruhigenden Explosion entgegen, nur spät abends gab er etwas Ruhe; dann konnte ich die notwendigsten Aufgaben erledigen, aus den Internatsgärten die notwendigsten Äpfel stehlen; mit dem Tag, mit dem Erwachen glomm er wieder auf und pochte der Mittagshöhe zu; meine Mittage waren am schlimmsten. Heute weiß ich genau: der mystische Körper der «Soldanella» litt, das war es, was mir aufs Gehirn schlug; im Klima dort unten, wo meine Heimat gewesen war, hatte sich etwas verschoben, also hatte ich, vierhundert Meter höher, hundert Kilometer entfernt, Kopfweh. Einem Arzt ließ sich dergleichen natürlich nicht mitteilen.

Ich gab mir Mühe, sein Kopfschütteln zu zerstreuen, räumte ein, an jenem Karussell könne es nicht liegen, versuchte ihn mit der nochmaligen Schilderung meiner Symptome abzulenken. Ich weiß nicht, was er dem Anstaltsdirektor meinetwegen geschrieben hat, weiß auch nicht, was der ins Tal weiterschrieb: fest steht nur, daß eines Mittags, als mein Ticken am gröbsten war, die Dauphine von Tante Rös im Internatshof einfuhr, mühsam parkte und Mum aus dem Nebensitz schleuderte, die mich ausgedehnt in die Arme schloß. Es war eine Art *déjà vu,* nur erregte der Wagen weniger Aufsehen, nur war der Herbst noch nicht ganz in Winter übergegangen, redete keine Krähe drein, nur handelte es sich um meinen andern Elternteil, der sich geschlechtscharakteristisch benahm und die Wiedersehensfreude weit über das Notwendige hinaus ausdehnte. Wieder kramte ich, diesmal mit viel Assistenz und emotionellem Hin und Her, Pyjama und Zahnbürste zusammen und wurde, weniger schnittig als vor ein paar Monaten, talwärts chauffiert.

Ich erfuhr bald, was es mit Tante Rösens Gegenwart auf sich hatte. Daß Tante Rös ein Auto lenken konnte und Mum nicht, war das wenigste; Tante Rös war da, um mir im Rückspiegel mitzuteilen, daß meine Eltern geschieden seien, wobei sie etwas vom Gas ging, um die übrigen Verkehrsteilnehmer durch ihre Erschütterung nicht zu gefährden. Tante Rös würde sich jetzt ein bißchen in Mums Nähe halten, ihre Psyche ordnen helfen, im Bungalow nach dem Rechten sehen, bis Mum mit ihrem Schicksalsschlag ins reine gekommen war: solche Dienste leistet man einander in unsern Kreisen. Tante Rös fand auch, ich würde Mum in dieser schweren Zeit gut tun, woraus ich schließen durfte, daß ich, gewissen Spielen mit Schlüsseln zum Trotz, Mum zugeschlagen worden war. Während Tante Rös sprach, ihr Mitteilungserfolg ihr erlaubte, wieder Gas zuzusetzen, streckte Mum, die sich die Sonnenbrille gegen Tränen aufgesetzt hatte, die Hand über die Rückenlehne in der Erwartung, daß ich sie kameradschaftlich fasse und eine Weile festhalte. Ich konnte darauf um so leichter eingehen, als ich ehrlich froh war, daß sich die Situation geklärt hatte und das familiäre Auf und Ab ein Ende nahm. Ich drückte Mum meinen Glückwunsch zu den fünfzehnhundert, die sie jetzt wohl herausgeholt hatte, in die zum Zeichen der Erschütterung nur mäßig gepflegte Hand, was sie bestimmt mißverstand, denn sie sagte: Mein armer Junge! Ich mißverstand sie meinerseits, wagte zu hoffen, sie nehme auf meinen Kopfschaden Bezug, aber als sie fortfuhr: Jetzt müssen wir doppelt zusammenhalten, gelt! sah ich gleich, daß sie mich in ihrer eigenen Sache bedauerte, ihren

Schwarzen Peter in meiner unschuldigen Jugend bespiegelte, und es wurde mir komisch leicht, ihr dafür die Hand zu drücken. Wir gingen einander so wenig an, daß es nichts kostete, zusammenzuhalten. Das Kopfweh blieb von den Entwicklungen meiner Kindesliebe unbeeindruckt. Es verstärkte sich sogar, je ansehnlicher die Landschaft wurde; gegen den Zürichsee wurde sie wunderbar. Mein Kopf reagierte stürmisch auf die große Verführung, jetzt, zur Unzeit, zu dieser blau- und ockeren Zeit wieder in die Nähe jenes Hauses zu kommen. Noch einmal, mit Herbstesferne gewaschen, wurde der Wimpel der «Soldanella» aufgezogen und flatterte mit allen meinen Nerven; noch einmal sollte ich, betroffener als früher, Zeuge sein.

Nicht sogleich. Ich kam die nächsten Tage, ja Wochen nicht ins Nachbarhaus hinüber. Ich hatte Mum Unrecht getan. Sie ließ sich mein Kopfweh nahegehen, ja, sie kümmerte sich um nichts anderes; es machte Tante Rös beinahe überflüssig, es ersetzte Mum das zerronnene Eheleben, sie trug ihm Sorge wie einem Einfall, aus dem ein Buch werden soll, und gab mich nur den teuersten Ärzten in die Hand. Die teuersten Ärzte trieben es bunt mit mir. Unser örtlicher Neurologe bohrte mich eigenhändig an entgegengesetzten Stellen an; erst sog er durch ein Loch in meinem obersten Halswirbel Flüssigkeit ab und pumpte die geleerten Kavernen voll Luft – ein Prozedere, von dem er mir versichert hatte, es sei nicht schmerzhaft, und es war auch nicht schmerzhaft, denn ich fiel in Ohnmacht. Ein andermal spritzte er eine Salzlösung in meine Halsschlagader, einmal in die linke, dann in die rechte, wobei meine Zunge trennscharf gespalten wurde in eine gewöhnliche Hälfte und eine, die Salz zu lecken bekam – eine merkwürdige Bestechung des Geschmacksorgans von innen, die mein Professor mit dünnem Lächeln kommentierte und dem Salzwasser alsbald etwas Kräftigeres, eine Dosis sogenannter Kontrastflüssigkeit folgen ließ, die bestimmt war, den Aderbusch in meinem Kopf so scharf nachzuzeichnen, daß er auf der Röntgenplatte erscheine. Nach dem Röntgen-Akt, der einen stechenden Schauer durch den Aderbusch jagte, setzte der Arzt zwei Schwestern auf mich an, die mir am Halse knien und die Ader zupressen mußten. Es war der unangenehmere Teil. Am nächsten Tag erschien der Professor an meinem Bett und verbreitete jenes Air von Komplizität, auf das ich durch meine Liegeklasse Anspruch hatte – nicht zu verbindlich übrigens, denn meine Mutter, die die Vorstellung mitverfolgen durfte, war jetzt eine geschiedene Frau; er fand, kunstsinniger Mann, der er war, genau den richtigen Ton, um mir zu meiner Aufführung zu gratulieren. Die Röntgenbilder, die er der begleitenden Schwester mit brutaler Kürze abforderte, breitete er mit fließender Urbanität vor uns aus, bezeichnete den Befund, wie bei einem gesunden Burschen nicht anders zu erwarten, als rein negativ, das heiße also: positiv, räusperte sich herzlich über seinen Witz und forderte uns auf, die Schönheit des lichtgrau abgebildeten Organs zu würdigen. Zweifellos: der Mann war ein Gourmet. Heimlich lachte ich ihm in sein lichtgrau gescheiteltes Abendländergesicht. Deine paar rezeptpflichtigen Kopfwehs, dachte ich, mit denen du mir mein maßgeschneidertes glaubtest austreiben zu können! Nein, darauf ließen «wir» uns nicht ein – wenn der Herr Professor die Harmlosigkeit hatte, sich mit meinem Kopf solidarisch zu geben, so mußte man ihn in seine Schranken weisen.

Eine Zeitlang schien mich allerdings mein Kopfweh im Stich zu lassen. Es war vergangen. Die Aussicht, von Professor XY und der dankbaren Mum als Wachstumskrise behandelt und mit Sedativen beschwichtigt zu werden, mußte ihm den Atem verschlagen haben. Ich durfte also, unter dem Augenzwinkern meiner Pfleger, das wohl meiner geistigen und körperlichen Frische galt, das Spital räumen und wurde von Tante Rös und Mum nach Hause gefahren. Daraus, daß Mum diesmal den Vordersitz leer ließ und sich neben den «Patienten» auf die Hinterbank setzte, mußte ich schließen, daß sie, da mein Kopfweh ausgegangen war, im Sinne hatte, sich jetzt an mich zu halten.

Einen Tag bewahrte mein Widerspruch Reserve – ein Tag, an dem ich mir verkniff, die Demuth-Stiftung zu besuchen; ich schämte mich, schon wieder da und sonst von keinerlei Nutzen zu sein, wußte oder wollte auch keinen Kommentar zu Kopfweh und Scheidung, wollte nicht wieder das Mißverständnis abwehren, es handle sich dabei um ein- und dasselbe Phänomen, wollte überhaupt nicht bedauert werden, obwohl mich Tobias kaum bedauert hätte; er hatte mich ja auch nicht im Spital besucht. Einen Tag, sagte ich, war ich zu Hause, zur Gesundheit verknurrt, unbestimmt enttäuscht über mich; Mum meinte: noch ein paar solche Tage, vielleicht ein Spaziergang hin und wieder, um die letzte Spitalluft umzuschlagen, ein gut durchgebratenes Schnitzel, wie ich es in der Anstalt nicht zu Gesicht bekommen würde, ein paar mal früh zu Bett, und man könne daran denken, mich wieder in die Berge zu entlassen – nicht mehr auf lange, nur um den Beginn des neuen Schuljahrs abzuwarten. Im Frühling konnten wir alle wieder beieinander sein, das heißt: abzüglich des einen, den wir dann nicht mehr nötig hatten.

Die Damen dachten, Gott lenkte; vielleicht war es auch nicht der liebe Gott. Was immer es war: es ließ mein Kopfweh nicht zuschanden werden, beschloß die Eskalation, ging dazu über, mit meinem ganzen Leib zu demonstrieren. Zuerst hinderte es mich nur am Einschlafen, entzündete meine Augäpfel, erzeugte Hitze an weiteren Stellen; dann schlug es Zähne ein und begann an mir zu rütteln, erst anfallsweise, dann mit Hilfe der ganzen Bettstatt: die nächtliche Bewegung rief meine Bungalowgenossinnen herbei. Ich betrachtete sie mit verminderten Augen, aus denen, da die ihren sich weiteten, offenbar hohes Fieber strahlte, betrachtete sie mit ruhigem Geist, der stumm auf das Unangebrachte der Zuversicht hinwies, mit der man meinem Fall beizukommen geglaubt hatte. Ich tat es keineswegs triumphierend, höchstens etwas bedauernd; man hätte wissen dürfen, daß ich mich nicht mit Krankheiten einließ, die ausgingen wie das Hornberger Schießen. In dieser Nacht war die Zündschnur durchgebrannt. Meine Glieder meldeten, die Explosion habe stattgefunden.

Merkwürdig frei, eine Leuchtkugel, ein *Unknown Flying Object,* hing mein Bewußtsein über dem Nachtstück, das mein Fleisch aufführte, stand still über kochendem Dschungel, den Bestien des Schmerzes durchwanderten; da und dort stach ein Alligator aus der Tiefe und setzte meiner Haut glühende Augen auf. Wohl war mir nicht auf meiner Höhe; sie hatte etwas allzu Geisterhaftes, reinlich Abgeschiedenes, schien auf Weltraum zu deuten, roch nach Nullzeit, funkte Abflugsbefehle; ich zögerte, ihnen zu folgen, vorschnell Engelchen zu spielen, den Dschungel in seinem Saft schmoren zu lassen. So weit waren wir noch nicht.

Fest stand nur: es hatte mich eingeholt. Aber was? Das fragten sich als erste Mum und Tante Rös bald nach Mitternacht; das fragte sich, sachlicher, aber übernächtigt, unser Hausarzt in den frühen Morgenstunden; das fragte sich noch vor seinem Frühstück ein bekannter Internist, den man aus der Stadt herbeitelephoniert hatte, in der Annahme, es müsse sich bei mir doch wohl um etwas Internes handeln. Die Annahme stimmte, aber sie war zu grob gezielt; das Sulfonamid, das meinen Dschungel entblättert hätte, wollte sich auch in der eindrucksvollen Sammlung des Internisten nicht finden; es wurde den Ärzten schwer, spezifisch auf mich zu reagieren. Gegen neun Uhr hatten sie wenigstens mein Bett zur Ruhe gebracht, gegen halb zehn sogar die Leuchtkugel abgeschossen und mich in einen Schlaf versenkt, dessen Farbe ich mir in gesundem Zustand nicht hätte bieten lassen: ein verschossenes, rosa geädertes Lila. Die nächsten Tage hielten sie mich strikte unter Wasser, ließen mir nur einen winzigen Durchschlupf zum Atmen, den ich, unter Hin- und Herwerfen des Kopfes, mit Gewalt suchen mußte; meine Ärzte verschrieben mir immer neue Ohnmachten, schienen mein Gesicht nur in versiegeltem Zustand zu ertragen.

Ich hielt mich unterdessen an allerhand Orten auf, verkehrte mit Personen, die ihrerseits die Augen geschlossen hielten, sah dies und jenes sehr formscharf, was sich, wie angeschwemmtes Wassergrün, bei Lichte nachträglich nicht mehr zeigen darf. Soweit ich mich damals noch auf mich selber verstand, hatte ich häufig die Sensation eines «Dazwischen», einer anstrengenden Unentschiedenheit; es war keine bekömmliche Lage, aber irgendein Instinkt zwang mich, sie auszuhalten, solange die Sicht schlecht war; ich hätte mich für die falsche Seite entscheiden können. Dann wieder fühlte ich mich an grauer Stelle stehen gelassen; vielleicht im Abstand der Spritzen, die ich kriegte, zogen Schatten wie Rettungskolonnen oder Trolleybusse vorbei, aber ich stieg nicht ein, ließ mich von niemandem abholen und auf den Arm nehmen. Ach was, wen interessieren diese Geschichten! Krankheiten sind wie Familienphotos oder Träume: wer nicht betroffen ist, langweilt sich bei ihrer Vorführung, besonders, wenn alles falscher Alarm war und der andere gar nicht gestorben ist.

Nochmals gab meine geistige und körperliche Frische den Ausschlag, aber sie hatte Mühe. Sie senkte allmählich die Temperatur des Dschungels, entlaubte ihn auf natürliche Weise, fegte die Bestien aus meinem Gesichtsfeld; in aller Stille aufgebracht, gerettet ohne strategischen Grund, lag ich eines Tages wieder auf meinem Bettfloß und hörte den Nachrichten zu. Man bemerke die Nuance: ich hörte nicht eigentlich Nachrichten, dafür waren die Kontakte in meinem Ohr noch nicht sicher genug; aber wenigstens hörte ich ihnen zu. Auch das bißchen Welt vor meinem Fenster benahm sich noch heiklig, zog sich zurück, wenn ich's nur ansah und ließ dazu Blätter fallen. Es war November geworden, farbenfroh, wenn das Licht drauf schien; viel Umstände für einen genesenden Halbstarken. Auch Mum machte Umstände; sie hatte nicht nur Crackers und Bananen, sondern auch das Radio angeschleppt, sogar montiert, was ihr hoch anzurechnen ist. So hörte ich Symphoniekonzerten zu, Bauernstunden, das ist: von Ländlern eingerahmte Darbietungen über Klärschlammdüngung und Bienenvölker, hörte mit starker Reserve dem Wunschkonzert für die

Kranken zu, ließ mir von einer mitmenschlich belegten Stimme einen leichten Mozart verschreiben, einen kräftigenden Grieg einlöffeln; der Mann traute den Kranken nicht viel zu. Erst bei den Nachrichten kam ich allmählich aus dem Zuhören ins Hören hinein.

Ein junger Mann legte vor dem amerikanischen Rüstungsministerium Feuer an sich, betrachtete anmaßlicherweise seinen Leib als Tempel des Herrn und denselben durch das bißchen Napalm als geschändet, das die Mitbürger weit hinten in Vietnam über die Dörfer streuten. Noch einer ließ sich am selben Ort einen Flammen-Bart stehen: die Zuschauer musterten ihn entrüstet, hatten aber doch die Gnade, das Kind aufzufangen, das ihnen der Feurige zuwarf, weil ihm im letzten Augenblick die Kraft gefehlt hatte, es ins Feuer mitzunehmen. Er bewies damit weniger Entschlossenheit als die Herren des Hauses, vor dem er seinen kurzen, von neuern Neuigkeiten eilig verschütteten Brand stiftete: diese verheizten ihre Söhne bataillonweise, gönnten ihnen den Heldentod, ließen niemand heran, der sie im letzten Augenblick aus der Flamme gerissen hätte. Sie wußten, Erzieher, die sie waren, was ihren Söhnen nottat. Söhne müssen lernen, sich die Freiheit ihrer Väter etwas kosten zu lassen. Wenn man bedenkt, wie hart die Väter dann noch durch den Tod der Söhne geprüft werden, haben die Söhne eigentlich gar nichts zu meckern: sie haben es hinter sich. Ins Dschungelgrab geben ihnen ihre Sender allemal den Trost mit: drüben hat es dreie getroffen für dich. Die fremden Mütter erleiden höhere Verluste. Und dann sammelt man die Fleischfetzen in ein Sternenbanner, verlädt die Dschungelgräber in ein Flugzeug nach Hause: es braucht keine smarte Bombertype zu sein, die wurde nur zum Anflug benötigt. Gemächlich fliegt die alte Douglas ihre vollkommen disziplinierte Fracht über pazifisches Blau heimwärts, darf sich zeigen auf den Radarschirmen des Frühwarnsystems DEW, wird von keinem Sperrfeuer empfangen als dem Ehrensalut an Gräbern, in die es *one by one,* seine nicht mehr verwendbaren Sternenbannerartikel fallen läßt.

Nochmals, wie drüben mit Unkrautvertilgern, aber zarter, der taktische Druck auf die Tränenventile. Sogar die Majorette hat schwarze Strümpfchen angezogen: nimm hoch den Knüppel zwischen den Beinen, oh Pilot, dreh ab, es rufen neue Ehrenpflichten, eine neue Ladung Tränenfutter wartet auf Transport im Hafen von Saigon, will lieber tot als rot das Land verlassen, auf dem es schon lebend nichts verloren hatte, möchte einmal zu Frachtpreisen fliegen über den wasserreichsten Ozean der Welt, möchte mitschweigen über den nächsten Krieg unter den Getreidefeldern von Idaho, unter den Fichten von Vermont. Gewaltige Organisation, die da den vorfabrizierten Tod frei Gewissen liefert all denen, die ihn nicht bestellt haben! Was soll neben dir das bißchen selbstgewählter Tod in den Vorgärten des Pentagons, genährt von nichts als ohnmächtiger Verzweiflung und einem Kanister Benzin; was ist das im Lande der Konkurrenzen für Konkurrenz! Halbgares Fleisch, ungenießbar, außer Betracht für alle, die sich mehrere Gänge der Weltgeschichte aufs tägliche Brot schmieren! Armes Fleisch, auf seinem höchstpersönlichen Grill anstinkend gegen den monumentalen Misthaufen der Freien Welt! Armes Häufchen Spucke: du wirst den großen Köchen den Brei nicht verderben, sie wollen uns einmal genießen. Unsinniges gebranntes Fleisch: du brennst nicht forsch genug, niemand wird dich zum Leuchtfeuer nehmen.

Die Vermißtmeldung war mir aus dem Sinn, die das Schweizer Radio nachzutragen versprochen hatte, aber gut, ich konnte auch noch die Vermißtmeldung mitnehmen. Das Schweizer Radio sagte mit einer stubenreinen Frauenstimme:

«Die Kantonspolizei Zürich bittet uns um Durchsage folgender Vermißtmeldung. Vermißt wird seit Sonntag, 18. November, MBA, SYLVESTER, ich wiederhole: SYLVESTER MBA, ein afrikanischer Student, zuletzt wohnhaft in Überseen, Höhenstraße 1. Sylvester Mba, der sich illegal in der Schweiz aufhält, wurde an seinem Wohnsitz zuletzt gesehen am Sonntag früh; seither fehlt von ihm jede Spur. Mutmaßliche Bekleidung: schwarzer Anzug, rote Manschettenknöpfe, unter dem Anzug vielleicht rot gestreifter kurzärmliger Pullover, spitze schwarze Schuhe ohne Socken, Kopfbedeckung: keine. Besondere Merkmale: dichtes, wolliges Haar, auffällig schönes, fehlerfreies Gebiß. Sylvester Mba befindet sich in einem Zustand starker seelischer Erregung und dürfte umherirren, möglicherweise im Raume Regensberg. Um schonendes Anhalten des vermißten afrikanischen Studenten SYLVESTER MBA wird gebeten, unter gleichzeitiger Bekanntgabe an das Polizeikommando Zürich Nummer undsoweiter oder an den nächsten Polizeiposten. Hören Sie nun von Sergej Rachmaninoff...»

Wir Toten reden

Ich setzte mich im Bett scharf auf und sah auf meine Uhr. Es war Dienstag, der 20. November. Sylvester war seit zwei Tagen vermißt. Er konnte schon längere Zeit verloren sein. Wer hatte seinen Verlust angezeigt?

Man würde ihn finden, um ihn dann des Landes zu verweisen. Woher war Sylvester depressiv? Wer konnte sein auffallend schönes Gebiß sehen, wenn ihm nicht ums Lachen war? Warum war ihm nicht ums Lachen? Wer hatte sein Gebiß der Polizei gemeldet, und mit diesen Worten? Nell Rüfenacht? War sie auch vermißt? Und im Raum Regensberg? Was sagte Tobias dazu? Warum, Fee, trug Sylvester nicht einmal einen Mantel, jetzt, wo er vermißt war? Warum keine Socken in den raschelnden Blättern? Mum... MUM!!

Mum erschien mit einer Dienstfertigkeit, die ich als unangebracht neckisch empfand. Sie nahm an, daß ich über den Berg sei. Bei Betrachtung meines Gesichts kniff sie die Augen zusammen.

«Ist dir nicht gut, Klaus? Fehlt dir etwas?»

«Was ist drüben in der ‹Soldanella› los, Mum?»

«Was soll los sein... Oder meinst du den vermißten Neger? Den suchen sie doch schon lange.»

«Mum», sagte ich und mußte mich äußerst zusammennehmen, «Mum, ich stehe auf.»

«Das geht nicht, Kind», sagte sie, sträubte das Gefieder und machte Miene, mich mit ihrem Gesundheitsterror zuzudecken.

«Mum», schnitt ich ihr das Wort ab. «Dann tu mir einen ganz großen Gefallen und hol mir jemand von drüben. Wer Zeit hat. Am liebsten den Tobias.»

Es war ein anderer, der nach fünf Minuten einen knotigen Kopf durch die Tür streckte. Es war Matthias Kahlmann. Mum hatte den Takt, von einer Führung abzusehen und die Tür zwischen sich und Mathis zuzuziehen. Er gab mir, hinter den Brillengläsern, einen unsteten Blick, der mir rotgerändert vorkam. Dann zog er sein Maul etwas mechanisch in die Breite, fischte einen Stuhl und schwang ihn so gegen mein Bett, daß er mir nicht zu nahe saß.

«Was machst du denn für Sachen, Klaus», sagte er und zwang seinen Blick zur Festigkeit. Matthias Kahlmann markierte *bedside manners* und ein Gutebesserungsgesicht!

«Und du mach bitte keine Sprüche», sagte ich. «Ich habe im Radio die Vermißtmeldung gehört. Ich möchte Bescheid wissen. Wo ist Tobias?» unterbrach ich mich selbst.

Mathis drückte die Schultern in seinem schäbigen Jackett herum. Dann sagte er:

«Suchen.»

«Und die andern?»

«Auch suchen.»

«Warum bist du zu Hause?»

«Ich war gestern und vorgestern hintereinander unterwegs. Ich sollte wieder einmal schlafen.»

«Hast du geschlafen?»

«Nein. Man kommt schlecht dazu.»

«Sorry, Mathis.»

«Du bist ja nicht schuld.»

«Warum ist Sylvester weg?»

«Wegen nichts Großem eigentlich. Aber er hat es sich wohl zu Herzen genommen.»

«Was?»

«Schau, das ist eine längere Geschichte.»

«Ich will sie wissen.»

Mathis schwieg verstockt, pochte mit einem Fuß gegen mein Bettgestell, schien es aber selbst nicht zu bemerken. Wenn doch Tobias da wäre. Mit dem konnte man reden, wußte auch, was sein Schweigen bedeutete. Ich erforschte das vertrocknete Kindergesicht des Bildhauers. Er ließ die Mundwinkel hin- und zurückschnellen. Seine Hinterglasaugen taten wissend und verlegen.

«Was sagt Nell dazu?» fragte ich.

«Das ist uns ziemlich egal», antwortete er verblüffend rasch.

«Aber hör mal, Matthias», sagte ich. «Jemand müßte jetzt doch bei ihr sein.»

«Roland von Aesch vielleicht?» fragte er höhnisch und pochte heftiger.

«Warum nicht Roland von Aesch?» fragte ich.

«Eben, nicht wahr.»

«Mathis, ich verstehe kein Wort.»

«Roland von Aesch hat sich Nell Rüfenacht aufs Bett gelegt», sagte er, «und weißt du, wann?»

Ich sagte nichts, schüttelte nicht einmal den Kopf.

«Am Morgen nach der Verlobung», sagte er. «Wir trockneten uns erst in der ‹Soldanella›, dann feierten wir die Nacht durch. Ich habe Nell in dieser Nacht zum ersten Mal wach gesehen. Wir hatten Freude an ihr, aber Freude für Sylvester, verstehst du. Gegen drei Uhr rollte sie sich zusammen und schlief. Wir hüteten. Sylvester zeichnete sie. Wir wußten gar nicht, daß er auch zeichnen konnte. Am Morgen früh machte uns Fee Kaffee, und dann fuhr Herbert mit seinem Wagen ins Institut zurück. Er nahm Roland und Nell mit. Beim Pfauen lud er sie aus.»

Mathis schwieg und legte die Arme zusammen. Täuschte ich mich, oder wurde er rot? Er erlaubte mir keine zweite Prüfung. Brüsk stand er auf und stellte sich ans Fenster, gegen das ich sein Gesicht nur schattenhaft sehen konnte.

«Es war Montag, wenn du dich erinnerst», sagte er. «Um

acht Uhr mußte Nell in der Silberschmiede sein. Roland lud sie noch zu einer Tasse Kaffee auf sein Zimmer ein. Statt dessen behandelte er sie mit Retsina.»

«Mit –» fragte ich.

«Wir hatten die ganze Nacht keinen Tropfen Retsina getrunken», sagte Matthias. «Herbert sagte: ‹Das wird dann der Hochzeitswein.› Was tut Roland von Aesch? Er füttert die Puppe, die vor Neugier stirbt, mit Retsina. Um Viertel vor acht ist sie soweit: sie richtet sich nicht mehr auf, wenn er sie aufs Bett legt. Das ist alles.»

«Mit Retsina», sagte ich.

«Man kann ihn überall kaufen», sagte er. «Viertel nach acht war sie in ihrem Laden. Sie kam nur wenig zu spät. Deshalb konnte sie auch zu Sylvester sagen: ‹Ich habe ja gar nichts davon gehabt›.»

«Sie hat es ihm gesagt?»

«Vor drei Tagen.»

«Und seither ist er vermißt?»

«Jo.»

«Habt ihr ihn gemeldet –»

«Der Polizei? Wir? Du bist nicht gescheit. – Nein: die Polizei kam gestern zu uns. Ob hier ein Schwarzer wohnhaft sei mit Namen —? Tobias sah den Herren an der Nase an: sie wußten schon Bescheid. Er sagte: wenn sie den afrikanischen Diplomaten so und so meinten – ja, dem habe es gefallen, hin und wieder bei uns einzukehren. Er sei ein Freund der Muse Balthasar Demuths. Auf den Diplomaten ging der Kommissar überhaupt nicht ein. Wann der Schwarze hier zuletzt gesehen worden sei? Tobias dachte nach. Vorgestern abend hat er uns verlassen, sagte er. Vor zehn Uhr abends vielleicht. ‹Mit welchem Bestimmungsort?› Tobias bedauerte – der Abhaltung dieses Herrn nachzuforschen, könne kaum seine Sache sein. Es ist aber leider die Sache der Polizei, sagte der Beamte, der Schwarze wird nämlich vermißt. Vermißt? fragte Tobias und dehnte das Wort lange hin, also vermißt, das sei ja etwas ganz Neues und tue ihm leid. Er halte es aber für möglich, daß ein Mißverständnis vorliege. Die Wege eines Diplomaten seien oft schwer überschaubar. Wer Herrn Mba denn vermißt gemeldet habe? Ein naher Freund von ihm, sagte der Polizist, ein Schriftsteller, mit dem er sich sonst täglich getroffen hat, der Name sei Imboden oder Vonmoos. Da könne er leider auch nicht helfen, sagte Tobias. Doch, das können Sie, antwortete der Kommissar. Sie haben eben zugegeben, daß der Schwarze bei Ihnen wohnhaft gewesen ist. Wir müssen seine Effekten einsehen. Er habe nichts zuzugeben, sagte Tobias, aber wenn die Polizei aus Pyjama und Zahnbürste des Herrn Mba, die sich allerdings hier befänden, auf seinen Verbleib zu schließen Lust habe, so stehe einem Augenschein natürlich nichts im Wege. Tobias glaube sich zwar zu erinnern, daß ein solches Vorgehen mit dem diplomatischen Status des angeblich Vermißten unvereinbar sei, aber der Herr Kommissar werde sich zweifellos beim politischen Departement in Bern abgesichert haben. Nicht nötig, lachte der Besucher, keine afrikanische Botschaft weiß etwas von dem Vogel, auch bei der Fremdenpolizei wird er nicht geführt. Hat sich was mit Diplomatie und bildender Kunst! Ich fürchte, da sind Sie einem internationalen Burschen aufgesessen, junger Mann. Lassen Sie uns mal hinter Ihr Museum sehen, und danken Sie Gott.»

In diesem Augenblick steuerte Mum durch die Tür, ein Tablett mit Tee und hochverdaulichen Kuchen in den Ellbogen gestützt. Die Aufmerksamkeit unserer Kreise sprach aus jeder Bewegung, mit der sie die Täßchen vor uns zurechtrückte, wieviel? fragte beim Zucker, und so? bei der Milch, und dann mit kurzem besorgtem Lächeln verschwand. Mit der Besorgnis war Mathis angepeilt, der sich müde, wie er war, knapp zusammengerissen und seine langen Beine von meiner Bettstatt zurückgenommen hatte. Der Blick hieß: schone den Jungen! nicht zu lange!, aber Mathis fing ihn nicht auf. Mit dem Löffel zermörserte er ein Stück Zucker im Tee, das nicht zerfallen wollte. Es mußte hinhalten, bis Mum, die verschnupfte Diskretion, die Tür wieder hinter sich zugezogen hatte.

«Die Polizei blieb nicht lange», sagte er wie zu sich selbst, und dann in einem Anflug von Stolz: «Es scheint, daß Staatsbesoldete den Anblick der Statuen nie lange ertragen. Du kannst dir denken, es war schlimm. Nicht bloß, daß Sylvester verschwunden war, er war häufig einige Tage verschwunden, das nahmen wir nie tragisch. Aber er war aktenkundig geworden, unsere Staatsmacht war auf ihn angesetzt, bieder und unaufhaltsam, Funkstreifen warfen einander seinen Namen zu. Was für ein Bohnenroß, das ihn vermißt gemeldet hatte. Ein naher Freund, ein Schriftsteller? Woher kannte Sylvester einen Schriftsteller? Abends hielten wir Rat», sagte Mathis, und seine Stimme wurde belegt, «wir waren alle zusammen. Wir müssen ihn finden und warnen, sagten wir, hier ist für ihn nichts mehr zu machen, wir müssen einen sichern Ort finden, wo er untertauchen kann. Siehst du, wir dachten keinen Augenblick, daß ihm etwas zugestoßen sein könnte. Wir müssen ihn verleugnen und alle Beziehungen abbrechen, sagte Roland von Aesch, sonst zieht er uns in seinen Wirbel, und ich sehe ganz schwarz für die ‹Soldanella›. Du Ungeheuer, sagte Herbert, Sylvester ist unser Auge, du redest gerade, wie wenn du Sylvester angezeigt hättest. – Das habe ich auch, sagte Roland von Aesch ganz ruhig, das heißt: angezeigt nicht, aber seinen Verlust gemeldet. Uns blieb die Luft weg, ein paar hielten es wohl auch für einen dummen Scherz. Aber dann fragte Herbert ebenso ruhig: Warum hast du das getan? Roland erklärte, er habe sich gesorgt, er habe Angst um Sylvester gehabt, es sei eine Kurzschlußreaktion gewesen. Warum um Himmels willen bist du dann zur Polizei gelaufen? rief Monika dazwischen, aber Herbert stellte sie mit einem Blick ab und fragte weiter mit seiner schneidenden Ruhe: Und wie kommt es, daß du plötzlich Angst um Sylvester gehabt hast? Was ist geschehen, das dir die Vorstellung gab, es könnte Sylvester nicht gut gehen? Roland sah hin und her, dann lachte er durch die Nase und machte eine schräge Geste mit dem Arm. Nehmen wir an, sagte er, es ist mir etwas zu Ohren gekommen, zum Beispiel daß Nell, ohne Sylvester zu fragen, mit einem andern Mann ins Bett gegangen ist, nehmen wir an, sie hat das eines Tages ihrem Sylvester gebeichtet, dummes Mädchen, das sie ist, wollte reinen Tisch machen vor der Ehe oder was, nehmen wir weiter an, Sylvester habe auf diese Eröffnung wie ein kleiner Sambesi-Bourgeois reagiert und sei mit einem Selbstmördergesicht aus dem Haus gelaufen, nehmen wir schließlich an, Nell komme mit der Geschichte zu mir, kurz, ich höre davon, lasse mich von ihrer Sorge anstecken und — Man kann jemandem ganz leise ins Wort fallen. Drohend leise sagte Herbert: Ja, du hattest Schiß, du hattest die Schiß deines Lebens. Du warst Manns genug, Nell Rüfenacht zu verführen, weil sie noch keinen Mann gekannt hatte, weil der arme Teufel von Neger sie nur lieb gehabt und darum nicht berührt hatte. Nicht wahr? Aber du warst nicht Manns genug, deiner Kavalierstat nachträglich ins Gesicht zu blicken. Du wußtest: sie würde die gequälten Züge eines Menschen annehmen, eines Menschen, dem du durch das Mißverständnis deiner Männlichkeit mehr genommen hattest als seine Seele, nämlich Glauben, Liebe und Hoffnung. Du hattest auch Angst vor diesem Gesicht, die durchaus berechtigte Angst, es könnten ihm Arme wachsen und dir ein Buschmesser in die Gegend stoßen, wo du so schön männlich gewesen warst. Du hast dich vor diesem Gesicht hinter der Polizei versteckt und die Sorge des dummen Kindes vorgeschützt, mit dem du *dich* betrogen hast. Weißt du was, Roland? Du bist ein trauriger Fink.»

«Ist das alles wahr, Mathis?» fragte ich. Ich wußte nicht, was mir unwahrscheinlicher klang: seine Erzählung, oder die unauffällige, gründlich erschöpfte Stimme, mit der er sie vortrug. Und doch wußte ich, wie man in bestimmten Träumen weiß – Träumen, die noch kaum hinter mir lagen und meinen Beitrag zum Schrecken bildeten –: es gibt Lagen, wo nur das Unwahrscheinliche glaubwürdig ist. Ich kalt vor Erregung im Bett aufgerichtet; der Bildhauer wie ein abgehetzter Tramp in seinen Stuhl gesunken; der Tee vor beiden nutzlos verrauchend: das war eine solche Lage.

«Was sagte da Roland, Mathis», fragte ich selbst schon wie in einer Litanei, «was sagte er da?»

«Er wurde wohl sehr ausfällig», antwortete Mathis und öffnete die entzündeten Lider nicht mehr. «Er sagte – er sagte ungefähr, Herbert solle nicht den Pompösen spielen, und man könne die ewige Kindheit auch zu weit treiben, nicht wahr .. und so .. eben ja...»

«Trink Tee, Matthias», bat ich mit frostiger Stimme, denn ich fror tatsächlich, und der andere war am Einschlafen. «Ich höre die Geschichte zum ersten Mal, und sie geht mir nahe. Kannst du nicht bitte wach bleiben?»

Mathis beugte sich vor, wäre mit der Stirn beinahe auf sein Geschirr aufgeschlagen, die Augen gingen ihm über. Doch dann trank er und ermunterte sich. «Wo war ich stehen geblieben?»

«Bei dem, was Roland jetzt sagte.»

«Du kannst dir nicht vorstellen, wie laut der wurde», fuhr Mathis fort, aber ohne selber laut zu werden. «Ob wir die ‹Soldanella› gerettet und uns den Demuth aus den Fingern gesogen hätten, um am Ende ein Muckerleben zu führen? Dann habe er sich gründlich in uns getäuscht, oder vielmehr, wenn man näher zusehe, seien wir die Getäuschten. Denn das Leben lasse sich unsere Kinderhochzeiten auf die Dauer nicht bieten, es zeige sich unbeeindruckt vom Schauspiel infantiler Exklusivität, das wir böten. Daß Herbert nicht gern der Dumme sei, daß er die Enttäuschung eines Kindes, dem sein Spielzeug zerbrochen sei, mit dem Zorn des Propheten garniere, könne man menschlich verstehen, ohne es darum weniger geschmacklos zu finden. Was der Verhältnisblödsinn solle! Er, Roland, habe mitgemacht, solange die ‹Soldanella› auf der Kippe gewesen sei. Er habe sich den Regeln gebeugt, die Stefan heruntergezischt habe, obwohl sie ihm, Roland, damals schon ziemlich pfäffisch vorgekommen seien. Er habe Möbel geschoben wie einer und sich auf der Pfingstweid von den Ganthyänen pressen lassen. Er habe die Dekoration auch wieder abnehmen helfen, nachdem Alicens Wunderland eine Niete gewesen sei und der Balthasar aus dem wohlverdienten Grab zitiert werden mußte: auch diesen Leichnam habe er galvanisiert, auch an diesem

Garn folgsam mitgesponnen. Und als wir die ‹Soldanella› glücklich da hatten, wo sie stehen bleiben durfte, was dann? Lachten wir uns wenigstens einmal richtig den Buckel voll? Benahmen wir uns da endlich wie Menschen aus Fleisch und Blut? Bewahre – da hatten wir die unvergleichliche Humorlosigkeit, auf unseren eigenen Jux hereinzufallen! Wir zelebrierten unsere eigene Fiktion! Es ist nicht zu melden: wir nahmen Balthasar Demuth ernst! Wir bewegten uns wie Hohepriester unter den Gipsköpfen, die wir selbst gemacht hatten! Wir begründeten ein pubertäres kleines Reich nicht von dieser Welt, rochen nach Armut, Keuschheit und Stil und tyrannisierten einander mit verspielter Prüderie und höheren Fürzen! Und weil wir uns für unsere Phantasie immer noch zu schmutzig vorkamen, erfanden wir uns einen schwarzen Jüngling direkt aus Gottes Hand und suchten ihm eine Jungfrau unter den Töchtern des Landes. Und fanden sie und legten sie ihm keineswegs nur so bei, sondern fackelten nach unserer Art und rüsteten eine Hochzeit mit Schweif und Umschweif, auf daß erfüllet werde unsere Einbildung und unser Lügenwerk ins reine komme: diese Trauung sollte der erste Staatsakt der ‹Soldanella› sein. Aber wahrlich, ich sage euch: diese Jungfrau war keine Jungfrau aus Überzeugung, sondern sie war ein ganz gewöhnliches kleines Stück und wollte beschlafen sein, notfalls zwischen Viertel vor acht und acht an einem gewöhnlichen Werktag, und ich sage euch abermals, die Bettkante war ihr gut genug dazu – – »

Ich betrachtete den Sprecher in den verschiedenen Graden der Entgeisterung. Er *schlief* jetzt unzweifelhaft, aber er redete fort, und er redete – es gab keinen Zweifel – *im Wortlaut*. Seiner müden Stimme waren die Lichter und Modulationen der wohlbekannten fremden aufgesetzt, die jetzt aus ihm sprach; ja, wenn man zusah, schienen sogar Mathis' Lippenbewegungen nicht mehr ganz die seinen, das Übertriebene lagerte um seine Mundwinkel, zerrte an seinen Wangen, das Roland von Aeschs Geist war. Ich lag breit im Bett, brütete mit gespreizten Knien die falsche Wärme des Krankenlagers; aber mir war, als fliehe der Boden unter dem Bett weg; mein Rückenmark zitterte in feinen Stößen.

Was stand noch fest? Wie, wenn dieser ausgepumpte Körper, der sich komischerweise immer noch an die leere Tasse klammerte, von jeder vergangenen Stimme nach Belieben benutzt wurde? Stand beispielsweise noch fest, *wer* die Gipsgespenster geformt und von Fees Gesicht abgenommen hatte? Konnte es nicht – Betrug über allem Betrug! – *wirklich* Balthasar Demuth gewesen sein; konnte er Matthias' Hände nicht aus dem Grab heraus geführt haben?

Aber unter einem Boden, der wich, wurde mir auch gleich der nächste weggezogen: es kam jetzt auf Einzelheiten nicht mehr an. Wenn Mathis wahr sagte – und mein Gefühl bestätigte es, erkannte den Geruch meiner Krankheit, wo sie am tiefsten gewesen war, in seinen Worten wieder –, dann war drüben die Axt an die Wurzel gelegt worden. Roland hatte Worte ausgekocht, die der «Soldanella» Tod bringen mußten; er tastete mit seiner Plastic-Spritze voll Gewöhnlichkeit nach ihrem Puls.

Was mir aber den letzten Boden herausschlug, was mich schwindeln machte vor Scham, war der Eiweißstich, den ich fühlte, die stechende infame Erregung, die mir die tropfende Spritze und ihr Tasten einflößte: auf einer Bettkante, mit einem häßlichen kleinen Seufzer zwischen Viertel vor acht und acht waren unsere Träume notgeschlachtet worden – und mich ritt das Fleisch und wollte alles wissen! Mathis aber kräuselte sein Schlafmaul auf wohlbekannte Art und sprach:

«Was kann die Welt für eure Unschuld? Womit habe ich das Kinderparadies verdient? Ja, ich habe euren Staatsakt vorverlegt und einen gewöhnlichen Akt daraus gemacht, und er war nicht schlecht, wenn auch etwas pressant. Ich habe mit einem appetitlichen Mädchen getan nach der Hausordnung der ‹Soldanella›, als diese noch kein silbernes Meßbuch und keine Regel der Heiligen Felicitas war, sondern lautete: treibet es weit, Kinder, es gibt nichts, was es nicht gibt, außer daß euch andere dareinreden! Nun ist der Zapfen ab, der Neger explodiert – was kann ich dafür? Ich weiß schon, womit euer Zartgefühl mir an den Hals möchte! Aber sagt selbst: was ist das für ein Neger, der sich nicht schämt, im vorliegenden Fall das Zartgefühl des weißen Mannes nötig zu haben! Der Markt der Liebe ist frei, ihr Herren; da gilt keine Wehleidigkeit, da werden Reservationen nicht angenommen. Ihr braucht jetzt einen Bösewicht, eine Schlange für euer Paradies; aber schaut her, und nehmt es einmal im Leben genau! Ich weigere mich nämlich, die Schuld auf mich zu nehmen, die ihr bei der Wirklichkeit habt auflaufen lassen! Wer hat denn den Neger seinen paar Instinkten entfremdet und ihn in Karussellglück gewiegt? Wer hat ihn mit Wunschträumen so dick ausgestopft, daß er seine Puppe nicht mehr richtig im Arm halten konnte? Rund heraus: wenn euer Maskottchen jetzt vor die Hunde geht, so braucht ihr niemand bei der Nase zu nehmen als euch selbst! Er mußte erst das Opfer eurer Verzärtelung geworden sein, um so das Opfer der Tatsachen werden zu können! Ihr habt ihn gründlich verrückt gemacht; ich bin sicher, noch diese Liebe habt ihr ihm eingeblasen! Und jetzt läuft er mit euren Gefühlen in der Welt umher und geht als euer Geschöpf zugrunde! Aber weil er verrückt ist, weit hergeholt wie euer Spleen und zum Äußersten entschlossen wie eure Phantasie, muß man sich mit ihm vorsehen! Die Puppe kam zu mir und heulte und schnatterte am ganzen Leib: sie habe ihm alles gesagt, sie habe es ihm wiederholen müssen, weil er vorgegeben habe, nicht zu verstehen, sie habe es zum dritten Mal sagen müssen, was ihr peinlich war, weil es jetzt zugleich übertrieben und lächerlich klang. Und er habe sie immer nur angesehen, aber so! so! Und dann sei er langsam, den Blick immer auf sie gerichtet, rückwärts durch die Tür gegangen, etwas gekrümmt, als habe er Seitenstechen, und dann sei es totenstill gewesen. Kein Schritt draußen, kein Knarren der Treppe. Eine Stunde habe sie kalt und heiß geschwitzt hinter ihrer offenen Tür, während jenseits das tödliche Schweigen des Treppenhauses wartete, habe dann in ihrer Angst gerufen, erst seinen Namen leiser, dann immer lauter den der Nachbarn, die endlich gekommen seien. Mit ihnen hatte sie die Treppe abgesucht, den Estrich, den Keller, jeden Winkel des Hauses. Sylvester war verschwunden, jedenfalls unsichtbar, die Mauern hatten ihn verschluckt. Schlucken, Nell konnte nicht mehr schlucken, konnte nicht mehr sein vor Angst, konnte ihr Zimmer nicht mehr bewohnen, zog ins Hotel um, fürchtete sich vor dem Portier, der hatte Negeraugen, brachte keinen Ring mehr zusammen, schnatterte mir schließlich durchs Telephon etwas ins Ohr...

Ich traf sie, nicht in meiner Wohnung, sondern an einem stillen Ort: sie sah überall jene Augen, in der dünnsten Suppe jene Augen; sie hatte Angst um Gesundheit und Verstand, ich mußte sie vor dem Schweigen Sylvesters in Schutz nehmen. Ich tat es. Ich gab seinen Namen der Polizei. Ich brach sein Schweigen über den Landessender, schickte amtliches Blau über alle Straßen. Ich war ihr diesen Schritt schuldig. Ein junges Mädchen hat in unserem Lande ein Recht auf Sicherheit auf der Straße und ein gewöhnliches Leben, während ihr Brüder kein Recht habt, sie an euer Mißverständnis zu fesseln. Und was Sylvester betrifft: wenn er noch existiert, wenn er zu finden ist, dann wird die Polizei ihn finden: dafür bezahlen wir sie. Vielleicht wird sie ihn sogar noch hindern können, den äußersten Schritt in dem Abenteuer zu tun, das ihr mit ihm eingefädelt habt. Findet ihn die Polizei, so wird sie ihm ein ehrliches Schicksal bereiten: sie wird ihn abschieben, ihm ein neues festes Land unter die Füße stellen, und ich meine, das ist für ihn selbst das kleinere Übel, als in euren Träumen zu dienen. Ich habe euer Spiel verdorben und rechne nicht auf euren Glückwunsch. Aber ich habe mir erlaubt, wie ein Mann aus Fleisch und Blut zu handeln. Macht euch jetzt den Schuh draus, der euch paßt.»

Mathis schwieg hoch aufgerichtet; sein Kopf wollte während der letzten Worte an die Stuhllehne sinken, aber der Stuhl hatte keine hohe Lehne: also baumelte der Kopf seitüber, erwachte darob und richtete sich ein Stück auf. Mathis machte einen langen Hals und gähnte.

«Entschuldige», sagte er, «wo sind wir denn stehengeblieben? Richtig, ich wollte dir sagen, was uns Roland erzählt hat. Es war ziemlich läppisch... hoffentlich bring ich's noch zusammen.»

«Ich kann es mir vorstellen», sagte ich. «Erzähl mir lieber, was ihr darauf geantwortet habt.»

Mathis sah mich verdutzt an und zwinkerte. Dann nahm er die Brille ab, behauchte sie und rieb sie zwischen zwei Falten Hosenstoff.

«Wir haben ihn zum Teufel geschickt», sagte er und zuckte die Schultern.

«Sei genau, Mathis, oder der Teufel hole dich selber», zischte ich. «*Was* habt ihr Roland geantwortet? Es kommt jetzt auf jedes Wort an. Habt ihr nicht geantwortet: ‹Du hast recht, Roland von Aesch?›»

«Natürlich nicht, großer Quatsch», sagte er mit entrüsteter Röte um die Augen, aber ich fuhr fort, und indem ich's tat, fühlte ich mit meinen Mundwinkeln, ja sogar mit meiner Stimmhöhe, meinem Dialekt eine gewisse Veränderung vorgehen. Ich kopierte wie ein schlechter Schauspieler, ungewollt, aber mir selbst unverkennbar, einen Dritten, den Ostschweizer Herbert Frischknecht, machte sogar seine runden Schultern dazu, saß bei aller Magerkeit wie eine gegen die Kälte geplusterte Eule im Bett. Und während ich redete, sah ich Matthias' Mund aufgehen, die Nußknackergelenke seines fahlen Gesichts sich lockern zum Ausdruck verstörter Selbstvergessenheit. Erst ganz am Schluß brachte er den Mund wieder zu und schluckte gewaltsam, denn ich sagte:

«Du hast recht, Roland von Aesch. Du hast Bescheid gesagt, die Tatsachen geschaffen, die du verkündest, und also hast du recht. Aber weil du Bescheid gewußt hast, ehe du der Polizei Bescheid sagtest; weil du dich als ein Mann gezeigt hast, dem es eher darauf ankommt, einer von uns zu sein, als recht zu haben; weil es dir also strafbar leicht fiel, recht zu bekommen, denn es kostete dich weiter nichts als ersparte Phantasie und einen generösen Mangel an Liebe; weil du also ganz und gar die unrechte Person bist, hier recht zu haben –: darum, Roland von Aesch, bilde ich hier zum letzten Male den von dir zerstörten Kreis, um dich daraus auszustoßen mit Fleisch und Geist, Haut und Haar.

Nicht einmal verflucht sei dein Manko, das dich zur Kraftmeierei trieb, denn du hast nicht das Zeug, an dem ein Fluch haften könnte; nicht einmal verflucht deine Anbiederung an die Tatsachen: sie schaffen es nicht, aus dir selber eine Tatsache zu machen.

Du bist grobe Mathematik, mein Freund. Unser Spiel verderbend, hast du weiter nichts bewiesen, als daß du jene Null bist, mit der man auch die delikateste Gleichung zum Teufel multiplizieren kann. Deine Strafe sei: mögest du es weiterhin so leicht haben! Laß dir von der Polizei bestätigen, daß du einen Namen hast, eine Adresse und einen Leumund;

sieh zu, daß du bei Licht einen Schatten vorweisen kannst und im Dunkel ein Gasfeuerzeug;

beschwere, wenn es sich wieder so fügt, eine Freundin mit deinem Gewicht, aber kontrolliere es darnach auf einer Waage, die amtlich geprüft ist.

Erkenne, daß du ein Herz hast, indem du dich hütest, ihm zu viel zuzumuten!

Entnimm den Komplimenten zu deiner Ferienbräune, daß du ein Gesicht hast, und dem Beifall deiner Leser, daß es sich für dich lohnte, geboren zu werden!

Sorge dich nicht: deine Lebenserwartung ist gut. An Leuten wie dir pflegt der Tod lange vorbeizugehen, er pflückt sie nach der Statistik. Die Annahme, daß es dich gibt, ist beliebig dehnbar. Du wirst immer Gründe für dich anzuführen haben.

Und so ersuchen wir dich jetzt, unsere Augen nicht mehr durch die Tatsache zu blenden, die du bist, sondern dich dort hinaus zu scheren, wo der Zimmermann ein Loch gemacht hat.»

Hier war es, wo Mathis schluckte. «Du warst also dabei», sagte er mit aufgerissenen Augen.

«Ich war krank», erwiderte ich.

Wir schwiegen beide. Mathis ließ einen Zuckerwürfel in seinen kalten Tee fallen. Einzeln zählbar stiegen die freiwerdenden Luftbläschen an die Oberfläche, verbanden sich zu einer gedrängten Gruppe, pendelten, da Mathis seine Tasse nicht ruhig halten konnte, hin und her und gliederten sich plötzlich, in der Form eines Halbmondes, dem Rande an.

«Dann wirst du auch weiterwissen», sagte Matthias.

Ich schloß die Augen. «Ist es noch weitergegangen?» fragte ich und merkte, wie meine eigene Stimme, wenn auch etwas heiser, wiederkehrte. Mathis rührte Lirumlarum in seinem Tee. Ein Zuckerrest, der mittrieb, schien ihn zu irritieren; er zerknackte ihn ausführlich.

Leider, sagte er und stimmte wieder sein Lirumlarum an, leider, und leckte sich die Lippen, leider sei es weitergegangen. Roland habe den Raum nicht verlassen, nicht sofort. Er habe seinen Kopf auf langem Stengel zittern lassen und gesagt, wir wüßten nicht, wie recht wir hätten. Er gehe, aber er gehe nur, um unserm Spuk ein Ende zu bereiten. Unsere Uneinsichtigkeit befreie ihn von Rücksichten, die er wohl aus Sentimentalität so lange genommen habe. Er sehe nicht mehr ein, warum / es bestehe für ihn jetzt kein Anlaß mehr, daß / er fühle sich nicht mehr gebunden an – . Er habe seine Formeln nicht fertig gesprochen, sondern unserer Phantasie anheimgestellt, sie zu ergänzen, indem er seine Stimme in erhobenem Zustande abschnappen ließ. Dann habe er den Kopf gesenkt und mit rasch rudernden Armen seinen Abgang genommen. Es sei eine studierte Szene gewesen, wie im Theater.

«Mathis», sagte ich erschrocken. «Was kann er vorhaben?»

«Weiß ich», antwortete Mathis. «Er kann zum Beispiel unsere Geschichte einem Groschenblatt verkaufen. ‹Der größte Kunstschwindel seit van Meegeren›. Redaktor von Aesch: ‹Wie wir den Bildhauer Demuth erfanden›. ‹Sieben

Taugenichtse und ein Professor führen die Öffentlichkeit an der Nase herum›.»

«Das kann er nicht tun, Matthias», sagte ich. «Er würde sich damit selbst erledigen.»

«Er kann immer sagen, er habe nur experimentell teilgenommen», sagte Mathis und gähnte schon wieder. «Seinesgleichen findet immer einen Dreh. Aber vielleicht hast du recht, und er läßt es bleiben.»

«Vielleicht, vielleicht», erwiderte ich ungeduldig. «Ich finde, ihr könnt den Fall nicht so auf die leichte Achsel nehmen.»

«Sollen wir von Aesch umbringen?» fragte er. «Wir haben Nötigeres zu tun. Wir müssen Sylvester finden.»

Er erhob sich mühsam. «Ciao, gute Besserung», sagte er. Ich fühlte, wie mein Rücken heiß anlief. Als er schon bei der Tür war, fragte ich: «Wenn ihr ihn gefunden habt?»

«Dann werden wir ihn schützen. Wir werden auch für ihn kämpfen.»

Was sein würde, wenn sie ihn nicht fänden, sagte er nicht.

Wir sind müde, kuttelfarben

In den nächsten Tagen und Nächten schlief ich unersättlich, sank von einer Mattigkeit in die nächste, atmete, kaum hatte ich die Augen etwas offen, ein Stück Tag hereingenommen, wieder die farblosen Dünste des Schlummers ein, spürte es rieseln in den Lidern, ließ die Schwere sich wieder ausbreiten, mich vom Rückgrat her einschlagen, ihre Lappen vor meinem Gesicht zusammenstecken, der fade Engel wiegte mich wieder, die tiefe, farblose Seuche.

Nur zögernd kamen die Träume zurück. Aber als ich diesen hatte, wußte ich, daß der Tag mit mir neu beginnen sollte, die Entzündungserscheinungen des Lebens wieder auftraten. Der Traum war dieser.

Ein feuchtes Waldstück, Frühlingsmorgen ohne Sonnenaufgang. Die glatten Stammfluchten von geisterhaftem Kaffeebraun, mit viel Deckweiß versetzt. In der Luft ein Geruch von dampfender Rinde. Jemand, der meine bloßen Füße hat, geht auf dem saftigen Moder, bringt mit der Spitze eines geschälten Steckens einen Gegenstand auf, schnellt ihn aus dem Gebüsch und bleibt davor stehen. Langsam erholt sich der Gegenstand von seinem Schreck, richtet sich auf gespreiztem Fuße auf, teilt sich oben in zwei Spitzen, die mit einem Heer von Fühlern teils gegen mich, teils gegeneinander züngeln, spaltet sich tiefer, läßt einen Klumpen faules Laub, Moos, Tannennadeln sehen, der sandwichartig in den gespaltenen Körper eingebacken ist, oder sind es zwei Körper, die sich vereinigen; die Arbeit der Fühler wird intensiver, manchmal tastet einer gegen den Klumpen und zuckt heftig zurück. Unendlich langsam senkt sich vor meinen Augen der kuttelfarbene Klumpen auf die Seite; der Sockel, mit kleinem Unrat gespickt, tritt allmählich zutage, läßt erkennen, daß zweierlei Fleisch zusammengepreßt ist, streng wie in der Konserve. Eine Ameise zappelt über die feinen Runzeln, in denen Schleim glänzt. Der geschälte Stecken saust auf den Muskel nieder, sucht die Stelle zu treffen, wo er trennbar scheint, und er trennt sich auch, seufzend lassen die Wesen voneinander, krümmen die weichlichen Köpfe weg, in denen, wie blutige Näpfchen, die eingezogenen Fühler zucken, zucken im Takt der Rutenstreiche. Die Rutenspitze schnellt links und rechts die Körper weg, meine Füße wollen weitergehn, da stößt der linke gegen den nächsten Fleischball, der sich lauernd aufrichtet, zu fühlern anfängt, zum Glück ist der Zweig noch da, aber sein Niedersausen bringt den Weg vor mir in zarte Bewegung. Der Schotter, oder was ich für Schotter hielt, rührt sich kuttelfarben, richtet halb oder ganz verschmolzene Weichteile hoch, fächelt mit unzähligen Fühlern nach meiner Seite. Der Wald ist ein einziges Beet von Vereinigungen, geballtes Fleisch kollert unter den Zweigen hervor, die voll kuttelfarbener Bälle hangen, meine eigene Zehe beginnt sich zu fälteln und zu züngeln, meine Füße werden weiches Fleisch und wollen mich nicht mehr tragen. Wild saust mein geschälter Zweig kreuz und quer, saust jetzt auf einen Rücken nieder, den ich sofort als den Rücken Sabines erkenne, sie ließ mich früher darauf reiten. Sag Tante zu mir, sagte sie da, sag doch Tante Sabine, sag ganz ruhig, sei ganz ruhig, es eilt doch nicht, schlag so fest du kannst, flüsterte sie jetzt und drehte ein halbes Auge zu mir zurück, kannst du nicht fester, und ich schlug und hörte mich laut weinen dazu, schlug mit meinem geschälten Zweig und fühlte den Zweig schwach werden, meine Handgelenke schwach, kuttelfarbene Schwäche breitete sich aus, die streng nach Narzissen roch, dem leichenhaften Konditorduft von Narzissen. Und vornüberfallend, mein Gesicht dem dicksten Ekel zugewandt, bäumte ich mich noch einmal auf und fand mich, halb erwacht und halb erschlagen, in meinem Bett liegen und die Backen vor gepeinigter Wut und Schwäche brennen.

Der Traum hielt eine Weile an. Ich setzte mich sofort im Bett auf, aber er ließ sich dadurch nicht abschütteln. Die Farbe meiner Vorhänge, der schmutzige Schnee am Straßenrand, auch das Gesicht meiner Mutter, das sie hereinstreckte: warum ich gerufen habe? erinnerte mich an ihn.

«Mum», sagte ich, «ich möchte ins Internat zurück.»

«Du weißt doch, daß du erst zwei Tage fieberfrei sein mußt, Lieber», sagte sie, «und es ist so kurz vor Weihnachten. Willst du nicht gleich hier bleiben? Es lohnt doch fast nicht mehr.»

«Sorry, Mum, lieber nicht. Über Weihnachten möchte ich skifahren.»

Sie betrachtete mich etwas verwundet. Dann sah ich, wie sich ihre Augen einen mütterlichen Ruck gaben.

«Wenn du meinst – vielleicht wird dir das gut tun. Daß du dich dann nur nicht übernimmst. Aber erst wollen wir messen.»

Sie machte Miene, mir das Thermometer unter den Arm zu stecken. Ich wußte es zu verhindern.

«Mach das Fenster auf, Mum», bat ich.

Während mir das Quecksilber in der Achselhöhle stieg, Mum sich, ohne mir nahe zu kommen, an der Krankenbatterie auf meinem Nachttisch zu schaffen machte, stieß Außenluft feucht und weich gegen die Vorhänge, erreichte zögernd meine Schläfen. Ich lag sehr ruhig, sehr nüchtern bis auf die häßliche Stelle auf der Pyjamahose, die sich aber allmählich dem Körpergefühl anglich, unaufdringlich wurde, lag zunehmend trocken und hörte auf glatten Reifen die Autos vorbeiziehen, ein elektrisch summender Strom, der nur alle Minuten einmal kurz abgestellt wurde, um kräftigeres, aber zerstreutes Geräusch von der Bergstraße her durchzulassen, dann wieder in Stufen anlief und, rasch die Gänge wechselnd, mit gedämpfter und gleichmäßiger Rasse ins Weite ablief.

«Die Straße ist offen, Mum?» fragte ich.

«Seit heute morgen, denk dir», antwortete sie. «Der ganze Gemeinderat war zur Stelle, und ein Regierungsrat soll das Band zerschnitten haben.»

«Abächerli?» fragte ich, und bei Nennung dieses Namens durchdrang mich ein Heimweh, das ich überhaupt nicht erklären konnte – als hülfe dieser Riese mit weißen Buschbrauen gegen alle meine Träume.

«Vielleicht Abächerli», sagte sie.

«Abächerli ist zurückgetreten», korrigierte ich sie. «Es muß ein anderer gewesen sein. Mach zu, Mum, du verkühlst dich.»

Beim Schließen des Fensters geriet Mums Haar in Bewegung. Sie stand noch eine Weile am Glas und blickte hinunter.

«Du kannst ihn herausnehmen», sagte sie abwesend, noch ohne sich umzudrehen. In großer, heiterer, plötzlicher Bequemlichkeit, ohne das geringste Zittern in den Fingern, forschte ich in der Achselgrube und zog das Ding aus schwacher Wärme hervor. Es zeigte 35.5. Ich reichte es hinüber.

«Hast du es richtig gehalten? Untertemperatur», sagte sie und sah mich, die zusammengekniffenen Brauen lösend, etwas hilflos an.

«Ich brauche nichts als ein bißchen Bewegung, Mum», sagte ich.

Dabei blieb es. Am übernächsten Tag reiste ich. Die Kameraden oben suchten gerade ihre Sachen für Weihnachten zusammen, während ich die meinen auspackte. Es gab viel Schnee. Die «Soldanella» hatte ich nicht mehr angeschaut.

Mein geraffter Zauberberg

Nicht daß es etwas mit meiner Geschichte zu tun hätte: ich ging nach Davos. Die Weihnachtstage, die trüb und rauchig waren, versaß ich mit Mum und Tante Rös in einer familiären Pension. Sie gehörte einer baltischen Witwe mit adeligem Namen, der das Familiäre vielleicht etwas Mühe bereitete, obwohl sie mit einer gewissen Betonung daran festhielt; es war im Preise inbegriffen, ebenso die Tannenzweiglein, die gewisse offenbar kriegsbedingte Blößen und Lücken des Mobiliars mit Kerzenschimmer bedeckten. Nicht daß wir uns kein besseres Etablissement hätten leisten können; aber auch Mum hielt, ihrerseits mit Betonung, etwas Zurückgezogenes ihrem neuen Zivilstand für angemessen, und so beschränkten wir uns darauf, unsere von der Wirtin gern vermerkte Lebensart durch eine nicht zu knappe Bescherung zu demonstrieren. Mum zelebrierte sie in den hellhörigen Chaletwänden mit Wehmut. Sie benahm sich so, als wäre das die erste Weihnacht, die wir «allein» feierten – was im technischen Sinne richtig war, denn Pa hatte sich auch in den krassesten Phasen nicht nehmen lassen, Weihnachten mit seiner gesetzlichen Familie zu verbringen. Mum ging in ihrer Rührung so weit, mir allen möglichen Takt zu unterstellen: als habe ich nur ihr zulieb, aus feinen Gefühls- und Gemütsrücksichten, diese Exilweihnacht in den Bergen ersonnen, um zu verhindern, daß eine zu Hause verbrachte uns mit Erinnerung übernähme; sie trug zart parfümierte Witwenhalbtrauer und zeigte sich in jeder Hinsicht auf der Höhe unseres baltischen Etablissements. Die entschlossene Rührung stand ihr gut, war aber, soweit ich in Frage kam, ein Mißverständnis; angesichts der schon genannten Bescherung ließ sich darüber hinwegsehen. Von Tante Rös durfte ich das Transistorradio einer Weltmarke, großes Modell, aus der fabrikfertigen Geschenkpackung wickeln; es demonstrierte gleich seine Tugenden, indem es, während ich die Plastic-Rennskis (von Mum) mit dem Daumen von Kante zu Kante prüfte, wunderbar fein und trennscharf *Es ist ein Ros entsprungen* spielte und einen Knabenchor, scheinbar aus Zimmernähe, die Obertöne dazu summen ließ. Mum hatte die Skis in «Dorf» gekauft; man sah ihnen an, daß sie vor der Spitze der Preisliste nicht zurückgeschreckt war. Eigentlich brauchte ich keine Skis, hatte ja meine alten schon mitgebracht – aber eben, das war nötig gewesen, um die Überraschung vollständig zu machen. Ich legte sie denn auch an den Tag, der damit erst ein rechter Christabend geworden war; meine Hüterinnen beobachteten sie lange und herzlich, bis sie ihren Erwartungen entsprach, stellten frauenhafte Rückfragen, um mich so recht die Partei der neuen Skis nehmen zu sehen, und ermahnten mich dann zu sorgsamem Gebrauch. Als die Damen hinlänglich überzeugt schienen, daß der Effekt der Skis nicht mehr zu schlagen war, reichte mir Mum schließlich noch einen Briefumschlag herüber, und indem sie einen klar wahrnehmbaren Schatten über ihr kerzenhelles Gesicht fliegen ließ, sagte sie: «Und das ist von deinem Vater.» «Dein Vater» – das sollte seither die Formel bleiben, mit der nicht nur jeder Rest von Intimität abgewehrt wurde, die eheliche Assoziation aufs absolute Pflichtteil gesetzt schien; die Formel hatte auch den Nebensinn, so wenigstens empfand ich es, mir den Schwarzen Peter zuzuschieben, das Odium jener Männlichkeit, mit der Mum so kränkende Erfahrungen gemacht hatte. Was konnte «dein Vater» anderes in das Kuvertchen gesteckt haben als eben einen Geldschein, das Erste und Letzte, was ihm zu seiner Scheidungswaise einfiel, einen möglichst teuren billigen Loskauf von seiner gerichtlich fortbestehenden Weihnachtspflicht? Skis jedenfalls konnten es nicht sein; gegen die Soprankatarakte aus dem nahen Österreichischen würde es nicht aufkommen.

Wir hatten uns in Pa getäuscht – nicht sehr, aber ein wenig, eine rührende Nuance. Es war kein nacktes Geld; es war ein Büchergutschein über 500 (fünfhundert) Schweizer Franken, einlösbar in einer Buchhandlung in der Nähe der Börse. An meinem Schulweg lag sie nicht, aber am Geschäftsweg meines Vaters hatte sie gelegen, zwischen zwei Transaktionen waren ihm ihre Klassikertitel ins Auge gefallen, und gelegentlich dieses Zufalls aus höherer, ihm fremder Sphäre hatte er an mich und meine Ausbildung denken müssen. Geld war es nicht, oder vielmehr: Geld in Gestalt seines verlegenen guten Willens, seines schlechten Gewissens: es war ein Geschenk, an dem ich mich trotz seiner unbeholfenen Höhe freuen konnte. Natürlich verbarg ich meine Freude oder ließ sie, nach einem kurzen Blick auf das Papier *(Meinem lieben Sohn Klaus, damit er im Frühling wieder etwas zu studieren hat)*, wieder der gut geschliffenen Skikante, der unfallfreien Bindung zugute kommen.

Ein Generalabonnement auf alle erreichbaren Davoser Skilifts hatte, Mums Vorsprung sichernd, an der Skispitze gehangen; ich erkaufte mir damit, als das Wetter zum Jahreswechsel besser wurde, ein paar kalte sonnige Nachmittage in der Höhe, probierte anfangs die verschiedenen Hänge aus und entschied mich schließlich für den bequemsten, unterließ es überhaupt, die Rennkapazität meiner Plasticbretter auszulasten, sondern steckte sie am liebsten neben dem Strela-Gasthaus in den Schnee; anfangs hatte ich bei Linzertorte und «Omnibus» noch ein Auge auf sie, ließ es aber, wenn der Omnibus die hochalpine Mittagswohligkeit verstärkte, zufallen und bald das andere auch, horchte, an die Holzwand gelehnt, noch eine Weile den Pfiffen der Bergfinken, dem kosmopolitischen Palaver, dem schweren Getrampel der Skischuhe auf der Holzterrasse, dem dümmlichen Läuten der Limonadefläschchen, dem Glasschneider-Geräusch ankommender Christianias, dem zarteren Knistern einer weiblichen Windjacke in der Nähe, fühlte allmählich meine Gegenwart sich vermindern und schlummerte dann einen heißen kurzen Schlaf ins Gesicht der Dreitausenderlandschaft, die sich nur noch als schwarzes Feuer hinter meinen Lidern malte. Regelmäßig, anfangs etwas taumelig, fand ich dann meine Bretter wieder; niemand hatte sie genommen, sie staken unter ihresgleichen, die Solidarität der obern Preisklasse hatte sie behütet. Dann die Fahrt, keine Schußfahrt, ins rasch Kühlere, auf der Schatzalp schon Halblichtige hinunter; dann das teuflische Laufen der Bretter in der blau abgelöschten Tannenschneise, bis man auf der stahlharten Promenade die Füße von ihnen erlösen konnte und, mit schweren Schritten von einem kandisfarben erhellten Tea Room zum andern, das Luxuswerkzeug auf den Schultern gekreuzt, den festen und langsamen Boden empfand.

Eine Neuerscheinung

Den Rest des Winters brachte ich im Internat zu. Der Schnee häufte sich noch einige Male über dem neubarocken Giebel des Hauptgebäudes, häufte sich aber nur, um jedesmal rascher abgetragen zu werden. Lehrer Schläpfer lehrte, ohne das seine dabei zu verbessern, weiterhin Französisch, da junge Lehrkräfte schwer für unsern abgelegenen Ort zu gewinnen waren. Meine Noten stiegen der Erwartung entgegen, daß ich selber ihn bald würde verlassen können. Noch eine hochnotpeinliche Veranstaltung ging, vom Direktor mit leidendem Gaumen-R gesteuert, über die Bühne der Aula; dann aber, Ende März und anfangs April, behielt die Schneeschmelze das letzte Wort.

Einmal mitten im Quartal war ich ins bereits schneefreie Unterland gefahren, um dort die Farce einer Wiederaufnahme-Prüfung zu bestehen. Sie verlief, da ich mir bei meinem früheren Auftreten gewogene Lehrer gesichert hatte, ohne Zwischenfall. Nur der Geographie-Lehrer verlangte, daß ich in seinem Fach Nachhilfe-Unterricht nehme: es war mir nicht gelungen, auf den Wendekreis des Steinbocks mit dem Finger zu zeigen.

Einmal, das muß schon Mitte März gewesen sein, rief mich auch unser Direktor zu sich, erkundigte sich nach meinem Befinden und ermahnte mich, feste zu bleiben; es klang so, als brächte er sogar meine Krankheit mit irgendeinem bübischen Laster in Verbindung. Bettlägerige waren ihm unsauber per se, er muß seine sechs Kinder im Stehen gemacht haben. Als Schüler, der dem herzlichen alpinen Kreise bald den Rücken kehren würde, wurde ich auch in den Unterrichtsstunden nicht mehr ganz voll genommen. Fast hätte ich, wie Tobias, meinen schönen Transistor in die Klasse mitnehmen und, den Pfropfen im Ohr, Schwerhörigkeit vortäuschen können. Aber eben: der Transistor, das Luxusmodell, war zu groß; es gab unter unsern Schandbänklein keinen Platz dafür.

Desto häufiger befragte ich den Apparat auf meinem Zimmer, bei uns in biederer Munterkeit «Bude» genannt, hörte, wenn einsam, in Zimmerlautstärke Viehpreis und Wasserstandsmeldungen, hörte aber auch mit Pfropfen, wenn mein Kamerad Peter die Aufgaben für mich erledigte; ich hatte ihm dafür das ältere Paar Ski geschenkt.

So war es an einem Sonntagmorgen: der Predigtschmalz in den Augenwinkeln des Pfarrers abgetaut; in der unentschiedenen Märzluft Vorgeschmack von Suppennudeln; vom Dorfzwiebelturm das klagende Ausläuten; schwarze Dörfler, die über die fett glänzenden Gräber und zum Schmiedeisentor hinauswanderten. Da hörte ich, ohne jede Gnadenfrist, gleich nach dem Anknipsen, denn beim Transistorapparat brauchen keine Röhren warm zu werden, deine Stimme, Roland von Aesch; da stand übergangslos und stereophon deine angenehm aufgerauhte Stimme in meinem Raum in den Bergen. Sie sagte gesprächsweise:

«...sollten weder als Geheimniskrämerei noch als formalistische Schnörkel mißverstanden werden. Wenn ich ‹Ü›. schreibe statt zum Beispiel Überseen oder Ürikon, so will ich damit ausdrücken, daß meine Geschichte an keinem Ort spielt und an jedem – daß ihr Ort repräsentativ ist, verstehen Sie, wenn auch anonymerweise, denn er ist der psychologische Ort Helvetiens, wie wiederum meine Geschichte das Modell einer Geschichte ist.»

«Sie sagen: das Modell einer Geschichte», plapperte eine töricht-gebildete Frauenstimme. «Herr von Aesch, würden Sie trotzdem meinen, daß Ihre Geschichte in gewisser Weise auf die Wirklichkeit zurückschlägt, die sie verdichtet? Würden Sie sagen, daß sie diese Wirklichkeit *verändert*? Denn darauf kommt es doch wohl heute an, anders kann sich Kunst heute nicht mehr mehr legitimieren...»

«Ich möchte fast hoffen», sagte Roland, und hörte denn niemand den Hohn in seiner Stimme, «vielmehr, ich habe gewisse Beweise dafür, daß mein Buch, obwohl es zunächst keinem aktuellen Bedürfnis zu entsprechen schien, seinen Weg durch die Instanzen der verwalteten Welt macht, und zwar mit erstaunlichem Erfolg. Sehen Sie, die Realität steht heute so hageldicht, Sie können gar nicht mehr ins Blaue schießen, ohne irgendeinen konsolidierten Bestand zu treffen. Und wenn mein Modell stimmt, wenn es, um auf Ihr schönes Wort zurückzukommen, den richtigen Verdichtungsgrad aufweist, so wirkt es schlechthin als Sprengkörper.»

Man wird sich wundern, wie ich zu diesem Wortlaut komme. Aus der Erinnerung aufgeschrieben? Ich würde mich schämen. Nein, ich habe mich dokumentiert, auch über den, der sich ungenügend dokumentiert hat. Was glaubt man: ich war im Zürcher Studio. Ich habe das Band verlangt, abspielen lassen und mitstenographiert. Die machten das für mich. Ausnahmsweise bin ich froh, daß sie Roland für bedeutend genug hielten, um seine Stimme zu archivieren; sie wiederum freuten sich, daß ich ihnen Gelegenheit gab, die Handlichkeit ihres Archivs vorzuführen. Ich sagte: ich brauche es für einen Aufsatz über den Autor. Sie nahmen an: einen Schulaufsatz, die Guten. Wenn der Aufsatz erschienen ist, können sie ihr Band wieder löschen und anständiger verwenden.

Aber damals war noch kein Gedanke daran, daß ich mich

so umständlich dokumentieren müsse. Roland von Aesch hatte, wenn nicht alles trog, ein Buch über die «Soldanella» geschrieben: ich mußte es kennen. Am Sonntag lag hier oben alles still; ich zitterte, aber mußte warten; die Sportmeldungen abends schmeckten mir nicht; ich schlief in großer Unruhe. Am Montag, in der Neunuhr-Pause, als es am verbotensten war, ins Dorf zu gehen, eilte ich zu Frau Flütsch. Frau Flütsch besaß eine kleine Papeterie an der Hauptstraße. Sie betrieb eine Leihbücherei und führte jeweils auch ein paar neue Bücher, die gängigsten Titel. Sie wunderte sich nicht über mich. Sie schob nur die Brille kurz auf die Nasenspitze und wieder zurück vor ihre durch ein Frauenheftchen geröteten Augen, wollte sich halb vom Sitz lüften und hinter sich ins Regal greifen. Aber mein Fall war nicht im Sitzen abzumachen.

«Keinen ‹Tip› heute, Frau Flütsch.» Der «Tip» ist eine schweizerische Sportillustrierte.

Nun ließ sich Frau Flütsch auf ihren Hocker zurückfallen und schob nochmals die Brille ganz nach vorn. Um mich so zu sehen, wie sie mich jetzt sehen wollte, mußte sie auch noch etwas den Kopf senken. Sie sah grau und gefährlich aus für ihre Molligkeit.

«Ich möchte ‹Die Kurvenschneider›», sagte ich fliegend.

«Von wem soll das sein? Von der Luise Rinser?»

«Von Roland von Aesch.»

«Das Heft muß mir ausgegangen sein», sagte sie entschlossen und nahm das Strickzeug wieder her.

«Es ist kein Heft, Frau Flütsch», sagte ich, «es ist ein Buch.»

«Ein Roman?» fragte sie nach einer guten Weile und knisterte.

«Wahrscheinlich», sagte ich drängend.

«Ich bin nicht sicher, ob man es in der Anstalt schätzt, wenn du Romane liest», sagte sie und klapperte.

«Es ist kein guter Roman, Frau Flütsch», sagte ich und hätte mir, kaum war es heraus, am liebsten die Zunge abgebissen. Rasch fügte ich hinzu: «Ich meine: es ist ein moderner Roman. Ich möchte ihn bei Ihnen bestellen, und es ist dringend.»

«Wenn es kein guter und noch dazu ein moderner Roman ist, kommt er für dich kaum in Frage», sagte sie. Ich hatte es kommen sehen und musterte sie verzweifelt. Mußte das Weib immer meinen simpelsten Befürchtungen entsprechen! Ich mußte das Buch also im Unterland bestellen. Gott, wie lange das dauern konnte. Ich wollte mich zum Gehen wenden. Da ließ Frau Flütsch das Strickzeug sinken. Ihre Mausaugen glitzerten hinter Glas.

«Sei ehrlich», sagte sie. «Du liest doch gar keine Romane, und die modernen sind sowieso die langweiligsten, oder es stehen Schweinereien darin. Du willst das Buch für jemand anders. Wer hat dich geschickt?»

Ich erwiderte eine Weile ihren Blick. Dann schlug ich die Augen nieder.

«Sie bestellen es also», sagte ich.

Umständlich notierte sie Namen und Titel auf den Rand ihres Frauenblattes. Drüben ging die Pause zur Neige: fern und fein wie aus einem falschen Paradies konnte man die Glocke läuten hören. Vielleicht läuteten auch nur meine Ohren.

«Übermorgen kannst du wieder nachsehen», sagte sie. Und dann: «Für wen ist es jetzt?»

«Für den Lehrer Schläpfer», sagte ich halblaut.

Da nahm sie die Brille ganz ab. Ich bekam nur den Anfang ihrer Entgeisterung mit: eine Minute später saß ich bei Lehrer Schläpfer in der Klasse. Er sah mich strafend an. Ich hatte es verdient. Ich keuchte, als ob ich Frau Flütschens Bestellung damit beschleunigen könne.

Und es kam.

Ich las bei verrammelten Fenstern weit über das Zehnuhr-Lichterlöschen hinaus, las im zwiefachen Lichtkegel einer Taschenlaterne, die in dem Maße matter wurde, als die Hand, die sie hielt, gefror oder einschlief, flog mit den Augen über den Lichtrand hinaus, der mit zitternder Aura nachrückte. Ich überflog die Seiten wie ein verhungerter

Geier, zuckend und im Zustand einer unaufhörlichen Nervosität, die mir einzelne Wendungen heftig einbrannte, Kopfweh machte bis zum Schläfenticken, die Augen in den Sockeln harzen ließ. Wäre eine Kontrolle gekommen, ich hätte sie auf der Stelle niedergeschrien in meiner Hysterie und Überwachtheit. Aber es kam keine; Peter, nun, der mußte sich arrangieren und sehen, wie er seinen Schlaf fand. Er fand ihn, ohne zu murren; er muß mir angesehen haben, wie es mit mir und diesem Buch stand. Ich fand ihn nicht, fand ihn erst in den Morgenstunden, nachdem ich dem Buch bei erlöschendem Licht die letzte Seite umgedreht hatte. Mein Hirn summte wie eine Transformatorenstation; die plötzliche Abwesenheit des Lichtpunktes hinterließ einen brennend grauen Fleck in meiner Dunkelkammer; ein wortloser Schock hielt mich wie eine dicke Decke gefangen.

Womit endet das Buch? Mit Nell Rüfenacht auf der Bettkante des Autors? Mit Sylvester Mba, verloren und verblutet in einem Regensberger Gehölz, gefunden in einer Januarnacht von drei Kindern, die Drei Könige spielten und dabei, über Sylvesters vereisten Fuß stolpernd, ihre Kronen verloren? Davon steht in Rolands Buch nichts. Es endet auf dem Kirchweihplatz eines Städtchens G., darf sogar, dank Rolands gütiger Regie, an einem glashellen Herbsttag enden, inmitten einer Menge herzlichen, gut gelaunten Volks, unter das der Regisseur seine Leutchen mischt: die Herren S. und K., die Dame H., die ältere Dame Sch. und so weiter, die ganze mit Initialen paradierende Kunstfälscher-Clique, die offenbar durch die fröhliche Mischung mit dem Völkchen von G. in den Genuß schalkhaft gemeinter Legitimität kommen und im besten nachsommerlichen Licht reingewaschen werden soll. Fröhlich sind sie alle, die Initialen, aber am fröhlichsten fürwahr das schwarz- und weiße Pärchen in der Mitte, das Negerlein M. und das zarte Fräulein R., die sich bei den Händen halten und vor Glück nicht zu lassen wissen, bis sie es in einem der Karussellkütschchen seßhaft machen können, welches Kütschchen sie, vom Lächeln des Regisseurs begönnert, unzählbare Male im töricht-seligen

Kreise führt. Auf diesen Karusellton läßt Roland die Geschichte enden, die er die seine zu nennen wagt und im Untertitel ekelhafterweise «fast einen Schelmenroman». Er dreht das Karusell mit einer Miene von zarter Zudienerei und Diskretion und unterstellt, so werde es nun immer weitergegangen sein, und wenn sie nicht gestorben sind, so drehen sie heute noch. Er unterstellt hiermit das Arrangement der Schälke mit den Bürgern, der Täuscher mit den Getäuschten im festlichen Zeichen des Jahrmarktes zu G. In Vaterlandes Saus und Brause, findet er, sei auch die Schadenfreude sündenrein gewaschen.

Es ist ein Lächeln beinahe der Wehmut, das der Mörder abzweigt von seiner Tat und vorweg auf sein Buch fallen läßt; die Tat selber verschweigt er. Das Ungeheuer, das die Karussellwiege mit dem Fuß trieb, ist aus dem Bildchen wegretouchiert. Roland will den Höhepunkt als Idyll, denkt nicht daran, es durch die Tatsache seiner selbst zu stören: so verlangt es sein Kunstverstand. Bis hierher und nicht weiter! sagt ihm sein Schönheitssinn. Daß er privat weitergegangen ist, daß er sich außerhalb der schönen Literatur nicht die Mühe nahm, sein eigenes Idyll zu respektieren, daß ihn die Kunst nicht zum Anstand verpflichtete – das soll auf einem andern Blatt stehen, davon schweigt des Sängers Höflichkeit vor dem Sänger...

Hier an diesem Punkte, liegt die Infamie dieses Buches. Man kann so weit gehen, Roland die Aufdeckung unserer Geheimnisse zu verzeihen: sie sind ja hinter seinem als Avantgarde getarnten Initialen-Hokuspokus für jeden halbwegs Eingeweihten leicht zu entschlüsseln. Man kann ihm sogar die Schadenfreude angesichts der Getäuschten nachempfinden, die, nachdem sie diesen 300-Seiten-Roman gähnend vom Nachttisch genommen hatten, schwarz auf weiß zu lesen bekamen, daß sie sich hatten einwickeln lassen, worauf es um ihren Schlaf allerdings ebenso geschehen war wie damals, nach der zweiten Expedition zu Frau Flütsch, um meinen. Man kann noch weitergehen: man kann Roland die Zerstörung der «Soldanella» verzeihen, die in jener schlaflosen Nacht in den Köpfen, auf die es ankam und die sich schon heimlich wackeln fühlten, zur beschlossenen Sache wurde. Es gab viele Gründe gegen die «Soldanella», auch ich habe die meinigen und habe sie wohl durchblicken lassen. Der stärkste Grund dagegen ist sogar ein innerer: daß ein Paradies nicht narrensicher sein darf, daß es zu seinen Rechten gehört, verloren zu gehen. Auch daß der Schädling, der es zu Fall brachte, im Garten selber genährt wurde, ist zur Not ein Stück ehrliche Mythologie und muß in Kauf genommen werden. Daß aber Roland den Leser mit einem nett gestellten Märchen entläßt, ausgerechnet er, der am besten wußte, was daraus geworden ist, was *er* daraus gemacht hat; daß der schiefe Satan sich in der Pose des gerührten Engels verabschiedet, wo er es in der Hand gehabt hätte, das fragile Glück, das er schildert, tatsächlich werden zu lassen, es wenigstens nicht zu hindern, sich an der Welt zu versuchen –: das, *das* ist die Sünde, die nicht verziehen werden kann. Wenn die Schlange sagt: «Seht, so und so, und ich war's», so ist dagegen nicht viel einzuwenden, und man muß ihr den Schandstolz abkaufen wohl oder übel. Aber wenn sie die zärtliche Schönheit des Paradieses begirrt und vor dem gefährdeten Menschenpaar Wasser ins Auge bekommt, so geht das zu weit, und man muß sie in die Fresse treten. An dieser Stelle, Roland von Aesch, vertrage ich deinen Zynismus heute so wenig wie damals. Hier wird dein «Sinn für offene Verhältnisse», den dir die Kritik nachgerühmt hat, zur Gemeinheit; so offen, wie du sie in deiner Abschiedscour lassen möchtest, waren sie nicht. Hier warst du einmal zu oft Virtuos; hier wird es zur Pflicht, dir deinen Abgang stinkend zu machen.

Roland von Aesch! Wir werden einst in zwei Arbeitsgängen gewogen: einmal nach den Taten, die wir begangen, einmal nach denen, die wir unterlassen haben. Es ist möglich, daß du die erste Hürde passierst: was du der «Soldanella» eingebrockt hast, was du mit Nell Rüfenacht gemacht hast, wird am Ende nicht schwerer wiegen als du, und du bist ein Leichtgewicht. Aber ich sage dir: beim zweiten Durchgang wirst du hängen bleiben. Die Blätter, die deinem Buche nach Seite 317 fehlen, haben das volle Gewicht der beleidigten und unterschlagenen Wahrheit. Dein Leben mag hingehen, kläglich wie es ist; in deiner Literatur wird man dich fangen. Du kleiner Bock wirst endgültig zu den Böcken geschlagen werden, und diese Blätter sollen dem Jüngsten Gericht das Stichwort dazu liefern.

Hybris, Klaus, bitte nicht vorgreifen, verkneif dir solches Futurum, es steht nicht bei dir. Du bist auf dem Papier mitgegangen, wenn auch im Zorn; du könntest mitgefangen werden. – Ich halte ja den Mund; ich büße, indem ich schreibe. Wem's so sauer wird wie mir, dem wird's hoffentlich angerechnet. Ich bin froh, über Roland schon ausgepackt zu haben. Ich bin froh, daß ich auf seinen eigenen Wortlaut zurückgreifen konnte, auch wenn er durch den offenen Mund des geschupften Bildhauers Mathis Kahlmann redete. Es bleibt jetzt nicht mehr viel zu tun: Abschied nehmen vom evangelischen Internat, beispielsweise; Abschied per Zug diesmal und mit vorausgeschicktem Gepäck, Abschied an einem von keiner Träne getrübten Aprilmorgen des Jahres 1963. Die Krähen flogen nur bis zum Bahnhof mit.

Vor allem aber bleibt der letzte Abend der «Soldanella» nachzutragen. Nicht der physisch letzte dieses lieben Relikts aus der Gründerzeit, – die von Roland alarmierten Abbruchhämmer trauten sich nicht von heute auf morgen heran, die Gemeinde brauchte Zeit zur Eingemeindung –, aber der letzte Abend in jedem höheren, der definitiv letzte in *unserem* Sinn.

SIEBENTES BUCH

MIT DEM BLOSSEN HAUENDEN SCHWERT

Die taube Perle

Zu Hause erwartete mich eine Überraschung. Tante Rös war fort; da war Diana, das neue Mädchen, südlich und nicht mehr ganz jung. Sie hörte mich nicht eintreten, denn sie fuhrwerkte mit dem Staubsauger herum, zog ihn am Rüssel mehr stürmisch als gründlich von einer Ecke der Halle in die entgegengesetzte: er kam auf seinen Kufen aus dem Wedeln nicht heraus. Sauber würde es in diesem Hause nicht mehr werden, das sah ich mit einem Blick, aber farbig allenfalls. Bei einem Zurückschütteln der Mähne muß ihr der Fremdkörper in der Tür aufgefallen sein; sie richtete sich auf, erhitzt, und schob die Mähne mit dem ganzen runden Arm entschlossener zurück: es nützte nichts, die Mähne kam wieder. Gleichzeitig unternahm sie, mit unpraktisch spitzem Schuh, den Versuch, den Sauger zum Schweigen zu bringen, aber keiner der Knöpfe und Vorsprünge, auf die sie hastig hintereinander trat, antwortete ihrem Bemühen, oder sie traf ihn nicht recht. So begrüßten wir einander bei rauschendem Staubsaugerlärm. Ich konnte ihre Sprache nicht verstehen, konnte ihr, da die Mähne beim Handschütteln noch weiter fiel, auch nur in ein Auge sehen; dieses blickte scheu und tragisch. Ihr gekerbtes bleiches Gesicht verzerrte sich leicht, komisch vielleicht wider Willen, und die scharfe Nase erinnerte – woran gleich? – an die Nase des Tobias.

Während sie aber nach meinen Koffern griff, sich trotz meiner Proteste keinen der gewaltigen wieder entreißen ließ, wandelte mollig und duftend Mum die Halbtreppe herab und schloß mich damenhaft an ihr Jäckchen, um mir dann die Halbtreppe wieder hinauf im sich entfernenden Staubsaugertosen Dianas Bewandtnisse zu erklären: vor einem Monat war ihr Mann, mit dem sie aus Apulien, und um leben zu können, hergewandert war, in einer schweizerischen Zementmischmaschine, die er reparieren wollte, versehentlich mitgemischt worden und seinen Verletzungen im nahen Bezirksspital nach wenigen Stunden erlegen. Diana war Witwe, aber sie hatte einen Bambino, der tagsüber in einer städtischen Krippe lag. Es hatte Mum Mühe gekostet, eine Arbeitsbewilligung für sie zu erwirken, mit der man amtlicherseits zurückhielt, weil Diana drohte – nicht wirklich drohte, denn sie beherrschte ja die Landessprache nicht und konnte auch nicht schreiben, sondern drohte einfach durch ihre Existenz –, dem ohnehin geplagten Gastland Scherereien zu machen und ein soziales Problem zu werden. Man scheute amtlicherseits die Verantwortung, nachdem der natürliche Ernährer in Fortfall gekommen war. Immerhin, Mum, selbst ohne Ernährer, aber immerhin eine Dame, nachdrücklicher Dame durch jeden Affront, hatte sich von Pontius zu Pilatus chauffieren lassen und hatte es schließlich geschafft. Eine Hilfe war Diana noch nicht, sie kannte sich mit unsern Einrichtungen nicht aus, stand vor der Geschirrspülmaschine wie die Kuh am Hag, so daß es sicherer war, Diana vorläufig von Hand abwaschen zu lassen. Diana brauchte noch sehr viel Führung, mußte erst angelernt werden, gab eigentlich doppelte Arbeit, wenn man alles zusammenzählte, aber sie war willig, verdarb jede Suppe, zerbrach zwei Teller pro Tag durch Überwilligkeit, hatte schon die meisten Topfpflanzen totbegossen, Diana war eine teure Hilfe, aber da wirkte vermutlich auch der Schock etwas nach, und schließlich kann man nicht so sein. Kurz, Diana war ideal, denn sie war ein Problem, und Mum, Dame im duftenden Jäckchen, brauchte jetzt dringend ein Problem.

Der Staubsauger kam an diesem Abend lange nicht zur Ruhe. Während Mum und ich bei unsern belegten Abendbrötchen saßen, das langsame Einnachten durch großes Glas musterten, die Stadt hinter den Verkehrsampeln sich sanft und golden zurückziehen sahen, saugte Diana Staub. Beim Plaudern, wir plauderten wenig, vom nahen Schulanfang vielleicht, überhörten wir zeitweise das zarte Rauschen aus der Halle; in unsere Pausen fiel es wieder ein. Einmal stellte ich mich geräuschlos unter die Tür: Diana hielt, von mir abgewandt, die geflochtene Röhre gedankenvoll unter dem Arm und sprach strenges, aber leises Italienisch mit dem Saugkörper, dem Aluminiumbehälter, den sie manchmal an der Röhre hin und her warf; zwei, drei Male trat sie auch wieder nach ihm, scharf und heikel wie nach einem apulischen Esel. Dann zog sie ihn in die Ecke und schalt ihn mit zusammengekniffenen Brauen. Langsam, sehr zögernd und abwesend nahm sie dann das Saugegeschäft wieder auf, zog die pfeifende Düse ein dutzendmal über denselben Fleck, wo kein Fleck, wo längst nichts mehr zu saugen war. Leise zog ich mich wieder ins Eßzimmer zurück.

«Kannst du nicht mit ihr reden?» fragte ich Mum, die mit gepflegten Wangen kaute.

«Sie redet fast nichts», antwortete Mum, nicht ohne zuvor geschluckt zu haben. «Sie redet eigentlich nur, wenn der Staubsauger läuft.»

«Aha, darum», sagte ich. Ich setzte mich nochmals, aber verzichtete auf das dargereichte Brot. Es war mit Sardellenbutter bestrichen. Wir rauchten eine Zigarettenlänge.

«Mum», sagte ich. «Ich möchte wieder einmal in die ‹Soldanella› hinüber.» Mum schwieg. Dann sagte sie:

«Nimm den Schlüssel mit, Klaus, du weißt, wo er ist.»

Ich gab ihr einen Kuß.

«Vielleicht bin ich heute müde, weißt du», sagte sie auch noch.

Ich trat in die Halle. Sie war still. Der Staubsauger ankerte irgendwo verlassen im weiten Spannteppichblau. Diana stand vor der Steckdose: sie hatte den Stecker herausgezogen und betrachtete ihn, während ihr kleiner Finger bald den einen, bald den andern Pol bestrich. Als sie sich meiner Gegenwart bewußt wurde, steckte sie ihn blitzschnell wieder ein. «Buona notte, signora», sagte ich in das wiedererstandene Brummgeräusch hinein. Sie antwortete tonlos, indem es ihre Mundwinkel ein-, zweimal stark auseinanderriß.

Draußen war schon die Nacht gefallen, rasch wie in den Tropen, föhnwarm. Ich hatte Mühe, das Schild am Gittertor zu lesen. Kurios genug: die kalte Helligkeit der neuen Straße reichte nicht recht heran; das kleine Vorland der «Soldanella» mit dem Rasenstück, der Rosenrabatte, den Platanenstummeln lag in doppeltem Dunkel. Ein verirrter Scheinwerfer ließ endlich das Aluminiumschild aufscheinen. Ein Leukoplast klebte darauf: «Wegen Revision geschlossen». Es war Monikas runde Schrift; sie hatte mit dem Leukoplast Mühe gehabt.

Ich trat ein, der Kies knirschte schmerzhaft vertraut. Halben Wegs, in der Nähe der Rabatte, erschrak ich. Ein Mensch stand vor mir, aus dem Hausschatten gewachsen. Er schien seinerseits erschrocken, wenigstens zitterte er; das Zittern war deutlicher als seine Gestalt.

«Tobias», sagte ich, «was machst du hier?»

«Gras zuschneiden», sagte er. Wirklich, er hatte eine Schere in der Hand, ein einfaches Instrument aus zwei Klingen, die man zusammenpreßt. Ich hatte es oft in Fees Hand gesehen.

«Du siehst ja gar nichts mehr», sagte ich.

«Man spürt's», sagte Tobias, und seine Zähne schlugen einmal zu oft aufeinander.

«Komm herein, Tobias», sagte ich. Ich hatte hier nichts zu befehlen. Dennoch schien es natürlich, wie er mir folgte. Erst beim letzten Schritt schon vor der Haustür packte es mich, holte mich das Ungeheuerliche ein. Was stimmte hier nicht? Der Schock rührte daher, daß ich mir bis jetzt verborgen hatte, daß ich es wußte. Auf der Tür stand eine unsichtbare Schrift. Ich entzifferte sie im Dunkel; nur das Dunkel erlaubte, sie zu entziffern. Hier war keine Blutspur mehr; der Würgengel war nicht vorübergegangen. Dennoch traten wir ein. Tobias behielt die Schere in der Hand.

Ja, da war wieder der Raum. Ich übersah ihn – es war nicht zu übersehen, vorn im Erker, dem südlichsten Balken des

Kreuzes, sehr ruhig, auf zwei gewöhnlichen Stühlen, vor den zugezogenen Gardinen, wegen Revision geschlossen.

Ich sah es, aber ich blickte nicht hin. Meine Augen fingen bei der Decke an, wichen ihr aber, wie ertappt, gleich wieder aus: sie war leichenfarben, natürlich, Roland hatte sie so gestrichen. Die Wand, die Wände: blau. Blau ist empfindlich, aber dieses war nicht verschossen. Könnte man nur die Augen ausruhen lassen, hier, immer auf dieser halben Höhe, der ganzen Tiefe eingebildeter Buchten! Man kann es nicht sehr lange. Halten wir uns zum Beispiel an die Wand gleich links vom Eingang, die Wand mit dem Fenster, unter dem du früher gesessen hast, vor Jahren im Mai, lassen wir die Augen vorsorglich sehr in der Nähe, so wird die Buchtenruhe alsbald durch ein Plakat kupiert, ein Stück geformter Wüste – kennst du sie wohl? Chandigarh heißt sie, *See Chandigarh* befiehlt sie, aber Le Corbusiers naives Blau und Rot ist mit einem massiven Rot quer durchgestrichen, dafür hängt ein Packpapierstreifen an zwei Stecknadeln leicht sich lüftend darunter, und die Legende lautet: WILLKOMMEN ZU HAUSE. Warum lüftet sich der Streifen? Weil vorne im Südkreuz trotz geschlossenen Gardinen beide Fenster offen sind, Durchzug schaffen, du weißt schon, wozu, aber sieh nicht hin.

Sieh lieber die Versammlung der Statuen: sie stehen auch auf dieser Seite. Wie stehen sie da, die Abwaschende, die nicht mehr hat, wo sie abwasche, die Strickende, die Handaufstützerin, die Scheuernde, die Büßende und die Gekrümmte? Sie stehen schlecht da, sie stehen auf einem Haufen, rotten sich wie die Bürger von Calais, aber gedankenloser; jemand, der anderes im Kopf hatte, muß sie in die Ecke geschoben, zusammengekehrt haben. Sie stehen auf einmal da ohne Unterstützung durch den Raum, ohne Umschwung, ein gipserner Unrat, makabrer Kehricht, abgeschoben, herausrevidiert, *überholt* –; ja, «überholt» war das Wort, das, wenn es nicht damals schon dunkel haftete, jedenfalls heute das zutreffende erscheint. Diese Letzten Menschen waren von gleich nebenan, aus der wuchtenden Mitte des Raumes, widerlegt, überzählig gemacht, ausgezählt worden für immer. Sieh nicht hin, mach den großen Schwenker, den scharfen Schnitt; such, nachdem du die Augen vorübergehend leer gelassen hast, erst die fernere Seite des Zimmers ab, die Seite, wo es einst durch die Tür, die wieder offen ist, zu Balthasar Demuth ging, dann zu Tobias; wo Professor Anderegg mit Stefan auf dem Fuße unter falschen Baldachinen wandelte und sich auf das gußeiserne Bett setzte, um die Geschichte mit der Köchin im Herdloch anzuhören.

Auch an jener Wand geht es trümmerhaft zu. Stücke der auseinandergenommenen Ottomane stehen durcheinander, unbearbeitete Würfel in einer blauen Werkstatt. Die meisten stehen ledig, einige aber doch besiedelt; wenn du nachzählst, kommst du immerhin auf vier Leute. Natürlich, zuerst fällt dir der Bitz auf. Er war lange fort; deine Ruhe ist knapp, aber so viel Ruhe verdient er, daß du ihn mit den Augen begrüßt, auch wenn du seine Augen nicht findest. Er ist der WILLKOMMEN Geheißene des Chandigarh-Plakats, entlaufen unter Hinterlassung der Neger, die wir ihm veruntreut haben; wieder zugelaufen, aber einen Tag zu spät, nicht mehr heimgelaufen, denn auch die «Soldanella» ist ihm durchgestrichen, «heim» gibt es nicht mehr. Einen Tag zu spät, grüner Heinrich der ersten Fassung, der noch nicht einmal die erste Fassung wiedererlangt hat; der grüne Bitz weint, verbirgt Tränen unter seinem runden Kopf, bis die Schwerkraft sie seinem Bart abnimmt und er sie fallen und spätestens auf dem Boden sehen lassen muß; das Augenwasser ist dem alten Revolutionär zur schwarzen Reaktion übergelaufen. Armer Bitz! Deine Minister verschwunden und mit ihnen dein Ministerium, die Staatsgründung wegverlegt in undurchsichtige Ferne, nach Kabul vielleicht; Sylvester, der Jüngste, in einem regensbergischen Grab entfärbt, und auch du bist kein Neger mehr. Du hast weder Nehru noch Nasser auf deine Seite gebracht, und jetzt haben sie dir auch die «Soldanella» genommen: du wirst auf deinem Polster sitzen bleiben. Und beim Gedanken, daß dir dein Vater ein Kalb schlachten wird, wenn du nach Hause kommst, heimgehen mußt in dein richtiges großbürgerliches Heim; beim Gedanken, daß er jetzt Gözübyüklü kündigen wird deinetwegen, damit du wieder ein Bett und eine Bleibe und deine Ruhe hast, bei all diesen Gedanken läßt du Augenwasser laufen, aber fürchte dich nicht: wenigstens *hast* du noch Augenwasser. Es wird sich zu gegebener Zeit in Whisky verwandeln, denn grün bist du geblieben; deine putzige Form wird sich wieder füllen; du gehörst zu denen, die sich lieb haben, einen Bart stehen lassen und also am Leben bleiben; beim zweiten Hahnenschrei wirst du dein Unglück verleugnen.

Bei den andern ist das nicht so sicher.

Bei Mathis Kahlmann zum Beispiel. Der hat keine Tränen, woher nehmen und nicht stehlen. Aber der brütet sein Polster anders als du. Der weiß, daß ihm auch dieses Polster, jedes Polster unter dem spitzen Hintern weggezogen werden wird. Mathis sitzt mit dem Rücken zu uns, und auch den Rükken möchte er am liebsten zurücknehmen, zieht ihn jämmerlich krumm, wie beim Leibreißen. Vom Kopf sieht man nichts mehr als ein dürres Büschel: keine Ziege würde sich daran vergreifen. Was hat Matthias Kahlmann noch vor sich? Er hat nichts vor sich als eine Wand, Wand, die aufgehört hat, ihm blau zu scheinen, die weiter nichts ist als eine Mauer, und Matthias Kahlmann hat nicht mehr den Kopf, durch eine Mauer zu gehen. Ist das ein Gedanke, daß die Mauer bald abgerissen sein wird? Das ist für Matthias Kahlmann kein Gedanke. Auch in der leeren Luft, erst recht in der leeren Luft, wird er das Zeichen lesen müssen, an dem er, angenommen, er hat die Augen offen, aber auch bei geschlossenen Augen, herumbuchstabiert, ohne seinen Sinn zu ändern, das ihn krümmende Zeichen, das in jeder Sprache der Erde bedeutet: *Aus*. Es ist aus. Mathis bildhauert nicht mehr, weder in eigenem noch in fremdem Namen. Sein Sujet hat ihn passiert, hat ihn persönlich noch schrecklicher überholt als die Schneemänner von seiner Hand, hat ihn auf spitzem Hintern sitzen lassen. Er bleibt zurück, auf ewig eine absurde Existenz, ein Wesen, das verurteilt wurde, den Letzten Menschen zu überleben.

Stefan Sommer, du hast es besser. Du hast lesen gelernt, immerhin; du brauchst nicht zu buchstabieren. Du kannst deiner Verzweiflung ein Buch unterschieben, ein sorgfältig, ja bibliophil gebundenes Stück Literatur, und eben das hast du getan. Wo alles untreu wird, kannst du dir leisten, treu zu bleiben dem schönen Stil, der alle Untreue der Welt schon in sich aufgenommen und in Perioden umgesetzt hat. Stefan Sommer liest; man hat Stefan Sommer nicht vergessen, ich könnte mir fast die Mühe sparen, ihn zu schildern. Sein Äußeres ist intakt, es kann nicht anders. Sollte sein Erschütterungsgrad tatsächlich die Stärke eines Giraffenbebens erreicht haben, so weiß er es zu verbergen. Wenn er das Buch abgelegt hat, wenn ich Wichtigeres erledigt habe, können wir einen Blick darauf werfen: es werden die Leichenreden des Abbé Bossuet sein, ein starker Trost, Rhetorik auf Asbest, haltbar in jedem Fegefeuer. Ein Bein stellt Stefan Sommer vor, das andere winkelt er seitlich ab. Irgendeiner von Michelangelos Propheten sitzt so, wenn ich nicht irre. Aber Stefans Gesicht ist weniger markig, trägt zartere Trauer als die um Israel, trägt auch keinen Bart, höchstens heute abend den Anflug eines solchen. Stefan hat sich heute nicht zum zweiten Mal rasiert: am Ende doch ein starkes Zeichen seiner Mitgenommenheit.

Ich merke meiner Schilderung an, daß ich unter der Hand Vorurteile gegen Stefan Sommer gesammelt habe. Es ist mir nicht recht, aber ich kann's nicht ändern. Stefans Stil hat ganz große Stunden gehabt, aber zu dieser will er sich nicht schicken, hier ist nicht der Ort, in Schönheit unterzugehen. Du bist auch schuld, Herbert Frischknecht, wenn ich Stefan Unrecht tue. Was brauchst du jetzt unter deinen ausgeleerten Spielsachen zu sitzen wie ein verlassenes Kind. Ich weiß, du hast es nicht darauf angelegt, mir nahe zu gehen, aber du gehst mir gewaltig. Seht: er sitzt am Boden vor dem Polster, das seinem Rücken nicht Lehne sein wollte und zurückwich bis an die Wand; Herbert ist ihm nicht gefolgt, sondern draußen im Raum sitzen geblieben. Seine weit gespreizten Beine stützen ihn, aber sein Rücken beugt ihn. Halb ausgeleert, ein verblutetes Tier, liegt der Sack daneben, das erschlaffte Füllhorn. Mechanisch greifen Herberts Hände in die klägliche Fülle, in Rädchen, Spulen, Stecker, Transistoren, lassen sie durch hilflos verwachsene Finger rieseln, streuen sie zu einem halben Kreis vor sich hin, schwach wegwerfend aus angepreßtem Ellbogen, entgeistertes Kleinmetall auf Linoleum, Saat ohne Zukunft. Herberts fette, tief geneigte Stirn schwitzt dazu; es ist keine Luft zum Schwitzen, aber das bloße Sitzen scheint ihn mitzunehmen; da zu sein, scheint ihm Mühe zu bereiten.

Ihnen allen. Sie sitzen versprengt auf ihren Würfeln, desorientiert, als hätte eine Detonation sie verschoben und erstarren lassen. Bitz sitzt zum Fenster hingebeugt, Mathis mit dem Rücken zu allem. Nur Stefan sitzt, als könne er es mit dem ganzen Raum aufnehmen, hält ihm dann allerdings sein Buch entgegen; Herbert schmollt gegen die Ecke. Von den ledigen Polstern sind einige umgestürzt. Keine blaue Werkstatt mehr: eine Trümmerlandschaft, verwunschenes Carrara; oder doch noch, spät genug: Pompeij.

Die Wahrheit hat Rolands Phrase eingeholt, gutgemacht: hier sitzen die Gipsleichen endlich unter Brüdern; unsichtbare Asche hat alles festgebacken. Das Mobiliar auch: völlig hölzern und gläsern vor Deutlichkeit steht ein Tisch an der Wand, die einst die Zeitungen beherbergte, ein Wirtshaustisch von anno dazumal, wunderbar aus der Grube gerufen, mit Tellern und Gläsern der Erinnerung gedeckt.

Auch Unbekanntes hat die Erschütterung ans Licht gepreßt. Oder hat schon irgend jemand das Kästchen gesehen, das dort in der Ecke bei Herbert – nicht glänzt, denn es ist altes, zu abenteuerlichen Formen gedrechseltes Holz; es könnte aus der Zeit sein, als Stefan und die Seinigen zum Hausbock unterwegs waren, Alice mit dem Giraffenwagen, Bitz angeblich unter den *brocateurs* – kennt es jemand? Es ist die Orgel, es muß das Orchestrion sein, das Augurenlächeln in Nachttischgröße, das Monument eines Augenzwinkerns, das Regierungsrat Abächerli dem Tobias geschenkt hat. Es trägt eine messingene Leier auf der blauen Klangseide als

Herzstück zur Schau; aber die polierte Leier rauscht nicht auf, es ist viel, es ist schon höchst auffällig, daß sie zu schimmern wagt in diesem versprengten Haus. Daneben liegen, etwas aufgerutscht, gebündelte Stahlplatten zum Füttern des Orchestrions, liegt ferner, von Kabeln wie Schlangen gehütet, Zeitgemäßeres, ein Tonbandgerät und der verlassene Transistor Tobiae.

Wo ist Monika? Es ist nicht das erste Mal, daß wir sie suchen müssen. Schon auf dem Karussell, zu Zeiten des Glücks, hat sie sich in den Schwan verdrückt, dünn gemacht, soweit ihr Körper ihr das erlaubte. Die Tochter aus gutem Hause hat es gelernt, im Hintergrund zu verschwinden, sich die Sonnenbrille nicht mehr abnehmen zu lassen und von niemandem, weder bei Tag noch bei Nacht. Auch heute: man sieht sie nicht. Aber man hört sie. Sie rumort in der Küche; sie gibt Zeichen mit Pfannen und Schüsseln und manchmal mit dem Wasserhahn, an dem Fees Ebenbild sie nicht mehr behindert. Ein vertrautes Gehen und Kommen – wie unvertraut, seit es Monika ist, die nicht ganz geschickte Monika, die da hinten kommt und geht! Wie verstimmt tönt er heute, der schweigsame Klangkörper der Küche; wie ihm die Begleitung fehlt, das kaum hörbare Mitgehen eines Sokkels von Röcken!

Klaus Marbach! es wird Zeit. Tobias, der immer noch neben dir steht, hat dir beim Sehen zugeschaut, etwas abwesend vielleicht, unter häufigem Klappen mit der Zuschneideschere, aber die Hauptsache ist ihm nicht entgangen. Daß du den Raum und seine Gespenster so genau mustertest, um nicht hinsehen zu müssen. Um das Lebendige nicht zu sehen, den großen wunden Punkt.

Schau jetzt hin.

Nein, lebendig kann man das nicht nennen. Nein, wund ist das auch nicht mehr. Aber übermächtig da ist es. Zwei alte gelbe Wirtshausstühle, auferstanden auch sie. Sie überwuchten das Hauptstück von *Montcrieff's Spray and Shower Bath,* die Emailwanne mit Holzverkleidung, aber ohne Turm. Die Emailgrube ist ausgefüllt, vom Email sieht man nichts, es herrschen da andere Weißtöne. Gerade über den Rand erheben sich zwei gefaltete Hände, kleine Hände, das verblaßte Bild zweier Hände. Oben ein Gesicht. Die Stirn. Die Nase ungeschickt zugespitzt, im Grunde noch rund, härter gebacken als je. Weicher um die Augen, obwohl da keine Augen mehr, jetzt gar keine mehr; ganz blind geworden. Vor Vertrauen? Der Mund weiß es nicht. Den Mund kenne ich nicht. Er ist ganz zugeglättet. Leeres Gelb der Wangen. Viel Leere; an ungewohnten Stellen. Das Bild eines Gesichts? Auch jetzt noch nicht ganz. Ein sich nicht mehr ganz ähnliches Gesicht; das wohl. Vom Leben nicht ganz fahren gelassen, vom Tod nicht ganz überzogen. Er hat noch Arbeit mit diesem Gesicht. Man möchte ihm zusehen; es geht nicht; er nimmt sich andere Zeit. Unsere Augentäuschungen kommen ihm zuvor, überhasten die wirklichen Veränderungen. Nach einigen Stunden wird das Gesicht einfach anders sein, ohne Vergleich; Übergänge sind nicht anzugeben. Fee verschwindet, während sie noch liegt. Fee liegt hinter einem Schutz, den keiner durchstößt, auch wenn er sie berührte; keiner denkt daran. Tobias läßt nur die Schere spielen; draußen jagt die Straße den Verkehr vorüber. Fee bleibt zurück, auch im Raum, wenn der Raum nun doch, von den Augenwinkeln her, wiederkehrt. Fee ist ein Gegenstand geworden, endgültig; endgültig kein Gegenstand mehr für diese Geschichte, die ganze «Soldanella» ge genstandslos. Aber so lange Fee noch irgendwie da ist, höre ich nicht auf, können auch die Trümmer an der Wand nicht ganz verschwinden.

Ist es ein Trost, das glitzernd naive, vielleicht etwas genierte Weiß der Laken, die das Email drapieren? Fee hat sie selbst gewaschen, staubfrei aufbewahrt. Jetzt setzt sie ihnen ein äußerst delikates Gelb entgegen. Fee ist mit Wäsche immer heikel gewesen. Ein paar Gartenblumen da und dort, matt ohne Wasser, vielleicht rascher verbraucht an dieser Stelle. Fees Haar: wieder fest, nie anders gewesen. Und jetzt sagt eine Stimme gerade hinter mir – ich kann nicht erschrekken, aber ich drehe mich um:

«Es wäre dann gerüstet.»

Monika, die Augen hinter braunem Glas und eine Terrine in den Händen, muß es nochmals sagen. Aber dann kommen die Figuren herbei. Ein alter Reflex von Gehorsam löst ihnen die Glieder, tut die paar Schritte mit ihnen an den Tisch. Jeder stellt sich vor sein Glas. Ich bin froh, daß es mich mit dem Rücken zum Raum trifft. Der Rücken kräuselt sich dennoch. Aber ich komme nicht dazu, mich zu setzen.

«Klaus», sagte Tobias und klapperte heftig mit der Schere, schaute sich auch wie suchend im Raum um, eine Haltung, die ich jetzt häufig an ihm bemerkte, «Klaus, hol uns bitte den Retsina herauf. Den ganzen Rest.»

Ich kannte meinen Weg. Zwei große Flaschen und eine angebrochene waren noch übrig. Oben schienen sie gelb im Birnenlicht, im Gelb der ehemaligen Wände, und manchmal frühlingsgrün im Lichte der neuen.

«Schpys Gott, tränk Gott», sagte Monika vor sich hin, aber mit einer gewissen Bestimmtheit. Endlich, mit der Kraft dieses Abends, war sie schamlos geworden. Es war ihr Abend; sie war niemandes Frau, aber sie war die einzige Frau.

Der Minestrone schmeckte wie früher, nur unsere Zunge schmeckte verschieden. Wir tranken Retsina wie Wasser dazu. Ich war dankbar für den Widerstand, gegen den ich ihn genießen mußte. Er schmeckte irdisch, harzte streng. Ich trank aus Rolands Becher. Erst zögerte ich; dann sagte ich mir: der Becher kann nichts dafür. Der Becher gehört zum Haus. Besser als Plastic. Während des Essens, man mag es glauben oder nicht, hörte ich nur die Straße. Noch nie ein solcher Verkehr: als ob wir an einem Inselpfosten äßen, auf einer Polizeikanzel. Summende Prozessionen formierten sich von allen Seiten, verwickelten sich unter den Verkehrsampeln, ließen ihre Pferde steigen; Motorräder blökten wie Schafe, Hilfsmotoren keckerten, eine unbeherrschte Hupe hie und da. Dann der unaufhörliche Abfluß, die Erleichterung der Gänge. Ein Echo verschlug das folgende, die «Soldanella» hatte nicht Zeit, die Durchfahrten zu quittieren. Man fuhr gerade noch *vorbei,* aber gab sich die Miene, sie zu überfahren, rückte ihr mit Lack auf den Leib, pöbelte sie mit Luftdruck an, sprühte Chromreflexe in die offenen Fenster, ließ den Gegenstand vibrieren, der dahinter aufgebahrt war, schneuzte sich ironisch, hob und senkte acht Zylinder auf einmal, knallte sogar mit dem Auspuff Salut: dann überholte man, überholte gegenseitig, war vorbei, schwamm erst mit getrennten Stimmen, dann zunehmend eintönig ab, vereinigte sich zum Gleichklang der Wagenseelen, zum Gummipfiff der Richtgeschwindigkeit, zum nie erlahmenden, immer frisch genährten Summton der Banalität. Fee zwang uns, die Fenster offenzuhalten: so nahmen wir, Minestrone löffelnd, an der Parade der Sieger teil. Wir aßen die letzten Löffel langsam. Was sollte darnach kommen?

Rotkohl: noch ein Aufschub. Schön glänzte er. Monika, die kurzsichtige, hatte ihn sorgfältig geschnitten, die Symmetrie der Anlässe in acht genommen. Wenn Tränensalz in der Sauce war, dann nur als Spurenelement; dieser oder jener mußte nachsalzen. Stefan tat es, zu meiner größten Überraschung: vielleicht der Straßenlärm bewirkte, daß er, ohne sonst eine Miene zu verziehen, vielleicht nur von mir beobachtet, einen ganz unleugbaren Tropfen in seinen Teller fallen ließ. Gleich gabelte er das betroffene Häufchen Rotkohl auf und führte es zum Mund, nahm den Tropfen kostend zurück. Feinkost! Narziß! dachte ich. Mußt du mit jedem Tropfen Gefühl so haushalten? Fehlt es dir so sehr daran? Aber es ehrt Stefan, daß er, dies eine Mal im Leben, seinen Rotkohl mit Tränen aß, nicht bei Venedig, nicht bei Ucello, nicht bei Bossuet, oh, bei Bossuet nicht, sondern beim Rotkohl von Erinnerung besiegt wurde und seinem Augenwasser den Lauf ließ – auch wenn die Dosis bemessen war und der Tropfenzähler sich gleich wieder verschloß. Dieser winzige Überfluß brannte es ein, wenn es noch eines Zeichens bedurft hätte: Ein Glück ist *erlebt*. Schlußbukett, Endspiel, Finis Poloniae. Passé défini. Ein Stefan Sommer sucht sich die Bedingungen aus, unter denen er eine Träne fallen läßt.

Vorerst war nur der Rotkohl zu Ende. Die Frage, von keinem gestellt, stellte sich wieder: wie weiter? Was konnte die Symmetrie jetzt verlangen? Jugendgespräche? Alle Jugenden sind vorbei, wenn die Mutter gestorben ist. «Bequem reden» – worüber? Vorläufig schenkte Tobias nochmals ein; wahrlich, wir dürsteten. Wir waren aus komplizierten Gründen durstig; Tobias kannte das, handelte danach, es war eine tätliche Erinnerung; aber weiter wußte er auch nicht.

Da stand Monika auf. Wie gefaßt sie war! Wir hatten sie lange nicht lächeln sehen, aber jetzt lächelte sie breit und unzweifelhaft. Seltsame Pflanzen gediehen heute auf unsern Gesichtern. Die Augen freilich ließ sie im Dunkeln. Mit ihrem Lächeln stand sie auf, trug es gerade durch den Raum, streifte rasch und leicht über Fees Decke und ging dann um die Aufbahrung herum zu den Fenstern, um sie zu schließen. Sie hätte sagen können: «Es wird kühl», aber sie sagte, mit einem prüfenden Blick auf die Wanne: «Es ist jetzt kalt genug.» Sofort wurde der Straßenlärm leiser. Wir waren wieder in einem geschlossenen Raum, hinreichend allein, unabgelenkt. Wozu?

Jetzt stapfte Tobias auf. Zuerst schlich er der Wand nach, klappte dazu wieder mit der Gartenschere; dann steuerte er zögernd die Ecke an, in der sein Radio stand, und steckte sich den Stöpsel ins Ohr. Gleich schüttelte er den Kopf wie ein Hund, dem Wasser ins Ohr gelaufen ist, schüttelte den Stöpsel heraus. Ganz fern und winzig hörte man irgendein Geschwätz an der Schnur hängen. Er schlenkerte das Gerät weg, ließ sich schwerfällig und knackend in die Ecke fallen, und weil seine hölzern mitfallende Hand dabei die Kurbel des Orchestrions berührte, gab es einen Ton.

Schneemänner stören den Nachtlärm

Ich habe in meinem Buch genug Töne und Musiken verlauten lassen; ich bringe dieses Orchestrion nicht mehr über mich. Auch waren seine Melodien nicht sehr distinkt. Alle Stahlplatten tönten ungefähr gleich. Das Triebwerk war wohl etwas ausgeleiert, arbeitete schleppend, brachte die Töne in nicht recht überhörbarer Folge hervor. Genug, wenn man sich den Charakter dieser Töne vorstellen kann. Kleiner, scheuer, verschwiegener und fragiler als aus der Karussellorgel; größer, tragender, weniger verzärtelt als aus einer Musikdose. Eigentlich hatten sie gar keinen Charakter, begnügten sich mit einer verstaubten Süße, einem altmodischen Wechsel von Tönen, die sie zögernd vorzählten und deren Modulationen als Melodie gehört werden konnten. Manchmal stockte sie auch sehr hörbar, wenn der Fördermechanismus an ein defektes Loch am Plattenrand geriet. Zwei, drei Kurbelungen reichten weit, und Tobias, dem Zufall seiner Berührung nachhelfend, kurbelte jetzt in einer Art von komischem Ingrimm, entschlossen, die Chance wahrzunehmen, die unserer Verlegenheit Töne lieh. Da tropften sie, mühsam versilbert, rührend und absurd, und wir standen in halbem Lächeln gebannt.

Das Lächeln verging uns bald; die Mundwinkel bogen in Staunen ab, wollten Entrüstung bilden, blieben dann aber wieder im Staunen hängen. Was tat Monika neben dem Sarg? Schritte tat sie. Sie wiegte sich; der schartige Rock pendelte schwerfällig mit. Sie riskierte nichts. Sie stützte einfach die Arme ein und wiegte sich, verschob ihr Gewicht andeutungsweise im Takt der Melodie aus dem Winkel. Es war nicht peinlich, nur sehr einsam; es forderte nichts heraus als ein wenig Verwunderung; es war gerade noch möglich, vorausgesetzt, Monika hielt es durch. Hätte sie jetzt aufgehört, es wäre peinlich gewesen. Aber der Retsina half ihr durchhalten; er zeigte feine, aber nicht verlegene Röte auf ihrem Gesicht, er erlaubte ihr sogar, die zwanzig Schritte um den Sarg zu überstehen. Dann trug er sie immer wiegend in den offenen Raum hinaus, räumte die Platzangst um sie weg, ebnete das Linoleum für sie. Leicht, wirklich ganz leicht tanzte Monika, die lange keinen Tänzer mehr gehabt hatte, den Raum in unser Gefühl zurück. Etwas war beantwortet; eine trockene Grube füllt sich mit Wasser.

Wir fühlten es, einer nach dem andern. Mathis war der

erste, der seine Vogelscheuchenglieder räkelte, sich vom Tisch wegdehnte, tat, als ob er nur seine Füße vertreten wolle, bis seine Füße mit der Melodie traten, an Ort vorläufig, erst ganz allmählich von der Tischkante weg. Dann eiste Stefan sich los, schlenderte zum Fenster, um am Fenster zu wippen; als er sich umdrehte, wippte er im Takt. Bitz tanzte schon ganz deutlich, wenn auch noch sitzend, mit den Füßen unter dem Tisch; es fehlte nur, daß er endlich den Stuhl wegschob, damit ihn seine tanzenden Füße trugen, rasch von der Stelle trugen: der Tanzbär drehte sich schon. Herbert bequemte sich am schwersten, machte keine Miene zu tanzen, stand lediglich auf, um seine Spielsachen zusammenzuräumen. Aber wenn man ihm genau zusah, räumte er im Takt, klimperten Schalterchen und Spülchen, Stecker und Buchsen im Takt in den Sack; als er den Sack auf den Rücken warf, konnte er gar nicht anders als tanzen.

Sie tanzten vorsichtig, den Ufern nach, wie auf Eis, das einbrechen könnte. Große an sich gangbare Stellen blieben unbegangen, besonders gegen die Mitte hin und um die Wanne herum, aber auch in der Gegend der Statuen – apere Flecke wie um die Obstbäume im Frühjahr. Aber immer mehr wurden sie zugedeckt, wagte sich die Bewegung heran, stärkte sich an der elektrischen Nähe. Kühne wie Mathis oder Monika wischten schon um Haaresbreite am Sarg vorbei. Tobias kauerte im Winkel, fütterte das Orchestrion. Er machte die Pause zwischen dem Herauslösen einer Platte und dem Einführen der nächsten kurz; er hätte sie länger machen können, denn auch in den Pausen, bei völliger Stille, wurde durchgetanzt. Man hörte dann nichts als das Reiben der Sohlen gegen den Boden, einen gelegentlichen Schlag mit dem Absatz, ein Knarren als Antwort. Der Rhythmus verwischte sich etwas, bis ihn die neue Melodie – jede ähnelte der vorigen – wieder in festere Bahnen wies.

Ich saß, wie schon einmal, unter meinem Fenster und sah zu. Meine ausgestreckten Beine waren länger geworden, zwangen die Tänzer, wie um die Statuen, wie um den Sarg, einen Bogen zu schlagen. Als die Stahlplatten zu Ende waren, Tobias keine Miene machte, von vorn zu beginnen, die Tänzer aber erst gerade warm geworden waren, die Füße nicht abstellen konnten, geschah folgendes: Herbert, im Kauern sich weiter wiegend, kauerte zu seinem Tonbandgerät und brachte es zum Kreiseln. Er erhob sich mit überströmtem Gesicht und schulterte wieder seinen Sack. Man war auf eine neue Melodie gefaßt und wiegte sich in Erwartung ihrer. Da stellte ein fürchterlicher Pfiff das Wiegen ab. Man erkannte Monikas Stimme aus dem Gerät, sehr weich, und dann die mokant fragende Stimme des Gemeindepräsidenten Pfaff. Sie redeten über Gespenster. Es war die Szene damals im Treppenhaus der «Soldanella», als die alte «Soldanella» ausgeräumt war und der Gemeindepräsident am Eintritt gehindert werden mußte; es war die von zunehmenden Dialogpausen charakterisierte Geschichte von Monikas Seuche, Monikas üppigem Irrsinn, der den hohen Beamten vetrieben hatte.

Monika war die erste, die wieder zu tanzen begann, im Klang ihrer vergangenen Stimme sich wiegte. Ganz langsam kam es auch über die andern, daß diese Geschichte getanzt werden konnte, nochmals getanzt werden durfte. Sie spielten sie tanzend, stellten die Szene andeutungsweise; der Tanz wurde gegenständlicher, bei der einen oder andern Stelle stieg ein erst unterdrücktes, dann unbeherrschbares Lachen auf und behinderte den Tanz. Lachend und mühsam tanzten sie Heimsuchung und Austreibung des Herrn Pfaff zu Ende. Es folgte die Aufnahme von Andereggs Besuch. Stefan spielte beide, sich und den Professor, bildete mit stummem, aber ausdrucksvollem Mund die Sprüche nach, die ihnen bei ihrer Wanderung durch die Möbel eingefallen waren, wanderte auch wirklich, um die Illusion vollständiger zu machen. Dann gab er das Stichwort an Herbert ab, der den McNapoleon spielen durfte, während er selbst den Anderegg behielt: vor dem Sarg auf dem Boden sitzend, spielten sie Tortenessen und Verbrüderung, einer den Arm um den andern gelegt. Dann war Mathis an der Reihe mit seinem Auftritt vor der Maske, der die Wendung gebracht hatte. Vor der leeren Wand spielten sie die Szene neu, er und Stefan, die damals schon gespielt gewesen war. Monika vergnügte sich damit, die Requisiten darzustellen, von denen das Tonband redete, spielte hintereinander Zimmerpalme, Nähmaschine und ausgestopften Pfau; das Gußeisenbett spielte sie besonders realistisch. Bitz, der nicht dabeigewesen war, beschränkte sich darauf, einen neutralen Foxtrott mitzutreten. Wenn Roland auf dem Band redete, streikten auch die andern Spieler, machten gelangweilte Augen, ließen die Rolle leer laufen. Hie und da, nicht häufig, aber um so erschreckender, kam Fees lebendige Stimme, die warme Rheintaler Farbe zum Vorschein, bat zuzugreifen, erläuterte die Torte. Dann tanzte die Gruppe leiser, vielleicht senkte einer den Kopf, und den Tobias ertappte ich dabei, wie er einen raschen Blick auf die Küchentür warf, als müßte Fee dort heraustreten; scheu und rasch korrigierte er den Blick zu den Fenstern hinüber und schlug ihn dann nieder. Tobias war sitzen geblieben wie ich. Er spielte nicht mit.

Ein reines Vergnügen waren die Mitschnitte der Gemeinderatssitzungen, die das Tonband jetzt ablieferte. Die fünfe rissen sich darum, Abplanalp und Öchslin, Schwengeler, Klopfenstein, Krebs und Möckli darzustellen; Pfaff selber ließen wir Monika, den hatte sie redlich verdient und outrierte nach Herzenslust.

Als das Band schwieg, drängten die Unersättlichen weiter; sie tanzten und spielten sogar, Gott weiß was, als Herbert es rückwärts abzwitschern ließ. Monika versuchte in aller Eile Agnes Bock darzustellen, worauf Stefan über sie herfiel; er ließ erst ab, als er merkte, daß ihr sein Angriff willkommen war. Diesmal hatte der Retsina nicht ernüchtert; seine Trübung durch Roland von Aesch machte sich bemerkbar, die Hüter der Demuth-Stiftung waren außer Rand und Band. Die Straße draußen hatte längst Ruhe gegeben, es ging gegen Mitternacht, als Monika feststellte, die Schneemänner, das von schwankenden Birnen verstörte Grüppchen Gipsfiguren sei «im Weg», es müsse hinaus.

«Zerschmettern!» rief Mathis so begeistert, daß seine Stimme brach, schwang auch schon einen Stuhl gegen sein Werk, den ihm Herbert noch im Schwung aus der Hand nahm. Aber Tobias, ohne sich aus seiner Ecke zu rühren, nickte und sagte:

«Morgen ist Abräumtag. Stellt das Zeug auf die Straße.»

«Morgen ist Abräumtag! Morgen ist Abräumtag!» jauchzte Monika und hatte schon die «Gekrümmte» auf den Armen, «was werden die Abräummänner sagen!» Und damit war sie bei der Tür, trat sie mit einem Schuh auf und trug das Meisterwerk Balthasar Demuths über die Schwelle ins Halbdunkel, wo es nochmals die geknebelten Glieder, das Schußblatt des Nackens leuchten ließ; ihr folgte begeistert Mathis Kahlmann, der die «Aufgestützte» so hoch trug, wie das Türgericht erlaubte. Der schöne Stefan mit gelockerter Krawatte und zerdrückten Streifenhosen hatte die «Scheuernde» untergefaßt und schleppte sie am Kopf hinterher, achtete es nicht, daß sie aufschlug und Gips verlor. Den vorläufigen Schluß machte Herbert, der die «Büßende» über seinen Kopf stemmte; die massive Figur schien ihr verwunschenes Gesicht über dasjenige des Trägers zu beugen, der das seine unter der Tür nochmals kurz in den Nacken drehte: es zeigte zerstörte Züge, in denen aber noch eine Spur Ernst, der Schatten einer Frage flackerte. Tobias nickte nochmals; da verschwand Herbert mit schleppenden Schuhen.

Ich hatte, als die Statuen auf mich zu und gerade noch an mir vorbeischwankten, den Kopf eingezogen und die Beine zurückgenommen. Sie schmerzten; ich erhob mich. Tobias tat desgleichen. Nebeneinander besichtigten wir das hinterbliebene Gipspaar, die «Strickende», die, der Stütze beraubt, an der Wand nach hinten gesunken, beschwörend gegen die Decke strickte; die «Abwaschende», die ins Leere wusch, die beraubten Klobenhände gegen *Montcrieff's Spray and Shower Bath* reckte. Der Blick des weißen Gesindels war ausgeglättet, auf eine weite Fläche verteilt wie bei Schleiereulen.

Wir sahen einander kurz an; dann faßten wir die Statuen und trugen sie den andern nach. Sie waren leicht und machten die Hände kreidig. Man fröstelte. Sorgfältig vervollständigten wir die Gruppe, die jetzt deportiert, aufs Trottoir verschoben war, gelegentlich von einem Scheinwerfer eingefangen wurde und stumpf darin aufleuchtete; wir konnten hören, wie die späten Fahrer bei ihrem Anblick kurz den Fuß vom Gas nahmen, der Motor den Atem anhielt, um dann beschleunigt vorbeizuklopfen.

Die andern, Monika voran, waren wie vom Geiste getrieben wieder über den Kies ins Haus zurückgestürzt; Tobias und ich blieben am Rande der verödeten Rennbahn stehen und blickten uns nach der «Soldanella» um. Anfangs lag sie ruhig, mit allen Türmen zählbar, in schon fast steinerner Vollständigkeit unter den Frühlingssternen; die Nacht vergrößerte sie. Dann begann sie sich zu beleben. Erst durch die alte Wirtsstube, dann über die Treppe und die kleinen Zimmerfenster ging ein Trappen und Poltern, zuckte ein verwirrter Schein; man hörte eine Axt gegen Holz, hörte Holz splittern und bald darauf unnennbare Zusammenstürze; der letzte wollte kein Ende nehmen und rieselte lange fort wie Steinschlag; vielleicht war eine Treppe heruntergekommen. Die Axt arbeitete weiter, bekam Gesellschaft, durchwanderte die obern Räume, die mit jedem Schlag hohler klangen. Einmal öffnete sich die Luke des linken Türmchens, wo Fees Zimmer gewesen war, und spie hintereinander einen Strom Schutt, dann etwas wie eine Wolke aus, das langsamer stürzte, vielleicht ein Bündel Kleider. Das Haus wurde hell, durch die Ritzen des Schieferdaches fielen Lichtstreifen und vergrößerten sich. Bald kam Schiefer herunter, reihenweise, zerschellte wie Glas auf den Gartensteinen, das ganze Quartier mußte es hören, aber das Quartier preßte die Augen zu, war entschlossen zu schlafen. Die Streiflichter der wenigen Durchfahrer reichten nicht bis in Dachhöhe der «Soldanella» hinauf; von gelben Signallichtern nur gewarnt, nicht gestoppt, rollten sie in ihr eigenes Geräusch eingemummelt vorbei, gleichgültigen Bestimmungsorten entgegen.

Unterdessen zerstörte sich stoßweise das Monument des toten Friedrich Hüttenrauch. Die wuchernden Mauern schienen zu schwingen, das abenteuerliche Gehäuse verblutete sich innerlich, schwankte in der harten stabilen Nacht der Sodiumlampen wie ein rußendes Windlicht. Schiefer schepperte unaufhörlich nieder, zusehends entfleischte sich der Dachstock, zwischen vertrackt gefügten Balken schoß Licht heraus, zeigte Nachtarbeiter in verschiedenen Stellungen. Merkwürdig vergrößert sah man Mathis mit langem Arm eine neue Schieferflucht lockern, Stefans Schatten die Axt an eine Pfette legen. Plötzlich ging alles Licht aus, die «Soldanella» erlosch mit einem Schlag, der Hauptschalter war getroffen. Ein Heulen wie von einer Horde Kojoten füllte die Ruine und verzog sich nach innen. Nach einer längeren Stille, vorsichtig, wie tastend, fingerte ein einzelner Schein unten am Fenster der Gaststube herum.

«Sie wollen es anzünden», sagte ich zu Tobias.

«Es ist bloß Monika mit einer Kerze», antwortete er.

Wirklich: das Licht im Fenstereck bildete Monikas Züge, bildete sie, wie in einer spiritistischen Séance, zusehends scharf. Mit der einen Hand schirmte sie die Kerze ab, mit der andern winkte sie, winkte nur mit einem Finger. Es war unter dem halb abgedeckten Dach, in der ganzen schwarz beruhigten Front, ein winziges, aber durchdringendes Zeichen.

Wir folgten ihm und kamen. Erst beim Gehen merkte ich, wie meine Glieder erstarrt waren. Wir brachten die Tür nur einen Spalt auf; es stimmte: die Treppe war eingestürzt und blockierte den Vorraum. Wo man hintappte, knirschten Splitter und Schutt, griff man in frischen Staub. Aber die Tür zur Gaststube war offen.

Dahinter waren sie versammelt, alle fünf. Sie saßen um den Badesarg herum, aber der Sarg war verschlossen: sie hatten irgendwo ein Brett losgeschlagen und als Deckel aufgelegt. Das Licht der Kerze, die Monika hielt, tanzte auf ihren Gesichtern; an der Wand schnellten ihre Schatten auf und ab. Zu Häupten des Sarges war ein Stuhl leergeblieben. Matthias am untern Ende hatte sich erhoben. Er legte die Hände auf das Holz, stützte sich bombastisch darauf wie auf ein Predigtpult.

«Hierher, Tobias», rief er mit schwankender Stimme, «setz dich dorthin, halte uns die Kerze. Wir wollen dir diese wecken. Kein Ding», und damit warf er die Arme so ungestüm über den Kopf, daß er torkelte, sich wieder festhalten mußte; der Schatten äffte ihn riesenhaft über die Wand und die halbe Decke nach, «kein Ding», sagte er und verschluckte sich fürchterlich, keuchte hustend, «ist unmöglich dem, der da glaubt.»

Tobias strich sich einmal mit der Hand über die Stirn, hielt die Stirn kurz fest; dann sah er auf seine Uhr; dann ging er wirklich hinüber. Es waren nur ein paar Schritte; der Sarg war in die Mitte des Raums verschoben worden. Tobias setzte sich, wohin ihn Mathis mit schlotternd ausgestrecktem Arm wies; dann nahm er die Kerze. Er betrachtete sie. Die Flamme wurde stiller. Er sah nochmals kurz auf, als Mathis zu trommeln begann.

Mathis, wieder in seinem Stuhl, hatte sich vorgebeugt und schlug mit seinen beiden Fäusten gegen den Sargdeckel, auf den er auch die Stirn ansetzte, als ob er mit dem Kopf durch das Holz gehen wollte. Er trommelte rasch, aber nicht ganz regelmäßig, hob noch einmal die geschwollenen Augen, um zu prüfen, ob die andern mittrommelten. Tatsächlich, Monika, mit dem ganzen Leib gegen den Kasten gelehnt, als wollte sie damit ertrinken, hatte mit breit aufgestützten Armen, ohne den seitlich abgelegten Kopf zu heben, zu trommeln angefangen, während ihr Tränen der Müdigkeit über die verschossenen Wangen liefen. Bitz trommelte mit matten Gelenken, ließ sich aber nicht nehmen, Wirbel zu trommeln. Herbert hatte sich im Stuhl zurückgelegt, hielt den Kopf gegen die Decke abgeknickt und tappte mit seinen verwunschenen Händen auf der Kante des Sargdeckels herum, als glaubte er dort Halt zu finden. Selbst Stefan mit seiner zerrütteten Miene klöpfelte auf dem Holz, behorchte es mit empfindlichen Knöcheln wie damals die Balken und Bohlen im Kreis Außersihl, hielt aber wiederum die Ellbogen so angezogen, als taktiere er ein Menuett.

Mathis, der den Kopf wieder festbohrte, war ganz bei der

Sache. Er schnaufte und brodelte, schlingerte mit dem Schädel und pochte auf die Sargkante wie auf sein heiliges Recht. Dazu murrte er starke Wörter und Sprüche, auch Bibelähnliches, sprach, wenn ich recht hörte – ich war bei der Tür stehen geblieben – von den größeren Wundern, die wir tun würden, von der Welt, in der wir Angst hätten, aber getrost sollen wir sein, hoch soll sie leben, aber gefälligst bald; und dann folgte ein sehr krasses Wort, das zur Eile mahnte. Matthias trommelte herausfordernd, warf den Kopf hin und her, zischte Erpresserisches, suchte in aller Form um seine Verdammnis nach, wenn jetzt nicht bald, nicht auf der Stelle, verdammich, er machte seinem Gesprächspartner Beine, befahl ihm, dem Gegenstand im Holz Beine zu machen, redete jetzt aus irgendeinem Grunde französisch: *je veux que ça gicle! je veux que ça pète!*, trumpfte dazu auf das dröhnende Holz, als hätte er noch alle Trümpfe in der Hand, weinte aber auch pünktlich, wenn er geflucht hatte, trommelte schwach und wehleidig, winselte um Nachsicht, vertrotzte sich dann wieder und hämmerte häßlich und pöbelhaft wie ein Kind gegen den Winkel, in den es gesperrt ist.

Die andern hämmerten mit, erst aufmerksam, allmählich mechanischer. Tobias hielt immer noch die Kerze, die Flamme zitterte fein im Dröhnen des Sarges, zitterte immer feiner, denn das Dröhnen ebbte ab, Bitzens Wirbel wurden sporadisch, Herberts schwere Hände waren halb eingeschlafen, pendelten nur noch auf dem Holz herum, während sein Körper zurückgesackt war. Monikas Hände zuckten schon im tiefen Schlaf, der sie gegen den Sarg drückte; Stefans Kopf war auf die Brust gesunken, seine Arme weigerten sich noch zu sinken, tasteten in der Luft herum, ohne eine Unterlage zu finden, gaben endlich nach und legten sich auf Stefans Knien zur Ruhe. Matthias trommelte noch hie und da, schnupfte mit den nassen Lippen auf dem Sargholz herum, fing noch einen Fluch an oder eine Bitte, brachte sie aber nicht zu Ende, verschluckte sich mit einem Schluchzer, tat endlich einen tiefen, bebenden Atemzug und verstummte wie die andern.

Das vollkommene Schweigen wurde nur noch zweimal unterbrochen. Einmal, als Bitz vom Stuhl sank und gleich darauf Herbert Frischknecht; jener überrollte sich noch einmal, suchte die bequemste Stellung und kuschelte den runden Kopf in einen Arm, wenig fehlte, daß er den Daumen zum Mund geführt hätte. Herbert machte keine Umstände, blieb liegen, wo es ihn hingeschlagen hatte, lag flach auf dem Rücken und blähte die Nasenflügel in rührenden Abständen; seine Hände öffneten sich im Schlaf. Der Zwischenfall berührte niemand. Monika seufzte einmal tief, das war alles.

Espresso Gethsemane

Tobias hob die Augen und sah in die Runde. Dann lächelte er und blies die Kerze aus. Der Raum war dunkel bis auf die Fenster; die Fenster zeigten Vierecke matter Helligkeit, der Sarg spiegelte Grautöne, wirkte massiv wie aus Blei. Auch über die Schläfer krochen Bänder von Grau, graue Lachen bildeten sich auf dem Boden. Vorsichtig rückte Tobias seinen Stuhl zurück.

«Komm», sagte er zu mir mit kaum gedämpfter Stimme, «wir wollen schauen, was für ein Tag das wird.»

Wir traten miteinander in den Erker. Der Himmel war schon durchsichtig, malte gefiederte Wolken in sein unermeßliches Glasfeld, die langsam dem Albis zurückten wie in einem Planetarium. Überseen ist steil, manche Lampen müssen gegen den Himmel brennen, und die es taten, brannten schon wirkungslos. Seit Gautschis Block weggeräumt war, hatte der Morgen breiteren Zutritt auf die Kreuzung. Dennoch hatte er den Boden noch nicht erreicht. Auf den sechs Fahrspuren, den fünf Skelettlinien, hielt sich noch Nacht; noch war die neue Straße eine Geisterbahn; das Grüppchen verstoßener Idole, das an ihrem Rand wartete, bestätigte es. Kein Fahrzeug um diese Stunde.

Doch. Und hier war es, wo ich Tobias am Arm faßte. Ein

kleiner Camion ohne lesbare Aufschrift näherte sich von der Stadt her. Die Gespenster leuchteten auf. Dann brannten sie lichterloh und erloschen mit den Scheinwerfern zusammen, die dicht vor ihnen zum Stehen kamen. Der Motor erstarb. Zwei Männer stiegen aus der Führerkabine, warfen die Schläge zu und lösten die hintere Blache. Einer stieg auf und wickelte sie hoch. Der andere ging zu den Statuen hinüber, nahm eine um die andere sorgfältig auf die Arme und reichte sie in den Wagen hinein. Die zwei Männer arbeiteten rasch, aber ohne Hast. Als die letzte Figur versorgt war, sprang der zweite Mann wieder von der Ladebrücke. Die beiden standen jetzt auf dem Trottoir beieinander und blickten wie unschlüssig in unsere Richtung. Dann traten sie auf das geschmiedete Tor zu und öffneten es. Tobias drehte sich um. «Hilf mir draußen die Tür freimachen», sagte er.

Wir gingen hinaus, um im Korridor die gröbsten Trümmer wegzuräumen. Vor der Haustür hörten wir die beiden reden. Schließlich ließ sich die Tür ganz öffnen.

«Guten Morgen», sagten die Männer. Sie trugen Arbeitskleidung und waren beide einen Kopf kleiner als wir. Ihre Gesichter waren nicht zu entziffern. Mir schien, es riesele in ihnen, aber das machten wohl die Übermüdung und das Morgengrauen. Der Dialekt der beiden klang mir von weitem bekannt.

«Seid ihr Christen?» fragte Tobias.

«Das wollen wir hoffen», sagte der eine.

«Dann hätte ich noch etwas für euch», sagte Tobias. «Ich kann es nicht mehr besorgen. Ich muß heute früh fort. Bitte kommt nur herein.»

Die beiden folgten ihm mit ländlichem Schritt. Sie gingen etwas gebückt und in den Knien, wie Leute, die Höhen überwinden müssen oder von solchen herunterkommen; Bergbauern vielleicht.

«Die hat's erwischt», sagte der andere angesichts der Schläfer.

Tobias steckte die Hände in die Taschen. Er blieb etwas krumm stehen wie einer, der friert.

«Sie haben sich Mühe gegeben. Auch Engel können nicht mehr tun», antwortete er.

Die beiden Männer traten geschickt zwischen den Hindernissen durch. Zuerst lösten sie Monika, die im Schlaf lächelte, dann Mathis vom Sarg weg und betteten sie aufs sorglichste auf den Boden nieder. Dann faßten sie das versiegelte *Spray and Shower Bath* oben und unten. Es mußte unerwartet leicht sein, oder die kleinen Männer hatten Bärenkräfte. Spielend wie ein Stück Schwemmholz hoben sie das Monument von den Stühlen und balancierten sich mit ihm zur Tür.

«Tragt ihr Sorge», sagte Tobias mit stiller Stimme. «Kennt ihr den Weg?»

«Wir können nicht fehlen», sagte der eine oder andere der Träger, ohne sich umzuwenden. Sie waren schon draußen. Sie mußten große Übung haben. Der Kies knirschte sehr wenig. Wir lauschten ihnen nach, konnten sie aber nicht lange hören.

«Die Amseln sind zu laut», sagte Tobias. Richtig: sie sangen ja. Sie sangen, Stimme an fernere Stimme geknüpft, aus der feuchten Tiefe der Gärten herüber, ein Netz feingedröselten Wohllauts, Stimmen ohne Schatten hinter dem Horizont der Frühe.

«Es wird ein schöner Tag», sagte Tobias mit fast schon sichtbarem Lächeln. «Wollen wir ihnen noch einen Kaffee machen, Klaus? Hilfst du?»

Wir gingen in die Küche. Tobias fand die Töpfe im Halbdunkel. Unsere Gesichter leuchteten im Widerschein des Flämmchens auf. Dann zischte das Gas mit scharfen Zähnchen. Tobias suchte die Kaffeemaschine aus dem Spind, zwei halbe Glaskugeln. Die untere füllte er mit Wasser und setzte sie auf die Flamme. Ich drückte unterdessen eine Handvoll Kaffeebohnen in die alte Holzmühle und ließ sie unter der Kurbel knirschen, bis die Kurbel wieder glatt lief. Tobias schüttete den Inhalt der Schublade in die obere Halbkugel, die unten in einer Röhre zulief; ein kleines Ventil verschloß diese und hinderte das Kaffeepulver am Durchrieseln. Andächtig setzte Tobias nun die obere Kugel auf die untere und bedeckte sie mit einem Glasdeckel.

«Wir haben Zeit», sagte er. «Wollen wir ihnen noch den Tisch decken?»

Ich mußte ihn erst freimachen. Es war nicht viel: sieben Teller, eine leere Schüssel, drei Flaschen – in einer war noch ein Rest Retsina, er hatte schon wieder etwas Farbe – sieben verschiedene Gläser und etwas Besteck. Tobias hatte unterdessen die Tassen bereitgestellt: fünf Tassen.

«Und du?» fragte ich ihn.

«Ich bin wach», sagte er, «und du solltest bald schlafen, Klaus. Ich würde jetzt keinen Kaffee mehr trinken.»

Ich trug das Geschirr hinein. Kaum hatte ich es verteilt, da hörte ich Tobias' halblaute Stimme:

«Komm», sagte Tobias, «das darfst du nicht verpassen.» Das Wasser in der untern Kugel trübte sich; es begann zu sieden. In kleinen, immer energischer wiederholten Stößen kletterte es in der Röhre hoch. Plötzlich durchbrach es das Ventil und überschwemmte das Kaffeepulver, das hochgetrieben heftige Blasen bildete und bis zum Deckel emporschlug. Ein zarter Hauch von Kaffee breitete sich aus. Tobias drehte die Hitze auf, jagte so viel Kochwasser durch die Röhre, als steigen wollte, bis das Bodenwasser den Kontakt mit ihr verlor und strudelnd liegenblieb. Dann verminderte er das Feuer, und wir sahen zu, wie die braun gesättigte Oberschale ihren Saft wieder hergeben mußte, der heller braun, in mühsamen Strähnen niederfloß, die untere Schale füllte und mit zartem Kaffeeton sättigte; wie nasser Torf blieb oben der rissige Satz zurück. Und wieder gab Tobias Feuer: das Spiel wiederholte sich, stürmischer diesmal, explosiv durchbrach das wässerige Braun das feste, entzog ihm abermals brodelnd Bräune und sinterte tiefer geprüft in die untere Phiole zurück. Ich betrachtete Tobias im blauen Licht der Gasflamme, im goldenen Schatten des Kaffees. Die Müdigkeit, der nahe Verlust, das vorgeschmeckte Heimweh enthemmten meine Augen. Tobias pfiff leise. Sein Blick ging vollständig in dem wunderbaren Vollzug auf, der sich hier mit einem Minimum an Zutun, einem Maximum an anschaulicher, duftender Naturkraft produzierte. Tobias: nochmals deine zu große Nase im magern Gesicht, die den guten Duft wittert; nochmals dein Haar, das man sich nicht traut dir aus der Stirn zu streichen aus Furcht, es zu vermindern. Dieses bißchen Stirnheu, dein einziger, flüchtiger, schwer vernachlässigter Schutz gegen die Gewalten des Himmels. Kakadu in der Mauser: wo willst du Flügel hernehmen, um zu entfliegen? Auf Wiedersehen, Tobias. Ich sage es schon jetzt, wo mir die Müdigkeit ein Lächeln dazu eingibt. Später, bei Tage, wäre es zu schwer. Aber bei Tage ist es nicht mehr nötig: da bist du schon weit.

Noch einmal steigt und sinkt der Saft: die dritte Trübung. Gut, Tobias. Das nennen wir einen Kaffee. Auf dem Feuer golden wie Harz; vom Feuer weg schwarz wie Teer. Mit Hilfe eines gestrickten Lappens («ich möchte mir jetzt die Finger nicht mehr verbrennen») hob Tobias die obere Schale mit dem noch atmenden Kaffeesatz ab. Den Inhalt der untern, die er mit einer Art Feuerzange faßte, goß er in die große Thermosflasche. Diese trug er hinüber. Ich kam mit Zucker und Kondensmilch. Das mürbe löchrige Licht des Frühmorgens war stärker geworden im Raum.

Aber es hatte das Dunkel um unsere Verschütteten nicht aufzusaugen vermocht. Sie lagen, wie sie gesunken waren, fünf abgezupfte Blütenblätter um eine gähnende Mitte. Sorgfältig nahm ich vier Stühle weg und trug sie an den Tisch. An demjenigen Stefans rüttelte ich nicht: er saß darauf, machte nicht Miene, sich herabzulassen, machte die Miene eines Kirchenfürsten, der im Chorgestühl eingenickt ist und von den dreiundzwanzig Schwierigkeiten der Gnade träumt.

Tobias trat vor das feine, verschlossene Gesicht. Dann beugte er sich mit einem kleinen, mehr liebenswürdigen als spöttischen Ruck nieder und schien mit den Lippen einen der Ringe zu berühren, die Stefans Hände auf seinen Knien versammelten. «Adieu und hab Dank», sagte er nicht besonders leise. «Bald bist du Professor.»

Dann betrachtete er Bitz. «Du mußt weich liegen, Bitz,

und besser zugedeckt sein», sagte er, drehte sich um und holte aus einem Bündel, das er schon geschnürt hatte, den blauen Rollkragenpullover hervor und legte ihn über Bitzens runde Schultern. «Ein Armer gibt, was er hat; aber es ist noch zu wenig, Bitz. Du mußt bald richtig unter den Pantoffel kommen.»

Vor Mathis Kahlmann sagte er: «Zu dir fällt mir nichts ein, Mathis, bei dir hat immer Fee zugesehen. Ich traue deiner Lunge nicht. Ich wünsch dir einen Beruf ohne Staub», sagte er dann, «oder mit ehrlichem Staub. Ich glaube, du würdest kein übler Gärtner. Es müßte dir Spaß machen, in Treibhäusern zu verkehren. Hab auch schönen Dank, daß du dich so geplagt hast, erst mit den Möbeln, dann mit dem Gips.»

Hier hat sich Tobias schwer getäuscht. Vielleicht nicht, was die Lunge betrifft. Aber Gärtner ist Mathis nicht geworden. Er arbeitet im Zeughaus, sortiert Ausgangs-, Exerzier- und Arbeitskleider nach ihren Kragennummern und stellt das sogenannte «Mannsputzzeug» zusammen. Er soll grämlich geworden sein. Vielleicht treffe ich ihn in der Kaserne wieder, wenn ich übers Jahr stellungspflichtig werde.

Für Monika kramte Tobias einen Teddybären aus seinem Bündel, ein verlaustes, kolossal abgeschossenes Tierchen, und legte es ihr an die Innenseite ihres dicken Schlafarms.

«Nimm keine Tabletten, Monika», sagte er, «nimm lieber das. Und laß dir bald ein Kind machen. Egal, von wem, Monika. Du darfst nicht zimperlich sein. Mach die Augen zu. Und sorry, wegen mir. Ich bin kein Vater.» Und dann strich er Monika – es war in Jahren das erste und das letzte Mal – mit der flachen Hand leicht über das feste Haar. Monika schlief gierig, atmete fast klagend, machte Miene, sich umzudrehen: Frauen sind empfindlich für Abschiede. Mit einer gewissen Hast zog Tobias die Hand zurück und blieb eine Weile regungslos stehen.

Dann schlich er zu Herbert hinüber. Herbert schlief immer noch mit ausgerenktem Kopf. Tobias sah sich nach dem

Nikolaussack um und fand ihn in einer Ecke liegen. Er holte ihn und schob ihn unter Herberts Kopf, den er zu diesem Zwecke heben mußte. Einen Augenblick schlug Herbert die Augen auf, und mir stockte der Atem. Aber als er das Spielzeug unter dem Ohr knistern fühlte, fielen sie wieder zu, und sein Mund spannte sich, schnell hinter einander und reflexartig, zu einer Art Katerlächeln. Dann atmete er herzlich auf, und seine fette Brust ging wieder ruhig. Tobias sagte:

«Leb wohl, mein Freund; danke, daß du's warst. Du siehst: ich kann dir nichts geben, was nicht schon dein wäre. Doch, nimm noch mein Radio dazu. Du kannst es flikken, wenn es kaputt ist. Du wirst jetzt bald ganz andere Sachen drehen und in die Zeitungen kommen. Paß auf, daß sie dir deine Hände nicht steril kriegen. Laß hie und da einen Fettfleck auf ihren Staatsgeheimnissen liegen. Fett stößt Blut ab.»

Tobias' Bündel war leicht geworden. Er sah sich um. Dann holte er das Orchestrion und drei Platten aus der Ecke, knotete das Bündel nochmals auf und legte die Musikalien hinein. Der Knoten ging gerade noch zu, erlaubte mit genauer Not, daß eine flache Hand darunter kroch und sich zur Faust schloß. Die Kante des Möbelchens spannte das Tuch zum Bersten. Tobias wog es: es dröhnte. Auch ein paar Gebrauchsgegenstände zeichneten ihre Umrisse scharf ab.

Während Tobias sich eine schwarze Halsbinde umlegte – Fee hatte sie gestrickt – und in eine alte Jacke seines Vaters kroch, musterte er das Gepäckstück mit unzufriedenen Augen. Ich musterte ihn. Er trug einen hellen, hoch schließenden Pullover; hätte Fee noch gelebt, sie hätte das nicht durchgelassen. Wie bald werden helle Pullover schmuddlig, wenn man reist! Und die Jeans: wo darf man sich in so was zeigen. Wenigstens das Schuhwerk ist robust, aber es dürfte noch geputzt sein, und den Absatz hätte er auch machen lassen können. Und nicht einmal einen Regenmantel, wo sie ihm doch seinen alten gerade frisch gestärkt hat. Nur diese durchsichtige Haut, die hält doch nichts aus.

«Falsch», sagte Tobias und bückte sich knisternd, um das

Bündel zum zweiten Male aufzuknoten. Dann öffnete er das Orchestrion-Kästchen und legte die andern Sachen hinein: erst das Year Book of World Facts 1929, dann einen dicken Briefumschlag, den Pyjama, Rasiergerät und Zahnbürste, ein Fläschchen und ein paar nicht besonders aussehende Steine. Dann eine Zeitung (die Sondernummer Balthasar Demuth?) und auf diese die drei Stahlplatten und die abmontierte Kurbel. Nichts zum Wechseln. Alles nur wie für einen Tag und eine Nacht. Das Kästchen schloß präzise; Tobias beklopfte es: es dröhnte nicht mehr, und es hatte bequem im Tuch Platz.

«Gewußt wie!» sagte Tobias fröhlich. Nochmals sah er sich um. Dann streckte er mir die Hand hin.

«Ciaò, Kläuschen», sagte er. «Danke, daß du so lange wach geblieben bist. Geh jetzt heim und schlaf dich aus. Werd etwas Zufriedenes.»

«Wohin gehst du, Tobias?»

«Wie wär's mit der Neuen Welt?» fragte er leicht zurück. «Aber das ist zu bequem, das Visum dauert zu lange, und außerdem muß man schwören, daß man den Präsidenten nicht umbringen will: wer kann das unter allen Umständen. Auch in Japan sollen die Leute fein sein, nur gibt es da schon zu viele. Vielleicht näher östlich. Vielleicht hat man da noch etwas zu besorgen. Man weiß nie, wofür man gut ist.»

Ich konnte grad im Moment darauf nichts sagen.

«Willst du uns beiden einen Gefallen tun?» fragte er und ließ meine Hand los. «Es ist besser, wenn du mir nicht nachschaust.»

«Leb wohl», sagte ich.

Aber ich gehorchte nicht. Ich folgte ihm die paar Schritte bis zum Gittertor. Es war auf düstere Art hell geworden. Erst wo die Gipsfiguren gestanden hatten, wo ihre Spur aufhörte, am Rand des Trottoirs, blieb ich stehen.

Tobias überquerte den Platz, zögerte einen Augenblick beim Apothekerhaus, das im Labor schon Licht hatte, und ging dann entschieden die Bergstraße hinauf. Das Plastichemd blähte sich ein wenig auf seinen Schultern; mit jedem

Schritt machte es ihn undeutlicher. Drehte er sich dort oben um und winkte? Ich wollte es hoffen; mir schien, ich sah so etwas. Das Schlenkern des Bündels verriet ihn noch eine Strecke. Was sich außerdem einbrannte, ging vielleicht nur noch in meinen Augen vor: einmal da, einmal vielleicht daneben, einmal zurückgenommen wie ein Körper, der hinter dem fahrenden Schiff in den Wellen zurückbleibt, tänzelnd, von starken Reflexen überspielt. Aber *ich* stand, und er fuhr; oder war es nicht so? Und indem ich ihm, immer ungewisser, nachsah, der Raum zwischen uns weiter wurde, die Trennung, alles Gefühl hinausschiebend, sich vollzog, faßte mich wieder ein leichter, nicht schmerzlicher, fast blühender Schwindel wie damals auf dem Karussell. Stillstand und Bewegung flossen ineinander; ich hatte keinen Namen dafür.

Ich konnte nicht ausmachen, welchen Weg Tobias oben bei der großen Kurve nahm; ob er die Kurve mitmachte, ob er gerade dem Wald entgegenstieg. Ich wollte es wissen, ich quälte meine Augen ab. Aber dann kam ihnen mit einem schneidenden Ruck der Rand der Sonne entgegen und verwandelte mein Sehen in Wasser. Kaum ein Morgenrot hatte sie angekündigt; jetzt brannte sie die Waldsilhouette bis auf den Grund nieder, löschte das Bündel aus und jede Ahnung dessen, der es schwenkte, vielleicht noch einmal in meiner Richtung geschwenkt hatte.

Tobias hatte recht: es wurde ein schöner Tag. Ich blickte nicht mehr auf. Ich kannte meinen Weg so. Im Verstummen der Amseln fand ich die Tür. Sie war frisch lackiert und gehorchte mühelos dem Druck des Schlüssels: einen Engel konnte sie nicht interessieren. Aber von heute an war es meine einzige Tür.

Das Nachspiel der Zukunft, oder: die Tauben hören

«Es ist mir ein Bedürfnis», sagte heute mein Deutschlehrer, worauf ich ihn erschrocken ansah, «Sie wissen zu lassen, daß Sie bestanden haben.» Es muß ihm doch an mir gelegen haben. Ich nahm die Hand, die er mir entgegenstreckte, versuchte mich amüsiert zu fühlen oder erleichtert. Beides schlug fehl. Es fiel bei mir einfach ein kleiner Boden heraus, eine Skepsis wich, eine andere, viel größere, winkte von ferne. Jetzt mußte ich also etwas werden.

«Mit drei blauen Augen, verdammt nochmal.» Gott sei Dank, wir haben den herzhaften Ton wiedergefunden. Ich muß nur sehen, daß er mich nicht mit dem Bauch in die Ecke stemmt. Er ist dürr, aber einen Bauch hat er. Er sitzt zuviel. Ich glaube, er dichtet auch; es gibt ein Bändchen Gereimtes von ihm.

«In der Geographie will Ihr Klee einfach nicht blühen», sagte er.

«Schon wieder?» fragte ich betrübt.

«Und das ist nur der Anfang», sagte er errötend vor Begeisterung. «Geschichten könnte ich Ihnen von Ihnen erzählen. Ich kann Ihnen flüstern, der Konvent war Ihnen grün wie frischer Schnee. Sie waren meine zäheste Sache in Jah - ren. Hoffen wir, es sei des Schweißes der Edlen wert gewesen.»

«Ich danke Ihnen, Herr Professor. Wer weiß, wo ich ohne Sie wäre.»

«Na, na», begütigte er. «Hauptsache, daß. Etwas gearbeitet müssen Sie ja auch haben.»

«Etwas», sagte ich.

«Einen kleinen persönlichen Schnupfen haben Sie mir angehängt, das kann ich Ihnen jetzt ja wohl sagen. Ihr Aufsatz hat Faden, das ist auch das Allermindeste. Aber ich armer alter Mann hatte mir heimlich träumen lassen, Sie würden das andere Thema nehmen: ‹Der Schmetterling weiß nichts von Schnee›. Ich habe es, offen gestanden, auf Ihren jungen Leib geschneidert. Wäre doch Ihre Masche gewesen.»

«Hat es denn keiner genommen?» erkundigte ich mich vorsichtig.

«Einer», grinste er, «der Seiler, der Zoologe werden will. Er wies nach, daß das Problem so nicht gestellt werden kann. Nahm mir den Schmetterling nicht schlecht auseinander.»

Wir lachten ein Herrenlachen.

«Apropos werden wollen, mein Lieber», sagte er. «Sie haben da auf der Liste, die mit dem Maturfeierprogramm öffentlich kursieren soll, unter Berufsziel ‹Reisender› eingetragen. Das ist doch wohl nicht Ihr Ernst. Damals rechneten Sie wohl noch mit Durchfall.»

«Keineswegs», sagte ich vornehm. «Ich will auf alle Fälle Reisender werden.»

«Drucken wir nicht», sagte er, «drucken wir Ihnen glatt nicht. Suchen Sie sich einen andern Verleger. Bei dem Akademikermangel lassen wir keinen Reisender werden. Warum sollen Sie es besser bekommen als andere Leute. Schreiben wir: Werbefachmann.»

«Hervorragend, Herr Professor», sagte ich und freute mich im voraus über Mums Kulleraugen.

«Also nochmals: und so weiter», sagte er warm und drückte mir die Hand wie ein Major der Radfahrer, der er tatsächlich ist.

Als ich gegen fünf Uhr nach Hause kam, war Mum noch nicht da, um mich für die gute Neuigkeit in die Arme zu schließen. So erzählte ich sie Diana; ich erzählte auch das Gespräch mit dem Deutschprofessor. Es bestand keine Gefahr, daß sie mir folgte; sie ließ, wie immer, dazu den Staubsauger laufen. Ich verstand ja mein eigenes Wort kaum. Die Blicke, die sie mir gab, wenn ich der Düse im Weg stand, waren in all den Jahren etwas weniger tragisch geworden, oft geradezu freundlich. Ihrem Bambino gefiel es ausgezeichnet im Kindergarten, er hatte sich angepaßt, er sprach fließend zürichdeutsch, er glich seinem Vater, aber er hatte ihr versprochen, nicht zu verunglücken.

«Weißt du, was ich wirklich werden will, Diana?» fragte ich. Ich war sicher, nicht laut gefragt zu haben. Es war ja ein Staubsaugergespräch. Ich erwartete keine Antwort, wollte den Satz, der mir bei Umfahrung des Speiserschen Parkplatzes eingefallen war, nur einmal laut ausprobieren. Also sagte ich laut, aber nicht besonders laut:

«Ich möchte Straßen bauen.»

Diana hob den Kopf, als habe sie nicht recht gehört, als habe sie überhaupt gehört. Ihre Mähne hing plötzlich zitternd über ihre von unten blickenden Augen. Sie blickte wieder tragisch, so tragisch wie lange nicht mehr, auch streng und tief befremdet. Dann erhob sie sich und riß den Stecker heraus. Der Sauger verröchelte.

«Aufpassen!» sagte sie rauh beschwörend. «Ganz aufpassen!»

Ich war erschrocken. Nach einer Weile, Aug in Auge, verstand ich. Durfte man lächeln? Die Straße hatte andere Opfer gekostet als meines. Soldanella ist nur eine Blume; sie darf mit keinem langen Frühling rechnen. Ein Mensch möchte länger vorhalten. Und ich lebe noch. Ich sage:

«Ich weiß, Diana. Aber bei mir wird nicht in den Zementmischer gekrochen, auch wenn er kaputt ist, auch wenn es eilt. Meine Straßen müssen warten können.»

ENDE